*Collection dirigée par Glenn Tavennec*

# L'AUTEUR

Originaire de Floride, Rick Yancey est diplômé de l'université Roosevelt à Chicago. Titulaire d'un mastère de littérature anglaise, il travaillera quelques années comme inspecteur des impôts, avant de décider que son diplôme lui serait plus utile s'il se consacrait à l'écriture à plein temps – ce qui lui réussit depuis 2004.

Auteur de romans pour adultes et jeunes adultes, Rick Yancey a été récompensé par de nombreux prix prestigieux, dont le Michael L. Printz Honor et le Carnegie Medal. Lorsqu'il n'écrit pas, ne réfléchit pas à de nouvelles histoires, ou n'est pas en tournée dans plusieurs grandes villes des États-Unis pour parler de ses livres, Rick consacre son temps à sa famille en Floride.

Retrouvez tout l'univers de
**LA 5ᵉ VAGUE**
sur le site dédié :
www.la5evague.fr
et sur la page Facebook de la collection R :
www.facebook.com/collectionr

Vous souhaitez être tenu(e) informé(e)
des prochaines parutions de la collection R
et recevoir notre newsletter ?

Écrivez-nous à l'adresse suivante,
en nous indiquant votre adresse e-mail :
servicepresse@robert-laffont.fr

# RICK YANCEY

# LA 5ᵉ VAGUE

traduit de l'anglais (États-Unis) par Francine Deroyan

roman

Titre original : THE FIFTH WAVE
© Rick Yancey, 2013
Published in agreement with the author, c/o Defiore and Co. Author
Service, 47 East 19<sup>th</sup> Street, New York, USA.
Traduction française : © Éditions Robert Laffont, S.A., Paris, 2013

ISBN 978-2-221-13425-2 ISSN 2258-2932
(édition originale : ISBN : 978-0-3991-6241-1 G.P. Putnam's Sons Books for Young
Readers, Penguin Group, New York)

« Si les extraterrestres nous rendent visite un jour,
je pense que le résultat sera semblable
à ce qui s'est produit quand Christophe Colomb
a débarqué en Amérique, un résultat
pas vraiment positif pour les Indiens... »

Stephen HAWKING

*Pour Sandy,*
*qui m'a offert l'inspiration,*
*et dont l'amour me porte chaque jour.*

# INTRUSION : 1995

PERSONNE NE SE RÉVEILLERA.

Le lendemain matin, la femme qui dort dans ce lit ne sentira rien, juste un indéfinissable mal-être et la persistante impression d'être observée. Son anxiété s'évanouira en moins d'une journée et sera bientôt oubliée.

Cependant, le souvenir de son rêve perdurera un peu plus longtemps.

Dans ce rêve, une grosse chouette perchée sur le rebord de sa fenêtre la fixe à travers la vitre de ses grands yeux ourlés de blanc.

La femme ne se réveillera pas. Pas plus que son mari endormi à côté d'elle. L'ombre qui s'étend sur eux ne perturbera pas leur sommeil. Et ce pour quoi l'ombre est venue – le bébé dans le ventre de la femme – ne ressentira rien lui non plus. L'intrusion ne laisse aucune séquelle : la peau de la femme demeure intacte, comme ses cellules et celles du bébé.

En moins d'une minute, tout est terminé. Alors, l'ombre se retire.

À présent, il ne reste plus que l'homme, la femme, le bébé dans son ventre, et l'intrus lové à l'intérieur du bébé.

La femme et l'homme ouvriront les yeux au petit matin, et le bébé, quelques mois après, à sa naissance.

L'intrus au cœur du bébé, lui, continuera à dormir et ne s'éveillera que dans plusieurs années, quand le mal-être de la femme et le souvenir de son rêve auront depuis longtemps disparu.

Cinq ans plus tard, lors d'une banale promenade au zoo avec son enfant, la femme remarquera une chouette similaire à celle de son rêve. Voir cet oiseau imposant l'angoissera sans qu'elle comprenne pourquoi.

Elle n'est pas la première à rêver de chouettes durant la nuit.

Elle ne sera pas non plus la dernière.

# I

# LE DERNIER HISTORIEN

## 1

LES EXTRATERRESTRES SONT STUPIDES.

Attention, je ne parle pas des véritables extraterrestres. Les Autres ne sont pas stupides. Les Autres ont tellement d'avance sur nous que cela revient à comparer l'humain le plus idiot au chien le plus intelligent. C'est à ce point.

Non, je parle des extraterrestres créés par nos esprits depuis que nous avons réalisé que ces petites lueurs scintillant dans le ciel nocturne étaient des soleils comme le nôtre et avaient probablement, comme autour de notre Terre, des planètes en orbite. Vous savez, ces extraterrestres sortis tout droit de notre imagination. Ceux dont nous *espérons* une attaque... Les extraterrestres *selon les humains*. Vous les avez vus un million de fois. Ils fondent du ciel en piqué dans leurs soucoupes volantes pour détruire New York, Tokyo et Londres, ou bien ils arpentent la campagne dans des machines gigantesques, semblables à de monstrueuses araignées mécaniques, bardés d'armes laser. Et chaque fois, *chaque fois* en pareille situation, l'humanité entière met ses différends de côté afin de s'unir contre cette horde d'envahisseurs. David tue Goliath et tout le monde (excepté Goliath) rentre à la maison, heureux.

Quelle merde !

Comme si un cafard pouvait échafauder un plan imparable pour éviter la chaussure s'apprêtant à l'écraser.

Il n'y a aucun moyen de le savoir, mais je parie que les Autres étaient au courant de notre vision des extraterrestres. Et je suis sûre qu'ils se sont bien marrés. En tout cas, s'ils ont le sens de l'humour... Oui, ils ont dû rire à en pleurer comme nous, lorsqu'un chiot commet une bêtise. *Oh, regardez-moi ces adorables crétins d'humains ! Ils croient que nous pensons comme eux. N'est-ce pas trop mignon ?*

Oubliez les soucoupes volantes, les petits hommes verts, et les araignées géantes qui crachent des rayons de la mort. Oubliez les batailles héroïques avec des tanks et des avions de chasse, et notre victoire finale d'humains intrépides – certes en piteux état, mais sains et saufs –, sur cette nuée de créatures aux yeux exorbités. C'est aussi éloigné de la vérité que leur planète mourante l'était de la nôtre, bien vivante.

La vérité, c'est qu'une fois qu'ils nous eurent trouvés, nous étions foutus.

## 2

PARFOIS, JE PENSE que je suis la dernière humaine sur Terre.

Ce qui signifie que je suis la dernière humaine *de l'univers.*

Je sais, c'est idiot. Ils n'ont quand même pas pu tuer *tout le monde*… Enfin, pas encore. Cependant, ça pourrait bien arriver. Et, à mon avis, c'est exactement ce que les Autres veulent que je croie.

Vous vous souvenez des dinosaures ? Ben voilà. C'est pareil.

Alors, je ne suis peut-être pas *la dernière* humaine sur Terre, mais sûrement *l'une* des dernières. Complètement seule – et ça va sans aucun doute durer – jusqu'à ce que la 4$^e$ Vague déferle aussi sur moi et m'emporte.

C'est une des pensées qui m'obsèdent durant la nuit. Vous savez, ce genre de truc qui vous réveille en sursaut à trois heures du matin, quand vous vous dites : « Oh, mon Dieu, je suis foutue ! » Quand je me recroqueville dans mon sac de couchage, tellement effrayée que je ne parviens pas à fermer les yeux, envahie d'une peur si intense que je dois me forcer à respirer, priant que mon cœur continue à battre. Quand mon esprit, incapable de se contenir, ne cesse de m'assener tel un CD rayé : *seule, seule, seule, Cassie, tu es* seule.

C'est mon prénom. Cassie.

Pas Cassie pour Cassandra. Ni Cassie pour Cassidy. Cassie pour Cassiopée, la constellation, la reine enchaînée à son trône dans le ciel de l'hémisphère nord, une reine à la beauté magnifique, mais vaniteuse, condamnée par Poséidon à tourner éternellement autour du pôle Nord, comme punition à son orgueil. En grec, Cassiopée signifie : « celle dont les paroles excellent ».

Mes parents ignoraient tout de ce mythe, mais ils aimaient bien ce prénom.

Même quand il y avait encore du monde autour de moi pour m'interpeller ou discuter, personne ne m'a jamais appelée Cassiopée. Juste mon père – lorsqu'il voulait me faire enrager d'ailleurs – et toujours avec son très mauvais accent italien : *Cass-io-pééée !* Ça me rendait dingue. Je ne trouvais pas cela joli, ni drôle, et à cause de lui j'en arrivais à détester mon prénom. *Je m'appelle Cassie !* je lui criais : *Juste Cassie !*

Aujourd'hui, je donnerais n'importe quoi pour l'entendre le prononcer encore une fois.

Quand j'ai eu douze ans – soit quatre ans avant l'Arrivée –, mon père m'a offert un télescope pour mon anniversaire. Lors d'une fraîche et claire nuit d'automne, il l'a installé dans le jardin et m'a montré la constellation.

— Tu vois comme elle a la forme d'un W ? m'a-t-il demandé.

— Pourquoi est-ce qu'on l'appelle Cassiopée si elle a cette forme ? W pour quoi ?

— Eh bien… J'ignore s'il y a une raison quelconque, m'a-t-il répondu avec un sourire.

Maman lui disait toujours que son sourire était sa meilleure arme, alors il avait tendance à en abuser, surtout depuis sa calvitie. Vous savez, pour que la personne en face de lui ne fixe pas son crâne.

— Mais pour ta gouverne, a-t-il poursuivi, le W se transforme en M quand la constellation passe au-dessus du pôle céleste. Alors, ce M peut représenter tout ce que tu veux. Pourquoi pas M comme *merveilleuse* ? Ou *magnifique* ? Ou *mignonne* ?

Il a posé sa main sur mon épaule pendant que j'observais au télescope cette constellation à cinq étoiles qui brillait à onze mille années-lumière de nous. Je sentais le souffle de mon père sur ma joue, chaud et doux dans cette fraîche nuit automnale. Oui, ce soir-là, son souffle était si proche, et les étoiles de Cassiopée si loin !

Aujourd'hui, ces mêmes étoiles semblent beaucoup plus proches. Plus proches que ces centaines de milliards de milliards de kilomètres qui nous séparent. Assez près pour que je puisse les toucher, ou qu'*elles* puissent *me* toucher. Elles sont aussi proches de moi que le souffle de mon père ce soir-là.

Ça a l'air dingue. Est-ce que je suis dingue ? Est-ce que j'ai perdu la tête ? Pour dire qu'une personne est dingue, il faut pouvoir la comparer à une autre, normale. Comme le Bien et le Mal. Si tout était bon, rien ne serait bon.

Waouh ! Tout ça a l'air vraiment… dingue.

Dingue : la nouvelle norme.

Je crois finalement que je peux me qualifier de dingue, vu qu'il existe une autre personne à qui je peux me comparer : moi-même. Pas le *moi* que je suis aujourd'hui, qui frissonne dans une tente au fond des bois, trop effrayée pour sortir ne serait-ce que la tête de son sac de couchage. Pas cette Cassie-là. Non, je veux parler de la Cassie que j'étais *avant* l'Arrivée, avant que les Autres n'entament leur descente chez nous, cette Cassie âgée de douze ans dont les principaux problèmes se résumaient à l'abondance de taches de rousseur sur son nez, à ses cheveux bouclés qu'elle ne parvenait jamais à coiffer comme elle l'aurait souhaité, et à ce garçon mignon qu'elle croisait chaque jour, sans qu'il lui accorde le moindre regard. La Cassie qui avait fini par accepter qu'elle était juste *pas mal*. Pas mal question look. Pas mal au collège. Pas mal en sport, comme au karaté ou au foot. En fait, les seules choses originales chez elle étaient son prénom bizarre – Cassie, pour Cassiopée, cette constellation dont tout le monde se fichait éperdument – et cette capacité à toucher son nez avec le bout de sa langue, talent qui perdit vite son importance quand elle entra au lycée.

D'après les standards de cette Cassie, je suis probablement dingue.

Tout comme elle l'est, selon les miens. Parfois, je crie après elle, cette Cassie de douze ans, qui se plaint de ses cheveux, de son prénom curieux et ne cesse de se demander si elle est juste pas mal. *Qu'est-ce que tu fous ?* je hurle. *Tu ne vois pas ce qui va arriver ?*

Mais là, je suis injuste envers elle. À dire vrai, elle ne savait pas, et n'avait d'ailleurs aucun moyen de savoir. C'était sa grande chance, et pour être honnête c'est aussi pour cette raison qu'elle me manque tant, plus que n'importe qui. Quand je pleure – les rares fois où je *m'y autorise* –, c'est sur elle que je pleure. Pas sur moi. Non, je pleure la Cassie qui a disparu.

Et j'ignore ce que cette Cassie penserait de ce que je suis devenue.

Une Cassie capable de tuer.

# 3

IL NE DEVAIT PAS ÊTRE BEAUCOUP PLUS VIEUX QUE MOI. Dix-huit ans. Peut-être dix-neuf. Mais putain, il aurait pu avoir *sept cent quatre-vingt-dix ans*, pour ce que j'en sais. Ça fait cinq mois que je la subis, et j'ignore toujours si la 4<sup>e</sup> Vague est composée d'humains, d'hybrides, ou carrément des Autres, même si je déteste l'idée que ces derniers nous ressemblent en tous points, parlent comme nous et saignent aussi comme nous. J'aime à croire que les Autres sont... disons, *différents*.

J'effectuais mon raid hebdomadaire pour aller chercher de l'eau. Il existe un ruisseau pas très loin de mon campement, mais j'ai peur qu'il ne soit contaminé en amont par des produits chimiques ou des eaux usées, voire par un ou deux cadavres. Ou pire encore, empoisonné. Nous priver d'eau potable serait un excellent moyen pour nous exterminer plus rapidement.

Alors, une fois par semaine, mon fidèle M16 sur l'épaule, je quitte la forêt et je marche jusqu'à l'autoroute. À environ trois kilomètres au sud, juste après la sortie 175, il y a quelques stations-service avec des petits commerces. Je charge autant de bouteilles d'eau que je peux, ce qui ne fait pas grand-chose parce que l'eau pèse lourd, puis je regagne l'autoroute et la sécurité toute relative de la forêt aussi vite que mes jambes me le permettent, avant que la nuit tombe. Le crépuscule est le meilleur moment pour partir en expédition. Jamais je n'ai aperçu un drone à cette heure-là. J'en ai déjà repéré trois ou quatre pendant la journée, et beaucoup plus durant la nuit, mais jamais au crépuscule.

À l'instant où je me suis faufilée dans la station-service par la porte avant brisée, j'ai su que quelque chose clochait. Rien ne *semblait* pourtant avoir changé – la boutique demeurait telle que la semaine passée, les mêmes murs couverts de graffitis dégoulinants, les étagères renversées, le sol jonché de cartons éventrés et maculé de crottes de rat séchées, le tiroir de la caisse enregistreuse grand ouvert, et les frigos, auparavant garnis de bouteilles de bière, pillés. C'était le même bordel dégueulasse et puant que j'avais traversé chaque semaine du mois dernier pour atteindre la zone de stockage derrière les vitrines réfrigérées. Pourquoi les gens s'étaient-ils emparés des réserves de bière et des canettes de soda, du fric dans la caisse et le coffre, des rouleaux de tickets de loto, en abandonnant deux palettes d'eau minérale ? Je n'en avais aucune idée. À quoi avaient-ils pu penser ? *Hé ! On a une invasion extraterrestre ! Vite, emporte la bière ! On se la sifflera en matant le tirage du loto !*

Oui, c'était bien le même <u>foutoir,</u> les mêmes déchets répandus partout, la même puanteur de rat et de bouffe pourrie, les mêmes volutes de poussière dans la faible lueur qui perçait à travers les vitres crades. Tout ce bordel était intact.

Et pourtant.

Quelque chose était *différent.* Je me tenais immobile dans une petite mare de verre brisé juste après la porte d'entrée. Aucune ombre furtive. Aucune odeur, aucun bruit suspect. Mais je savais.

Quelque chose était différent.

Il y a bien longtemps que les humains ne sont plus des proies. Genre, une bonne centaine de milliers d'années. Mais la mémoire de ces temps anciens est toujours là, tapie au fond de nos gènes : c'est ce qui donne sa conscience du danger à la gazelle, son instinct de fuite à l'antilope. Le vent chuchote à travers les herbes hautes. Une silhouette se faufile entre les arbres. Et, à cet instant précis, cette petite voix nous susurre : *chhhuuut, il est là, tout près. Tout près.*

Je ne me rappelle pas avoir enlevé le M16 de mon épaule. Une seconde avant il était accroché dans mon dos, celle d'après, je le tenais en main, canon pointé vers le bas, cran de sécurité retiré.

*Tout près.*

Je n'avais jamais tiré sur rien de plus gros qu'un lapin, et encore, c'était juste pour m'entraîner. Pour vérifier que je pouvais utiliser mon fusil sans risquer de m'estropier. Une fois, j'ai tiré en l'air en direction d'un groupe de chiens sauvages qui tournaient un peu trop près de mon campement. Et, une autre fois, j'ai fait feu quasi à la verticale, visant la minuscule tache de lumière verdâtre émise par leur ravitailleur qui glissait en silence sur la toile de fond de la Voie lactée. OK, j'avoue, c'était stupide. J'aurais aussi bien pu accrocher un panneau au-dessus de ma tête avec une flèche pointant droit sur moi et l'inscription clignotante : HOU, HOU ! JE SUIS LÀ !

Après la déplorable expérience du lapin – qui a réduit ce pauvre animal en une bouillie informe de boyaux et d'os – j'ai abandonné l'idée d'utiliser mon fusil pour chasser. Je ne m'entraînais même pas à viser. Dans le silence pesant qui s'était abattu après la frappe de la 4e Vague, la moindre salve était plus bruyante qu'une explosion atomique.

Néanmoins, je considérais le M16 comme le meilleur de mes meilleurs amis. Je l'avais en permanence près de moi, même durant la nuit, enfoui à mes côtés dans mon sac de couchage, digne de confiance et bien réel. Depuis la 4e Vague, vous ne pouvez vous <u>fier</u> à rien. Vous ne pouvez jamais être sûr que les gens sont vraiment… des gens. Par contre, votre fusil est toujours <u>bel et bien</u> votre fusil. C'est au moins un truc sur lequel vous pouvez compter.

*Chhuuut, Cassie, il est là, tout près.*

*Tout près.*

J'aurais dû faire gaffe. La petite voix m'avertissait pourtant. Cette petite voix est plus âgée que moi. Elle est plus âgée que n'importe qui sur cette planète.

Oui, j'aurais dû me fier à cette voix.

Au lieu de cela, j'ai écouté le silence de la boutique à l'abandon. J'ai tendu l'oreille avec une extrême attention. Il y avait une présence, là, tout près. Je me suis alors écartée de la porte d'entrée, le verre brisé a crissé sous mes pieds. Et, soudain, cette chose inconnue a fait un bruit, qui tenait à la fois de la toux et du gémissement. Ça provenait de la pièce arrière, derrière les frigos, de l'endroit où se trouvait l'eau que je convoitais.

À ce moment-là, je n'avais nul besoin qu'une voix intérieure, même très sage, me souffle quoi faire. Ça tombait sous l'évidence. *Cours !*

Mais je n'ai pas couru.

La première règle si l'on veut survivre à la 4$^e$ Vague est simple : *ne faire confiance à personne.* Peu importe l'apparence de ce que l'on a en face de soi. Les Autres sont très doués pour ça, et très intelligents – OK, de toute façon ils sont très intelligents *en tout.* Oui, peu importe qu'ils aient bonne allure et se comportent exactement comme vous vous y attendez. Est-ce que la mort de mon père n'en est pas une preuve ? Même si l'inconnue devant vous est une vieille dame, encore plus adorable que votre grand-tante Tilly, tenant dans ses bras un chaton tout mignon, vous ne pouvez pas être sûr – en fait, vous ne pouvez *jamais* savoir – qu'elle n'est pas l'un d'entre Eux, et qu'il n'y a pas un calibre. 45 chargé, caché sous l'innocent chaton.

Cela n'a rien d'impensable. Et, plus vous y songez, plus ça devient probable. Autant que la vieille dame s'en aille.

C'est bien ça le plus dur et, si j'y réfléchissais un peu trop, c'était ce genre de truc qui me collait l'envie de m'enfouir dans mon sac de couchage et de me laisser mourir de faim. Si vous ne pouvez même pas faire confiance à la bienveillance incarnée, alors vous ne pouvez faire confiance à *personne.* C'est dément ! Mieux vaut considérer que tante Tilly est l'un d'entre Eux, plutôt que d'espérer être tombé sur un survivant comme vous.

Je sais, c'est une putain de situation diabolique.

Cette paranoïa forcée nous déchire. Mais ça leur mâche le travail pour nous chasser et nous éradiquer. La 4$^e$ Vague nous condamne à la solitude ; et l'isolement, la peur et l'horrible anticipation de l'inéluctable nous rendent complètement fous.

Je ne me suis donc pas enfuie en courant. J'en étais incapable. Que ce soit l'un d'entre Eux ou une vraie tante Tilly, je devais défendre mon territoire. Le seul moyen de rester en vie : *rester seule.* Ça, c'est la règle numéro deux.

J'ai suivi la toux sanglotante – ou les sanglots enroués, comme vous préférez –, jusqu'à la porte qui ouvrait sur l'arrière-boutique. Prête à tout, j'osais à peine respirer.

La porte était entrebâillée, juste assez pour que je me faufile de biais. Sur le mur en face de moi, un présentoir métallique et, à droite, l'étroit couloir obstrué par la rangée de frigos. Il n'y avait aucune fenêtre. La seule lumière provenait de la lueur orangée du soleil couchant, derrière moi, encore assez puissante pour dessiner mon ombre sur le sol poisseux. Je me suis agenouillée et mon ombre a fait de même. Je ne voyais pas plus loin que la limite des frigos, mais j'entendais très bien la personne – ou *la chose* – qui se trouvait à l'autre extrémité, toussant, gémissant, presque… gargouillant.

*Soit elle est grièvement blessée, soit elle fait semblant. Soit cette personne a besoin d'aide, soit c'est un piège.*

Voilà ce qu'est devenue la vie sur Terre depuis l'Arrivée. On doit sans cesse choisir entre deux possibilités.

Soit c'est l'un d'entre Eux, et il sait que tu es là, soit c'est un humain qui a besoin de toi.

Quoi qu'il advienne, je devais me relever et avancer jusqu'au coin de la zone de stockage.

Alors j'ai avancé.

Et j'ai tourné dans le couloir.

# 4

IL ÉTAIT AFFALÉ CONTRE LE MUR DU FOND, à moins d'un mètre, ses longues jambes étendues devant lui, une main pressée sur son estomac. Il portait un treillis, des rangers, et il était couvert de crasse et de sang.

Du sang, il y en avait partout. Sur le mur derrière lui. En flaque autour de lui sur le béton froid. Sur son uniforme. Plein ses cheveux. Dans la semi-obscurité, ce sang brillait d'une nuance sombre, aussi noire que du goudron.

Dans son autre main, l'inconnu tenait un pistolet, pointé sur ma tête. Et moi, je le tenais en joue. Mon fusil d'assaut face à son pistolet. Chacun de nous avait son index crispé sur la détente.

Mais après tout qu'est-ce que ça prouvait qu'il pointe son arme sur moi ? Peut-être qu'il s'agissait vraiment d'un soldat blessé, qui croyait que *moi* j'étais l'une d'entre Eux.

Ou peut-être pas.

— Baisse ton arme, a-t-il bafouillé.

*Dans tes rêves !*

— Baisse ton arme ! a-t-il crié… ou, du moins, tenté de crier.

Il ne pouvait que bredouiller, épuisé par la perte de tout ce sang qui s'échappait de ses entrailles. Un épais filet rougeâtre coulait de sa lèvre inférieure et dégoulinait le long de son menton mal rasé, créant un voile écarlate sur ses dents.

J'ai refusé en secouant la tête. Je me tenais à contre-jour, et j'ai prié pour que l'inconnu ne remarque pas à quel point je tremblais, qu'il ne lise pas la peur dans mes yeux. Il ne s'agissait pas d'un putain de lapin assez stupide pour venir gambader autour de mon campement par une belle matinée. C'était un humain que j'avais en face de moi. En tout cas, ça y ressemblait.

Tuer : avant d'avoir abattu quelqu'un, vous ignorez si vous en aurez le cran.

Pour la troisième fois, le type m'a demandé de baisser mon arme. Pas plus fort que la deuxième. Presque comme une prière.

— Baisse ton arme.

Sa main, celle qui tenait le pistolet, s'est légèrement contractée. Pas beaucoup, mais mes yeux s'étaient habitués à la pénombre, et j'ai vu le canon osciller.

Puis l'inconnu a posé son pistolet.

Il est tombé entre ses jambes avec un grand « cling ». Alors le type a levé sa main grande ouverte, paume tournée vers moi.

— Voilà… À ton tour, a-t-il murmuré avec son demi-sourire ensanglanté.

De nouveau, j'ai secoué la tête.

— Montre-moi ton autre main !

J'espérais que ma voix paraissait plus assurée que je ne l'étais. Mes genoux flageolaient, mes bras me faisaient mal, et la tête me tournait. Je luttais aussi contre l'envie de me ruer sur lui. Tant que vous n'êtes pas obligé de passer à l'action, vous ne savez jamais de quoi vous êtes capable.

— Je ne peux pas, a-t-il répondu.

— Ton autre main !

— Si je la bouge, j'ai peur que tous mes boyaux dégueulent...

J'ai ajusté la crosse du M16 contre mon épaule. Je transpirais, tremblais, et essayais tant bien que mal de réfléchir. *Tu lui fais confiance, ou tu te fais confiance, Cassie ? Qu'est-ce que tu choisis ?*

— Je suis en train de mourir, a lâché le garçon d'un ton neutre.

À cette distance, ses pupilles paraissaient minuscules.

— Alors, soit tu me finis, soit tu m'aides, a-t-il poursuivi. Je sais que tu es une humaine...

— Qu'est-ce que tu en sais ? ai-je demandé avant qu'il crève à mes pieds.

Était-il capable de faire la différence entre les humains et les Autres ? Peut-être, si c'était un vrai soldat. Et, dans ce cas, il pourrait me révéler une information de première importance.

— Parce que, sinon, tu m'aurais déjà descendu.

Il a esquissé un nouveau sourire, et j'ai vu des fossettes creuser ses joues. C'est à ce moment-là que je me suis rendu compte à quel point il était jeune. Il ne devait avoir qu'un ou deux ans de plus que moi.

— Tu vois, a-t-il continué avec douceur, toi aussi, tu sais, maintenant.

— Qu'est-ce que je sais ?

Mes yeux me brûlaient. Son corps avachi se brouillait à ma vue comme dans un miroir déformant de fête foraine. Mais il était hors de question que je relâche ma prise sur mon fusil pour me frotter les paupières.

— Que je suis un humain. Sinon, je t'aurais déjà tuée.

Ça semblait juste. Ou bien, est-ce que ça semblait juste simplement parce que je le voulais ? Peut-être que ce mec avait posé son pistolet pour m'inciter à faire de même avec mon arme et, une fois que j'aurais obtempéré, il sortirait le second pistolet qu'il cachait sous son treillis pour me coller une balle dans la tête.

Voilà ce que les Autres ont fait de nous... Je vous le répète, sans confiance, impossible d'unir nos forces. Quand la 4ᵉ Vague a frappé, beaucoup d'innocents sont morts, car les Autres ont anéanti notre foi en chacun. Or, sans foi, il n'y a plus aucun espoir.

Comment vous y prendre pour débarrasser la Terre des humains ? Faites-nous perdre toute humanité.

— Je veux voir ton autre main, ai-je insisté.

— Je t'ai dit...

— Montre-moi ton autre main !

Je n'avais pas pu empêcher ma voix de trembler.

L'inconnu s'est impatienté.

— Alors tu vas devoir me buter, salope ! Tue-moi, et terminons-en !

Renversant la tête en arrière contre le mur, bouche ouverte, il a ensuite poussé un long cri d'angoisse qui a résonné jusqu'au plafond avant de me vriller les tympans. J'ignorais s'il criait de douleur, ou parce qu'il avait compris que je ne le sauverais pas. Il venait d'abandonner tout espoir, et c'est ce qui vous tue. Oui, ça vous tue *avant* que la mort s'empare de vous.

Bien avant que vous ne mouriez réellement.

— Si je te la montre, a-t-il haleté en se balançant d'avant en arrière sur le béton inondé de sang, est-ce que tu m'aideras ?

Je n'ai pas répondu. Je n'avais aucune réponse. Je me contentais de vivre cet instant, nanoseconde après nanoseconde.

Alors, le type a décidé pour moi. À présent, j'ai compris qu'il avait refusé de les laisser gagner. Il ne voulait pas renoncer à espérer. Même s'il devait en mourir, il mourrait avec son humanité intacte.

Esquissant une violente grimace, il a retiré avec lenteur sa main gauche de son ventre. La nuit tombait. Il n'y avait presque plus de lumière. Seule notre cruelle petite scène semblait éclairée.

La main du type était couverte de sang coagulé. On avait l'impression qu'il portait un gant écarlate.

Un faible rayon de soleil a alors effleuré sa main ensanglantée, illuminant d'un petit éclat quelque chose de long, fin et métallique. Aussitôt, mon doigt a pressé la détente et la crosse s'est enfoncée avec force dans mon épaule. Le canon a vibré dans ma main, tandis que je vidais mon chargeur. L'odeur de la poudre m'a agressé les narines. J'ai entendu quelqu'un crier, mais ce n'était pas lui, cet inconnu affalé là qui poussait un hurlement, mais moi, *moi* et tous les humains encore vivants – s'il en existait toujours –, sans défense, sans plus aucun espoir, stupides humains que nous sommes, parce que nous nous sommes plantés, nous nous sommes foutrement plantés. Il n'y a aucun essaim d'extraterrestres descendant du ciel dans leurs soucoupes volantes, ni de grands robots de métal comme dans *Star Wars*, ni d'adorables petites créatures ridées comme E.T., qui voulait juste ramasser quelques feuilles sur la Terre, avaler des poignées de bonbons multicolores et rentrer chez lui. Non, ça ne finit pas ainsi.

Pas du tout.

Ça finit avec deux individus s'entretuant entre des frigos vides, dans la lumière déclinante d'un soir d'été.

Je me suis avancée lentement vers le type avant que les derniers rayons de soleil s'éteignent. Pas pour vérifier s'il était mort ou non. Je savais qu'il l'était. Je me suis approchée pour découvrir ce qu'il tenait toujours dans ses mains ensanglantées.

Un crucifix.

## 5

C'EST LA DERNIÈRE PERSONNE QUE J'AI VUE.

À présent, les feuilles tombent abondamment, et les nuits sont de plus en plus froides. Je ne peux pas rester dans ces bois. Sans végétation pour dissimuler ma présence aux drones, et sans possibilité d'allumer un feu, autant foutre le camp d'ici.

Je sais où je dois aller. Je le sais depuis longtemps. J'ai fait une promesse. Le genre de serment que vous ne rompez pas, sinon ce serait comme vous trahir vous-même.

Mais on se trouve toujours des excuses. Du genre : *J'ai un truc à finir avant. Je ne peux pas me jeter dans la gueule du loup sans un plan.* Ou alors : *C'est sans espoir, autant renoncer. Tu as trop attendu.*

Quelles que soient les raisons qui m'avaient empêchée de partir plus tôt, j'aurais dû m'en aller la nuit où je l'ai tué. J'ignore à quel point il était blessé ; je n'ai pas examiné son corps, mais j'aurais mieux fait, malgré mon immense trouille. Peut-être avait-il été blessé dans un accident, néanmoins il y avait aussi de fortes chances que quelqu'un – ou *quelque chose* – lui ait tiré dessus. Et si ce quelqu'un ou cette chose s'en était pris à lui, ce même quelqu'un ou cette même chose devait être toujours dans le coin… À moins que le soldat au crucifix ne l'ait buté/butée. Quelle que soit la créature en question.

À moins que le soldat ne soit l'un d'entre Eux et que ce crucifix soit un leurre…

Voilà un autre moyen pour les Autres de vous embrouiller l'esprit : les conséquences incertaines de votre destruction… certaine. Peut-être que la 5$^e$ Vague attaquera de l'intérieur, utilisant nos esprits comme des armes.

Peut-être que le dernier humain sur Terre ne mourra pas de faim, et ne servira pas non plus de dîner aux bêtes sauvages.

Peut-être le dernier à mourir sera-t-il tué par le dernier vivant.

*OK, Cassie, on se calme.*

Honnêtement, même si c'est du suicide de rester ici et, malgré ma promesse, je n'ai aucune envie de partir. Ces bois sont mon foyer depuis longtemps. J'en connais chaque sentier, chaque arbre, chaque plante et chaque buisson. J'ai vécu dans la même maison pendant seize ans, et je serais incapable de vous détailler mon ancien jardin, mais je peux vous décrire la moindre feuille, la moindre brindille de cette partie de la forêt. J'ignore ce qu'il en est en dehors de ces bois et des trois kilomètres d'autoroute que j'arpente chaque semaine pour aller me ravitailler. Enfin, *j'imagine* que c'est toujours un peu la même chose : des villes abandonnées empestant les égouts et les corps en décomposition, des carcasses de maisons brûlées, des chats et des chiens errants, des amoncellements de détritus s'étirant sur des kilomètres et des kilomètres d'autoroute. Et des cadavres.

Des tas et des tas de cadavres.

J'ai emballé mes affaires. Cette tente a été mon refuge depuis longtemps, mais elle est trop volumineuse, et je dois voyager léger. Je n'emporte donc que l'essentiel : mon semi-automatique Luger, mon M16, mes munitions, sans oublier mon couteau, mon fidèle Bowie affûté comme un rasoir. Mon sac de couchage, ma trousse de premiers secours, cinq bouteilles d'eau, et plusieurs boîtes de sardines. Avant l'Arrivée, je détestais les sardines. Maintenant, j'en raffole. Vous savez ce que je cherche en premier quand j'arrive dans une épicerie ?

Des sardines.

Mes livres ? Ils sont lourds, et prendraient trop de place dans mon sac à dos déjà bien plein. Mais j'adore les livres. Après que la 3$^e$ Vague a éradiqué trois milliards et demi de personnes, mon père remplissait notre maison du sol au plafond de tous les livres qu'il pouvait trouver. Alors que nous nous mettions tous en quête d'eau potable et de nourriture, que nous entassions des armes pour la prochaine attaque à laquelle nous savions que nous allions devoir faire face, mon père traînait dehors avec mon petit frère et ramenait des tonnes de bouquins chez nous.

Leur nombre sans cesse croissant ne le perturbait pas. Le fait que nous soyons passés de sept milliards d'humains à quelques centaines de milliers en quatre mois n'entamait pas non plus sa confiance. Il était persuadé que notre espèce survivrait.

— Nous devons penser au futur, insistait-il. Quand tout cela sera terminé, il nous faudra reconstruire chaque pan de notre civilisation…

Une lampe torche. Des piles.

Une brosse à dents et du dentifrice. Quand le moment sera venu, je suis bien déterminée à sortir de tout ça avec les dents propres.

Des gants. Deux paires de chaussettes, des sous-vêtements, de la lessive en sachets individuels, du déodorant et du shampoing. (Je tiens à rester nickel. Relisez ce que j'ai écrit au-dessus.)

Des tampons. Je m'inquiète toujours de mon stock et je me demande si je pourrais en trouver d'autres.

Mes pochettes en plastique gorgées de photos. Papa. Maman. Mon petit frère, Sammy. Mes grands-parents. Lizbeth, ma meilleure amie. Et une de Ben, arrachée de mon annuaire du lycée, parce que Ben était mon futur petit ami, et peut-être bien mon futur mari, même s'il l'ignorait totalement. Il savait à peine que j'existais. Nous avions certaines connaissances en commun, mais nous ne fréquentions pas les mêmes cercles, alors on peut dire que pour lui j'étais plutôt transparente.

La seule chose qui clochait chez Ben était sa taille : j'étais un tout petit peu plus grande que lui. Bon, en réalité, aujourd'hui, il y a deux choses qui clochent : sa taille, et le fait qu'il soit mort.

Mon téléphone portable. Dès la 1<sup>re</sup> Vague, la batterie a grillé, et je n'ai aucun moyen de le recharger. De toute façon, les réseaux ne fonctionnent plus, et même si c'était le cas je n'aurais personne à appeler, mais… *c'est mon portable*, vous comprenez.

Un coupe-ongles.

Des allumettes. Je n'allume pas de feu, mais j'aurais peut-être besoin de brûler, ou faire exploser, quelque chose.

Deux cahiers à spirales – selon le règlement du lycée – un avec une couverture pourpre, l'autre, rouge. C'est ma couleur préférée et, de plus, il s'agit de mon journal. Oui, toujours ce truc d'espoir. Même si je suis la dernière sur Terre et que plus personne n'est là pour le lire, peut-être qu'un extraterrestre le fera, et, dans ce cas, ils sauront exactement ce que je pense d'eux. Au cas où vous seriez un extraterrestre :

ALLEZ VOUS FAIRE FOUTRE !

Mes bonbons Starbursts (j'ai déjà éliminé ceux à l'orange). Trois paquets de chewing-gums Wrigley's à la menthe. Mes deux dernières sucettes Tootsie Pops.

L'alliance de maman.

Le vieux nounours râpé de Sammy. Non pas qu'il soit devenu le mien. Je jure que je ne lui ai jamais fait de câlin.

Voilà tout ce que je peux enfourner dans mon sac à dos. C'est bizarre. Ça semble à la fois trop et pas assez.

J'ai juste encore un peu de place pour un ou deux livres de poche. Qu'est-ce que je prends ? *Huckleberry Finn* ou *Les Raisins de la colère* ? Les poèmes de Sylvia Plath ou ceux de Shel Silverstein qui appartenaient à mon petit frère ? Mmm. Ce n'est sûrement pas une bonne idée d'emporter du Plath. Trop déprimant. Silverstein écrit pour les enfants, mais il parvient toujours à m'arracher un sourire. Je me décide donc pour *Huckleberry* (ça me semble approprié) et l'album de Sammy, *Le Bord du monde*.

Je charge mon sac sur l'épaule, mon fusil sur l'autre, et je m'engage une dernière fois sur le sentier qui mène à l'autoroute.

Sans un regard en arrière.

Je m'arrête juste avant la dernière rangée d'arbres. Une pente d'une centaine de mètres descend vers l'échangeur des voies qui vont vers le sud, jonchées de voitures déglinguées, de tas de vêtements, de sacs d'ordures déchiquetés, d'épaves calcinées de semi-remorques qui ont transporté toutes sortes de marchandises – aussi bien de l'essence que du lait. Il y a des épaves partout. Des amas de tôle froissée s'étirant sur des kilomètres le long de l'autoroute, tel un serpent géant.

Le soleil du matin scintille sur tout ce verre brisé.

Il n'y a aucun corps. Les voitures se trouvent là depuis la 1$^{re}$ Vague, abandonnées par leurs propriétaires.

Peu de gens ont péri durant la 1$^{re}$ Vague, cette gigantesque impulsion électromagnétique qui a envahi notre atmosphère à onze heures du matin très précisément, le Dixième Jour. Seulement un demi-million, pensait Papa. OK, un demi-million ça fait déjà pas mal de monde, mais vraiment, ce n'est qu'une goutte d'eau, rapporté à la population totale. La Seconde Guerre mondiale a fait quarante fois ce nombre de victimes.

De plus, nous avions le temps de nous y préparer, même si nous ignorions exactement *à quoi* nous préparer. Oui, dix jours se sont écoulés entre la première image satellite de leur ravitailleur dépassant Mars jusqu'au lancement de la 1$^{re}$ Vague. Dix jours de chaos. On a eu droit à tout. Loi martiale, manifestations monstres avec occupation des locaux des Nations unies, défilés continus dans les rues, soirées sur les toits des buildings, tchats sans fin sur internet et une couverture vingt-quatre heures sur vingt-quatre de l'Arrivée dans tous les médias. Le Président s'est adressé à la nation – avant de disparaître dans son bunker. Le Conseil de sécurité, lui, s'est enfermé pour une réunion de crise interdite à la presse.

Beaucoup de gens ont filé, comme nos voisins, les Majewski. Ils ont chargé leur camping-car dans l'après-midi du sixième jour avec tout ce qu'ils pouvaient y entasser, puis ils ont pris la route, se joignant à l'exode pour aller *quelque part*, parce que... *ailleurs* semblait mieux. Ailleurs semblait plus sûr. Des milliers de personnes se sont dirigées vers les montagnes... ou le désert... ou les marécages. Vous savez, *ailleurs*.

Devinez un peu où les Majewski avaient prévu de s'exiler. À Disneyland. Ils n'étaient d'ailleurs pas les seuls. Disney a battu des records d'affluence durant ces dix jours précédant la grande vibration.

Papa était allé voir M. Majewski.

— Pourquoi avoir choisi Disneyland ?

— Eh bien, parce que les enfants n'y sont jamais allés…

Ses enfants en question étaient tous les deux étudiants.

Catherine, qui était revenue la veille de Baylor – la plus ancienne université du Texas –, et n'avait que deux ans de plus que moi, m'avait alors demandé :

— Et vous, vous allez où ?

— Nulle part, avais-je répondu.

Et je ne voulais aller nulle part. Je vivais encore dans le déni, faisant mine de croire que toute cette sinistre histoire d'extraterrestres allait se résoudre, même si j'ignorais comment. Peut-être par la signature d'un traité de paix intergalactique. Ou peut-être que les Autres allaient se contenter de prendre quelques échantillons de terre et rentrer chez eux. À moins qu'ils ne soient venus ici pour les vacances, comme les Majewski à Disneyland.

— Il faut que vous partiez, avait insisté Catherine. Ils vont détruire les villes en premier !

— Tu as sûrement raison. Ils n'ont jamais dû rêver de s'attaquer à Magic Kingdom…

Elle m'avait interrompue :

— Comment est-ce que tu préférerais mourir ? Cachée sous ton lit ou en dévalant Thunder Mountain ?

Bonne question.

Papa disait que le monde était divisé en deux camps : ceux qui s'enfuyaient, et ceux qui choisissaient de rester chez eux. Les fuyards se dirigeaient vers les collines – ou vers Thunder Mountain. Ceux qui préféraient rester dans leur cocon, condamnaient leurs fenêtres, emmagasinaient des boîtes de conserve et des munitions, et gardaient la télé allumée vingt-quatre heures sur vingt-quatre sur CNN.

Durant ces dix premiers jours, il n'y a eu aucun signe de nos petits copains de fiesta galactique. Aucun spectacle son et lumière. Aucun atterrissage sur la pelouse impeccable de la Maison-Blanche, ni de types aux yeux exorbités en combinaison argentée réclamant une entrevue avec notre chef. Aucune toupie éclatante beuglant le langage universel de la musique. Et pas plus de réponse quand nous avons envoyé notre message. Quelque chose comme : « Bonjour, bienvenue sur Terre. Nous espérons que vous apprécierez votre séjour. *S'il vous plaît, ne nous tuez pas.* »

Personne ne savait que faire. Nous pensions qu'au moins le gouvernement allait réagir. Le gouvernement a un plan pour tout ce qui peut se passer, alors nous espérions qu'il en avait un aussi concernant cette invasion imprévue d'extraterrestres, qui s'invitaient chez nous comme le cousin bizarre et pique-assiette dont nul n'aime parler en famille.

Certaines personnes sont restées chez elles. D'autres se sont enfuies. Certaines se sont mariées. D'autres ont divorcé. D'autres encore ont fait des bébés. Certaines se sont suicidées. Nous errions tels des zombies, le visage pâle, nous déplaçant comme des robots, incapables de saisir l'ampleur de ce qui nous arrivait.

C'est dur à croire aujourd'hui, mais ma famille, ainsi que la grande majorité des Terriens, a continué à vaquer à ses occupations comme si l'événement le plus monumental de toute l'histoire de l'humanité n'était pas en train de se dérouler au-dessus de nos têtes. Papa et maman allaient travailler, déposaient Sammy à la garderie, pendant que, de mon côté, je me rendais au lycée, à mes cours de karaté, et que je jouais au foot. Tout était à la fois si normal et si étrange. À la fin du Premier Jour, chaque humain âgé de plus de deux ans avait vu le ravitailleur un bon millier de fois. Cet énorme truc scintillant d'un vert tirant sur le gris, d'environ la taille de Manhattan, tournait à quatre cents kilomètres d'altitude autour de la Terre. La NASA avait fini par annoncer son intention de faire reprendre du service à une de ses vieilles navettes spatiales pour tenter d'établir un dialogue.

*C'est vrai quoi,* songions-nous. *Ce silence est assourdissant. Pourquoi ont-ils traversé des milliards de kilomètres juste pour nous observer sans chercher à entrer en contact ? Ce n'est pas très poli.*

Le Troisième Jour, je suis sortie avec un garçon : Mitchell Phelps. Enfin, techniquement parlant, nous sommes sorties *dehors.* Le rendez-vous avait lieu dans mon jardin à cause du couvre-feu. Avant de me rejoindre, Mitchell est passé au drive-in du Starbucks, et nous nous sommes installés dans le patio à l'arrière de la maison pour siroter nos *caffè latte,* faisant mine de ne pas remarquer l'ombre de papa qui arpentait le salon de long en large. Mitchell était venu habiter en ville quelques jours avant l'Arrivée. Il était assis derrière moi au cours de littérature, et j'avais fait l'erreur de lui prêter mon Stabilo. Du coup, juste après, il m'a filé un rencard, parce que évidemment, si une fille vous prête son Stabilo, c'est qu'elle vous trouve irrésistiblement sexy. Je ne sais pas pourquoi j'ai accepté. Il n'était pas si mignon que ça, ni très intéressant – mis à part le fait qu'il était nouveau –, et, bien sûr, ce n'était pas Ben Parish. Personne ne l'était – sauf Ben lui-même, là était tout le problème.

Le Troisième Jour, soit vous parliez des Autres des heures durant, soit vous faisiez votre possible pour ne pas les évoquer du tout. Moi, j'appartenais à la deuxième catégorie.

Mitchell à la première.

— Et s'ils étaient *nous* ? a-t-il demandé.

Peu après l'Arrivée, les théories de conspiration les plus folles avaient commencé à circuler : certains prétendaient qu'il s'agissait de projets classés Secret Défense, d'autres que le gouvernement avait prévu d'organiser un conflit avec des extraterrestres pour restreindre nos libertés. J'ai pensé que Mitchell allait me gaver avec ce genre d'explications et j'ai poussé un long soupir.

— Quoi ? a-t-il insisté. Je ne parle pas des *nous* actuels. Je veux dire, et si jamais il s'agit de nous-mêmes revenant du futur ?

J'ai levé les yeux au ciel.

— Comme dans *Terminator*, c'est ça ? Tu penses qu'ils sont venus pour stopper l'insurrection des machines ? À moins qu'ils ne soient *eux-mêmes* les machines. Peut-être que c'est Skynet !

— Je ne crois pas, a-t-il répondu comme si j'étais sérieuse. C'est le paradoxe du grand-père.

— Pardon ?

*Qu'est-ce que c'est que ce putain de « paradoxe du grand-père » ?*

Mitchell avait utilisé cette expression certain que je la connaissais, parce que, dans le cas contraire, je ne serais qu'une crétine. Je déteste quand les gens agissent comme ça !

— Ils – je veux dire *nous* – ne peuvent pas faire un retour dans le temps et tout changer. C'est logique, Cassie. Comment veux-tu revenir dans le passé pour tuer ton grand-père avant ta naissance ?

— Pourquoi est-ce que je voudrais tuer mon grand-père ?

Je m'amusais à tourner la paille dans mon *Frappucino* à la fraise pour produire ce petit crissement si caractéristique contre le couvercle.

— Le simple fait de se montrer change le cours de l'histoire ! a insisté Mitchell.

Comme si c'était moi qui avais commencé à parler de ce truc stupide de voyage dans le temps...

— On doit vraiment discuter de ça ?

— De quoi d'autre est-ce qu'on pourrait parler ? a-t-il demandé en haussant les sourcils, qu'il avait très fournis.

C'était l'une des premières choses que j'avais remarquées chez lui. Il se rongeait aussi les ongles. Ça, c'était le deuxième trait que j'avais noté. Les cuticules peuvent vous en dire beaucoup sur une personne.

J'ai sorti mon portable de ma poche et envoyé un texto à Lizbeth.

**au secours !**

Mitchell a tenté de regagner mon attention. À moins qu'il n'ait cherché à se rassurer. Il me dévisageait avec intensité.

— Tu as la trouille ?

J'ai fait non de la tête.

— Mais j'en ai marre de tout ça.

C'était un mensonge. Bien sûr que j'avais la trouille. Je me comportais comme une garce avec lui, je ne pouvais pas m'en empêcher. Pour une raison que je ne parvenais pas à m'expliquer, il me rendait dingue. Peut-être que j'étais juste énervée contre moi-même pour avoir accepté bêtement ce rendez-vous avec un garçon qui ne m'intéressait pas. Ou peut-être parce qu'il n'était pas le mec avec qui j'avais *envie* de sortir. Je lui en voulais de ne pas être Ben Parish, même si ce n'était aucunement sa faute.

Je lui en voulais malgré tout.

**qu'est-ce qui t'arrive ??**

— On peut parler d'autre chose, si tu préfères, a-t-il proposé.

Il a fixé le massif de roses en faisant tourner le reste de son café au fond de son gobelet. Il agitait ses jambes si fort sous la table que le mien tressautait.

**mitchell**

Je n'avais pas besoin d'ajouter quoi que ce soit.

— À qui est-ce que tu envoies des textos ?

**t'avais dit de pas sortir avec**

— Personne que tu connais.

**sais pas pourquoi ai accepté**

— Tu préfères qu'on bouge ? Tu veux qu'on se fasse un ciné ?

Avait-il perdu la mémoire ?

— Impossible, à cause du couvre-feu.

Personne n'avait le droit de circuler après vingt et une heures, sauf les militaires et les véhicules d'urgence.

**LOL pour rendre Ben jaloux**

— Tu es énervée, ou quoi, Cassie ?

— Pas du tout, mais je t'ai dit que le sujet me gavait.

Frustré, Mitchell a serré les lèvres. À l'évidence, il ne savait plus comment continuer cette conversation.

— J'essayais juste de deviner qui ils sont, a-t-il rétorqué.

— Comme tout le monde sur cette planète. On l'ignore tous, et apparemment *ils* n'ont pas envie de nous le révéler, alors chacun se met à élaborer des millions de théories, et c'est sans fin. Peut-être que ce sont des Aliens-souris de la planète Fromage et qu'ils viennent pour notre gruyère.

**BP ignore que j'existe**

— Hé ! C'est plutôt malpoli d'envoyer des textos pendant que je discute avec toi.

Il avait raison. J'ai immédiatement glissé le téléphone dans ma poche. Qu'est-ce qui m'arrivait ? L'ancienne Cassie ne se serait jamais montrée aussi grossière. Les Autres avaient déjà fait de moi un être différent, mais j'agissais comme si rien n'avait changé, et surtout pas moi.

— Au fait, tu es au courant ? s'est enquis Mitchell en revenant au sujet que je détestais. Ils construisent un site d'atterrissage.

Oui, j'en avais entendu parler. Dans la Vallée de la Mort. Excellent choix : la Vallée de *la Mort*.

— Je ne crois pas que ce soit une très bonne idée de leur dérouler le tapis rouge pour leur souhaiter la bienvenue, a-t-il poursuivi.

— Pourquoi ?

— Ça fait trois jours. Ils ont refusé tout contact. S'ils étaient si amicaux, pourquoi ne se seraient-ils pas déjà manifestés ?

— Peut-être qu'ils sont timides…

Je m'amusais à enrouler mes cheveux autour de mon doigt tout en tirant un peu dessus. J'aimais bien la légère douleur que cela provoquait.

— C'est comme ce truc d'être le nouveau, a dit le nouveau garçon du lycée.

Ce n'était peut-être pas si facile, finalement, d'être celui que personne ne connaît. Peut-être que je devrais m'excuser d'avoir été garce avec lui.

— Désolée, je n'ai pas été très sympa, ai-je avoué.

Mitchell m'a jeté un regard confus. Il parlait des extra-terrestres, pas de lui, et j'avais répondu à côté de la plaque.

— Pas grave. J'ai entendu dire que tu ne sortais pas souvent avec des garçons.

Ouille !

— Qu'est-ce qu'on t'a raconté d'autre à mon sujet ?

Ça, c'est le genre de question dont on n'a jamais envie d'entendre la réponse, pourtant on ne peut pas s'empêcher de la poser.

Mitchell a siroté son *caffè latte* à travers le petit trou du couvercle en plastique.

— Pas grand-chose. Je n'ai pas mené d'enquête, tu sais.

— Tu as posé des questions et on t'a répondu que je sortais peu.

— Tout ce que j'ai dit, c'est que je voulais t'inviter, et on m'a prévenu que je ferais mieux de ne pas me faire trop d'illusions. Il paraît que tu es cool, mais que tu flashes sur Ben Parish…

— On t'a raconté ça ? ! Qui ?

Mitchell a haussé les épaules.

— Je ne me souviens pas de son nom.

— Est-ce que c'était Lizbeth Morgan ?

*Je vais la tuer.*

— Je ne sais pas comment elle s'appelle.

— À quoi elle ressemblait ?

— Des cheveux bruns, longs. Des lunettes. Je crois que son prénom c'est Carly… ou quelque chose comme ça.

— Je ne connais aucune…

Oh, mon Dieu ! Une Carly dont j'ignorais jusqu'à l'existence était au courant pour Ben Parish et moi – ou plutôt pour *l'absence* de toute relation entre Ben et moi. Et si cette Carly – ou quel que soit son prénom – était au courant, alors il en allait de même pour… *tout le monde.*

— Eh bien, ils se trompent tous, ai-je rétorqué d'un ton acide. Je ne « flashe » pas sur Ben Parish.

— Ça n'a pas d'importance.

— Ça en a *pour moi* !

— Eh bien ! On ne peut pas dire que notre rendez-vous soit réussi ! Dès que je parle d'un truc, ça t'emmerde ou ça te rend dingue.

Je me suis énervée.

— Pas du tout !

— OK, je me goure.

Non, il avait raison. C'était moi qui faisais fausse route. J'aurais dû lui expliquer que la Cassie qu'il avait en face de lui n'était plus celle que j'étais avant l'Arrivée. Cette Cassie n'aurait jamais fait de mal à une mouche. Je n'étais pas encore prête à admettre la vérité : ce n'était pas juste le monde qui avait changé depuis l'Arrivée des

Autres. *Nous* avions changé. *J'*avais changé. Au moment où le ravitailleur était apparu, j'avais entamé un pénible chemin qui me mènerait à l'arrière d'une boutique, derrière des frigos vides. Cette soirée avec Mitchell n'était que le début de mon évolution.

Il avait plus que raison. A priori, les Autres ne venaient pas sur Terre juste pour nous faire un petit coucou. La veille de la 1$^{re}$ Vague, le plus éminent spécialiste de physique théorique de la planète, l'un des types les plus intelligents du monde (c'est en tout cas ce qu'annonçait un encart sur l'écran : *Un des hommes les plus intelligents au monde*) est apparu sur CNN et nous a dit : « Je ne trouve pas leur silence encourageant. Je n'y vois aucune logique. J'ai bien peur que nous soyons plus proches de l'arrivée de Christophe Colomb en Amérique que d'une scène de *Rencontre du troisième type*, et nous savons très bien ce que l'arrivée des conquistadors a causé chez les Indiens... »

Je me suis aussitôt tournée vers mon père.

— On devrait les atomiser.

J'ai dû hausser la voix pour qu'il m'entende – papa augmentait toujours le volume pendant les infos pour couvrir le poste de maman dans la cuisine. Elle aimait regarder des émissions de télé-réalité en préparant le repas. J'appelais ça la guerre des télécommandes.

— Cassie !

Papa était si choqué par mes propos qu'il s'est mis à crisper ses orteils dans ses socquettes blanches. Il avait grandi avec *Rencontre du troisième type*, *E.T.*, *Star Trek*, et, selon lui, les Autres venaient pour nous libérer de nous-mêmes. Grâce à eux, il n'y aurait plus de famine. Plus de guerre. Toutes les maladies seraient éradiquées. Le secret du cosmos dévoilé.

— Tu ne comprends donc pas que nous sommes peut-être à l'aube d'un grand pas pour notre évolution ? Un gigantesque pas en avant. *Énorme*, même.

Il a passé son bras autour de mes épaules.

— Crois-moi, nous avons beaucoup de chance d'assister à cela.

Puis il a ajouté, d'un air détaché, comme s'il m'expliquait la meilleure méthode pour réparer le grille-pain :

— De plus, une explosion nucléaire ne pourrait pas faire beaucoup de dégâts dans le vide de l'espace. Il n'y a aucune pression atmosphérique pour amplifier l'onde de choc.

— Alors, ce super cerveau à la télé n'est qu'un tas de merde ?

— Ne parle pas comme ça, Cassie ! Cet homme a le droit d'avoir son opinion, mais ce n'est que cela. Une simple opinion.

— Et si jamais il avait raison ? Si ce machin, là-haut, était leur version de l'Étoile de la Mort ?

— Tu crois qu'ils traverseraient la moitié de l'univers juste pour nous détruire ?

Papa m'a tapoté le genou et a esquissé un sourire. Dans la cuisine, maman a augmenté le volume de sa télé. Papa a répliqué en poussant le curseur jusqu'à vingt-sept.

— OK, mais si c'était une horde de barbares intergalactiques, comme il prétend ? Peut-être qu'ils débarquent pour nous conquérir, nous pousser aux restrictions, nous soumettre à l'esclavage…

— Cassie ! Ce n'est pas parce que quelque chose risque d'arriver que cela arrivera vraiment. De toute façon, tout cela n'est que pure spéculation. De la part de ce type comme de la mienne. Personne ne connaît la raison de leur venue. Après tout, pourquoi ne pas envisager qu'ils viennent pour nous sauver ?

Quatre mois après avoir prononcé ces paroles, mon père était mort. Il se trompait au sujet des Autres. Tout comme moi. Et comme l'un de ces scientifiques les plus intelligents du monde.

Il ne s'agissait pas de nous sauver. Ni de nous réduire en esclaves.

Ce qu'ils voulaient, c'était juste nous tuer.

Nous éradiquer jusqu'au dernier.

---------------- **6** ----------------

JE ME SUIS INTERROGÉE PENDANT UN LONG MOMENT. Valait-il mieux voyager de jour ou de nuit ? Si vous vous faites du souci à cause d'Eux, l'obscurité est votre alliée. En revanche, le jour vous permet de détecter un drone avant qu'il vous remarque.

Les drones sont apparus à la fin de la 3ᵉ Vague. Taillés en forme de cigare et d'un gris terne, ils glissent rapidement et en silence à des milliers de mètres d'altitude. Parfois, ils strient le ciel sans s'arrêter. À d'autres moments, ils tournent au-dessus de nos têtes comme des buses. Ils sont capables de virer de bord et de piler net, de passer de mach 2 à zéro en moins d'une seconde. C'est ainsi que nous avons compris que ces drones n'étaient pas les nôtres.

Nous savions qu'ils n'avaient aucun équipage parce que l'un d'entre eux s'était écrasé à environ trois kilomètres de notre campement. Il y a eu un grand *baam !* lorsqu'il a franchi le mur du son, un cri strident quand il est descendu en flèche jusqu'au sol, et la terre a tremblé sous nos pieds quand il s'est crashé dans un champ de maïs en jachère. Une équipe est aussitôt partie en reconnaissance vers le lieu de l'accident. OK, ce n'était pas vraiment une équipe, juste papa et Hutchfield, le type responsable du camp. Quand ils sont revenus, ils nous ont dit que la chose était vide. En étaient-ils sûrs ? Le pilote avait peut-être sauté avant l'impact. Papa a rétorqué que le drone était bourré d'instruments. Il n'y avait aucune place pour un pilote.

— À moins que ces entités ne mesurent cinq centimètres, a-t-il ajouté.

Ça nous a bien fait rire. Imaginer les extraterrestres pas plus grands que les Borrowers, ces personnages d'un roman de fantasy, rendait soudain le cauchemar beaucoup plus supportable.

J'ai décidé de voyager de jour. Ainsi, je pouvais garder un œil sur le ciel et un autre à terre. Au final, j'ai passé mon temps à lever et à baisser la tête, encore et encore, puis à regarder de tous les côtés, puis à nouveau en l'air, comme une groupie à un concert de rock, jusqu'à ce que je me sente prise de vertiges et légèrement nauséeuse.

La nuit, en plus des drones, on doit être sur ses gardes pour tout : les chiens errants, les coyotes, les ours et les loups qui descendent du Canada, et... peut-être même un lion ou un tigre échappé d'un zoo. Je sais, je sais, vous allez me répondre que je me crois dans *Le Magicien d'Oz*. Allez-y, fichez-vous de moi !

Certes, une telle rencontre ne serait pas plus agréable en pleine journée. Pourtant je suis persuadée que j'aurais *quand même* plus de chances contre Eux de jour que de nuit. Et même contre un humain, si je ne suis pas la dernière sur Terre. Que se passera-t-il si je croise un autre survivant qui décide que le mieux pour lui est de supprimer tous ceux qui croisent sa route ?

Ce qui nous amène à un nouveau problème. Dois-je tirer à vue ? Attendre que ceux d'en face esquissent le premier geste, au risque de me faire tuer ? Ce n'est pas la première fois que je me demande pourquoi nous n'avons pas pensé, avant leur Arrivée, à mettre au point une sorte de code – comme une poignée de main bien spécifique – ou n'importe quelle astuce qui nous permettrait de nous identifier entre nous. Nous, *les gentils*. Nous n'avions aucun moyen de savoir qu'ils allaient débarquer, mais nous étions quasiment sûrs que quelque chose allait se passer tôt ou tard.

C'est difficile de prévoir ce qui va arriver, quand ce qui arrive n'est pas ce que vous avez prévu.

Essaie de les détecter en premier, ai-je décidé. Mets-toi à couvert. Plus d'épreuve de force. Plus de soldat au crucifix.

Il n'y a pas de vent. Il fait beau, mais froid. Aucun nuage n'assombrit le ciel.

J'avance droit devant moi, levant puis baissant successivement la tête, la tournant de toutes parts, mon sac à dos battant contre une épaule, mon fusil contre l'autre, marchant sur le bord extérieur du terre-plein central séparant les routes qui vont vers le sud de celles qui filent vers le nord, m'arrêtant de temps à autre pour faire brusquement volte-face et scruter le terrain derrière moi. Une heure passe. Puis deux. Et je n'ai pas accompli plus d'un kilomètre et demi.

La chose la plus effrayante, plus effrayante que toutes ces voitures abandonnées et cet enchevêtrement de tôle froissée et de verre brisé qui étincelle dans la lumière d'octobre, plus effrayante que toutes ces merdes et ces déchets qui traînent sur le terre-plein – la plupart cachés par de l'herbe folle à hauteur de genou, si bien que le terrain paraît bosselé –, la chose la plus effrayante demeure le silence.

Le bourdonnement a disparu.

Vous vous souvenez de ce bourdonnement ?

À moins que vous n'ayez passé toute votre vie au sommet d'une montagne ou dans une cave, ce bourdonnement était partout autour de vous. La vie était ainsi faite. L'océan dans lequel nous étions plongés. Le bruit incessant de tout ce que nous avions créé pour rendre notre vie plus facile et un peu moins ennuyeuse. La chanson mécanique. La symphonie électronique. Le bourdonnement de tous ces objets et de nous tous.

Disparu.

À présent, ce que je perçois, c'est le bruit de la Terre avant que nous l'ayons conquise.

Parfois, sous ma tente, tard dans la nuit, j'ai l'impression d'entendre le bruissement des étoiles contre le ciel. Voilà à quel point tout est calme. Au bout d'un moment, j'ai presque du mal à le supporter. Envie de hurler. Je voudrais chanter, crier, taper des pieds, applaudir, faire n'importe quoi pour signifier ma présence. Les quelques mots échangés avec le soldat au crucifix ont été les premiers que j'ai prononcés à voix haute depuis des semaines entières.

Le bourdonnement s'est interrompu le Dixième Jour après l'Arrivée. J'assistais à mon troisième cours de la matinée, et j'envoyais un texto à Lizbeth – le dernier que je lui adresserais. Je ne me souviens pas exactement de ce que je lui racontais.

Il était onze heures du matin. C'était une belle journée ensoleillée, au tout début du printemps. Une journée idéale pour flâner et rêvasser en espérant vous trouver n'importe où ailleurs qu'au cours de maths de Mme Paulson.

La 1re Vague a alors surgi sans faire de bruit. Il ne s'est rien passé de dramatique. Non. Aucun choc, aucune raison d'être terrifiés.

Les lumières se sont juste éteintes.

Le plafonnier au-dessus de la tête de Mme Paulson a cessé d'éclairer le tableau.

L'écran de mon téléphone est devenu noir.

Au fond de la classe, quelqu'un a crié. Classique. Quel que soit le moment de la journée où cela arrive – dès que l'électricité ne fonctionne plus, quelqu'un hurle comme si l'immeuble entier s'écroulait.

Mme Paulson nous a aussitôt ordonné de rester assis à nos places. Ça, c'est l'autre truc que les gens font quand il n'y a plus d'électricité. Ils bondissent vers… vers quoi ? C'est si bizarre ! Nous sommes tellement habitués à l'électricité, que lorsqu'il n'y en a plus, nous ne savons pas quoi faire. Alors nous nous levons de notre chaise comme un ressort, ou bien nous hurlons, ou nous commençons à jacasser comme des idiots. Nous paniquons. Comme si quelqu'un nous privait soudain de tout oxygène. Cela dit, l'Arrivée avait rendu la situation encore pire. Dix jours à attendre avec impatience que quelque chose se passe, alors que *rien* ne se passe, ça vous rend nerveux.

Alors, quand les Autres nous ont débranchés, on a flippé un peu plus que d'habitude.

Tout le monde s'est mis à parler en même temps. Quand j'ai annoncé que mon téléphone avait cramé, mes camarades se sont rendu compte que les leurs venaient de subir le même sort. Neal Croskey, qui était assis au fond de la classe et écoutait son iPod pendant le cours de Mme Paulson, a retiré ses oreillettes et demandé pourquoi il n'avait plus de musique.

Après avoir paniqué, la deuxième chose que vous faites quand le courant est coupé, c'est de vous précipiter à la fenêtre la plus proche. Vous ne savez même pas pourquoi exactement. Juste ce truc de : allons-voir-ce-qui-se-passe. Dans la vie, c'est le monde extérieur qui s'invite chez vous. Alors, quand les lumières s'éteignent, vous regardez dehors.

Nous étions donc tous rivés aux fenêtres, et Mme Paulson s'est approchée de nous :

— À vos places ! Dépêchez-vous ! Je suis sûre que nous aurons bientôt droit à une annonce...

Effectivement, il y en a eu une. Une minute plus tard. Mais pas *via* les haut-parleurs de lycée, ni de la part de M. Faulks, notre proviseur. Non, ça venait du ciel. D'Eux. Sous la forme d'un 727 en chute libre disparaissant derrière une lointaine rangée d'arbres avant d'exploser en une impressionnante boule de feu qui m'a fait penser à un champignon atomique.

*Hé, oh, les Terriens ! La fête commence !*

Vous vous dites sûrement qu'en assistant à un tel truc nous nous sommes précipités sous nos bureaux. Non, cela n'a pas été le cas. Au contraire, nous nous sommes davantage massés contre les vitres et avons observé le ciel sans nuages à la recherche de la soucoupe volante qui avait dû obliger l'avion à s'écraser. Ça devait bien être l'œuvre d'une soucoupe volante, non ? Évidemment, nous *savions* ce qui devait arriver en cas d'invasion extra-terrestre de premier ordre. Il y aurait des soucoupes volantes striant le ciel, des escadrons de F16 surarmés prêts à décoller, des missiles antiaériens et intercontinentaux prêts à bondir hors de leurs silos bétonnés. C'est peut-être honteux, mais je dois bien reconnaître que nous avions *envie* d'assister à un tel spectacle. Quoi de plus parfait pour une invasion d'aliens normale ?

Nous avons attendu collés aux fenêtres pendant près d'une demi-heure. Personne ne disait grand-chose. De nouveau, Mme Paulson nous a sommés de regagner nos places, mais nous l'avons ignorée. Cela ne faisait que trente minutes que la 1ʳᵉ Vague avait commencé, mais déjà le désordre social régnait. Fébriles, nous ne cessions de vérifier nos portables, sans faire le rapprochement : l'accident d'avion, l'absence de lumière, nos téléphones éteints, l'horloge sur le mur avec sa grande aiguille figée sur le douze et sa petite sur le onze.

Puis la porte de notre classe s'est ouverte en grand, et M. Faulks nous a ordonné de nous rendre immédiatement au gymnase. Vachement intelligent de nous réunir tous en un seul endroit ! Comme ça les extraterrestres n'auraient pas à gaspiller trop de munitions. Enfin, bref...

Nous nous sommes donc dirigés vers le gymnase et installés dans les gradins, dans une obscurité presque totale, pendant que notre proviseur arpentait les lieux un mégaphone à la main, s'arrêtant de temps à autre pour nous ordonner de rester calmes et d'attendre que nos parents nous rejoignent.

Pourtant certains élèves avaient leurs voitures garées sur le parking du lycée. Pourquoi ne pouvaient-ils pas partir ?

— Vos véhicules ne fonctionneront pas, a-t-il dit.

*Putain de merde ! Qu'est-ce qu'il raconte ?*

Une heure est passée. Puis deux. J'étais assise à côté de Lizbeth. Nous ne parlions pas beaucoup et, quand c'était le cas, nous nous contentions de chuchoter. Le reste du temps, nous tendions l'oreille. Je ne suis pas très sûre de ce que nous guettions, mais... disons que cela ressemblait au calme avant la tempête.

— C'est peut-être *ça*, a soudain chuchoté Lizbeth.

Elle se frottait le nez avec nervosité. Plongeait ses doigts aux ongles parfaitement vernis dans ses cheveux blonds méchés. Tapait du pied. Effleurait ses paupières du bout de l'index : elle portait depuis peu des lentilles de contact qui la gênaient constamment.

— Sûr que c'est un sacré truc, ai-je susurré à mon tour.

— Non, ce que je veux dire c'est… C'est peut-être bien *ça*. Tu sais… le fameux « *ça* ». La fin.

Incapable de demeurer sans rien faire, Lizbeth ne cessait de retirer la batterie de son téléphone et de la remettre en place. Elle a commencé à pleurer. J'ai alors saisi son portable et lui ai pris la main, puis j'ai regardé autour de nous. Lizbeth n'était pas la seule à pleurer. Certains élèves semblaient prier. D'autres faisaient les deux. Les professeurs s'étaient réunis près des portes du gymnase et formaient un bouclier humain au cas où les créatures de l'espace auraient décidé de passer à l'attaque.

— Il y a tant de choses que j'aurais aimé faire, a lancé Lizbeth. Je n'ai jamais…

Elle a retenu un sanglot.

— Tu sais…, a-t-elle poursuivi.

— Je crois qu'il y a beaucoup de « tu sais » en train de se passer en ce moment, ai-je répondu. Peut-être même là, sous ces gradins.

Lizbeth s'est essuyé les joues d'un revers de main.

— Tu crois ? Et toi, tu en es où ?

— À propos de ce fameux « tu sais » ?

Je n'avais aucun problème à parler de sexe… enfin, de sexualité en général. Ce que je ne voulais pas, c'était évoquer ma propre vie sexuelle.

— Oh, je sais que tu n'as jamais « tu sais ». Merde ! Je ne parlais pas de ça ! a rétorqué Lizbeth.

— Je croyais que c'était le cas…

— Cassie ! Je parle de nos vies. Bordel ! Notre univers va peut-être s'écrouler et toi, tout ce que tu veux c'est parler de sexe !

Elle m'a repris son téléphone et s'est escrimée un instant sur le couvercle de la batterie.

— C'est pour ça que tu devrais lui dire, a-t-elle déclaré en tripotant les cordons de son sweat à capuche.

— Dire quoi à qui ?

Je savais exactement où elle voulait en venir. J'essayais juste de gagner du temps.

— À Ben ! Tu devrais lui confier tes sentiments. Ce que tu éprouves pour lui depuis le CE2.

Je me suis empourprée.

— Tu plaisantes ?

— Et après ça, tu devrais coucher avec lui.

— La ferme, Lizbeth !

— C'est la vérité.

— Qu'est-ce que tu racontes ? Je n'ai jamais eu envie de coucher avec Ben Parish depuis le CE2 !

Le CE2 ? Elle était devenue dingue ou quoi ? J'ai jeté un coup d'œil à Lizbeth pour voir si elle m'écoutait, mais apparemment ce n'était pas le cas.

— Si j'étais toi, a-t-elle repris, je foncerais vers lui et je lui dirais : Je crois que nous sommes faits l'un pour l'autre, et il est hors de question que je meure dans ce gymnase sans jamais avoir couché avec toi. Et ensuite, tu sais ce que je ferais ?

— Quoi ?

Je m'efforçais de ne pas éclater de rire en imaginant la tête que ferait Ben.

— Je l'entraînerais dehors, dans le jardin, au milieu des fleurs, et je ferais l'amour avec lui.

— Dans le jardin ?

— Ou dans le vestiaire.

Lizbeth a agité la main en rond, pour montrer que cela pourrait avoir lieu n'importe où dans le lycée – voire n'importe où dans le monde.

— On s'en fout de l'endroit, a-t-elle ajouté.

J'ai regardé deux rangs plus bas le merveilleux profil de Ben.

— Le vestiaire pue, et ce genre de chose n'arrive que dans les films, ai-je objecté.

— Oui, tout cela est complètement irréaliste, à la différence de ce qui se passe maintenant !

Lizbeth avait raison. C'était tout à fait irréaliste. Les deux scénarios, d'ailleurs : l'invasion extraterrestre *et* ma liaison avec Ben.

— Tu pourrais au moins lui avouer ce que tu éprouves, a-t-elle insisté comme si elle lisait dans mes pensées.

*Je pourrais, oui. Mais je ne le ferais jamais, enfin…*

C'est ce qui est arrivé. Je ne l'ai jamais fait. C'était la dernière fois que je voyais Ben Parish, assis dans l'obscurité de ce gymnase étouffant, deux rangs plus bas, et encore, je ne voyais que son dos. Il a dû mourir lors de la 3e Vague, comme presque tout le monde, et jamais je ne lui ai avoué mes sentiments. J'aurais pu. Il savait qui j'étais – il était assis derrière moi durant certains cours et il me disait bonjour quand nous nous croisions dans le hall.

Il ne s'en souvenait certainement pas, mais au collège, nous prenions le même bus, et un après-midi, je l'avais entendu dire qu'il venait d'avoir une petite sœur, née la veille. Je m'étais alors retournée et j'avais lancé :

— Mon frère est né la semaine dernière !

— C'est vrai ? avait-il répondu.

Il n'y avait rien de sarcastique dans sa remarque, il avait juste l'air de penser que c'était sympa, cette coïncidence, et durant un mois, je n'ai cessé de croire que nous avions noué un lien spécial à cause de cette histoire de bébés. Quelque temps plus tard, nous sommes entrés au lycée, Ben est devenu la star de l'équipe de foot, et moi, je n'étais qu'une fille de plus qui le regardait marquer depuis les tribunes. Je le croisais dans les couloirs ou en cours et, parfois, je devais combattre l'envie pressante de me ruer vers lui pour lui balancer :

— Salut, je suis Cassie, la fille du bus. Tu te souviens, ce truc des bébés ?

Le plus drôle, c'est qu'il s'en serait sûrement souvenu. Ben Parish ne se contentait pas d'être le plus beau mec du lycée. Juste pour me rendre un peu plus accro, il était aussi le plus intelligent. Vous ai-je raconté qu'il était aussi adorable avec les enfants et les animaux ? À chaque match, sa petite sœur se trouvait près de la ligne de touche et, lorsque nous avons remporté le championnat, il s'est précipité pour la hisser sur ses épaules et a pris la tête de l'équipe pour faire le tour d'honneur sur la piste, tandis que la gamine saluait la foule comme une reine.

Oh, autre chose encore à propos de Ben : son sourire ravageur. Ne m'obligez pas à en parler, je serais incapable de m'arrêter…

Après une heure de plus à stresser dans la moiteur du gymnase, j'ai vu enfin mon père apparaître à la porte.

Il m'a fait un petit signe de la main, comme s'il venait tous les jours me chercher à la sortie des cours pour me ramener à la maison après une attaque extraterrestre. J'ai enlacé Lizbeth et je lui ai promis que je l'appellerais dès que nos téléphones fonctionneraient de nouveau. Pour moi c'était une évidence. Vous savez, le courant est coupé, mais il revient toujours à un moment ou un autre. Alors, je me suis contentée de serrer Lizbeth un bref instant contre moi, et je ne me souviens pas de lui avoir dit que je l'aimais.

Avec mon père, nous avons quitté le gymnase.

— Où est la voiture ? ai-je demandé, une fois dehors.

Papa a répondu que la voiture ne fonctionnait plus. Aucune ne fonctionnait, d'ailleurs. Les rues étaient bondées de véhicules au point mort, des voitures, des bus, des motos et des camions. Il y avait eu des collisions partout, et des petits groupes d'épaves traînaient près de chaque pâté de maisons. Des automobiles étaient encastrées contre des poteaux ou bien dépassaient des portes des garages. Beaucoup de personnes s'étaient retrouvées enfermées lorsque l'impulsion électromagnétique avait eu lieu. Les ouvertures automatiques des portières ne fonctionnaient plus et les automobilistes avaient dû briser leurs vitres pour se libérer ou bien attendre qu'on vienne leur porter secours. Les blessés capables de se déplacer se traînaient sur le côté de la route et sur les trottoirs pour attendre les équipes médicales, qui ne pouvaient pas arriver jusqu'à eux puisque ni les ambulances ni les camions de pompiers ou les véhicules de police n'étaient en état de marche. Tout ce qui utilisait des batteries, de l'électricité ou fonctionnait avec un moteur, s'était éteint à onze heures du matin. Papa parlait en avançant et me tenait fermement la main, comme s'il avait peur que quelque chose surgisse du ciel pour m'emporter.

— Rien ne marche, a-t-il expliqué. Ni l'électricité, ni les téléphones, ni la plomberie…

— On a vu un avion s'écraser.

Il a hoché la tête.

— Je suis sûr qu'ils l'ont tous vu. Tous ceux qui se trouvaient dans le ciel quand ça a frappé. Les avions de combat, les hélicoptères, les transports de troupes.

— Qu'est-ce qui a frappé ?

— L'impulsion électromagnétique. Si tu en déclenches une assez puissante, tu peux griller tout le réseau. L'électricité. Les communications. Les transports. Tout ce qui vole ou se conduit est mis hors service.

Il y avait environ deux kilomètres de mon lycée jusqu'à notre maison. Ce furent les deux kilomètres les plus longs de ma vie. J'avais l'impression qu'un rideau était tombé sur le monde. Un rideau pourtant similaire à ce qu'il cachait. Cependant, certains signes laissaient entrevoir que la situation devenait préoccupante. Comme tous ces gens qui se tenaient sous leur porche, leur téléphone détraqué en main, levant désespérément les yeux vers le ciel, ou ceux qui se penchaient sous le capot ouvert de leur voiture pour en bidouiller les câbles, parce que c'est ce que l'on fait en général quand son automobile ne fonctionne plus : on bidouille.

— Mais tout va bien, a repris mon père en me serrant plus fort la main. Tout va bien. Il y a de grandes chances pour que nos systèmes de sauvegarde ne soient pas bloqués, et je suis sûr que le gouvernement a un plan d'urgence, des bases protégées, par exemple.

— Et comment le fait de nous priver de courant entre dans leur plan pour nous aider à faire un grand pas dans notre évolution, papa ?

À peine avais-je prononcé ces mots que je les ai regrettés. Mais j'avais la trouille. Par chance, mon père ne l'a pas mal pris. Il m'a longuement regardée et a fini par me sourire d'un air rassurant avant de lâcher :

— Ne t'inquiète pas, ma chérie, ça va aller.

C'était ce que j'avais envie d'entendre, et c'était ce que lui avait envie de me dire. Et c'est d'ailleurs ce que vous faites quand le rideau se lève : vous donnez à votre public le spectacle auquel il a envie d'assister.

## 7

VERS MIDI, EN ROUTE POUR MA MISSION – j'avais cette promesse à tenir –, je me suis arrêtée pour boire un peu d'eau et dévorer un mini saucisson. Chaque fois que j'en mange un ou une boîte de sardines, ou quoi que ce soit de préemballé, je pense : *voilà, il y en a un de moins dans le monde.* Chacune de mes bouchées élimine un peu plus la preuve de notre présence sur Terre.

J'ai décidé qu'un de ces jours j'allais me résoudre à attraper un poulet et à lui tordre le cou. Je serais capable de tuer pour un Cheese Burger. Vraiment. Si jamais je croise… n'importe qui en train de manger un Cheese, je le tue et je m'en empare.

Il y a beaucoup de vaches dans le coin. Je pourrais en dégommer une et la dépecer avec mon Bowie. Je suis sûre que je n'aurais pas de problème pour abattre une vache. Le plus dur, ce serait de la cuire. Faire un feu, même en plein jour, serait le meilleur moyen d'inviter les Autres à mon barbecue...

Soudain une ombre passe dans les herbes hautes à quelques dizaines de mètres devant moi. Terrorisée, je rejette la tête en arrière et me cogne contre la Honda Civic sur laquelle je m'étais adossée pour déguster mon en-cas. Ce n'était pas un drone, mais un oiseau – une mouette – qui vient de se poser quasiment sans un battement d'ailes. Un frisson de dégoût m'envahit aussitôt. Je déteste les oiseaux. Ce n'était pas le cas avant l'Arrivée. Ni après la 1re Vague. Pas plus qu'après la 2e, qui ne m'a guère affectée. Mais, après la 3e Vague, je me suis mise à les détester. Ce n'était pas de leur faute. J'étais peut-être aussi ridicule qu'un condamné clamant son aversion pour les armes face à son peloton d'exécution, je ne pouvais pourtant pas m'en empêcher.

Les oiseaux me font carrément chier.

## 8

APRÈS TROIS JOURS DE MARCHE SUR LA ROUTE, j'ai décrété que les voitures étaient comme des bêtes de somme. Elles circulent en troupeau. Elles meurent en masse.

Les tas de carcasses immobiles, de tôles abandonnées, se comptent par milliers. De loin, elles brillent tels des bijoux. Soudain, cet amoncellement cesse. La route est vide durant des kilomètres. Il n'y a plus que moi et cette rivière d'asphalte qui navigue à travers un défilé d'arbres à demi nus, dont les feuilles mortes s'accrochent désespérément aux branches sombres. Il n'y a plus que la route, le ciel nu, l'herbe haute et brune, et moi.

Ces étendues vides sont pires que tout. Les automobiles me fournissent une couverture. Un abri. Je dors dans celles qui sont encore en bon état (jusqu'à présent je n'en ai vu aucune fermée à clef). Enfin, si on peut appeler ça dormir. L'air y est étouffant et confiné – je ne peux pas briser les vitres ni laisser une portière ouverte, c'est hors de question. La faim me tenaille. Et que dire de mes obsédantes pensées nocturnes ?

*Tu es seule, seule, seule.*

Et la plus pénible de toutes… Je ne suis pas concepteur de drones extraterrestres mais, si c'était le cas, je m'assurerais qu'ils soient suffisamment sensibles pour détecter la chaleur d'un corps à travers le toit d'une voiture. Et là, ça ne rate jamais : au moment où je m'endors enfin, je rêve que les quatre portières s'ouvrent brusquement et que des douzaines de mains se tendent vers moi, des mains attachées à des bras, eux-mêmes attachés à… quelle que soit la forme de ces extraterrestres. Et voilà, je suis réveillée en sursaut, je tâtonne à la recherche de mon M16, je jette un coup d'œil paniqué sur le siège arrière, puis tout autour de moi. J'ai l'horrible sensation d'être prisonnière – aveugle derrière ces vitres embuées.

L'aube se lève. J'attends patiemment que le brouillard matinal se dissipe, puis j'avale un peu d'eau, je me brosse les dents, je vérifie mes armes plutôt deux fois qu'une, je fais l'inventaire de mes biens et je reprends mon chemin. Je regarde en haut, en bas, partout alentour. Je ne m'arrête à aucune sortie de l'autoroute. Pour l'instant, mon stock d'eau est suffisant. Hors de question que je m'approche d'une ville à moins d'en avoir vraiment besoin.

Et ce pour plusieurs raisons.

Vous savez à quoi on devine qu'on est près d'une ville ? À cause de l'odeur. On peut humer une ville à des kilomètres à la ronde.

Elles ont une odeur de fumée. Et d'eaux usées. Et de mort.

Dans une ville, il est difficile de faire deux pas sans tomber sur un cadavre. C'est plutôt comique quand on y pense : les gens meurent en groupe, eux aussi.

J'ai senti Cincinnati environ un kilomètre avant d'apercevoir le panneau qui indiquait la sortie. Une épaisse colonne de fumée s'élève lentement dans le ciel sans nuages.

Cincinnati brûle.

Ça ne me surprend pas. Après la 3$^e$ Vague, ce que vous trouviez le plus fréquemment dans les villes, après les corps, c'étaient les feux. Une simple allumette pouvait enflammer dix pâtés de maisons. Il n'y avait plus personne pour éteindre les incendies.

Mes yeux commencent à larmoyer. La puanteur de Cincinnati me donne des haut-le-cœur. Je m'arrête pour nouer un bandeau autour de ma bouche et de mon nez, puis j'accélère le pas. Je retire le fusil de mon épaule et le maintiens braqué devant moi tout en me hâtant. J'ai un mauvais pressentiment en ce qui concerne Cincinnati. Ma voix intérieure s'est réveillée.

*Dépêche-toi, Cassie. Dépêche-toi.*

Et là, quelque part entre les sorties 17 et 18, je découvre les corps.

---

## 9

IL Y EN A TROIS, ESPACÉS LES UNS DES AUTRES. Le premier est celui d'un homme qui doit avoir à peu près l'âge de mon père, je pense. Il porte un jean et une polaire à l'effigie du club de foot des Bengals. Il est face contre terre et les bras écartés. On lui a tiré une balle à l'arrière de la tête.

Le deuxième corps, environ trois mètres plus loin, est celui d'une jeune fille, un petit peu plus âgée que moi, vêtue d'un pantalon de pyjama masculin et d'un T-shirt Victoria's Secret. Un large filet rouge sombre coule dans ses cheveux courts. Elle a une bague à tête de mort à l'index gauche. Le vernis noir de ses ongles est très écaillé. Et, comme l'homme, l'impact d'une balle orne l'arrière de son crâne.

À quelques pas se trouve le troisième corps. Celui d'un gamin qui doit avoir dans les onze ou douze ans. Il porte des baskets montantes blanches, hyper neuves, et un sweat-shirt noir. Il est maintenant difficile de dire à quoi ce garçon ressemblait.

J'abandonne le gamin et je retourne vers la fille. Je m'agenouille dans l'herbe à côté d'elle et j'effleure du pouce son cou pâle.

Sa peau est encore chaude.

*Oh non. Non, non, non.*

Je trottine jusqu'à l'homme. Je m'accroupis. Concentrée, je touche la paume de sa main ouverte et inspecte le petit trou dégoulinant de sang entre ses oreilles.

Le sang brille. Il est moite.

Je me fige sur place. Derrière moi, la route. Devant moi, toujours la route. À ma droite, des arbres. À ma gauche, d'autres arbres. Des voitures sont amassées sur la voie qui descend vers le sud, les premières se situant à environ trois mètres. D'instinct, je lève la tête.

Une petite tache d'un gris sombre sur la toile de fond d'un éblouissant bleu automnal.

Qui ne bouge pas.

*Bonjour, Cassie. Je suis M. Drone. Ravi de te rencontrer !*

Je me redresse et, lorsque je me redresse – à l'instant même où je me redresse ; si j'étais restée accroupie une fraction de seconde de plus, j'aurais aussi eu droit à un petit trou assorti à celui de M. Bengals –, quelque chose claque contre ma jambe, juste au-dessus de mon genou, si fort que j'en perds l'équilibre et que je me retrouve les fesses par terre.

Je n'ai pas entendu le coup de feu. Il y avait le vent léger dans l'herbe, mon propre souffle sous le bandeau qui recouvre mon visage, et mon pouls qui tambourinait à mes oreilles – voilà, c'étaient les seuls bruits avant que la balle me frappe.

Un silencieux.

Évidemment ! Bien sûr qu'ils utilisent des silencieux. Et maintenant, j'ai le nom parfait pour eux : les Silencieux.

Un nom qui correspond parfaitement à leur boulot.

Quand vous affrontez la mort, quelque chose change en vous. La partie rationnelle de votre cerveau s'efface pour laisser le contrôle à la partie animale, celle qui gère vos battements de cœur, de paupières, et votre respiration. Cet instinct de survie – qui étire le temps comme un morceau de caramel mou géant, transformant une seconde en heure, et donnant à une minute la longueur d'un après-midi ensoleillé.

Je bondis en avant pour saisir mon fusil – j'ai fait tomber le M16 quand la balle m'a touchée – et aussitôt le sol devant moi explose, m'aspergeant d'herbe, de poussière et de graviers.

OK, je crois que je vais oublier le M16. J'extrais le Luger de ma ceinture et je me rue vers la voiture la plus proche. Je ne suis que légèrement blessée – pour l'instant, du moins, car je pense que la situation ne va pas tarder à empirer – mais quand j'atteins le véhicule, une vieille Buick, je me rends compte que le sang trempe déjà mon jean.

À l'instant où je me baisse, le pare-brise arrière vole en éclats. Je rampe sur le dos pour me glisser entièrement sous la voiture. J'ai beau ne pas être très grosse, c'est plutôt serré là-dessous. Je n'ai pas de place pour me retourner, ni bouger si l'ennemi surgit par la gauche.

Je suis coincée.

*C'est malin, Cassie, très malin. Et tu as eu les notes les plus élevées de la classe le semestre dernier ? Tu fais partie des meilleurs élèves ? Ouiiiiiiii.*

*Tu aurais mieux fait de rester planquée dans ton petit campement au fond des bois, sous ta petite tente, avec tes petits livres et tes jolis petits mémos. Au moins, quand ils seraient venus te capturer, tu aurais eu de la place pour t'enfuir.*

La minute s'éternise. Allongée sur le dos, je perds mon sang sur le bitume froid. Je tourne la tête à droite, à gauche, je la baisse de quelques centimètres pour regarder au-delà de mes pieds, vers l'arrière de la Buick. Putain, mais il est où ? Pourquoi il met si longtemps à venir ?

Soudain, l'évidence me frappe.

Tel un sniper, il utilise un fusil hautement sophistiqué. Oui, ça doit être ça. Ce qui signifie qu'il pouvait se trouver à plus de cinq cents mètres quand il m'a tiré dessus.

Ce qui signifie *aussi* que j'ai plus de temps que je croyais. Le temps de trouver une solution autre qu'une prière désespérée.

*S'il vous plaît, faites qu'il parte. Faites qu'il soit rapide. Accordez-moi la grâce de vivre. Laissez-le m'achever...*

Je tremble sans pouvoir m'en empêcher. Je transpire et je gèle en même temps.

*Tu es sous le choc. Réfléchis, Cassie.*

Réfléchis.

Nous sommes faits pour cela. C'est ce qui nous a amenés jusqu'ici. La raison pour laquelle j'ai cette voiture pour me cacher. Nous sommes humains.

Et les humains réfléchissent. Ils fomentent des plans, élaborent des stratégies. Ils rêvent et font en sorte de donner vie à leurs rêves.

*Rends les choses réelles, Cassie.*

S'il ne se penche pas, il ne sera pas capable de m'atteindre. Et quand il se penchera... Lorsqu'il baissera la tête pour me regarder... qu'il tendra la main pour m'attraper par la cheville et me tirer de là...

Non. Il est trop intelligent pour ça. Il doit se douter que je suis armée. Il ne prendrait pas le risque d'envisager le contraire. Non que les Silencieux se soucient de vivre ou de mourir... À moins que cela ait de l'importance pour eux ? Les Silencieux connaissent-ils la peur ? Ils n'aiment pas la vie – j'ai vu assez d'horreurs pour le savoir. Mais que préfèrent-ils ? Leur propre vie... ou ravir celle des autres ?

Le temps s'étire de plus en plus. Les minutes me semblent maintenant plus longues que les saisons. Qu'est-ce qu'il fout, putain ?!

Qu'est-ce qu'il attend pour terminer ce qu'il a commencé ? Il doit finir son travail, non ? N'est-ce pas la raison de sa présence sur Terre ? La raison de toute cette connerie ?

Le monde n'est plus qu'alternatives. Soit je cours – ou je saute, ou je rampe, ou je roule –, soit je reste sous cette bagnole et je me vide tranquillement de mon sang. Si je tente de m'échapper, ce sera un combat inégal. Je ne ferai pas un mètre. Si je reste, même résultat, mais peut-être plus douloureux, plus effrayant, et beaucoup, beaucoup plus lent.

Des étoiles noires dansent devant mes yeux. Je n'ai pas assez d'air pour respirer.

Je tends la main gauche et retire le bandeau de mon visage.

Le bandeau…

*Cassie, tu n'es qu'une idiote !*

Je pose le pistolet à côté de moi. C'est le plus difficile – m'obliger à le lâcher.

Puis je soulève un peu ma jambe, et glisse le bandeau en dessous. Je ne peux pas lever la tête pour voir ce que je fais. Blottie sous les entrailles crasseuses de la Buick, je m'efforce de ne pas perdre conscience et noue tant bien que mal les deux morceaux du bandeau ensemble. Je les serre fort, aussi fort que je peux. Du bout des doigts, j'explore ma blessure. Ça saigne toujours, mais ce n'est plus qu'un filet comparé au jet qui dégoulinait quelques instants plus tôt.

Je reprends mon arme. Voilà, c'est mieux. Peu à peu, ma vision s'éclaircit, et je n'ai plus aussi froid. Je bouge de quelques centimètres sur la gauche. Je n'aime pas être étendue dans mon propre sang.

Où est-il ? Il a eu plus que le temps nécessaire pour terminer son…

*À moins qu'il n'ait terminé.*

Cette pensée me sidère. Durant quelques secondes, j'en oublie presque de respirer.

*Il ne viendra pas. Non, il ne viendra pas, parce qu'il n'en a pas besoin. Il sait que tu n'oseras pas sortir, et si tu ne t'en vas pas d'ici, tu ne survivras pas. Il sait que tu mourras de faim ou de déshydratation, ou que tu te videras entièrement de ton sang.*

*Il en sait autant que toi. Si tu cours, tu meurs. Si tu restes, tu meurs aussi.*

*Il est temps pour lui de s'attaquer à sa prochaine cible.*

S'il y en a une autre.

Si je ne suis pas la dernière sur Terre.

*Réveille-toi, Cassie ! Tu crois que vous seriez passés de sept milliards d'humains à un seul en cinq mois ? Tu n'es pas la dernière humaine sur Terre, et même si c'était le cas – surtout si ça l'est – tu ne peux pas laisser les choses se terminer ainsi. Coincée sous une putain de vieille Buick, te vidant de ton sang jusqu'à la dernière goutte. C'est ainsi que l'humanité disparaîtrait ?*

Putain, non.

## 10

LA 1re VAGUE a exterminé un demi-million de personnes.

La 2e Vague a réduit ce nombre à un chiffre minable.

Au cas où vous l'ignoreriez, nous vivons sur une planète sans cesse en mouvement. Les continents reposent sur d'immenses blocs rocheux, appelés plaques tectoniques, et ces plaques flottent sur un océan de lave en fusion. Elles ne cessent de pousser et de frotter les unes contre les autres, créant une pression énorme. Au fil du temps, cette pression augmente de plus belle, jusqu'à ce que les plaques glissent, libérant une violente énergie sous la forme de tremblements de terre. Et si ces tremblements ont lieu sur l'une des lignes de faille qui entourent chaque continent, l'onde de choc produit une vague gigantesque appelée tsunami.

Plus de quarante pour cent de la population mondiale vit à moins de cent kilomètres du littoral. Ce qui fait trois milliards de personnes.

L'opération est simple. Prenez une tige de métal, deux fois plus haute que l'Empire State Building, et trois fois plus lourde. Choisissez l'une de ces lignes de faille. Laissez tomber cette tige de l'atmosphère supérieure. Vous n'avez pas besoin d'un système de propulsion ou de guidage – contentez-vous de la laisser tomber. Grâce à la gravité, le temps que cette tige atteigne la surface de la Terre, elle foncera à vingt kilomètres par seconde, soit vingt fois plus vite que la vitesse d'une balle de M16.

Elle frappera alors la surface avec une violence un milliard de fois plus puissante que la bombe atomique qui a rasé Hiroshima.

Les Autres n'avaient plus qu'à déclencher le bordel.

Au revoir, New York. Au revoir Sydney. Adieu la Californie, l'État de Washington, l'Oregon, l'Alaska, la Colombie-Britannique. Adieu la côte est.

Le Japon, Hong Kong, Londres, Rome, Rio.

Contente de vous avoir connus. J'espère que vous avez été heureux de faire partie de notre univers.

La 1$^{re}$ Vague s'est déroulée en quelques secondes.

La 2$^e$ Vague a duré un peu plus longtemps. Presque une journée.

La 3$^e$ ? Encore un peu plus longtemps – environ douze semaines. Douze semaines pour tuer… eh bien, papa a calculé, quatre-vingt-dix-sept pour cent de ceux d'entre nous suffisamment malchanceux pour avoir survécu aux deux premières Vagues.

Quatre-vingt-dix-sept pour cent de quatre milliards ? Calculez vous-même.

C'est à ce moment-là que l'Empire des extraterrestres descend sur Terre dans ses soucoupes volantes et commence à tout faire sauter, n'est-ce pas ? Lorsque tous les peuples s'unissent sous une seule et même bannière pour jouer à David contre Goliath. C'est là que nos tanks se liguent contre leurs rayons laser. Allez-y ! Sortez l'artillerie.

Nous n'avons pas eu autant de chance.

Et Eux n'étaient pas stupides à ce point.

Comment exterminer quatre milliards d'humains en trois mois ?

Grâce aux oiseaux.

Combien d'oiseaux existe-t-il dans le monde ? Vous voulez deviner ? Un million ? Un milliard ? Que diriez-vous de trois cents milliards ? Ça fait à peu près soixante-quinze oiseaux pour chaque homme, femme ou enfant encore vivant après les deux premières Vagues.

Il existe des milliers d'espèces sur chaque continent. Et les oiseaux ne connaissent pas les frontières. Et ils chient beaucoup. Environ cinq à six fois par jour. Ce qui nous donne des milliards de petits missiles bactériologiques qui tombent du ciel au quotidien.

Vous ne pourriez pas inventer meilleur moyen pour diffuser un virus au taux d'efficacité mortelle de quatre-vingt-dix-sept pour cent. Mon père pensait qu'ils avaient dû prendre quelque chose comme le virus Ébola et le modifier génétiquement.

Le virus Ébola ne peut se répandre dans l'air. Mais il vous suffit d'en changer une simple protéine pour qu'il puisse être aéroporté, comme la grippe. Ce virus se loge directement dans vos poumons. Vous commencez par avoir une mauvaise toux. Puis de la fièvre. Un violent mal de tête. Très violent. Ensuite vous vous mettez à cracher des petites gouttes de sang chargées de ce virus, qui se propage dans votre foie, vos reins et votre cerveau. À présent, vous avez des milliers de virus en vous. Vous êtes devenu une véritable bombe virale. Et, quand vous implosez, vous foudroyez tout le monde autour de vous avec ce virus démultiplié. Comme les rats qui s'enfuient du navire, le virus sort de chacun de vos orifices. Votre bouche, votre nez, vos oreilles, votre cul, et même vos yeux. Vous pleurez littéralement des larmes de sang.

Nous lui donnions différents noms : la Mort Rouge ou l'Épidémie Sanguine. La Peste. Le Tsunami Rouge. Le Quatrième Cavalier de l'Apocalypse. Quelle que soit l'appellation, au bout de trois mois, quatre-vingt-dix-sept pour cent de la population restante avait succombé.

Ça fait beaucoup de larmes de sang.

Le temps s'écoulait à l'envers. La 1$^{re}$ Vague nous a tout à coup ramenés au XVIII$^e$ siècle. La 2$^e$, elle, nous a plongés au néolithique.

Nous étions redevenus des chasseurs-cueilleurs. Des nomades. Retombés au pied de la pyramide de l'évolution.

Cependant, nous n'étions pas prêts à abandonner tout espoir. Non. Pas tout de suite.

Nous étions encore assez nombreux pour combattre.

Certes nous ne pouvions pas les attaquer de front, mais nous avions la possibilité de mener une guérilla et de leur flanquer une dérouillée. Il nous restait assez d'armes et de munitions, et même de véhicules qui avaient été épargnés par la 1<sup>re</sup> Vague. Nos troupes militaires avaient été décimées, néanmoins il existait encore suffisamment d'unités opérationnelles sur chaque continent. Nous avions des bunkers, des grottes et des bases souterraines dans lesquels nous pouvions nous cacher durant des années. *Vous, les Envahisseurs, vous serez l'Amérique, et nous serons votre Vietnam.*

Et les Autres diraient : *Ouais, OK, on fait comme ça.*

Nous pensions qu'ils nous avaient déjà tout envoyé – ou au moins le pire, parce qu'il était difficile d'imaginer pire que la Mort Rouge. Ceux d'entre nous qui avaient survécu à la 3<sup>e</sup> Vague – ceux qui possédaient une bonne immunité naturelle contre la pandémie – se calfeutraient chez eux après avoir empilé des vivres et attendaient que les responsables au gouvernement nous expliquent quoi faire. Il était évident que quelqu'un s'occupait de la situation, car, de temps à autre, un avion de chasse zébrait le ciel, et nous entendions au loin le bruit de ce qui ressemblait à des combats à l'arme automatique ainsi que le grondement de troupes blindées.

Je crois que ma famille a eu plus de chances que bien d'autres. Le Quatrième Cavalier a emporté ma mère, mais papa, Sammy et moi avons survécu. Papa se félicitait de nos gènes supérieurs. C'était presque indécent de se vanter ainsi, alors que sept milliards d'humains étaient morts. Mais Papa était juste… papa. Il essayait de réagir au mieux à la veille de l'extinction totale de la race humaine.

Quand le Tsunami Rouge s'est déployé, la plupart des villes ont été abandonnées. Il n'y avait plus d'électricité, plus d'eau potable, et tous les magasins et boutiques avaient depuis longtemps été vidés de leurs biens précieux. Dans certaines rues les égouts débordaient. Les incendies dus aux orages d'été étaient courants.

Et puis, il y avait le problème des corps.

À dire vrai, ils étaient étalés partout. Dans les maisons, les abris, les hôpitaux, les appartements, les immeubles de bureaux, les établissements scolaires, les églises, les mosquées et les synagogues, ainsi que les grands magasins.

À un certain moment, le volume des morts vous submerge. Il est impossible d'enterrer ou d'enfouir les corps assez vite. Cet été de la Peste Rouge est devenu soudain très chaud, et la puanteur des corps en décomposition flottait dans l'air comme un brouillard invisible et nauséabond. Nous imbibions de parfum des lambeaux de vêtements pour les nouer sur nos bouches et nos nez, mais, à la fin de la journée, l'odeur putride pénétrait le tissu et vous ne pouviez que vous asseoir et vomir.

Jusqu'à ce que – vachement rassurant – vous vous y habituiez.

Nous avons attendu la 3e Vague barricadés dans notre maison. En grande partie parce que nous étions réduits en quarantaine, mais aussi parce que certains déjantés arpentaient les rues, s'introduisaient dans les propriétés et y mettaient le feu – bref nous avions droit au scénario classique de pillages, meurtres et viols. Nous étions effrayés au plus haut point et nous nous demandions ce qui allait arriver de pire ensuite.

Nous restions aussi parce que papa ne voulait pas quitter maman. Elle était trop malade pour voyager, et il ne pouvait se résoudre à la laisser seule.

Pourtant, elle le pressait de partir. De l'abandonner. De toute façon, elle savait qu'elle allait mourir. Il n'était plus question d'elle. Papa devait penser à Sammy et à moi. À nous garder en vie. À notre futur. Elle insistait pour qu'il s'accroche à l'infime espoir que demain serait meilleur qu'aujourd'hui.

Papa ne l'a pas contredite, mais il n'a pas cédé. Il attendait l'inévitable – procurant à maman autant de confort que possible –, consultait des cartes, faisait des listes et stockait des biens. C'est à peu près à ce moment-là que son obsession à accumuler des livres pour reconstruire notre civilisation a commencé. Une nuit, alors que le ciel n'était pas complètement obscurci de nuages, nous sommes sortis dans le jardin et, chacun notre tour, nous avons regardé à travers mon ancien télescope, observant le ravitailleur glisser avec majesté sur la toile de fond de la Voie lactée. Sans toutes les lumières créées par l'humain, les étoiles brillaient beaucoup plus.

— Qu'est-ce qu'ils attendent ? ai-je demandé à mon père.

Pour ma part, j'attendais toujours – comme tout le monde – les soucoupes volantes, les robots mécaniques et les canons laser.

— Pourquoi est-ce qu'ils n'en terminent pas une bonne fois ?

Papa a secoué la tête.

— Je ne sais pas, ma chérie. Peut-être que c'est *déjà* terminé. Peut-être que leur but n'est pas de nous tuer tous, mais simplement de réduire notre population.

— Et après ? Qu'est-ce qu'ils veulent ?

— Je crois que la meilleure question c'est : de quoi ont-ils besoin ? a-t-il répondu avec douceur, comme s'il m'informait d'une très mauvaise nouvelle. Ils ont été prudents, tu sais.

— Prudents ?

— De ne pas créer de dommages plus que nécessaire. C'est la raison de leur venue, Cassie. Ils ont besoin de la Terre !

— Mais pas de nous, ai-je chuchoté dans un frisson.

Mon père a posé sa main sur mon épaule, comme chaque fois que je me mettais à dérailler.

— Eh bien, disons que nous avons eu notre chance. Et on ne peut pas prétendre avoir vraiment pris soin de notre héritage. Je parie que si nous pouvions revenir en arrière et interroger les dinosaures avant la chute de l'astéroïde…

C'est à cet instant que je l'ai giflé, aussi fort que je le pouvais. Puis je me suis précipitée vers la maison en sanglotant.

J'ignore ce qui était le pire : dedans ou dehors. Dehors, vous vous sentiez complètement exposé, vulnérable, observé en permanence, nu sous le ciel nu. À l'intérieur, c'était un crépuscule perpétuel. Durant la journée, les fenêtres calfeutrées bloquaient la lumière du soleil. Le soir, nous nous éclairions aux bougies, mais nous devions les épargner et ne pouvions guère en utiliser plus d'une par pièce. Des ombres inquiétantes envahissaient alors les coins autrefois si familiers.

— Qu'est-ce qu'il y a, Cassie ?

Sammy. Cinq ans. Adorable. Mon petit frère et ses grands yeux bruns si doux, étreignant l'autre membre

de la famille aux grands yeux bruns, celui qui roupille
à présent au fond de mon sac à dos.

— Pourquoi est-ce que tu pleures ? a-t-il insisté.

En voyant mes larmes, il s'est mis à pleurer aussi.

Je suis passée devant lui pour me ruer vers la chambre
d'un dinosaure de race humaine de seize ans, *Cassiopeia
Sullivanus extinctus.* Puis je me suis ravisée et suis revenue
lentement vers lui. Je ne pouvais pas le laisser pleurer
comme ça. Nous nous étions beaucoup rapprochés l'un
de l'autre depuis que maman était malade. Presque
toutes les nuits, Sammy faisait des cauchemars et venait
me rejoindre dans ma chambre. Sans un bruit, il grim-
pait dans mon lit et se blottissait contre moi, enfouissant
son visage contre ma poitrine. Parfois il se trompait et
m'appelait « maman ».

— Tu les as vus, Cassie ? Ils viennent, c'est ça ?

— Non, Choupinou, ai-je dit en essuyant mes larmes.
Personne ne vient.

Pas encore.

---

## 11

---

MAMAN EST MORTE UN MARDI.

Papa l'a enterrée dans le jardin, au pied du beau
massif de roses. C'est ce qu'elle lui avait demandé avant
son décès. Au plus fort de la Peste Rouge, quand des
centaines de personnes mouraient chaque jour, la plu-

part des corps étaient emmenés en périphérie et brûlés. Les villes étaient entourées par des feux qui couvaient en permanence.

Papa m'a ordonné de rester avec Sammy. Sammy, qui traînait des pieds tel un zombie, bouche bée ou suçant son pouce comme s'il avait de nouveau deux ans, l'air hébété. À peine quelques mois plus tôt, maman le poussait sur la balançoire, l'accompagnait à ses cours de karaté, lui shampouinait les cheveux, ou dansait avec lui sur sa chanson préférée. À présent, elle était drapée dans un linceul blanc, et papa la portait sur son épaule pour aller l'enfouir sous terre.

Par la fenêtre de la cuisine, j'ai vu papa s'agenouiller à côté de la tombe, peu profonde. Il avait la tête courbée et ses épaules tremblaient. Jamais, depuis l'Arrivée, je ne l'avais vu perdre son sang-froid. La situation ne cessait de s'aggraver, et juste au moment où vous croyiez que cela ne pourrait pas être pire, cela empirait quand même, mais papa n'a jamais eu peur. Quand maman a montré les premiers signes d'infection, il est resté très calme, surtout devant elle. Il n'évoquait jamais ce qui se passait en dehors de nos portes et nos fenêtres barricadées. Il lui posait des linges humides sur le front. Il la baignait, la changeait, la nourrissait. Jamais je ne l'ai vu pleurer devant elle. Alors que certaines personnes se flanquaient une balle dans la tête, se pendaient, avalaient quantité de pilules ou se défenestraient, Papa luttait contre le mal.

Il chantait pour elle et lui répétait des plaisanteries idiotes qu'elle avait entendues des centaines de fois, et il lui mentait. Il lui mentait comme un parent vous ment, de ces mensonges pieux qui vous aident à mieux dormir.

— J'ai entendu un autre avion, aujourd'hui. Je crois que c'était un avion de chasse. Ça signifie que la plupart de nos troupes s'en sont tirées.

— Ta fièvre a baissé et tes yeux sont moins vitreux, ce matin. Peut-être que ce n'est pas ce que nous craignons. Peut-être juste une légère grippe.

Durant les dernières heures, il lui essuyait ses larmes de sang.

La tenait pendant qu'elle dégueulait son estomac pourrissant.

Nous faisait venir, Sammy et moi, dans sa chambre pour lui dire au revoir.

— Ça va aller, a-t-elle confié à Sammy. Tout va très bien se passer.

Puis elle s'est adressée à moi :

— Il a besoin de toi, Cassie. Prends soin de lui. Prends soin de ton père.

Je lui ai répondu qu'elle irait bientôt mieux. C'était le cas pour certains malades. Ils paraissaient infectés, mais soudain le virus disparaissait. Personne ne comprenait pourquoi. Peut-être qu'il n'appréciait pas le goût de leur corps. Si j'ai dit cela à maman, ce n'était pas pour chasser ses peurs. Je le croyais vraiment. Je *devais* le croire.

— Tu es tout ce qu'ils ont, a dit maman, livide.

Ce furent ses derniers mots pour moi.

L'esprit s'accrochait au corps, avant d'être emporté par les eaux rouges du Tsunami. Le virus prenait le contrôle total, faisant comme bouillir le cerveau, rendant les malades fous. Ils se mettaient à donner des coups de poing, des coups de pied, à griffer et à mordre. Comme si le virus, qui avait besoin de nous, nous détestait en même temps et essayait de se débarrasser de nous.

Ma mère a regardé mon père, mais elle ne l'a pas reconnu. Elle ne savait plus où elle se trouvait. Ni qui elle était. Encore moins ce qui lui arrivait. Puis elle a eu ce sourire terrifiant, ses lèvres craquelées s'étirant sur ses gencives sanguinolentes – ses dents rougies de sang. Des bruits – qui n'étaient plus des mots – sont sortis de sa bouche. La partie de son cerveau qui connaissait le langage était infectée par le virus, et le virus ignorait tout du langage en question – il savait seulement comment se développer. Alors, ma mère est morte dans une débauche de mouvements saccadés et de cris atroces, et les intrus qui avaient envahi son corps sortaient à présent de chacun de ses orifices, parce que voilà, c'en était fini pour elle, ils l'avaient utilisée et il était temps pour eux de s'en aller pour s'emparer d'une autre victime.

Papa lui a fait une dernière toilette. Il a coiffé ses cheveux et frotté le sang séché sur ses dents. Lorsqu'il est venu me dire qu'elle était morte, il était très calme. Ses nerfs n'ont pas lâché. Il m'a enlacée pendant que, moi, je piquais une crise.

À présent, je l'observe à travers la fenêtre de la cuisine. Agenouillé à côté de maman dans le parterre de roses, pensant que personne ne peut le voir, il lâche quelques minutes la corde à laquelle il se cramponnait, celle qui lui permettait de garder l'équilibre alors que tout le monde autour de lui perdait la tête.

Je me suis assurée que Sammy allait bien et je suis sortie. Je me suis assise à côté de papa et j'ai posé ma main sur son épaule. La dernière fois que j'avais touché mon père, c'était pour lui donner une gifle. Je n'ai rien dit, et lui non plus, pendant un long moment.

Il a alors glissé quelque chose dans ma main. L'alliance de maman. Il m'a confié qu'elle voulait que je l'aie.

— Nous partons, Cassie. Demain matin.

J'ai hoché la tête. Je savais que maman était la seule raison pour laquelle nous étions restés. Les délicates tiges des roses ont oscillé, comme pour acquiescer.

— Où allons-nous ?

— Loin.

Papa a regardé autour de lui. Il paraissait effrayé.

— Ce n'est plus sûr, ici, a-t-il ajouté.

*Vraiment ? Est-ce que ça l'a jamais été ?*

— La base d'aviation militaire Wright-Patterson est à environ cent cinquante kilomètres. Si nous ne traînons pas et que la météo reste stable, nous y serons en cinq ou six jours.

— Et qu'est-ce qu'on fera après ?

Les Autres nous avaient conditionnés à penser de cette façon : *OK, on fait ça, et après ?* J'ai observé mon père, attendant sa réponse. C'était l'homme le plus intelligent que je connaissais. S'il n'avait pas de réponse, personne n'en aurait. Moi, en tout cas, je n'en avais aucune, et je m'en remettais complètement à lui. J'avais besoin de lui.

Il a secoué la tête comme s'il ne comprenait pas ma question.

— Qu'est-ce qu'il y a à Wright-Patterson ? ai-je insisté.

— Je ne sais même pas s'il y a encore quelque chose là-bas.

Il a essayé d'esquisser un sourire, mais n'a réussi qu'à grimacer.

— Alors, pourquoi on y va ?

— Parce qu'on ne peut pas rester ici, a-t-il marmonné, les dents serrées. Et si nous ne pouvons pas rester, nous devons aller quelque part. Si nous avons encore un gouvernement…

De nouveau, papa a secoué la tête. Il n'était pas sorti pour avoir une telle conversation. S'il était dehors, c'était pour enterrer sa femme.

— Rentre, Cassie.

— Je vais t'aider.

— Je n'ai pas besoin de ton aide.

— C'est ma mère. Moi aussi, je l'aimais. S'il te plaît, laisse-moi t'aider !

Je m'étais remise à pleurer, mais papa ne le remarquait pas. Il ne me regardait pas. Ni moi ni maman. En fait, il avait les yeux perdus dans le vague. À la place de notre monde habituel, il y avait désormais un grand trou noir, et nous étions tous les deux en train d'y tomber. À quoi pouvions-nous nous raccrocher ? J'ai retiré sa main du corps de maman et l'ai pressée contre ma joue avant de lui dire que je l'aimais, que maman l'aimait aussi et que tout irait bien. Alors le grand trou noir a perdu un peu de sa force.

— Rentre, Cassie, a-t-il répété avec douceur. Sammy a plus besoin de toi que ta mère.

Je suis rentrée. Sammy était assis par terre dans sa chambre et jouait à détruire l'Étoile de la Mort avec sa X-Wing Starfighter.

— Vroom, vroom ! Fais gaffe à toi, la grande rouge !
J'arrive.

Dehors, mon père était toujours agenouillé dans la terre fraîchement retournée. Poussière brune, roses rouges, ciel gris, linceul blanc.

<hr />

## 12

JE CROIS QU'IL EST TEMPS QUE JE VOUS PARLE DE SAMMY.

Je ne sais pas comment aborder ça.

*Ça,* étant les premiers centimètres au grand jour, quand le soleil a effleuré ma joue griffée au moment où je me suis extirpée de sous la Buick. Ces premiers centimètres ont été les plus difficiles. Les plus longs de l'univers. Pire que des milliers de kilomètres.

*Ça,* étant l'endroit précis de l'autoroute où je me suis retournée pour faire face à l'ennemi invisible.

*Ça,* étant la seule chose qui m'empêche de devenir complètement dingue, celle que les Autres n'ont pas été capables de m'ôter, après m'avoir tout pris.

Sammy est la seule raison pour laquelle je n'ai pas abandonné. La raison pour laquelle je ne suis pas restée sous cette voiture à attendre la fin.

La dernière fois que je l'ai vu, c'était à travers la vitre arrière d'un bus scolaire. Il avait le front pressé contre la vitre et me faisait un petit signe de la main, le sourire aux lèvres. C'était comme s'il partait pour une sortie éducative : il était excité, nerveux, pas du tout effrayé. Le fait de se trouver dans ce bus, avec les autres enfants, l'aidait. Cela paraissait si normal. Quoi de plus normal, en effet, qu'un gros bus jaune qui emmène les enfants à l'école ? C'est si ordinaire, en fait, que voir ce véhicule entrer dans notre camp de rescapés, après toutes les horreurs de ces quatre derniers mois, était choquant. Comme imaginer un MacDonald's sur la lune. Bizarre. Dingue. Quelque chose qui ne devrait pas exister.

Nous n'étions au camp que depuis quelques semaines. De la cinquantaine de personnes qui se trouvaient là, nous étions la seule famille. Tous les autres étaient veufs, veuves ou orphelins. Le plus âgé des réfugiés devait avoir une soixantaine d'années. Sammy était le plus jeune, mais il y avait sept autres enfants. À part moi, aucun n'avait plus de quatorze ans.

Le camp se dressait à une trentaine de kilomètres à l'est du quartier où nous habitions. Il avait été grossièrement installé dans les bois durant la 3e Vague pour y établir un hôpital de campagne, car ceux en ville avaient atteint leurs capacités maximales d'hébergement. Deux bâtiments, construits en bois brut scié à la main et en ferraille récupérée étaient flanqués l'un contre l'autre. Le plus important pour les malades, et le plus petit pour les deux médecins qui soignaient les mourants avant qu'eux-mêmes ne soient emportés par le Tsunami Rouge. Il y avait un semblant de jardin et un système qui récupérait l'eau de pluie pour la toilette et la cuisine.

Nous mangions et dormions dans la plus grande baraque. Entre cinq et six cents personnes s'étaient vidées de leur sang, ici, mais le sol et les murs avaient été blanchis, et les lits dans lesquels ils avaient agonisé avaient été brûlés. Cependant, il régnait toujours une légère odeur de peste (une odeur qui ressemblait à celle du lait caillé) et l'eau de Javel n'avait pas réussi à éliminer toutes les traces de sang. Des marques rougeâtres s'étalaient ainsi sur les murs et des taches en forme de petites faucilles ternissaient le sol. C'était comme de vivre dans une peinture abstraite en 3D.

Le baraquement servait à la fois d'entrepôt et de cache pour les armes. On y gardait des conserves de légumes, des aliments sous vide, des denrées non périssables et des produits de base, comme le sel. Des fusils de chasse, des revolvers, des semi-automatiques, et même quelques pistolets d'alarme. Chaque homme était armé jusqu'aux dents. On se serait cru en plein Far West.

Un trou peu profond avait été creusé à quelques centaines de mètres dans les bois, derrière le camp. Pour brûler les corps. Nous n'avions pas le droit de nous y rendre, alors, bien sûr, quelques gamins et moi avions pris l'habitude d'y aller en cachette. Il y avait ce sale type, que tout le monde appelait Crisco[1], à cause, je crois, de ses longs cheveux gominés, plaqués en arrière. Crisco avait treize ans et c'était un chasseur de trophées. Ce que je veux dire par là, c'est qu'il avait l'habitude de fouiller dans les cendres des cadavres pour récupérer des bijoux ou des pièces et tout ce qu'il trouvait valable et « intéressant ». Il s'énervait quand on le traitait de taré.

---

1. Marque américaine d'huiles et de graisses alimentaires.

— Toute la différence est là, gloussait-il, fouillant dans son dernier butin avec ses doigts crasseux, ou ses mains gantées plongées dans la poussière de restes humains.

*Quelle différence ?*

— Entre être important ou pas. Le système D est de retour, Cassie ! (Il agitait devant lui un collier en diamant.) Et quand le moment sera venu, seuls ceux qui auront ce qu'il faut entre les mains feront la pluie et le beau temps !

Personne, pas même les adultes, n'avait envisagé que les Autres veuillent nous tuer tous. Crisco se voyait comme les Indiens qui avaient vendu Manhattan pour une poignée de perles, alors qu'à mes yeux il n'était qu'un immense crétin.

Papa avait entendu parler de l'existence de ce camp depuis plusieurs semaines, quand maman avait commencé à montrer les premiers signes de la peste. Il l'avait incitée à y aller, mais elle avait déjà compris que, pour elle, il n'y avait plus rien à faire. Si elle devait mourir, elle tenait à rendre l'âme chez elle, et non dans un pseudo hôpital au milieu des bois. Plus tard, quand elle avait vécu ses dernières heures, la rumeur avait prétendu que cet hôpital était devenu un point de rendez-vous. Un lieu sûr pour les survivants, assez loin de la ville pour nous protéger durant la prochaine Vague, quelle qu'elle soit (même si la plupart des gens encore vivants pariaient pour un bombardement aérien), mais assez près pour que les Responsables puissent nous trouver quand ils viendraient nous secourir – s'il y avait toujours des Responsables et s'ils venaient.

Le chef non officiel du camp était un Marine à la retraite appelé Hutchfield. On aurait dit un Lego humain : il avait des mains carrées, une tête carrée et une mâchoire carrée. Il portait tous les jours le même débardeur, taché de quelque chose qui avait dû être du sang, alors que ses bottes noires arboraient invariablement un brillant impeccable. Il se rasait le crâne – mais ni le torse ni le dos, pourtant, il aurait mieux fait ! Il était couvert de tatouages et il aimait les armes. Il en portait deux aux hanches, une cachée dans son dos, et l'autre accrochée sur son épaule. Personne n'était plus armé que lui. Peut-être parce qu'il était le chef du camp.

Des sentinelles avaient repéré de loin notre approche, et lorsque nous avons atteint le chemin terreux qui conduisait à travers bois jusqu'au camp, Hutchfield se trouvait là avec un autre mec du nom de Brogden. Je suis sûre qu'ils tenaient à ce que nous remarquions les armes dont ils étaient bardés. Hutchfield nous a immédiatement ordonné de nous séparer. Il comptait s'adresser à papa, Brogden à moi et Sammy. J'ai dit à Hutchfield ce que je pensais de cette idée. Vous savez, où il pouvait se la mettre, quoi.

Je venais juste de perdre un de mes parents. Je n'avais aucune envie de perdre l'autre.

— Ça va aller, Cassie, a dit mon père.

— On ne connaît pas ces types ! ai-je rétorqué. Ce n'est peut-être qu'une autre bande de VA.

Dans le langage de la rue, VA signifiait voyous armés. Les meurtriers, violeurs, trafiquants, kidnappeurs, tous ces criminels en général qui avaient surgi du jour au lendemain au cours de la 3ᵉ Vague ; la raison pour laquelle les gens se barricadaient chez eux en entassant de la nourriture et des armes. Ce n'étaient pas les Autres qui nous avaient, les premiers, amenés à nous préparer pour la guerre, mais nos semblables.

— Ils sont juste prudents, a répliqué papa. Je ferais la même chose si j'étais à leur place.

Il m'a tapoté l'épaule. Ça m'a rendue folle. *Mon vieux, si tu me donnes une nouvelle petite tape condescendante comme celle-là...*

— Tout va bien se passer, Cassie, a-t-il répété, impérieux.

Il s'est éloigné avec Hutchfield. Je n'entendais pas ce qu'ils se disaient, mais au moins je voyais toujours mon père. Ainsi, j'étais rassurée. J'ai alors calé Sammy sur ma hanche et ai répondu de mon mieux aux questions de Brogden, sans lui flanquer ma main dans la figure.

Quels étaient nos noms ?

D'où venions-nous ?

Étions-nous contaminés ?

Pouvions-nous leur dire quoi que ce soit sur les événements ?

Qu'avions-nous vu ?

Qu'avions-nous entendu ?

Pourquoi étions-nous ici ?

— Vous voulez dire, ici, dans ce camp, ou bien vous parlez de notre présence existentielle ? ai-je demandé à bout de nerfs.

Brogden a froncé les sourcils.

— Quoi ?

— Si vous m'aviez posé cette question avant que toute cette merde n'arrive, je vous aurais répondu un truc du genre : nous sommes ici pour servir nos semblables et contribuer à l'amélioration de la société. Si j'avais voulu frimer, j'aurais dit : parce que si nous n'étions pas ici, nous serions ailleurs. Mais vu tout ce qui s'est passé, je vais vous répondre que nous sommes ici parce que nous avons eu une sacrée putain de chance.

Brogden m'a fixée un instant avant d'ajouter d'un ton narquois :

— T'es une petite maligne, toi !

J'ignore ce que papa a répondu aux questions, mais apparemment il a passé l'inspection avec succès, car nous avons bientôt été autorisés à pénétrer dans le camp avec tous les privilèges, ce qui signifie que papa a eu le droit de se choisir une arme dans le stock (mais pas moi). Mon père n'avait jamais aimé les armes. À présent, il ne les trouvait plus seulement dangereuses... mais ridicules.

— Vous croyez vraiment que nos pistolets pourront rivaliser face à une technologie qui doit avoir des milliers, voire des millions d'années d'avance sur nous ? a-t-il demandé à Hutchfield. C'est comme utiliser une massue et des pierres contre un missile.

À l'évidence, Hutchfield était assez perturbé par son argument. Putain, c'était un Marine ! Son arme était sa meilleure amie, son compagnon le plus fidèle, la réponse à toutes ses questions.

Je n'avais pas compris ça, à l'époque.

Maintenant, si.

# 13

QUAND IL FAISAIT BEAU, NOUS RESTIONS TOUS DEHORS jusqu'à ce qu'il soit l'heure d'aller nous coucher. Ce bâtiment délabré avait de mauvaises ondes. À cause de ce qui s'y était passé. De son existence dans ces bois, et de notre venue ici. Parfois, nous étions d'humeur légère, comme si nous nous trouvions dans un camp d'été où, par miracle, tout le monde aurait apprécié tout le monde. Quelqu'un prétendait avoir entendu le bruit d'un hélicoptère durant l'après-midi, et nous nous mettions tous à espérer que les Responsables prendraient enfin les choses en main et se prépareraient pour la contre-offensive.

À d'autres moments, notre humeur était plus sombre et l'angoisse régnait. Nous étions les Chanceux. Nous avions survécu à l'impulsion électromagnétique, à la destruction de nos côtes, à l'épidémie qui avait emporté ceux que nous aimions. Contre toute attente, nous avions vaincu le sort. Nous avions regardé la mort en face, et la mort avait baissé les yeux la première. Vous croyez peut-être que tout cela nous donnait l'impression d'être invincibles.

Non, ce n'était pas le cas.

Nous étions comme les Japonais qui avaient survécu à la première explosion de la bombe d'Hiroshima. Nous ne comprenions pas pourquoi nous étions encore vivants, et nous n'étions même pas certains de vouloir le rester.

Nous nous racontions nos vies d'avant l'Arrivée. Nous pleurions sans honte sur ceux que nous avions perdus.

Et nous nous lamentions en silence sur la disparition de nos smartphones, nos voitures, nos fours micro-ondes, et d'internet.

Nous scrutions le ciel nocturne. Tel le mauvais œil, le ravitailleur nous fixait de sa pâle lueur verte.

Nous tenions des débats interminables sur notre future destination. À l'évidence, nous ne pouvions pas séjourner indéfiniment dans ces bois. Même si la venue des Autres n'était pas imminente, l'hiver, lui approchait à grands pas. Nous devions trouver un meilleur abri. Nous avions des vivres pour plusieurs mois – ou moins, si d'autres rescapés affluaient à notre camp. Devions-nous attendre les secours où nous mettre en route à leur recherche ? Papa était pour cette dernière solution. Il tenait toujours à rejoindre Wright-Patterson. Selon lui, s'il y avait encore des Responsables, nous aurions plus de chances de les trouver là-bas.

Au bout d'un moment, j'en ai eu marre de tout ça. Au lieu d'agir, nous passions notre temps à parler du problème. J'avais envie de lâcher à papa que nous ferions bien d'envoyer ces crétins se faire foutre, et de partir pour Wright-Patterson avec ceux qui étaient prêts à nous suivre. Que les autres aillent au diable !

Parfois je pense que le proverbe selon lequel plus on est nombreux, plus on a de chances est archi surévalué.

J'ai emmené Sammy à l'intérieur et je l'ai mis au lit. Puis j'ai récité sa prière avec lui.

— Maintenant je m'allonge pour dormir…

Pour moi, ces mots n'étaient qu'un vulgaire bruit de fond. Du charabia. À dire vrai, je trouvais que Dieu n'avait guère tenu sa promesse envers nous.

La nuit était claire. La lune pleine. J'ai eu envie d'aller me promener dans les bois.

Quelqu'un, dans le camp, jouait de la guitare et chantait. La mélodie flottait sur le sentier, m'accompagnant au cœur de la forêt. C'était la première fois que j'entendais de la musique depuis la 1re Vague.

« Et à la fin, nous nous allongeons, éveillés.

Et nous rêvons de nous échapper. »

Soudain, je n'ai eu qu'un seul désir : me rouler en boule et pleurer. Je voulais m'enfuir de ces bois et courir jusqu'à ce que mes jambes n'en puissent plus. J'avais envie de vomir. Je voulais hurler jusqu'à ce que ma gorge me brûle. Je voulais revoir ma mère, ainsi que Lizbeth et tous mes amis, même ceux que je n'appréciais pas, et Ben Parish, bien sûr, juste pour lui dire que je l'aimais et que je tenais plus que tout – plus qu'à ma propre vie – à avoir un enfant avec lui.

La musique s'est évanouie, remplacée par la mélodie – beaucoup moins mélancolique – des grillons.

Une brindille a craqué.

Puis quelqu'un a crié, juste derrière moi :

— Cassie, attends !

J'ai continué à avancer. J'avais reconnu cette voix. Peut-être que je m'étais porté la poisse à penser à Ben. Comme quand vous mourez d'envie de vous envoyer une tablette de chocolat et qu'il ne reste plus qu'une poignée de Skittle au fond de votre sac à dos.

— Cassie !

Il courait, à présent. Moi, je n'avais pas envie de me presser, alors je l'ai laissé me rattraper.

Ce qui n'avait pas changé c'est que dès que vous aviez envie d'être seul, vous pouviez être certain que quelqu'un cherchait aussitôt votre compagnie.

— Qu'est-ce que tu fous ? a demandé Crisco.

Il avait le souffle court et les joues rouges. Ses tempes luisaient, sûrement à cause de toute sa gomina.

— Tu ne vois pas ? ai-je répliqué. Je construis un engin nucléaire pour flinguer le ravitailleur.

Crisco a haussé les épaules.

— Lancer une attaque nucléaire ne servira à rien. On devrait construire le canon de Fermi.

— Fermi ?

— Le gars qui a inventé la bombe.

— Je croyais que c'était Oppenheimer.

Il a eu l'air impressionné que je connaisse le sujet.

— Peut-être qu'il ne l'a pas inventée, mais il en est le parrain.

— Crisco, tu es un drôle de phénomène.

Comme ça semblait dur, j'ai ajouté :

— Cela dit, je ne te connaissais pas avant l'invasion.

— Il faut creuser un grand trou et mettre une tête nucléaire au fond. Ensuite, on remplit le trou avec de l'eau, et on le couvre d'une centaine de tonnes d'acier. L'explosion transforme aussitôt l'eau en vapeur, qui envoie l'acier dans l'espace à six fois la vitesse du son.

— Ouais, tu as raison, c'est ce qu'on devrait faire. C'est pour ça que tu me suis ? Tu veux que je t'aide à construire un engin pareil ?

— Je peux te demander un truc ?

— Non.

— Je suis sérieux.

— Moi aussi.

— S'il te restait vingt minutes à vivre, qu'est-ce que tu ferais ?

— Je ne sais pas. En tout cas, rien avec toi.

— Pourquoi ?

Crisco n'a pas attendu ma réponse. Peut-être redoutait-il de l'entendre.

— Et si j'étais la dernière personne sur Terre ?

— Si tu étais la dernière personne sur Terre, je ne serais pas là à faire quoi que ce soit avec toi...

— OK. Disons, si nous étions les deux dernières personnes sur Terre ?

— Tu finirais aussi par être la dernière, parce que je me suiciderais.

— Tu ne m'aimes pas.

— Tu crois ? Comment tu as deviné ?

— Imagine un peu : on les voit, juste là, juste maintenant, qui descendent pour nous exterminer. Qu'est-ce que tu ferais ?

— Je ne sais toujours pas. Peut-être que je leur demanderais de te tuer en premier. Où tu veux en venir, Crisco ?

— Tu es vierge ?

Je l'ai dévisagé. Il paraissait très sérieux. Comme la plupart des garçons de treize ans le sont dès qu'il s'agit de leurs hormones.

— Va te faire foutre ! ai-je répliqué avant de passer devant lui pour retourner vers le camp.

Mauvaise réplique. Crisco a trotté derrière moi. Pas une seule de ses mèches de cheveux ne bougeait pendant qu'il courait. C'était comme s'il portait un casque noir et luisant.

— Je suis sérieux, Cassie, a-t-il haleté. Chaque nuit pourrait être notre dernière nuit.

— Abruti ! C'était aussi le cas avant qu'ils viennent !

Il m'a attrapé le poignet pour m'obliger à me retourner, puis il a approché son visage, large et gras, près du mien. Je mesurais trois centimètres de plus que lui, mais il pesait bien plus lourd que moi.

— Tu as vraiment envie de mourir sans savoir comment c'est ?

Je me suis dégagée.

— Qui te dit que je n'en sais rien ? Ne me touche plus jamais !

— Ne t'inquiète pas, personne ne sera au courant. Ce sera juste entre toi et moi.

Il a essayé de m'agripper de nouveau. Alors je l'ai repoussé de la main gauche et, de la droite, je lui ai flanqué un violent coup sur le nez, paume ouverte. Aussitôt, un flot de sang a coulé, s'insinuant dans sa bouche, et il a eu des haut-le-cœur.

— Salope ! Au moins, toi tu as quelqu'un ! Tous ceux que tu as connus ne sont pas morts.

Là, il a fondu en larmes. Il s'est laissé tomber à genoux sur le chemin et s'est abandonné à cet horrible pressentiment qui nous soufflait que, même si la situation était déjà atroce, elle allait empirer.

*Et merde !*

Je me suis agenouillée à côté de lui, et je lui ai suggéré de pencher la tête en arrière. Il s'est plaint que cela faisait couler le sang dans sa gorge.

— Ne raconte ça à personne, a-t-il supplié. Je perdrais ma crédibilité.

Je n'ai pas pu m'empêcher d'éclater de rire.

— Où est-ce que tu as appris à faire ça ? a-t-il demandé après quelques instants.

— Dans l'équipe féminine des scouts.

— Ils ont des insignes pour ça ?

— Il y en a pour tout.

En fait, c'était grâce à mes sept années de karaté que je connaissais ce coup. J'ai arrêté le karaté l'année dernière. Je ne me souviens même plus pourquoi. À l'époque, ça me paraissait une bonne chose. Arrêter.

— Moi aussi, je le suis, a dit Crisco.

— Quoi ?

Il a craché un jet de sang et de morve par terre.

— Vierge.

Quel choc !

— Qu'est-ce qui te fait croire que je le suis ? ai-je répliqué.

— Tu ne m'aurais pas frappé, sinon.


## 14


NOUS ÉTIONS AU CAMP DEPUIS SIX JOURS quand j'ai vu un drone pour la première fois.

Il brillait d'un gris ardent dans le ciel ensoleillé d'un bel après-midi.

Il y a eu beaucoup de cris de joie. Les gens se sont mis à courir de toutes parts, à saisir leurs armes, à lancer leurs chapeaux ou leurs chemises en l'air, enfin, à s'agiter d'une manière générale et à perdre tout contrôle : ils pleuraient, s'enlaçaient, sautaient sur place, les doigts levés en signe de victoire. Ils pensaient être sauvés. Hutchfield et Brogden essayaient de calmer tout le monde, sans y parvenir. Le drone a traversé l'azur, disparu derrière les arbres, puis est revenu, plus lentement. Du sol, il ressemblait à un petit dirigeable. Accolés à l'embrasure de la porte, Hutchfield et papa l'ont observé en s'échangeant une paire de jumelles.

— Aucune aile. Pas de marquage. Et tu as vu ce premier passage ? Il devait être à Mach 2, minimum. À moins que nous n'ayons lancé un modèle d'avion classé Secret Défense, il est impossible que ce truc vienne de la Terre.

Tout en parlant, Hutchfield donnait des coups de poing en l'air, martelant chacune de ses paroles.

Papa a acquiescé, et on nous a ordonné de rester groupés à l'intérieur des baraques. Papa et Hutchfield demeuraient sur le pas de la porte, continuant à se passer les jumelles.

— Cassie, ce sont les extraterrestres ? a demandé Sammy. Ils viennent ?

— Chuuut.

J'ai levé la tête et vu Crisco qui m'observait.

— *Vingt minutes,* a-t-il articulé en silence.

— S'ils viennent, je vais les exterminer, a chuchoté Sammy. Je vais leur faire une prise de karaté et les tuer tous !

Je lui ai caressé les cheveux, un peu nerveusement.

— Tu as raison, Choupinou.

— Je ne vais pas m'enfuir, a-t-il insisté. Je vais les tuer parce qu'ils ont tué maman.

Papa m'a rapporté un peu plus tard que le drone avait disparu en s'élevant droit à la verticale. Il aurait suffi de battre des cils un seul instant pour ne plus le voir.

Nous avons réagi à l'apparition de ce drone de la même façon que n'importe qui.

Nous avons eu la trouille.

Certaines personnes se sont enfuies. Elles ont réuni tout ce qu'elles pouvaient emporter et se sont précipitées dans les bois. D'autres ont disparu avec pour unique bagage les vêtements qu'elles portaient sur le dos, la peur au ventre. Rien de ce que disait Hutchfield n'aurait pu les retenir.

Le reste d'entre nous n'a plus bougé des cabanes jusqu'au soir. Nos discussions étaient de plus en plus angoissantes. Nous avaient-ils remarqués ? Que se passerait-il ensuite ? Les soldats de l'Empire Galactique allaient-ils débarquer ? Ou bien une armée de clones ou de robots ? Allions-nous périr sous leurs canons laser ? C'était le noir le plus total, dans tous les sens du terme. Nous ne voyions pas plus loin que le bout de nos nez, pour la bonne et simple raison que nous n'osions pas utiliser nos lampes à kérosène. Il y a eu des chuchotements frénétiques. Des pleurs étouffés. Nous nous blottissions sur nos lits, et sursautions au moindre bruit. Hutchfield a confié la garde de nuit à ses meilleurs tireurs. Si le drone revenait, ils avaient ordre de lui tirer dessus. Personne n'était autorisé à sortir sans permission. De toute façon, Hutchfield ne donnait jamais de permission.

Cette nuit a semblé durer une éternité.

Soudain papa s'est approché de moi dans l'obscurité et m'a mis quelque chose de froid dans les mains.

Un Luger, chargé.

— Je pensais que tu ne croyais pas aux armes, ai-je chuchoté.

— Il y a beaucoup de choses dans lesquelles je ne croyais pas...

Une femme a commencé à réciter le Notre-Père. Nous l'appelions Mère Teresa. Elle avait des jambes fortes et des bras d'une maigreur extrême. Une robe d'un bleu passé et des cheveux gris, clairsemés. Elle avait perdu toutes ses dents et ne cessait de tripoter son chapelet et de parler à Jésus. Quelques personnes se sont jointes à elle. Puis d'autres.

— Pardonne-nous nos offenses, comme nous pardonnons à ceux qui nous ont offensés.

À ce passage de la prière, son ennemi, seul athée de notre camp, un professeur d'université du nom de Dawkins, a crié d'un ton malicieux :

— Surtout à ceux d'origine extraterrestre !

— Allez au diable ! lui a lancé une voix dans le noir.

— Comment verrais-je la différence ? a rétorqué Dawkins.

— Ça suffit ! a crié Hutchfield depuis la porte. Arrêtez cette prière, vous autres !

— Son jugement est descendu jusqu'à nous, a continué Mère Teresa.

Sammy s'est blotti contre moi dans le lit. J'ai vite poussé le Luger entre mes jambes. J'avais peur qu'il l'attrape et me fiche une balle dans la tête, par accident.

— Fermez-la tous ! ai-je clamé. Vous faites peur à mon petit frère.

— Je n'ai pas peur, a répondu Sammy. Il ne cessait de tortiller mon T-shirt entre ses doigts. Et toi, tu as peur, Cassie ?

— Oui.

J'ai déposé un tendre baiser sur son crâne. Ses cheveux avaient une odeur un peu rance. J'ai décidé de les lui laver dès le lendemain matin.

En espérant que nous serions encore en vie à ce moment-là.

— Non, c'est impossible, a insisté Sammy. Tu n'as jamais peur.

— Je t'assure que, là, j'ai tellement peur que je pourrais faire pipi dans mon pantalon.

Il a rigolé. Sa joue était chaude au creux de mon bras. Avait-il de la fièvre ? C'est ainsi que ça commence. Bon, autant ne pas devenir parano. Sammy avait été exposé des centaines de fois. Le Tsunami Rouge se déclare très vite, à moins que vous ne soyez immunisé. Sammy devait l'être. Si ce n'était pas le cas, il serait déjà mort.

— Alors, tu vas devoir mettre une couche, a-t-il plaisanté.

— Peut-être.

— Quand je marche dans la vallée de l'ombre de la mort...

Mère Teresa n'avait pas l'intention de s'arrêter. J'entendais son chapelet cliqueter dans le noir. Pour couvrir sa voix, Dawkins s'est mis à entonner un peu fort une chanson grivoise. J'avais du mal à décider lequel des deux était le plus emmerdant : la fanatique ou le cynique.

Sammy a repris la parole.

— Maman a dit que ça devait être des anges.

— Qui ça ?

— Les extraterrestres. Quand ils sont venus la première fois, je lui ai demandé s'ils étaient là pour nous tuer, et elle a répondu que ce n'était pas forcément des extraterrestres. Mais peut-être des anges du paradis, comme ceux de la Bible, quand les anges parlent à Abraham, à Marie, à Jésus et à tout le monde.

— C'est sûr qu'ils se sont plus adressés à nous, à cette époque.

— Mais ils ont tué maman.

Il s'est mis à pleurer.

— Tu dresses devant moi une table en face de mes ennemis...

J'ai embrassé Sammy sur le front et lui ai frotté les bras.

— Tu oins d'huile ma tête...

— Cassie, est-ce que Dieu nous déteste ?

— Non. Je ne sais pas.

— Est-ce qu'il déteste maman ?

— Bien sûr que non. Maman était une bonne personne.

— Alors, pourquoi il l'a laissée mourir ?

J'ai secoué la tête. J'avais l'impression qu'elle pesait une tonne.

— Ma coupe déborde...

— Pourquoi Dieu a laissé venir les extraterrestres pour nous tuer ? Pourquoi il ne les empêche pas ?

— Peut-être…, ai-je chuchoté. Même ma langue paraissait peser une tonne. Peut-être qu'il le fera.

— Le bonheur et la grâce m'accompagneront tous les jours de ma vie…

— Ne les laisse pas m'attraper, Cassie. Ne me laisse pas mourir.

— Tu ne vas pas mourir, Sams.

— Tu me le promets ?

J'ai promis.

---

## 15

LE LENDEMAIN, LE DRONE EST REVENU.

Ou bien un deuxième, identique au premier. Les Autres n'avaient sûrement pas traversé la galaxie avec un seul drone dans leur soute.

Il se déplaçait lentement à travers le ciel. Aucun bruit de moteur. Aucun bourdonnement. Il se contentait de glisser en silence, comme un leurre pour la pêche immobile dans l'eau. Nous nous sommes précipités dans les baraquements sans que personne ait besoin de nous en donner l'ordre. Je me suis retrouvée assise sur une couchette à côté de Crisco.

— Je sais ce qu'ils vont faire, a-t-il chuchoté.

— Tais-toi !

Il a acquiescé d'un mouvement de tête avant de poursuivre :

— Des bombes soniques. Tu sais ce qui se passe quand tu es foudroyé par deux cents décibels ? Tes tympans explosent. Tes poumons se gonflent et l'air pénètre dans ton système veineux. Et là, ton cœur lâche.

— Qui t'a raconté cette merde, Crisco ?

Papa et Hutchfield étaient de nouveau réunis près de la porte. Cela faisait plusieurs minutes qu'ils observaient le même point. Apparemment, le drone s'était figé dans le ciel.

— Au fait, j'ai un truc pour toi, a continué Crisco.

C'était un pendentif en diamant. Un butin qu'il avait dû glaner dans la fosse aux cendres.

— Dégueulasse.

— Pourquoi ? Ce n'est pas comme si je l'avais volé. Je sais ce qu'il y a, je ne suis pas stupide, va. Ce n'est pas le collier qui te dérange. C'est moi. Tu ne te gênerais pas pour le prendre si tu me trouvais sexy.

Avait-il raison ? Si Ben Parish avait récupéré ce collier dans la fosse, aurais-je accepté son cadeau ?

— Non que je pense que tu le sois, a ajouté Crisco.

Quelle poisse. Crisco le détrousseur de cadavres ne me trouvait pas sexy ! Dur.

— Alors, pourquoi tu tiens à me le donner ?

— Je me suis conduit comme un imbécile, l'autre soir dans les bois. Je ne veux pas que tu me détestes et que tu me considères comme un crétin.

Trop tard.

— Je ne veux pas de bijoux qui appartiennent à des morts.

— T'inquiète, ils n'en veulent plus, eux non plus.

À l'évidence, il n'allait pas me laisser tranquille. Je me suis alors levée pour aller m'asseoir à côté de papa. Par-dessus son épaule, j'ai vu un petit point là-haut, une tache argentée dans le ciel immaculé.

— Qu'est-ce qui se passe ? ai-je murmuré.

Juste au moment où je posais cette question, la tache a disparu. Elle s'est déplacée si vite qu'on aurait pu croire qu'elle n'avait jamais été là.

— Ça doit être des vols de reconnaissance, a lâché Hutchfield, haletant.

— Nous avions des satellites qui, depuis leur orbite, pouvaient lire l'heure sur une montre au bras d'un homme sur Terre, a fait remarquer papa. Si nous étions capables de faire ça avec notre technologie primitive, pourquoi devraient-ils abandonner leur navire pour nous espionner ?

— Tu as une meilleure théorie ?

Hutchfield n'appréciait pas que ses décisions ou ses raisonnements soient remis en question.

— Peut-être que cela n'a rien à voir avec nous, a insisté papa. Si ça se trouve, ces machines sont des sondes atmosphériques, ou des engins pour mesurer ce qu'ils ne peuvent calibrer depuis l'espace. À moins qu'ils ne cherchent un élément particulier qui ne peut pas être détecté tant que nous n'avons pas été neutralisés en majorité.

Puis papa a poussé un profond soupir. Je connaissais ce genre de réaction. Cela signifiait qu'il refusait de croire ce qu'il venait d'énoncer.

— Ça se résume à une simple question, Hutchfield, a-t-il poursuivi : pourquoi sont-ils là ? Non pas pour piller la planète et nous ravir toutes nos ressources – il y en a suffisamment dans l'univers, pour qu'ils n'aient pas à voyager durant des centaines d'années-lumière. Ni pour nous tuer, même si nous tuer tous – ou en tout cas la plus grande partie d'entre nous – leur est nécessaire. Ils me font penser à un propriétaire qui fiche dehors un mauvais payeur afin de pouvoir nettoyer son domicile pour un nouveau locataire. Je crois que pour Eux cela a toujours été leur objectif : nettoyer les lieux pour qu'ils soient prêts.

— Prêts ? Prêts pour quoi ?

Papa a eu un sourire triste.

— Pour l'ultime déménagement.

## 16

UNE HEURE AVANT L'AUBE. Notre dernier jour au Camp des Cendres. Un dimanche.

Sammy blotti contre moi. Une main sur son ours en peluche, l'autre sur ma poitrine, son petit poing dodu serré.

Le meilleur moment de la journée.

Ces quelques secondes où vous êtes éveillé, mais comme vide. Vous avez oublié où vous êtes. Où vous êtes maintenant et où vous étiez avant. Il n'y a que votre souffle, les battements de votre cœur et votre circulation sanguine. C'est comme être à nouveau dans le ventre de votre mère.

La paix qu'apporte le vide.

Au début, quand j'ai entendu le bruit, j'ai cru qu'il s'agissait des battements de mon cœur.

*Boum-boum-boum.* Doucement, d'abord, puis un peu plus fort, puis vraiment plus fort, assez pour ressentir les vibrations sur votre peau. Un rougeoiement a éclairé la pièce. De plus en plus violemment. Les gens trébuchaient de toutes parts, sautaient dans leurs vêtements, fouillaient à la recherche de leurs armes. L'immense lueur rouge s'est évanouie, puis rapprochée. Des ombres s'étalaient sur le sol avant de s'élever jusqu'au plafond. Hutchfield criait à chacun de rester calme. En vain. Tout le monde avait reconnu le bruit, et chacun savait ce qu'il signifiait.

Les secours !

Hutchfield a essayé de nous bloquer la sortie.

— Restez à l'intérieur ! a-t-il hurlé. Nous ne voulons pas…

Nous l'avons éjecté de notre chemin. Oh, que si, nous voulions ! Tel un troupeau, nous nous sommes rués hors de la baraque pour faire signe à l'hélicoptère, un Black Hawk, qui effectuait un nouveau tour dans l'enceinte, sa masse sombre se superposant au ciel qui s'éclairait peu à peu, à cette heure matinale. Son projecteur nous aveuglait, mais la plupart d'entre nous étaient déjà aveuglés par les larmes. Nous avons sauté, crié, et nous nous sommes étreints les uns les autres. Quelques personnes agitaient même des petits drapeaux américains et je me souviens m'être demandé où ils avaient bien pu les trouver.

Hutchfield nous hurlait de rentrer dans la cabane. Personne ne l'écoutait. Il n'était plus le chef. Les Responsables étaient arrivés.

À ce moment-là, aussi soudainement qu'il avait surgi, l'hélicoptère a effectué un dernier tour, puis a disparu hors de notre vue. Le bruit de son moteur s'est évanoui. Un lourd silence a flotté dans l'air. Nous étions confus, stupéfaits et effrayés. Les pilotes devaient nous avoir vus. Pourquoi ne s'étaient-ils pas posés ?

Nous avons attendu que l'hélicoptère revienne. Toute la matinée. Les gens emballaient leurs affaires. Ils spéculaient. Où allait-on nous emmener ? Comment ça serait ? Combien de personnes retrouverions-nous ? Un Black Hawk ! Quels autres équipements avaient pu survivre à la 1$^{re}$ Vague ? Nous rêvions de douches chaudes, de bons repas et de draps propres.

Personne ne doutait que nous serions bientôt secourus, maintenant que les Responsables étaient au courant de notre existence. Les secours étaient en route.

Papa étant… papa n'en était évidemment pas si sûr.

— Il se peut qu'ils ne reviennent pas, a-t-il argué.

Pfff ! Parfois je devais m'adresser à lui comme s'il avait l'âge de Sammy.

— Papa ! Ils ne vont tout de même pas nous laisser ici. Ça n'aurait aucun sens !

— Ce n'était peut-être pas une mission de reconnaissance ni de secours. Peut-être qu'ils cherchent autre chose.

— Un drone ?

Celui qui s'était crashé une semaine plus tôt ?

Papa a hoché la tête.

— En tout cas, maintenant, ils savent où nous sommes, ai-je rétorqué. Ils vont agir.

De nouveau, mon père a hoché la tête. D'un air absent, comme s'il pensait à autre chose.

— Bien sûr, a-t-il répondu, avant de me fixer. Désormais, ne laisse jamais Sammy s'éloigner hors de ta vue. Tu m'as compris, Cassie ? Jamais. Tu as toujours le pistolet ?

J'ai tapoté ma poche arrière. Papa a passé un bras autour de mes épaules et m'a entraînée vers l'entrepôt. Là, il a écarté une vieille bâche posée dans un coin. Dessous se trouvait un fusil d'assaut semi-automatique, un M16. Le même fusil qui deviendrait mon meilleur ami, une fois que tout le monde aurait disparu.

Papa l'a saisi, l'a tourné entre ses mains pour l'inspecter, affichant immuablement cet air absent.

— Qu'est-ce que tu en penses ? a-t-il chuchoté.

— De ce truc ? C'est un putain d'engin.

Papa ne m'a pas reproché ma grossièreté. Au lieu de cela, il a eu un petit rire.

Il m'a montré comment le fusil fonctionnait. Comment le tenir. Comment viser et remplacer le chargeur.

Puis me l'a tendu.

— À toi. Essaie.

Je crois qu'il a été agréablement surpris de voir à quel point j'apprenais vite. Grâce à mes leçons de karaté, j'arrivais à coordonner parfaitement mes mouvements. En ce qui concerne la grâce, le karaté n'a rien à envier à la danse classique.

— Garde-le, a-t-il dit, quand j'ai voulu le lui rendre. Je l'ai caché ici pour toi.

— Pourquoi ?

Ça ne me dérangeait pas d'avoir ce fusil, mais papa m'effrayait un peu. Alors que tout le monde se réjouissait de la venue des secours, mon père m'entraînait au maniement des armes.

— Sais-tu comment reconnaître ton ennemi en temps de guerre, Cassie ?

Il jetait des coups d'œil furtifs autour de la pièce. Pourquoi ne parvenait-il pas à me regarder ?

— Ton ennemi, c'est celui qui tire sur toi, m'a-t-il expliqué. N'oublie jamais ça.

D'un mouvement de tête, il a désigné l'arme.

— Ne te promène pas avec. Garde-le près de toi, mais caché. Pas ici, ni dans les baraquements. D'accord ?

Il m'a donné une tape sur l'épaule, mais ça ne semblait pas lui suffire. Alors il m'a serrée fort contre lui.

— Maintenant, va retrouver Sammy. Je dois aller voir Hutchfield. Écoute-moi bien, Cassie. Si quelqu'un essaie de te prendre cette arme, dis-lui de venir me trouver. Et s'il essaie encore, tue-le.

Il m'a souri, mais son sourire n'a pas atteint ses yeux. Ils étaient aussi durs, blancs et froids que ceux d'un requin.

Mon père avait de la chance. Comme nous tous. Cette chance nous avait permis d'échapper aux trois premières Vagues. Mais même le plus grand joueur de poker vous dira que la chance n'est pas éternelle. Je crois que, ce jour-là, c'est ce que mon père ressentait. Non pas que notre chance avait tourné. Ça, personne ne pouvait le deviner. Mais je pense qu'il savait qu'à la fin ce ne seraient pas les plus chanceux qui resteraient en vie.

Ce seraient les plus endurcis. Ceux qui diraient à Mme la Chance d'aller se faire foutre. Ceux avec un cœur de pierre. Ceux capables de laisser mourir une centaine de personnes afin qu'une seule puisse vivre. Ceux qui auraient la sagesse de cramer un village pour le sauver.

Le monde était baisé.

Si vous n'êtes pas d'accord avec ça, vous n'êtes qu'un corps attendant la fin.

J'ai pris le M16 et l'ai caché derrière un arbre en bordure du chemin qui menait au charnier.

## 17

UN BEAU DIMANCHE APRÈS-MIDI, les derniers vestiges du monde que je connaissais ont volé en éclats.

Annoncé par le bruit des moteurs Diesel, le grincement des essieux et le gémissement des freins, nos sentinelles ont remarqué le convoi bien avant qu'il n'atteigne l'enclos. Ils ont vu les rayons de soleil se refléter sur les vitres et les panaches de poussière soulevés par les énormes pneus. Nous ne nous sommes pas précipités dehors pour les accueillir avec des colliers de fleurs et des embrassades. Au contraire, nous sommes restés en retrait pendant qu'Hutchfield, papa, et nos quatre meilleurs tireurs sortaient à leur rencontre. Tout le monde était effrayé. Et beaucoup moins enthousiaste que quelques heures plus tôt.

Depuis l'Arrivée, rien ne s'était passé comme nous nous y attendions. Il nous a fallu deux semaines durant la 3e Vague pour réaliser que l'épidémie mortelle faisait partie de leur plan. Quoi qu'il en soit, vous avez tendance à vous accrocher à vos croyances, à conserver le même mode de pensée et de réflexion, sauf que ce à quoi vous vous êtes toujours attendu n'est pas : Serons-nous sauvés ? Mais : *Quand* serons-nous sauvés ?

Ainsi, lorsque nous avons vu ce que nous avions envie de voir, ce que nous nous attendions à voir – les immenses véhicules bondés de soldats, les Humvees hérissés de mitraillettes et de missiles sol-air –, nous nous sommes quand même tenus en retrait.

Puis le bus scolaire s'est pointé au loin.

Trois bus, pour être exacte, pare-chocs contre pare-chocs.

Bondés d'enfants, eux.

Personne ne s'y attendait. Comme je l'ai déjà dit, c'était si curieux, si irréel. Quelques-uns d'entre nous ont même éclaté de rire. Des putains de gros bus scolaires jaunes. Où était donc l'école ?

Après quelques minutes stressantes, où nous n'entendions que le boucan des moteurs accompagnés des rires et des cris enthousiastes des gamins dans le bus, papa a laissé Hutchfield aller parler au commandant et il est venu nous retrouver, Sammy et moi. Plusieurs personnes se sont rassemblées autour de nous pour l'écouter.

— Ils sont de Wright-Patterson, a-t-il dit, le souffle court. Apparemment, beaucoup de militaires ont survécu. Bien plus que nous ne le pensions.

— Pourquoi portent-ils des masques à gaz ? ai-je protesté.

— Par précaution. Ils ont été mis à l'isolement depuis que la Peste Rouge a frappé. Nous avons tous été exposés, nous pourrions être porteurs du virus.

Il a baissé les yeux vers Sammy, blotti contre moi, ses petits bras m'enlaçant la jambe.

— Ils sont venus pour les enfants, a expliqué papa.

— Pourquoi ?

— Et nous ? a demandé Mère Teresa. Ils ne nous emmènent pas ?

— Le commandant a précisé qu'ils reviendraient bientôt. Pour l'instant, ils n'ont de place que pour les enfants.

De nouveau, il a regardé Sammy.

— Il est hors de question qu'ils nous séparent, ai-je clamé, ulcérée.

— Évidemment.

Papa s'est détourné et s'est dirigé avec raideur vers la baraque, d'où il est ressorti un instant plus tard, tenant en main mon sac à dos et le nounours de Sammy.

— Tu vas aller avec lui, a-t-il déclaré.

Il ne comprenait vraiment rien.

— Je ne partirai pas sans toi, papa.

Qu'est-ce qu'il arrivait aux hommes comme mon père ? Il suffisait que quelqu'un de soi-disant responsable surgisse, et ils oubliaient toute raison.

— Tu as entendu ce qu'il a dit ! a crié Mère Teresa d'une voix stridente, tout en tripotant son chapelet. Seulement les enfants ! Si quelqu'un d'autre doit partir, ça devrait être moi… Enfin nous, les femmes. C'est comme ça que ça fonctionne. Les femmes et les enfants d'abord ! Les femmes et les enfants !

Papa l'a ignorée. Il a voulu poser une main sur mon épaule, mais je l'ai aussitôt repoussé.

— Cassie, ils doivent en priorité emmener les plus vulnérables. Je te suivrai dans quelques heures à peine…

— Non ! On reste ensemble, ou on s'en va tous, papa. Dis-leur qu'on peut rester là sans problème jusqu'à ce qu'ils reviennent. Je peux m'occuper de mon frère. Je n'ai pas cessé de le faire.

— Et tu vas continuer, Cassie, parce que tu pars aussi.

— Pas sans toi. Pas question que je te laisse ici, papa !

Il a souri, comme si j'avais dit quelque chose d'adorable.

— Je suis assez grand pour prendre soin de moi, ma chérie.

Je n'arrivais pas à le formuler, mais j'avais ce nœud au ventre, cette douloureuse prémonition qui me soufflait que séparer notre famille, tout du moins ce qui en subsistait, en causerait la perte. Que si j'abandonnais mon père, je ne le reverrais jamais. Peut-être que ça n'était pas rationnel, mais le monde dans lequel je vivais n'avait plus rien de rationnel.

Papa a écarté Sammy de ma jambe, l'a hissé sur sa hanche, l'enlaçant d'un bras avant de poser une main sur mon épaule, et nous a entraînés vers les bus. À cause de leurs masques à gaz, nous ne pouvions pas voir les visages des soldats. Cependant, nous pouvions lire leurs noms étiquetés sur leurs treillis de camouflage.

Greene.

Walters.

Parker.

De bons noms américains bien typiques. Et le drapeau national brodé sur leurs manches.

Il y avait aussi leur façon de se tenir : droits, mais décontractés, vigilants, mais détendus. Comme des ressorts hélicoïdaux.

Exactement ce à quoi vous vous attendez de la part de soldats.

Nous nous sommes approchés du dernier bus de la file. Les gamins à l'intérieur nous saluaient en agitant leurs petites mains. Pour eux, c'était la grande aventure.

Le soldat baraqué qui se tenait devant la portière a levé la main. Son écusson mentionnait *Caporal Branch*.

— Seulement les enfants, a-t-il annoncé d'une voix étouffée par son masque.

— Je comprends, caporal, a répondu papa.

La petite main de Sammy s'est tendue vers mon visage.

— Pourquoi tu pleures, Cassie ?

Papa l'a alors posé à terre et s'est agenouillé face à lui.

— Tu pars en voyage, Sam. Ces gentils soldats vont t'emmener dans un endroit où tu seras en sécurité.

— Tu ne viens pas, papa ? a-t-il demandé en lui tirant sur la chemise de ses mains potelées.

— Si, si, papa va venir, mais pas tout de suite. Bientôt. Très bientôt.

Il a repris Sammy dans ses bras et l'a étreint une ultime fois.

— Tu seras un bon garçon, mon fils. Tu feras ce que les gentils soldats te demandent de faire. D'accord ?

Sammy a hoché la tête sagement et glissé sa main dans la mienne.

— Allez viens, Cassie ! On s'en va avec le bus !

L'homme au masque noir s'est tourné vers nous et a levé sa main gantée.

— Seulement le garçon.

J'ai commencé à lui dire d'aller se faire voir. Je n'étais déjà pas ravie de laisser papa derrière nous, mais il était hors de question que Sammy aille où que ce soit sans moi.

Le caporal m'a interrompue.

— Seulement le garçon, a-t-il répété.

Papa a essayé d'insister. Enfin il se montrait raisonnable !

— C'est sa sœur, et c'est une enfant, elle aussi. Elle n'a que seize ans.

— Elle va devoir rester ici, a rétorqué le caporal.

— Dans ce cas, il ne part pas, ai-je répliqué en enlaçant Sammy.

S'il voulait emmener mon petit frère, il allait devoir me marcher sur le corps !

Il y a eu un instant horrible où le caporal n'a rien dit. Je n'avais qu'une envie : lui retirer son satané masque et lui cracher à la figure. Le soleil s'est reflété sur sa visière, comme une monstrueuse boule de lumière.

— Vous voulez qu'il reste ici ? a demandé le caporal.

— Qu'il reste avec moi, ai-je corrigé. Dans le bus. En dehors du bus. N'importe où, mais avec moi.

— Non, Cassie, a lâché papa.

C'est alors que Sammy s'est mis à pleurer. Il venait de comprendre : c'était papa et le soldat contre lui et moi, et nous n'avions aucun moyen de gagner cette bataille. Il l'a pigé bien avant moi.

— Il peut rester, a décrété le soldat, mais nous ne pouvons pas garantir sa sécurité.

— Oh, vraiment ? lui ai-je lancé à la figure – une figure d'insecte géant. Vous croyez ? De toute façon, quelle sécurité pouvez-vous garantir ?

— Cassie…, a commencé papa.

— Votre garantie, c'est de la merde ! ai-je hurlé, hors de moi.

Le caporal m'a superbement ignorée.

— À vous de voir, monsieur, a-t-il annoncé à papa.

— Papa, tu l'as entendu, il a dit que Sammy pouvait rester avec nous.

Papa s'est mordillé la lèvre inférieure. Il a levé la tête et s'est gratté le menton tout en fixant le ciel vide. Il pensait au drone, à ce qu'il savait et à ce qu'il ignorait. Il tentait de se remémorer ce qu'il avait appris. Il pesait le pour et le contre, calculait les probabilités sans tenir compte de la petite voix qui montait du plus profond de lui : *Ne le laisse pas partir.*

Alors, bien sûr, mon père a fait la chose la plus raisonnable. C'était un adulte responsable, et c'est ce que les adultes responsables font.

Des choses raisonnables.

— Tu as raison, Cassie, a-t-il enfin déclaré. Ces hommes ne peuvent pas garantir notre sécurité – personne ne le peut. Mais certains endroits sont plus sûrs que d'autres.

Il a saisi la main de Sammy.

— Allez viens, mon champion !

— Non ! a crié Sammy, des larmes roulant sur ses joues déjà rougies. Pas sans Cassie !

— Ne t'inquiète pas, Cassie viendra aussi. Nous viendrons tous les deux. Nous serons juste derrière toi.

J'ai supplié mon père :

— Je le protégerai, je le surveillerai, je ne laisserai pas quoi que ce soit lui arriver. Ils doivent bien revenir nous chercher, non ? Dans ce cas, on va attendre leur retour tous les trois !

Je me suis agrippée à sa chemise et je lui ai lancé mon regard le plus implorant. D'habitude, en me comportant ainsi, j'obtenais tout ce que je voulais.

— Je t'en prie, papa, ne fais pas ça ! Ce n'est pas juste. Nous devons rester ensemble. Il le faut !

Ça n'allait pas marcher. Mon père avait de nouveau ce regard dur, autoritaire et froid.

Sans pitié.

— Cassie, dis à ton frère que tout va bien se passer.

J'ai obéi. Après m'être dit que oui, tout irait bien. Je me suis forcée à croire papa, les Responsables, à espérer que les Autres ne feraient pas cramer des bus scolaires remplis d'enfants, à me convaincre que la confiance elle-même ne s'était pas évanouie, n'avait pas disparu de notre monde comme les ordinateurs, le pop-corn à réchauffer au micro-ondes, ou les films hollywoodiens dans lesquels les ordures de la planète Xercon sont vaincus dans les dix dernières minutes.

Je me suis agenouillée sur le sol poussiéreux devant mon petit frère.

— Tu dois partir, Sams.

Sa lèvre inférieure a tremblé. Il tenait son ours en peluche, tout râpé, plaqué contre sa poitrine.

— Mais, Cassie, qui te serrera la main quand tu auras peur ?

Il s'était exprimé d'un ton très sérieux. Il ressemblait tellement à papa avec son petit front plissé, que j'ai failli éclater de rire.

— Je n'ai plus peur. Et toi non plus, tu ne devrais pas avoir peur. Les soldats sont là, maintenant, et ils vont nous protéger.

J'ai levé les yeux vers le caporal Branch.

— N'est-ce pas ?

— C'est exact.

— On dirait Dark Vador, a chuchoté Sammy. Il parle même comme lui.

— C'est vrai, et tu te souviens de ce qui arrive ? À la fin, il devient gentil.

— Seulement après avoir fait exploser la planète et tué plein de gens.

Cette fois, je n'ai pas pu m'en empêcher – j'ai éclaté de rire. Mon Dieu, qu'il était intelligent ! Parfois je me dis qu'il était bien plus avisé que papa et moi réunis.

— Tu viendras plus tard, alors, Cassie ?

— Je veux, oui !

— Tu promets ?

J'ai promis. Quoi qu'il se passe. Peu importait quoi.

C'est tout ce que Sammy avait besoin d'entendre. Il a alors plaqué son ours contre moi.

— Sams ?

— Pour quand tu auras peur. Mais ne l'abandonne pas.

Il a levé son minuscule doigt devant moi pour accentuer ses propos.

— Ne l'oublie pas !

Puis il a tendu la main au caporal.

— Allez, Vador, on y va !

La main potelée a disparu dans la grande main gantée. La première marche du bus était presque trop haute pour les petites jambes de mon frère. Les gamins à l'intérieur ont poussé des cris de joie et l'ont applaudi quand il s'est avancé dans l'allée centrale.

Sammy était le dernier à embarquer. La porte s'est refermée. Papa a tenté de passer son bras autour de mes épaules. J'ai reculé d'un pas.

Le moteur a rugi. Les freins ont crissé.

Et j'ai vu pour la dernière fois son visage souriant contre la vitre sale, tandis qu'il s'éloignait vers une galaxie loin, très loin dans son X-wing StarFighter jaune. Puis le bus a accéléré et en quelques instants ce vaisseau jaune a disparu derrière un nuage de poussière.

# 18

— PAR ICI, MONSIEUR, a lancé le caporal avec politesse.

Nous l'avons suivi dans l'enceinte. Deux Humvees avaient quitté les lieux pour escorter le bus jusqu'à Wright-Patterson. Ceux qui restaient faisaient face au baraquement et à la réserve, les canons de leurs mitrailleuses pointés vers le sol. On aurait cru les têtes penchées de quelques créatures de métal en train de somnoler.

L'enceinte était vide. Tout le monde – même les soldats – se trouvait à l'intérieur des cabanes. Tout le monde, sauf une personne.

Alors que nous nous approchions, Hutchfield est sorti de la réserve. Je ne sais pas ce qui brillait le plus : son crâne rasé ou son sourire.

— Eh bien, Sullivan ! Quand je pense que tu voulais foutre le camp après l'apparition du premier drone.

— On dirait que je me suis trompé, a répondu papa d'un air crispé.

— Briefing par le colonel Vosch dans cinq minutes. Mais d'abord, j'ai besoin de ton artillerie.

— Ma quoi ?

— Ton arme. Ordre du colonel.

Papa a jeté un coup d'œil au soldat à côté de nous. Le masque aux gros yeux noirs sans expression l'a fixé en retour.

— Pourquoi ? a demandé papa.

Hutchfield a gardé le sourire aux lèvres, mais il a plissé les yeux, visiblement dérouté.

— Tu as besoin d'une explication ?

— J'aimerais bien, oui.

— Loi martiale, Sullivan ! On ne peut pas laisser des civils non entraînés tripoter l'artillerie lourde en temps de guerre.

Hutchfield s'adressait à mon père comme s'il était stupide.

Il a tendu la main. Avec lenteur, papa a retiré son fusil de son épaule. Hutchfield l'a saisi puis a disparu sans un mot dans la réserve.

Mon père s'est tourné vers le caporal.

— Est-ce que quelqu'un a pu établir un contact avec...

Il s'est interrompu à la recherche du mot juste.

— ... avec les Autres ?

Le caporal a répondu d'une voix désincarnée.

— Négatif.

Puis Hutchfield est ressorti du stock et a salué le caporal avec entrain. Il était à fond dans son élément, de retour parmi ses frères d'armes. Il débordait d'excitation. On avait l'impression qu'il allait se pisser dessus à n'importe quel moment.

— Toutes les armes ont été comptabilisées et mises en sécurité, mon caporal.

*Toutes, sauf deux,* ai-je songé.

J'ai regardé papa. Il ne bougeait pas un muscle, seuls ses yeux me faisaient signe. Un coup à droite, un coup à gauche. *Non.*

Il n'y avait qu'une raison pour qu'il agisse ainsi. Et quand j'y pense – si j'y réfléchis un peu trop –, je me mets à détester mon père. Je le déteste de ne pas avoir écouté son instinct. Je le déteste d'avoir ignoré cette petite voix qui avait dû lui chuchoter : *Il y a un putain de truc qui cloche.*

En ce moment même, je le déteste. S'il était avec moi, je lui foutrais mon poing dans la figure pour s'être comporté comme un pauvre mec.

Le caporal nous a fait signe de nous diriger vers les cabanes. C'était le moment d'aller écouter le briefing du colonel Vosch.

Le moment pour le monde de disparaître.

## 19

J'AI TOUT DE SUITE REMARQUÉ VOSCH.

Debout près de la porte, très grand, c'était le seul homme en treillis qui ne serrait pas un fusil contre sa poitrine. Il a fait un signe de tête à Hutchfield quand nous sommes entrés dans le baraquement. Puis le caporal Branch l'a salué et s'est glissé dans la file de soldats.

Voilà comment ça se présentait : des soldats se tenaient le long des trois murs et, nous, les rescapés au milieu.

Papa a cherché ma main : j'avais l'ours en peluche de Sammy dans l'une et, de l'autre, je me cramponnais à mon père.

*Alors papa, qu'est-ce que tu en penses ? Ta petite voix inté-rieure te parle un peu plus fort maintenant que tu vois ces hommes armés contre les murs ? C'est pour ça que tu agrippes ma main ?*

— Bon, pouvons-nous avoir des réponses, mainte-nant ? a crié quelqu'un quand nous nous sommes avan-cés dans la pièce.

Tout le monde a commencé à parler en même temps – tout le monde, sauf les soldats – et les questions ont fusé.

— Est-ce qu'ils ont atterri ?

— À quoi ressemblent-ils ?

— Qui sont-ils ?

— Qu'est-ce que c'est que ces vaisseaux gris que nous ne cessons de voir dans le ciel ?

— Quand allons-nous partir d'ici ?

— Combien de survivants avez-vous trouvés ?

Vosch a soudain levé la main pour réclamer le silence. Ça n'a marché qu'à moitié.

Hutchfield l'a salué.

— Tout le monde est bien là, mon colonel !

J'ai compté les têtes à la va-vite.

— Non.

J'ai haussé la voix pour me faire entendre par-dessus le brouhaha.

— Non !

J'ai dévisagé mon père.

— Crisco n'est pas là.

Hutchfield a froncé les sourcils.

— Qui est Crisco ?

— C'est ce cré… ce gamin…

— Un gamin ? Dans ce cas, il est parti en bus avec les autres.

Les *autres* ! C'est plutôt drôle, maintenant que j'y pense. Drôle dans un sens écœurant.

— Nous avons besoin que tout votre groupe soit rassemblé ici ! a clamé Vosch à travers son masque.

Sa voix était hyper profonde, presque caverneuse.

— Il a dû avoir la trouille, ai-je repris. C'est une vraie mauviette.

— Où peut-il être ? a aussitôt lancé Vosch.

J'ai haussé les épaules. Je n'en avais aucune idée. Mais, soudain, j'ai su. Crisco ne pouvait pas être ailleurs.

— Près de la fosse aux cendres.

— Où est-ce ?

Papa m'a alors serré la main un peu plus fort.

— Cassie, pourquoi n'irais-tu pas chercher Crisco pendant que le colonel commence son briefing ?

— Moi ?

Je ne comprenais pas. Je crois qu'à ce moment-là des événements la petite voix de papa s'était mise à hurler, mais je ne pouvais pas l'entendre, et lui ne pouvait rien dire. Son unique possibilité, c'était de me transmettre un message par le regard. Peut-être qu'il voulait me demander : est-ce que tu sais comment reconnaître ton ennemi, Cassie ?

J'ignore pourquoi il ne s'est pas porté volontaire pour aller chercher Crisco avec moi. Peut-être espérait-il que les soldats ne soupçonneraient pas une ado, et que l'un de nous pourrait s'en sortir – ou, au moins, avoir une chance de s'en sortir.

Peut-être.

Vosch a claqué des doigts à l'attention du caporal Branch.

— Allez avec elle.

— Elle peut y aller seule, est intervenu papa. Elle connaît ces bois aussi bien que sa poche. Il ne lui faudra pas plus de cinq minutes, pas vrai, Cassie ?

Il s'est retourné vers Vosch et lui a souri.

— Cinq minutes, a-t-il insisté.

— Ne sois pas idiot, Sullivan, a lancé Hutchfield. Elle ne peut pas sortir sans une escorte.

— C'est vrai, a acquiescé papa, avec un calme étrange. Bien sûr, tu as raison.

Il s'est penché vers moi et m'a enlacée. Pas trop fort, et pas trop longtemps. Juste serrée un bref instant contre lui, puis relâchée. S'il en avait fait un peu plus, n'importe qui aurait pu comprendre qu'il me disait adieu.

*Adieu, Cassie.*

Branch s'est tourné vers le commandant et a demandé :

— Priorité absolue, mon commandant ?

Impassible, Vosch a confirmé d'un hochement de tête :

— Priorité absolue.

Nous sommes sortis sous le soleil, l'homme au masque à gaz et la jeune fille à l'ours en peluche. Devant nous, quelques soldats étaient adossés devant un Humvee.

Je ne les avais pas remarqués quand nous avions dépassé les véhicules, un peu plus tôt. En nous voyant, ils se sont aussitôt redressés. Le caporal Branch a levé le pouce en l'air, puis son index.

Priorité absolue.

Il m'a interrogée d'un ton sourd :

— C'est loin ?

— Non. C'est par là.

Ma voix me paraissait faiblarde. Peut-être était-ce le nounours de Sammy qui me ramenait en enfance.

Le caporal m'a suivie sur le sentier qui serpentait dans les bois touffus derrière l'enclos, tenant son fusil devant lui, canon baissé. Le sol desséché crissait sous ses bottes brunes. Il faisait chaud, mais sous les arbres la température était plus fraîche. Les feuilles luisaient d'un beau vert sombre. Nous avons dépassé l'arbre où j'avais caché le M16. Je ne lui ai pas jeté un regard, me contentant d'avancer vers la clairière.

Soudain il était là, devant nous, ce petit merdeux, ses chevilles enfouies dans les os et les cendres, fouillant dans les restes humains pour ce dernier trophée inutile, un de plus pour la route afin que, où que se termine son chemin, il fasse partie des chefs.

Il a tourné la tête quand nous nous sommes approchés. Il exsudait de cette merde dont il se tartinait les cheveux. Des traces de suie noircissaient ses joues. Quand il nous a vus, il a tout de suite glissé sa main dans son dos. Quelque chose d'argenté a lui dans le soleil.

— Salut, Cassie ! Te voilà. Tiens, regarde ce que j'ai trouvé !

— C'est lui ? s'est enquis le soldat.

Il a fait passer le fusil par-dessus son épaule puis a avancé d'un pas mécanique vers la fosse.

Il y avait donc moi, le caporal au milieu, et Crisco dans ce trou ignoble rempli de cendres et d'os.

— Ouais, ai-je dit. C'est Crisco.

— Je ne m'appelle pas comme ça ! a-t-il glapi. Mon nom, c'est...

Je n'ai jamais eu l'occasion de connaître son véritable nom. Je n'ai pas vu le pistolet, pas plus que je n'ai vu ni entendu le soldat retirer son arme de son étui. En fait, je ne regardais pas le caporal, mais Crisco. Sa tête est partie en arrière, comme si quelqu'un avait tiré violemment sur ses cheveux graisseux, et il est tombé à genoux, plié sur lui-même, serrant son Trésor de la Mort entre ses mains.

# 20

À MON TOUR.

La fille qui portait un sac à dos et trimbalait ce ridicule ours en peluche se tenait juste à quelques mètres derrière lui.

Le soldat a pivoté lentement, bras tendu. Ma mémoire est un peu confuse à propos de la suite. Je ne me souviens pas d'avoir laissé tomber l'ours de Sammy, ni d'avoir saisi le pistolet dans ma poche arrière. Je ne me rappelle même pas avoir appuyé sur la détente.

Mon seul souvenir précis, c'est celui de la visière noire fracassée.

Et du caporal s'effondrant à genoux devant moi.

Et là j'ai vu ses yeux.

Ses trois yeux.

Évidemment, j'ai compris ensuite qu'il n'avait pas vraiment trois yeux. Celui du milieu était en fait le point d'entrée de ma balle.

En se retournant, il avait dû être choqué de découvrir un pistolet pointé vers lui. Ça l'a fait hésiter. Combien de temps ? Une seconde ? Moins ? Mais, durant cette nanoseconde, l'éternité s'est déployée comme un anaconda géant. Si vous avez déjà été victime d'un grave accident, vous savez de quoi je parle. Combien de temps dure un accident de voiture ? Dix secondes ? cinq ? Si vous êtes dans le vehicule en train de se crasher, cela ne vous semble pas aussi bref. Au contraire, vous avez l'impression que ça dure une vie entière.

Le soldat est tombé tête la première dans la poussière. Je n'avais pas besoin de me demander si je l'avais bien descendu. Ma balle lui avait fait exploser l'arrière du crâne.

Quoi qu'il en soit, je n'ai pas baissé mon arme. Je l'ai gardée rivée sur son crâne fracassé tout en reculant jusqu'au sentier.

Une fois là, je me suis retournée et j'ai couru comme une folle.

Dans la mauvaise direction.

Vers l'enclos.

Pas malin de ma part. Mais j'étais incapable de réfléchir. Je n'ai que seize ans, et c'était la première personne que je tuais. Du premier coup. J'avais plutôt du mal à accepter la situation.

Tout ce que je voulais, c'était rejoindre mon père.

Papa arrangerait ça.

Parce que c'est ce que les pères font. Ils arrangent tout.

Au début, mon esprit n'a pas enregistré les bruits. Les bois résonnaient des rafales des armes automatiques et de cris, mais cela n'avait rien à voir avec le meurtre froid de Crisco, sa tête qui valsait en arrière et la façon dont il s'était affaissé, comme si chacun de ses os s'était subitement transformé en gélatine, ni avec la façon dont son assassin s'était retourné dans une pirouette parfaitement exécutée, le canon de son arme luisant dans les rayons du soleil.

Le monde continuait à s'effondrer et ses décombres tombaient autour de moi.

C'était le début de la 4e Vague.

Je me suis arrêtée avant d'atteindre l'enclos. L'air sentait la poudre des balles. Des volutes de fumée s'élevaient des fenêtres de nos quartiers. Une personne titubait vers la réserve.

C'était mon père.

Il avait le dos courbé. Son visage couvert de poussière et de sang. Le sol autour de lui semblait nimbé de rouge.

Il a soudain relevé la tête quand j'ai émergé de la forêt.

*Non, Cassie,* a-t-il articulé en silence.

Puis il s'est écroulé à terre.

Un soldat est alors sorti des baraquements. Il s'est avancé vers mon père d'un pas léger, félin, complètement décontracté.

J'ai reculé derrière les arbres. Levé mon arme. Mais j'étais à plus de trente mètres. Si je le manquais…

C'était Vosch. Il paraissait encore plus grand, surtout à côté de la forme recroquevillée de mon père. Papa demeurait immobile. Je crois qu'il faisait semblant d'être mort.

Peu importait.

De toute façon, Vosch lui a tiré dessus pour l'achever.

Je ne me souviens pas d'avoir émis le moindre cri, ni bougé quand il a pressé la détente. Mais j'ai quand même dû faire un geste qui a attiré son attention. Il s'est retourné brusquement. Un rayon de soleil a frappé sa visière. Vosch a levé son index en direction de deux soldats qui sortaient des cabanes, puis il a pointé son pouce dans ma direction.

Priorité absolue.

## 21

ILS ONT BONDI VERS MOI COMME DEUX GUÉPARDS. En tout cas, j'avais l'impression qu'ils se déplaçaient aussi vite. Jamais je n'ai vu quelqu'un courir si rapidement de toute ma vie. La seule chose aussi rapide c'est une fille avec une peur bleue qui vient juste de voir son père se faire assassiner. Feuilles, branches, fougères, ronces. Le souffle de l'air à mes oreilles. Le chuintement, vif comme l'éclair, de mes chaussures sur le sentier.

Des éclats de ciel bleu à travers la voûte des arbres, des rais de soleil qui s'empalent sur le sol ravagé. Le monde qui s'effondre.

J'ai ralenti quand je me suis approchée de l'endroit où j'avais caché le dernier cadeau de mon père. Grosse erreur. Des balles ont volé dans le tronc de l'arbre à cinq centimètres de mon oreille. L'impact a projeté des morceaux de bois sur mon visage. De petites échardes aussi fines que des cheveux se sont incrustées dans mes joues.

*Sais-tu comment reconnaître ton ennemi, Cassie ?*

Je ne pouvais pas les distancer.

Je ne pouvais pas tirer mieux qu'eux.

Mais je pouvais me montrer plus maligne.

## 22

ILS SONT ENTRÉS DANS LA CLAIRIÈRE, et la première chose qu'ils ont vue a été le corps du caporal Branch, ou l'entité qui se faisait appeler caporal Branch.

— Il y en a un ici ! a beuglé l'un de mes poursuivants.

Bruit des bottes lourdes sur le lit d'os cassants.

— Mort.

Grésillement d'un talkie-walkie, puis :

— Colonel, nous avons trouvé Branch et un civil non identifié. Négatif, chef. Branch est mort au combat, je répète, Branch est mort au combat.

À présent il s'adressait à son acolyte, celui qui se tenait à côté de Crisco.

— Vosch nous ordonne de rentrer illico.

*Crunch-crunch* ont fait les os quand il a quitté la fosse.

— Elle a abandonné ça.

Mon sac à dos. J'avais essayé de le jeter dans les bois, aussi loin que possible de la fosse, mais il avait heurté un arbre et traînait au bord de la clairière.

— Bizarre.

— C'est bon, a répondu son camarade. L'Œil s'occupera d'elle.

L'Œil ?

Bientôt leurs voix se sont évanouies. Les bois ont retrouvé leur calme. Le chuchotement du vent. L'innocent gazouillis des oiseaux. Quelque part, sur une branche, un écureuil s'est agité.

Quoi qu'il en soit, je n'ai pas remué d'un pouce. Chaque fois que l'urgente envie de m'enfuir s'emparait de moi, je la repoussais.

*Ne te presse pas, Cassie. Ils ont fait ce pour quoi ils étaient venus. Tu dois rester planquée là jusqu'à la nuit tombée. Ne bouge pas !*

Alors je n'ai pas bougé. Je me suis tenue immobile dans le lit de poussière et d'os, couverte par les cendres de leurs victimes – la moisson amère des Autres.

Et j'ai essayé de ne pas songer à ce qui me recouvrait.

Puis j'ai pensé : *Ces os étaient des personnes, et ces personnes m'ont sauvé la vie*, et je n'ai plus éprouvé aucun dégoût.

Ce n'étaient que des gens. Ils n'avaient pas plus que moi demandé à être ici. Mais ils l'étaient, et moi aussi, donc je suis restée allongée.

C'est étrange, j'avais presque l'impression de sentir leurs bras chauds m'envelopper avec douceur.

J'ignore combien de temps je suis restée ainsi, protégée par les bras de tous ces morts. Ça m'a semblé durer des heures. Lorsque je me suis finalement levée, le soleil avait un éclat doré et l'air était plus frais. J'étais couverte de cendres des pieds à la tête. Je devais ressembler à un guerrier maya.

*L'Œil prendra soin d'elle.*

Parlait-il d'un drone ? Ce truc comme un œil dans le ciel ? Si c'était le cas, alors cette troupe n'était pas une patrouille de francs-tireurs ratissant la campagne pour éliminer d'éventuels porteurs de la 3ᵉ Vague afin d'éviter la propagation de la contagion.

Déjà, ce serait moche.

Mais l'autre éventualité serait carrément pire.

Les sens en alerte, je me suis dirigée à pas feutrés vers mon sac à dos. Les bois profonds m'appelaient. Plus je mettrais de distance entre ces hommes et moi, mieux ce serait. Soudain, je me suis souvenue du cadeau de mon père, là-bas sur le sentier, pratiquement à deux pas de l'enclos. Merde ! Pourquoi ne l'avais-je pas enfoui dans la fosse ?

Il pourrait se révéler plus utile qu'un pistolet.

Tout était maintenant silencieux. Même les oiseaux. Seul bruissait le vent. Son souffle soulevait les cendres, les dispersait dans l'air, et elles dansaient dans la lumière dorée tels des flocons.

Ils étaient partis. J'étais sauve.

Pourtant, je ne les avais pas entendus s'en aller. N'aurais-je pas dû au moins percevoir le bruit de leurs engins, la rumeur des Humvees s'ils étaient partis ?

Puis j'ai revu Branch en train de s'avancer vers Crisco. *C'est lui ?*

Il avait fait passer son fusil par-dessus son épaule…

Le fusil ! Je me suis dirigée vers son corps. Mes pas résonnaient bruyamment. Mon souffle était comme une succession de mini-explosions.

Branch était tombé face contre terre à mes pieds. À présent, il avait le visage en l'air, mais toujours en partie caché par son masque à gaz. Son pistolet et son fusil avaient disparu. Mes poursuivants les avaient sûrement récupérés. Durant une seconde, je n'ai pas bougé. De toute façon, bouger était une très mauvaise idée à ce moment de la bataille.

Il ne s'agissait pas d'un épisode de la 3ᵉ Vague. Non, c'était complètement différent. À l'évidence, la 4ᵉ débutait. Et peut-être que cette 4ᵉ Vague était une version atroce de *Rencontres du troisième type*.

Peut-être aussi que Branch n'était pas humain, d'où le masque…

Je me suis agenouillée à côté du soldat mort. J'ai agrippé son masque à gaz avec fermeté et l'ai baissé jusqu'à ce que je puisse découvrir ses yeux, des yeux bruns d'apparence humaine qui contemplaient aveuglément mon visage. Lentement, j'ai continué à descendre le masque.

Puis je me suis arrêtée.

Je voulais à la fois voir et ne pas voir. J'avais envie de savoir, mais en même temps je préférais ignorer.

*Va-t'en. Ça n'a pas d'importance, Cassie. Est-ce que ça en a ? Non. Alors aucune importance.*

Parfois vous vous dites des choses pour vous rassurer. Des choses comme : ça n'a pas d'importance.

Je me suis levée. Non, franchement, aucune importance. J'ai ramassé le Nounours de Sammy traînant dans la poussière, et je me suis éloignée.

Cependant, je me suis arrêtée. Je ne me suis pas dirigée vers les bois. Je ne m'y suis pas non plus élancée à corps perdu pour mettre un maximum de distance entre nos ennemis et moi. C'était pourtant la meilleure chance de sauver ma peau.

Peut-être était-ce à cause de Nounours ? Lorsque je l'ai récupéré, j'ai revu le visage de mon frère plaqué contre la vitre arrière crasseuse du bus, et j'ai entendu sa petite voix dans ma tête.

*Pour quand tu auras peur. Mais ne l'abandonne pas. Ne l'oublie pas.*

J'avais failli l'oublier. Si je ne m'étais pas dirigée vers Branch pour récupérer son arme, je l'aurais bel et bien oublié. Branch s'était quasiment effondré sur le pauvre Nounours.

*Ne l'abandonne pas.*

Je n'avais aperçu aucun corps près des baraques. Juste celui de papa. Et si quelqu'un avait survécu à ce massacre ? Il y avait peut-être des blessés, des personnes toujours vivantes, mais laissées pour mortes.

Sauf si je m'en allais. S'il y avait encore quelqu'un de vivant là-bas et que les faux soldats soient partis, alors ce serait moi qui les abandonnerais à une mort certaine.

Ah, merde.

Vous savez comment c'est : parfois vous pensez avoir le choix, mais ce n'est pas vraiment le cas. Ce n'est pas parce qu'il existe une alternative que vous pouvez en profiter. Je me suis retournée, j'ai fait demi-tour en contournant le corps de Branch et j'ai couru sur le sentier.

# 23

C'ÉTAIT LA TROISIÈME FOIS que je passais à côté du fusil, et là, je n'ai pas oublié de le prendre. J'ai glissé le Luger dans ma ceinture, mais comme je ne pouvais pas vraiment me trimbaler avec un fusil dans une main et un ours en peluche dans l'autre, j'ai dû déposer Nounours sur le sentier.

— Ça va aller, je ne t'abandonnerai pas, ai-je chuchoté à la peluche de Sammy.

Je me suis écartée du chemin et me suis déplacée en silence à travers les arbres. Lorsque je me suis approchée de l'enclos, je me suis baissée et j'ai rampé jusqu'aux abords du camp.

Voilà pourquoi tu ne les avais pas entendus s'en aller.

À la porte de la réserve, Vosch s'adressait à deux soldats. Un autre groupe s'affairait autour des Humvee. J'ai compté sept soldats en tout, ce qui impliquait qu'il y en avait encore cinq que je ne pouvais voir. Étaient-ils dans les bois à ma recherche ? Le corps de papa avait disparu – les Autres avaient dû s'en débarrasser. Nous étions quarante-deux au camp, sans compter les enfants qui étaient partis en bus. Ça faisait beaucoup de corps à éliminer.

Il s'est avéré que j'avais raison : il s'agissait bien d'une opération de destruction.

C'est juste que les Silencieux ne se débarrassent pas des corps comme nous.

Vosch avait retiré son masque tout comme les deux soldats qui étaient avec lui. Ils n'avaient ni bouches de homard ni tentacules sur le menton. En fait, ils avaient l'air d'humains parfaitement ordinaires, en tout cas à cette distance.

Ils n'avaient en revanche plus besoin de leurs masques. Pourquoi les auraient-ils gardés d'ailleurs ? Ces accessoires avaient dû faire partie de leur scénario. Il était évident que nous nous attendions à ce qu'ils se protègent de l'épidémie.

Deux soldats se sont écartés d'un Humvee pour se diriger vers Vosch en portant ce qui ressemblait à un bol ou à un globe du même gris métallique que les drones. D'un doigt, Vosch leur a indiqué un endroit à mi-chemin entre la réserve et les cabanes, là où, il me semble, mon père était tombé.

Tout le monde s'est aussitôt éloigné sauf un soldat qui s'est agenouillé à côté du globe.

Les Humvee se sont mis en marche. Un autre engin s'est joint au convoi : le camion transporteur de troupes garé au bout de l'enclos, hors de vue. Je l'avais oublié. Les soldats s'y étaient entassés avec discipline et patientaient.

Qu'attendaient-ils ?

Le soldat restant s'est alors relevé et a couru vers les Humvee. Je l'ai regardé monter à bord, puis j'ai observé les Humvee s'en aller dans un nuage de poussière. Durant plusieurs minutes, j'ai contemplé cette poussière ocre qui s'élevait et tournoyait en l'air. Le crépuscule s'installait. Le silence assourdissant résonnait à mes oreilles.

Alors le globe gris a commencé à rayonner. Était-ce bon ou mauvais signe ? Tout dépendait de votre point de vue.

Ils avaient déposé le globe là, donc pour eux, c'était un point positif.

L'éclat est devenu de plus en plus fort. Un vert jaunâtre écœurant qui émettait de petites impulsions. Comme un... un quoi ? Un phare ?

J'ai observé le ciel qui s'assombrissait. Les premières étoiles sont apparues. Je ne voyais aucun drone.

Si c'était une bonne chose de leur point de vue, ça signifiait probablement que c'en était une mauvaise pour moi.

Enfin, disons plutôt que c'était *à coup sûr* une mauvaise chose pour moi.

L'intervalle entre les impulsions s'est raccourci de seconde en seconde. Les impulsions se sont transformées en jet de lumière. Et ce jet s'est mis à clignoter.

Impulsions... Impulsions... Impulsions...

Flash, flash, flash.

Clignotement-clignotement-clignotement.

Dans l'obscurité, ce globe me faisait maintenant penser à un œil, un œil d'un vert jaunâtre qui clignoterait vers moi.

*L'Œil s'occupera d'elle.*

Ma mémoire a conservé de ce qui s'est passé ensuite le souvenir d'une série d'instantanés, comme des arrêts sur image d'un film d'art et d'essai avec ces séquences au rythme saccadé des caméras tenues à la main.

Première séquence : moi, sur le cul, m'éloignant en crabe de l'enclos.

Séquence deux : moi en train de courir. Le feuillage n'est qu'un brouillard de verts et de bruns.

Séquence trois : l'ours de Sammy. Le petit bras en peluche râpée, sucé et mordillé par Sammy depuis qu'il est bébé, qui me glisse des mains.

Séquence quatre : ma seconde tentative pour ramasser ce satané Nounours.

Séquence cinq : la fosse aux cendres. Je suis à mi-chemin entre les corps de Crisco et de Branch. Je serre Nounours contre ma poitrine.

Séquences six à dix : encore et toujours les bois. Je cours. Si vous regardez attentivement, vous remarquerez le ravin sur le coin gauche du dixième instantané.

Séquence onze : dernier cliché, pris juste après que je me suis élancée du bord : moi, suspendue en l'air au-dessus du vide.

La vague verte déferle sur mon corps roulé en boule au fond du ravin, dégueulant des tonnes de débris, une masse d'arbres, de la poussière, des corps d'oiseaux, d'écureuils, de pics verts et d'insectes, le contenu de la fosse crématoire, des éclats des baraques et de la réserve – contreplaqué, béton, clous, fer – et une envolée de terre dans un rayon d'une centaine de mètres autour de l'explosion. J'ai senti la force de la déflagration bien avant d'atteindre le fond terreux du ravin. Une pression énorme écrase chaque os de mon corps. Mes tympans explosent et je me rappelle Crisco en train de me demander :

*Tu sais ce qui arrive quand on est foudroyé par une détonation de deux cents décibels ?*

*Non, Crisco, je ne sais pas.*

Maintenant, j'en ai une petite idée.

## 24

JE NE PEUX PAS M'EMPÊCHER DE REPENSER AU SOLDAT affalé dans son sang à côté des armoires réfrigérées et au crucifix qu'il tenait en main. Le soldat au crucifix. C'est peut-être à cause de ça que j'ai pressé la détente. Non parce que je croyais que le crucifix était un second pistolet. J'ai appuyé sur la détente parce que c'était un soldat, ou du moins ce garçon était-il vêtu *comme* un soldat.

Il ne s'agissait pas de Branch, ni de Vosch, ni d'aucun des soldats que j'ai vus, le jour où mon père est mort.

Pourtant, c'était pareil. Il était tous ces hommes à la fois.

Ce n'est pas ma faute. C'est *leur* faute. *C'est à cause d'eux, pas de moi,* ai-je dit en pensée au soldat mort. *Si tu veux blâmer quelqu'un, blâme les Autres, et cesse de me hanter !*

Si je cours : je meurs. Si je reste : je meurs. Décidément, ça ne change pas beaucoup. Planquée sous la Buick j'ai sombré dans les vapes. Grâce au garrot je ne saignais presque plus, mais la blessure me faisait encore souffrir. *Ce n'est pas si grave*, ai-je pensé. *Mourir n'est pas si grave...*

C'est à ce moment-là que j'ai vu le petit visage de Sammy pressé contre la vitre arrière du bus scolaire. Il souriait. Il était heureux. Il se sentait en sécurité entouré de tous les autres gosses et, de plus, les soldats étaient enfin là, et ces soldats le protégeraient, prendraient soin de lui et s'assureraient que tout allait bien. Ça m'avait perturbée durant des semaines, m'empêchant de dormir la nuit. Ça me hantait quand je m'y attendais le moins, quand je lisais, allongée dans ma tente au milieu des bois, songeant à ma vie avant l'Arrivée.

Qu'est-ce que c'était que ce putain de bordel ?

Pourquoi avaient-ils organisé cette grande mascarade de soldats se pointant juste à temps pour nous sauver ? Les masques à gaz, les uniformes, le « briefing » dans nos quartiers de fortune ? À quoi rimait tout cela alors qu'ils auraient pu se contenter de lâcher un de leurs globes oculaires clignotants depuis un drone pour nous envoyer en enfer ?

Par cette fraîche journée d'automne, pendant que je me vidais de mon sang sous la Buick, la réponse m'a soudain heurtée de plein fouet. Bien plus fort que la balle qui venait juste de m'exploser la jambe.

Sammy.

Ils voulaient Sammy. Non, pas seulement Sammy, mais tous les enfants. Et pour s'emparer des gamins, ils devaient s'arranger pour que nous leur fassions confiance.

*Faites en sorte que les humains aient confiance en nous, emparez-vous des enfants, et ensuite envoyez tous les autres au diable.*

Mais pourquoi se donner la peine de sauver les enfants ? Ils étaient morts par milliards durant les trois premières Vagues ! Ce n'était pas comme si les Autres éprouvaient de l'affection pour eux.

Pourquoi avaient-ils alors emmené Sammy ?

J'ai levé la tête sans réfléchir et me suis cognée contre le châssis de la Buick. J'y ai à peine fait gaffe. J'ignorais si Sammy était toujours en vie. D'après ce que je savais, j'étais la dernière personne sur Terre. Mais j'avais fait une promesse.

L'asphalte froid contre mon dos.

Le soleil chaud sur mes joues fraîches.

Mes doigts engourdis qui s'accrochent à la poignée de la portière pour hisser mon cul mal-en-point.

Je ne peux pas m'appuyer sur ma jambe blessée. Je me cale une seconde contre la voiture, puis je me mets debout. Sur une jambe, mais debout.

*Peut-être* que je me trompe en pensant qu'ils veulent garder Sammy en vie. Je me suis quasiment trompée sur tout depuis l'Arrivée. Je suis *peut-être* bel et bien la dernière humaine sur Terre. Je suis *peut-être* même – non, je suis probablement – condamnée.

Si c'est le cas, si je suis le dernier spécimen de l'humanité, putain, je ne vais sûrement pas laisser l'histoire se terminer comme ça. OK, je suis peut-être la dernière femme vivante, mais je suis encore debout. Je suis celle qui fait face au tireur sans visage dans les bois, sur l'autoroute abandonnée. Je suis celle qui ne s'enfuit pas, qui ne se contente pas de rester là, mais qui affronte.

Parce que, si je suis la dernière, alors je suis l'Humanité.

Et si c'est notre ultime guerre, je suis son champ de bataille.

# II

# WONDERLAND

# 25

J'AI TOUT D'UN ZOMBIE.

Ma tête, mes mains, mes pieds, mon dos, mon estomac, mes jambes, mes bras, ma poitrine – mon corps
entier me fait mal. Même cligner des yeux. Alors, j'essaie
de rester sans bouger et de ne pas trop penser à la douleur. En fait, je tente carrément de ne pas penser du
tout. J'ai vu assez de malades de la peste ces trois derniers mois pour savoir ce qui m'attend : l'effondrement
total de mon organisme, à commencer par le cerveau. La
Mort Rouge transforme votre cervelle en purée avant de
liquéfier vos autres organes. Vous ne savez plus où vous
êtes, qui vous êtes, ni ce que vous êtes. Vous devenez un
zombie, un mort vivant carrément – enfin, si vous avez
encore la force de vivre, ce qui n'est pas le cas.

Je suis en train de mourir. Je le sais. Dix-sept ans, et
la fête est déjà finie.

Courte fête.

Il y a six mois, mes plus gros soucis étaient de réussir mon diplôme de chimie et de trouver un job d'été

assez bien payé pour terminer la réfection du moteur de ma Corvette 69. Quand le ravitailleur s'est pointé pour la première fois, bien sûr, ça m'a tracassé, mais au bout d'un moment, je n'y ai plus pensé. Disons que j'ai relégué ce ravitailleur dans la quatrième dimension. Comme tout le monde, j'écoutais les infos et je passais des heures à poster des vidéos marrantes sur le sujet *via* YouTube, mais jamais je n'aurais pensé que cette Arrivée pourrait m'affecter personnellement. Regarder à la télé toutes les manifs et les émeutes qui avaient suivi la première attaque c'était comme regarder un film ou des infos d'un pays étranger. On n'avait pas l'impression que tout ça nous tombait dessus.

Mourir n'est pas très différent de ce truc. Vous n'avez pas l'impression que ça vous arrive... Jusqu'à ce que ça vous arrive.

Et maintenant, je vais crever. Personne n'a besoin de me le dire. De toute façon, Chris, le mec qui partageait sa tente avec moi avant que je tombe malade me l'a annoncé sans ciller :

— Je crois que tu vas y passer.

Accroupi devant l'ouverture de la tente, il me fixe par-dessus le chiffon crasseux pressé sur son nez.

Chris était venu prendre de mes nouvelles. Il a environ dix ans de plus que moi, et je crois qu'il me considère comme un petit frère. Ou peut-être qu'il était venu pour vérifier si j'étais toujours en vie : c'est lui qui s'occupe de l'enlèvement des corps dans cette partie du camp. Le bûcher funéraire brûle jour et nuit. De jour, le camp de réfugiés qui entoure Wright-Patterson baigne dans un brouillard dense et étouffant. De nuit, la lueur du feu donne une teinte d'un rouge profond à la fumée, comme si l'air lui-même saignait.

J'ignore sa remarque et lui demande ce qu'il a entendu dire à Wright-Patterson. La base a été mise à l'isolement depuis que les villages de tentes se sont dressés après l'attaque des côtes. Personne n'a le droit d'en sortir. Ils essaient de contenir le Tsunami Rouge. En tout cas, c'est ce qu'on nous a rapporté. De temps à autre, des soldats bardés d'armes et engoncés dans des combinaisons intégrales approchent jusqu'à nous avec de l'eau et des rations de survie et nous répètent que tout va s'arranger avant de repartir à toute vitesse dans la sécurité confortable de leur camp, nous laissant nous débrouiller seuls. Nous avons besoin de médicaments. Ils nous annoncent qu'il n'y a aucun antidote à la Peste Rouge. Nous avons besoin d'installations sanitaires. Ils nous donnent des pelles pour creuser des tranchées. Nous avons besoin d'être informés. *Putain, mais qu'est-ce qui se passe ?* Ils nous répondent qu'ils ne savent pas.

— Ils ne savent pas, m'assure Chris.

Maigre, un peu chauve, il était comptable avant que l'attaque ne rende la comptabilité obsolète. Personne ne sait rien. Il y a juste quelques rumeurs que tout le monde prend pour des informations fiables.

Il détourne les yeux, comme si me regarder lui était douloureux, avant de me demander :

— Tu veux connaître la dernière ?

Pas vraiment.

— Bien sûr.

C'est surtout pour le garder ici. Ça ne fait qu'un mois que nos chemins se sont croisés, mais c'est le seul mec que je connais. Je passe mon temps allongé là, sur ce vieux lit de camp avec pour unique vue un éclat de ciel. Parfois je perçois des formes vaguement humaines portées par la fumée, comme des silhouettes d'un film d'horreur. À l'occasion j'entends crier ou pleurer, mais je n'ai parlé à personne depuis des jours entiers.

— La peste ne provient pas d'Eux, mais de nous, explique Chris. Le virus se serait échappé d'une installation gouvernementale secrète quand le courant a été interrompu.

Je commence à tousser. Chris tressaille, mais ne s'en va pas. Il attend que je me remette. À un moment ou un autre, il a perdu l'une de ses lentilles de contact. Son œil gauche est bloqué en un perpétuel strabisme. Chris se balance sur ses pieds. Il a envie de partir – il ne veut pas partir. Je connais cette sensation. Je souffle :

— Ça, ça serait plutôt ironique.

J'ai le goût du sang dans la bouche.

Chris hausse les épaules. Ironique ? L'ironie n'existe plus. Ou, plutôt, il y en a tellement qu'on devrait inventer un autre terme.

— C'est pas con, en fait, poursuit Chris. Réfléchis. Les deux premières attaques ont poussé les survivants à se mettre à l'abri dans des camps comme celui-ci. La population s'est retrouvée concentrée, ce qui a créé un terrain propice pour le virus. Des millions de kilos de chair fraîche réunis en un seul endroit. C'est géant !

Je réponds, dans une tentative d'ironie :

— On devrait les féliciter.

Je n'ai pas envie que Chris s'en aille, mais j'aimerais qu'il se taise. Il a l'habitude de se lancer dans de longs monologues, comme ces gars qui ont une opinion sur tout. Néanmoins, un truc se passe quand chaque personne que vous rencontrez meurt quelques jours après que vous avez fait connaissance : vous vous montrez soudain moins difficile dans vos fréquentations. Vous faites moins attention aux défauts des autres. Et vous abandonnez nombre de vos croyances, comme cet énorme mensonge consistant à prétendre que sentir votre corps se détériorer ainsi ne vous effraie pas au plus haut point.

— Ils savent comment nous pensons, ajoute Chris.

— Bordel, mais comment peux-tu être certain de ce qu'ils savent ?

Je commence à en avoir ras le bol. J'ignore pourquoi. Peut-être que je suis jaloux. Nous partageons cette tente, l'eau, la nourriture, mais il n'y a que moi qui suis en train de crever. Pourquoi est-ce que Chris tient le coup, lui ?

— Je n'en sais rien, s'empresse-t-il de répondre. La seule chose que je sais, c'est que je ne sais plus rien.

Des coups de feu résonnent au loin. Chris réagit à peine. C'est fréquent, au camp. Des tirs au jugé sur des oiseaux. Des tirs d'avertissement quand des gangs viennent nous racketter. Certains coups signalent un suicide, l'acte d'une personne en phase terminale qui a choisi de montrer à la Peste qui est le boss. Quand je suis arrivé au camp, j'ai entendu raconter qu'une mère avait fait sortir ses enfants avant de se suicider plutôt que d'affronter le Quatrième Cavalier. J'ai eu du mal à me décider : était-elle courageuse ou stupide ? Puis j'ai cessé d'y penser. À quoi bon réfléchir à son état d'esprit, vu qu'elle était morte ?

Chris n'a pas grand-chose à ajouter, alors il le dit très vite, afin de pouvoir s'en aller. Comme la plupart de ceux qui ne sont pas malades, Chris a cette manie de ne jamais terminer ses phrases. La gorge qui pique : à cause de la fumée ou... ? Mal à la tête : parce qu'on n'a pas assez dormi, assez mangé, ou... ?

— Je reviendrai demain, lâche-t-il. Tu as besoin de quelque chose ?

— Un peu d'eau.

Même si je ne peux pas la garder et que je dégueule tout.

— Je t'amène ça, mon vieux.

Il se lève. Tout ce que je vois de lui, désormais, c'est son pantalon, et ses bottes couvertes de poussière. J'ignore comment je le sais, mais je devine que c'est la dernière fois que je parle à Chris. Il ne reviendra pas, ou, s'il le fait, je ne m'en rendrai pas compte. Nous ne nous disons pas au revoir. Plus personne ne s'en donne la peine. Ces mots ont pris un tout autre sens depuis que le Grand Œil Vert est apparu dans le ciel.

J'observe la fumée tournoyer sur son passage. Puis je tire la chaîne d'argent de sous ma couverture. J'effleure de mon pouce le médaillon en forme de cœur et le tiens devant mes yeux dans la lumière qui faiblit. Le fermoir s'est rompu la nuit où je l'ai retiré de son cou, mais j'ai réussi à l'arranger avec un coupe-ongles.

Je regarde en direction de l'entrebâillement de la tente et je la vois se tenir là. Je sais que ce n'est pas vraiment elle, que c'est le virus qui me cause cette vision, parce qu'elle porte le même médaillon que celui que je serre au creux de ma main. Le microbe m'a fait voir toutes sortes de choses. Des choses que j'avais envie de voir, et d'autres pas. La petite fille debout dans l'entre-bâillement est les deux à la fois.

*Petite Poupée, pourquoi m'as-tu quitté ?*

J'ouvre la bouche. J'ai un goût de sang.

— Va-t'en ! je lui crache.

Son reflet se met à chatoyer. Je me frotte les yeux et, une fois fait, je me rends compte que mes jointures sont couvertes de sang.

*Tu es partie. Petite Poupée, pourquoi t'es-tu enfuie ?*

Soudain la fumée brise son image en mille fragments. Je crie son nom. Ne plus la voir est encore plus cruel que faire face à cette vision. Je serre la chaîne d'argent si fort que le médaillon s'imprime dans ma paume.

Je tends les bras vers elle. Je m'enfuis loin d'elle.

À l'extérieur de la tente, la fumée rouge du bûcher funéraire. À l'intérieur, le brouillard rouge de la peste. *Tu as de la veine,* je dis à Sissy. *Tu es partie avant que les choses ne deviennent vraiment merdiques.*

Des coups de feu éclatent au loin. Cette fois, ce n'est pas le *pop-pop* sporadique des réfugiés au désespoir qui tirent sur des ombres, mais le bruit violent d'armes lourdes et la réplique immédiate de pistolets automatiques.

Wright-Patterson est en train de se faire attaquer.

Une part de moi est soulagée. C'est comme une libération, le premier craquement de la tempête après une longue attente. L'autre part de moi, celle encore capable de penser que je pourrais survivre à la peste, est prête à se pisser dessus. Trop faible pour bouger de mon lit et trop effrayé, de toute façon. Je ferme les yeux et murmure une prière pour que les femmes et les hommes de Wright-Patterson zigouillent un envahisseur ou deux pour Sissy et moi. Mais surtout pour Sissy.

Des explosions retentissent, à présent. D'énormes explosions. Des explosions qui font trembler le sol, vibrer votre peau, vous écrasent le crâne et vous étreignent le cœur. Comme si le monde se fendait de toutes parts, ce qui se passe, en quelque sorte.

La petite tente est étouffante de fumée, et l'ouverture brille comme un œil triangulaire, un charbon ardent d'un rouge diabolique. *Voilà. Le moment est arrivé. Finalement, je ne vais pas mourir de la peste. Je vais vivre assez longtemps pour être décimé par une invasion extraterrestre. C'est une meilleure façon de partir. Plus rapide, en tout cas.* Oui, j'essaie de mettre une note positive sur mon décès imminent.

Un coup de feu claque. Tout près, à en juger par le bruit, peut-être à une ou deux tentes de là, un peu plus bas. Une femme pousse des cris stridents. Un autre coup de feu, et soudain, la femme cesse de hurler. Le silence. Encore deux coups de feu. La fumée tourbillonne, l'Œil rouge scintille. Maintenant je l'entends venir dans ma direction. Ses bottes couinent dans la terre mouillée. Je farfouille dans le tas de fringues et tâtonne au milieu des bouteilles vides à côté de ma couche, à la recherche de mon arme, un revolver que Chris m'a donné le jour où il m'a proposé d'être son colocataire. *Où est ton arme ?* avait-il demandé. Il était choqué que je n'en aie pas. *Il te faut une arme, mec ! Même les gamins en ont.*

Peu importait que je sois nul au tir – carrément incapable d'atteindre une simple barrière –, ou que j'aie de bonnes chances de me flanquer une balle dans le pied. Chris est un fervent croyant du Deuxième Amendement.

J'attends qu'*il* surgisse dans l'entrebâillement de la tente, le médaillon en argent de Sissy dans une main, le revolver de Chris dans l'autre. Dans une main, le passé. Dans l'autre, le futur. Enfin, façon de voir.

Peut-être que si je fais le mort il – ou *la chose* – s'en ira. J'observe l'ouverture à travers mes yeux plissés.

Et voilà, il est là, vacillant pendant qu'il se penche à l'intérieur de la tente. Il est à quelques mètres de moi. Je ne distingue pas son visage, cependant je l'entends haleter. J'essaie de contrôler mon propre souffle, mais le bruit de l'infection dans ma poitrine résonne plus fort que les explosions. J'ai du mal à voir ce qu'il porte. Son pantalon semble glissé dans ses bottes. Un soldat ? Peut-être. Il a un fusil en main.

Je suis sauvé. Je lève la main qui tient le médaillon et appelle faiblement. Il avance à tâtons. À présent, je découvre son visage. Il est jeune, peut-être un an ou deux de plus que moi, et son cou luit de sang, comme ses mains qui agrippent le fusil. Il s'agenouille à côté de mon lit, puis recule quand il voit mon visage, mon teint cireux, mes lèvres gonflées, et mes yeux creux injectés de sang qui sont les signes évidents de la peste.

Contrairement aux miens, les yeux du soldat sont clairs – et horrifiés.

— On s'est gourés. Complètement gourés ! chuchote-t-il. Ils étaient déjà là – juste ici – à l'intérieur de nous – tout le temps. À l'intérieur de nous !

Soudain deux larges silhouettes jaillissent à travers l'ouverture. L'une attrape violemment le soldat par le cou et l'entraîne à l'extérieur. Je pointe le vieux revolver – ou en tout cas j'essaie, parce qu'il glisse de ma main avant que j'aie pu le lever de deux centimètres au-dessus de la couverture. Alors, une autre silhouette bondit sur moi, écarte le revolver et plonge pour me redresser. La douleur m'aveugle un instant. Par-dessus son épaule, le type crie à l'attention de son copain qui vient juste d'entrer.

— Fais-lui un scan !

Un grand disque en métal est pressé contre mon front.

— Il est clean.

— Et malade.

Les deux hommes portent des treillis – similaires à celui du soldat qu'ils ont emmené.

— Quel est ton nom, mon pote ? demande l'un des deux.

Je secoue la tête. Je ne comprends rien. Ma bouche s'entrouvre, mais aucun son intelligible n'en sort.

— C'est un vrai zombie, grogne le second soldat. Laisse-le !

Le premier hoche la tête, se frotte le menton, et me regarde.

— Le commandant a ordonné que nous rapatriions tous les civils non infectés.

Il enroule alors la couverture autour de moi et, d'un geste fluide, me soulève du lit pour me caler sur son épaule. En tant que civil infecté, je suis plutôt choqué qu'on me traite ainsi.

— Relax, zombie ! On t'emmène dans un endroit plus cool.

Je le crois. Et, l'espace d'un instant, je m'autorise même à croire que, tout compte fait, je ne vais peut-être pas mourir.

## 26

ON M'EMMÈNE À L'HÔPITAL DE LA BASE, à un étage mis en quarantaine et réservé aux victimes de la peste – surnommé le quartier des zombies – où on m'administre une giga dose de morphine et un puissant cocktail de médicaments contre le virus. Je suis soigné par une femme qui se présente elle-même comme le Dr Pam. Elle a des yeux doux, une voix calme et des mains froides. Ses cheveux sont réunis en un chignon serré. Et elle dégage une odeur qui ressemble à un mélange de désinfectant pour hôpital avec une pointe de parfum. Ces deux senteurs ne s'accordent pas très bien.

Elle m'apprend que j'ai une chance sur dix de survivre. Je me marre. Je dois délirer à cause des médicaments. Une sur dix ? Dire que je pensais que la peste me condamnait à une mort certaine. Je ne pourrais pas être plus heureux.

Durant les deux jours suivants, ma température grimpe en flèche. Ma sueur est glacée et ma transpiration piquetée de sang. Je flotte dans un crépuscule fébrile malgré l'armada de traitements que les médecins m'injectent pour lutter contre l'infection. Il n'y a aucun antidote contre la Mort Rouge. Tout ce qu'ils peuvent faire c'est me shooter un max, jusqu'à ce que le virus décide s'il apprécie mon corps ou non.

Le passé m'envahit. Parfois, mon père est assis à côté de moi, parfois ma mère, mais la plupart du temps, c'est Sissy. La chambre devient toute rouge. Je vois le monde à travers un voile de sang. La pièce s'estompe derrière le rideau rouge. Il n'y a que moi, l'intrus à l'intérieur de moi et les morts – pas seulement ma famille, mais tout le monde, plus d'un milliard de morts qui essaient de m'attraper pendant que je cours. Je cours. Je cours. Je tente de m'échapper et, soudain, je songe qu'il n'y a pas vraiment de différence entre nous, les vivants et les morts. Ce n'est qu'une question de temps : le passé et le futur. Morts tous les deux.

Le troisième jour, la fièvre cesse. Le cinquième, j'arrive à garder des aliments liquides dans mon estomac. Peu à peu, mes yeux et mes poumons commencent à s'éclaircir. Le rideau rouge recule, et je peux maintenant voir la salle, les médecins masqués, les infirmières et les patients à divers stades de la maladie, tandis que, flottant sur un doux océan de morphine, des visages couverts de masques vert clair me transportent sur mon lit roulant hors de la pièce.

Le sixième jour, le Dr Pam déclare que le pire est derrière moi. Elle ordonne qu'on interrompe tous mes traitements, ce qui me fiche encore plus à plat. Je crois que la morphine va me manquer.

— On t'a transféré dans la salle des convalescents jusqu'à ce que tu sois sur pied, m'apprend-elle. Nous allons avoir besoin de toi.

— Besoin de moi ?

— Pour la guerre.

La guerre. Je me souviens aussitôt des coups de feu, des explosions, du soldat qui a surgi dans ma tente et de ses cris : *ils sont en nous !* Je demande :

— Qu'est-ce qui se passe ? Qu'est-il arrivé ?

Le Dr Pam s'est déjà détournée. Elle tend ma feuille de température à un auxiliaire et lui commande d'une voix basse, mais pas assez basse pour que je ne puisse l'entendre :

— Emmenez-le en salle d'examen une fois qu'il aura éliminé tous les médicaments. On va le baliser.

## 27

ON ME TRANSPORTE DANS UN VASTE HANGAR près de l'entrée de la base. Partout où mon regard se pose, je remarque des signes de la récente bataille. Des carcasses de véhicules brûlés, les décombres des bâtiments démolis, des feux tenaces qui couvent, l'asphalte grêlé de trous, et le cratère d'un feu funéraire, de trois mètres de large. Mais la barrière de sécurité a été réparée, et au-delà je vois un no man's land de terre noircie à la place du village de tentes.

À l'intérieur du hangar, vide de tout avion, les soldats peignent de larges cercles rouges sur le sol de béton brillant. Nous passons une porte. Je me retrouve à l'arrière du local, dans la salle d'examen, où l'on me transfère sur une table, avant de m'abandonner quelques minutes. Je frissonne dans ma mince blouse d'hôpital sous les lumières fluorescentes. Qu'est-ce que c'est que ces grands cercles rouges ? Et comment ont-ils pu rétablir le courant ? Et qu'est-ce que ça voulait dire : « On va le baliser » ? Mes pensées fusent dans toutes les directions. Bordel, qu'est-ce qui se trame ici ? Si les extraterrestres ont attaqué la base, où sont les extraterrestres morts ? Où est leur vaisseau spatial ? Comment avons-nous réussi à nous défendre contre une forme d'intelligence qui a des millions d'années d'avance sur la nôtre – et à en sortir gagnants ?

La porte s'ouvre, et le Dr Pam entre. Elle examine mes yeux à l'aide d'une petite lampe. Écoute mon cœur, mes poumons, tapote mes muscles et mes os ici et là. Ensuite, elle me montre une pastille gris argenté de la taille d'un grain de riz.

— Qu'est-ce que c'est ?

Je m'attends presque à ce qu'elle me réponde qu'il s'agit d'un vaisseau extraterrestre, genre : nous en avons découvert de la taille d'une amibe.

Au lieu de cela, elle m'explique que la pastille est un dispositif traceur, lié au processeur central de la base. C'est un système très perfectionné, utilisé par l'armée depuis des années. L'idée est d'implanter tout le personnel survivant. Chaque balise transmet son signal, unique, une signature qui peut être enregistrée par des détecteurs jusqu'à un kilomètre et demi. C'est pour garder une trace de nous, m'informe-t-elle. *Pour notre sécurité.*

Elle me donne un coup sur la nuque, pour m'engour-dir, et insère la pastille sous ma peau, à la base de mon crâne. Elle pose un pansement à cet endroit, puis m'aide à regagner mon fauteuil roulant et m'entraîne dans une pièce adjacente, plus petite que la première. À l'inté-rieur se trouve un siège blanc, inclinable, qui m'évoque celui d'un dentiste. Il y a un ordinateur et un moniteur. Le Dr Pam m'installe dans le siège et commence à me ligoter : j'ai droit à des sangles autour de mes poignets et de mes chevilles. Son visage est tout près du mien. Aujourd'hui, son parfum masque un peu plus l'odeur de désinfectant.

— N'aie pas peur, dit-elle en voyant mon expression inquiète. Ça ne fait pas mal. Je chuchote :

— Qu'est-ce qui nous fait mal, aujourd'hui ?

Le Dr Pam se dirige vers le moniteur et met le dis-positif en marche.

— C'est un programme que nous avons trouvé dans l'ordinateur portable de l'un des infestés, poursuit-elle.

Avant que je puisse m'enquérir de ce qu'elle entend par « infestés », elle continue :

— Nous ne savons pas exactement pour quelle rai-son les infestés l'ont utilisé, mais nous sommes sûrs que c'est une méthode saine. Son nom de code est : Wonderland.

Je demande :

— Qu'est-ce que ça fait ?

Je ne suis pas certain de bien capter, mais j'ai l'im-pression qu'elle m'explique que les extraterrestres ont réussi à infiltrer Wright-Patterson, et à s'introduire dans le système informatique. Je ne peux pas m'ôter le mot « infesté » du crâne. Ni le visage ensanglanté du soldat entré en trombe dans ma tente. *Ils sont en nous !*

— C'est un système qui permet de tracer une carte, répond-elle.

Ce qui n'est pas vraiment une réponse.

— Une carte ? De quoi ?

Elle m'observe durant un long moment, semblant hésiter à m'avouer la vérité.

— De toi. Il dresse ta carte intérieure. Ferme les yeux. Inspire profondément. Compte à rebours depuis trois... deux... un...

Et tout à coup, l'univers implose.

Soudain, j'ai de nouveau trois ans. Je me tiens aux barreaux de mon berceau, et je saute en poussant des cris comme si l'on m'assassinait. Je ne me souviens pas de ce jour : je suis en train de le vivre.

À présent, j'ai six ans. Je m'amuse avec ma batte de base-ball en plastique. Celle que j'adorais. Celle dont j'avais oublié l'existence.

Dix ans, maintenant. Nous rentrons à la maison en voiture après être allés à l'animalerie. J'ai un sac contenant des poissons rouges sur mes genoux. Ma mère et moi nous suggérons mutuellement des prénoms. Maman porte une robe jaune vif.

Treize ans. Un vendredi soir. Je joue au football et la foule m'encourage.

La bande ralentit, à présent. J'ai l'impression de me noyer – de me noyer dans le rêve de ma propre vie. Mes jambes s'agitent contre les entraves, comme si j'étais en train de courir.

Je cours.

Premier baiser. Elle s'appelle Lacey. Ma prof de maths de seconde, et son écriture atroce. Je passe mon permis de conduire. Tous mes souvenirs affluent en moi pendant que je plonge dans Wonderland.

Toute ma vie.

Une tache verte dans le ciel nocturne.

Je tiens des planches pendant que papa les cloue sur les fenêtres de notre salon. Des coups de feu dans la rue, des vitres qui explosent, des gens qui hurlent. Et le marteau qui continue : *boum, boum, BOUM.*

Les cris hystériques de ma mère :

— Soufflez les bougies ! Tu ne les entends pas ? Ils sont presque là !

Et la voix de mon père, calme, dans l'obscurité :

— Si quelque chose m'arrive, prends soin de ta mère et de ta petite sœur.

Je suis en chute libre. À vitesse terminale. Aucun moyen d'échapper à cela. Je ne vais – hélas – pas me contenter de me rappeler cette nuit. Je vais la revivre en entier.

Ça m'a poursuivi jusqu'à mon arrivée au village de tentes. Cette chose qui m'a fait fuir, qui me fait toujours fuir, qui ne me laissera jamais en paix.

*Prends soin de ta mère et de ta petite sœur.*

La porte de l'entrée s'ouvre à la volée. Papa tire droit dans le torse du premier intrus. Le type doit être drôlement costaud, parce qu'il continue d'avancer. Je découvre un fusil à canon scié pointé sur le visage de mon père, et c'est la dernière fois que je vois ce visage. La pièce est pleine d'ombres, et l'une d'elles est ma mère, puis d'autres ombres s'avancent, des cris rauques retentissent, et je bondis en haut de l'escalier, portant Sissy dans mes bras, réalisant trop tard que je cours vers la mort. Une main me saisit et me stoppe dans mon élan. Je dégringole les marches, protégeant Sissy de mon corps, plongeant en bas tête la première.

Encore d'autres ombres, des ombres gigantesques, et des mains qui s'agrippent à moi, arrachant Sissy de mes bras.

Les hurlements de Sissy.

— *Bubby ! Bubby ! Bubby*[1] *!*

Dans l'obscurité, je tends la main vers elle. Mes doigts se referment sur le médaillon autour de son cou et tirent la chaîne en argent. Puis, comme le jour où les lumières se sont éteintes à jamais, la voix de ma sœur meurt brutalement.

Ensuite les voyous se jettent sur moi. Trois d'entre eux, camés à mort ou en manque total, me ruent de coups dans le dos et dans l'estomac. Alors que je lève les mains pour me protéger le visage, je vois la silhouette du marteau de papa s'élever au-dessus de ma tête.

Un sifflement. Je roule sur moi-même pour m'écarter. Le marteau effleure ma tempe, mais l'outil termine sa course dans le tibia de l'un des mecs. Le type tombe à genoux dans un hurlement d'agonie.

Je suis sur pied, à présent, je cours du couloir à la cuisine. Les pas ennemis résonnent derrière moi.

*Prends soin de ta petite sœur.*

---

1. Surnom affectueux.

Je trébuche sur quelque chose dans le jardin derrière la maison, sûrement le tuyau d'arrosage ou l'un des jouets de Sissy. Je m'effondre dans l'herbe mouillée, sous un ciel étoilé. La sphère verte clignotante, l'Œil en orbite, me fixe, moi le mec avec le pendentif en argent enfoui dans sa main ensanglantée, le survivant. Le mec qui n'a pas faibli. Le mec qui s'enfuit en courant.

## 28

JE DORS SI PROFONDÉMENT que rien ne peut m'atteindre. Pour la première fois depuis des semaines, je me sens hébété. Je n'ai même plus l'impression d'être moi. Le néant m'entoure.

Sa voix surgit dans la pénombre et je m'y accroche comme à une corde pour me tirer d'un puits sans fond.

— C'est terminé. Tout va bien. C'est terminé...

Je remonte à la surface du monde réel, haletant, pleurant sans pouvoir me contrôler, comme un vrai minable.

Vous vous trompez, docteur. Ce n'est jamais fini. Ça recommence sans fin.

Je perçois enfin son visage, et mes bras luttent contre les liens tandis que j'essaie de l'attraper. Il faut qu'elle arrête ça !

— Qu'est-ce que c'était que ce putain de truc ? je demande d'une voix rauque.

Ma gorge me brûle. Ma bouche est sèche. J'ai l'horrible sensation de ne peser que trois kilos, au max, comme si toute ma chair avait été arrachée de mes os. Dire que je pensais que la peste faisait souffrir !

— Cela nous permet de voir à l'intérieur de toi, de comprendre ce qui se passe, annonce-t-elle avec douceur.

De sa main elle caresse mon front. Son geste m'évoque ma mère, ce qui me rappelle qu'elle est morte, que je me suis enfui lâchement loin d'elle dans la nuit. Je ne devrais pas être ligoté dans cette chaise blanche, mais avec ma famille. J'aurais dû rester et affronter ce qu'*ils* ont affronté.

*Prends soin de ta petite sœur.*

— C'est ma prochaine question, je rétorque en tentant de me concentrer sur le présent. Qu'est-ce qui se passe ?

— Ils sont à l'intérieur de nous, répond-elle d'un ton détaché. Nous avons été attaqués de l'intérieur, par du personnel infecté employé par l'armée.

Elle me laisse quelques minutes pour assimiler ses propos. Pendant ce temps, elle essuie les larmes de mon visage avec un gant humide. C'est exaspérant, ce comportement maternel, mais la fraîcheur de cette caresse est une agréable torture.

Elle pose le gant de côté et me regarde droit dans les yeux.

— D'après ce que nous avons vu ici, nous estimons que, parmi les survivants, un humain sur trois est en fait l'un d'entre Eux.

Elle desserre mes liens. Je me sens aussi peu consistant qu'un nuage, léger comme un ballon. Quand le dernier lien est dégrafé, j'ai l'impression que je vais m'envoler de mon siège et toucher le plafond.

— Tu aimerais en voir un ? me demande-t-elle.

Sans attendre ma réponse, elle me tend la main.

## 29

LE DR PAM ME CONDUIT À TRAVERS LE HALL jusqu'à un ascenseur qui nous entraîne quelques mètres sous terre. Les portes s'ouvrent sur un long couloir aux murs recouverts de parpaings blancs. La doctoresse m'informe que nous sommes dans l'abri antiatomique, presque aussi vaste que la base au-dessus de nous, et conçu pour résister à une explosion nucléaire de cinquante mégatonnes. Je lui réponds que je me sens déjà plus en sécurité. Elle rit, comme si elle me trouvait drôle. Nous dépassons des entrées de tunnel et des portes vierges de toute inscription, et j'ai l'impression d'être entraîné dans les entrailles du monde – au cœur de la tanière du diable. Des soldats vont et viennent à toute allure dans le couloir ; ils se préviennent du regard et cessent de parler quand nous passons devant eux.

*Tu veux en voir un ?*

Oui. Putain, non.

La doctoresse stoppe bientôt devant une porte et glisse une carte magnétique dans la serrure. La petite lumière rouge vire au vert. Elle roule mon siège dans la pièce et l'arrête face à un grand miroir. Je reste bouche bée, baisse le menton et ferme les yeux parce que la chose assise dans ce fauteuil roulant ne peut être moi.

Quand le ravitailleur est apparu pour la première fois, je pesais quatre-vingts kilos. J'étais quasiment tout en muscles. Vingt kilos de ces muscles ont disparu. L'étranger dans le miroir me regarde avec des yeux affamés : immenses, creux, ourlés de cernes noirs et gonflés. Le virus a entaillé mon visage, amincissant mes joues, creusant mon menton, amenuisant mon nez. J'ai les cheveux filasse, et qui tombent par plaques.

*On dirait un zombie.*

Le Dr Pam me désigne le miroir d'un hochement de tête.

— Ne t'inquiète pas, il ne pourra pas nous voir.

*Il ? De qui parle-t-elle ?*

Elle presse alors un bouton et la lumière inonde la pièce de l'autre côté du miroir. Mon reflet se transforme en fantôme et, au-delà, j'aperçois soudain la personne installée là-bas.

Chris.

Il est ligoté sur un siège identique à celui de la salle de Wonderland. Des câbles courent de son crâne jusqu'à une grande console et des petites diodes rouges clignotent derrière lui. Il a du mal à garder la tête haute, comme un gamin qui roupille en cours.

Le Dr Pam remarque que je me suis aussitôt raidi en le découvrant.

— Qu'est-ce qu'il y a ? Tu le connais ?

— Il s'appelle Chris. C'est mon… Je l'ai rencontré au camp des réfugiés. Il m'a proposé de partager sa tente et a veillé sur moi quand j'étais malade.

Elle a l'air surprise.

— C'est ton ami ?

— Oui. Non… Oui, c'est mon ami.

— Il n'est pas ce que tu penses.

Elle effleure un bouton et les moniteurs se mettent en route. Je détourne le regard de Chris, de son enveloppe extérieure à son intérieur, de son apparence à la partie cachée de lui, car, sur l'écran, je vois son cerveau enrobé d'os translucides qui irradient d'un vert jaunâtre écœurant.

Je chuchote :

— Qu'est-ce que c'est ?

— L'infestation.

Le Dr Pam appuie sur un autre bouton et zoome sur la partie avant du cerveau de Chris. La couleur dégueulasse s'intensifie, pour briller comme un néon.

— C'est le cortex préfrontal, la part du cerveau capable de réfléchir – cette part qui fait de nous des humains.

Elle zoome un peu plus sur une surface pas plus grande que la tête d'une épingle et, alors, je la vois. Mon estomac effectue un double salto. Noyée dans les tissus du cerveau se trouve une tumeur en forme d'œuf, arrimée par des centaines de vrilles qui ressemblent à des racines et se déploient en éventail dans toutes les directions, s'insinuant dans chaque cavité du cerveau de Chris.

— Nous ignorons comment ils ont fait ça, lâche le Dr Pam. Nous ignorons même si les infestés sont conscients de cette présence ou s'ils ont toujours vécu comme des marionnettes.

La chose s'enchevêtre elle-même dans le cerveau de Chris, vibrant dans son crâne.

J'ai du mal à parler.

— Enlevez-lui cette horreur.

— Nous avons essayé, répond le Dr Pam. Tout essayé. Les médicaments, les rayons, les électrochocs, la chirurgie. Rien ne fonctionne. La seule façon de les détruire est de tuer leur hôte.

Elle glisse le tableau de bord devant moi.

— Il ne sentira rien.

Confus, je secoue la tête. Je ne comprends pas.

— Ça dure moins d'une seconde, m'assure le Dr Pam. Et c'est absolument sans douleur. C'est ce bouton, juste là.

Je baisse les yeux sur le bouton qui porte une étiquette mentionnant : « exécution ».

— Ce n'est pas Chris que tu vas tuer. Tu vas exterminer la chose qui est en lui et qui risque de te tuer, toi.

Je proteste.

— Il a eu l'occasion de me tuer.

Non. C'est trop. Je ne peux pas affronter ça. Je poursuis :

— Et il ne l'a pas fait. Il m'a laissé vivre.

— Parce que le moment n'était pas venu. Il t'a quitté avant l'attaque, n'est-ce pas ?

J'acquiesce d'un faible hochement de tête. J'observe Chris derrière le miroir sans tain, à travers mon propre reflet, indistinct.

— Tu vas tuer les responsables de cela.

Elle enfouit quelque chose dans ma main.

Le pendentif de Sissy.

Son pendentif. Le bouton. Chris. Et la chose à l'intérieur de Chris.

Et moi. Ou ce qu'il reste de moi. Qu'est-ce qu'il reste, d'ailleurs ? Qu'est-ce que je possède encore ?

Le collier de Sissy au creux de ma main.

— Nous n'avons que cette façon de les stopper, me presse le Dr Pam. Avant qu'il n'y ait plus aucun d'entre nous pour les arrêter.

Chris dans son siège. Le pendentif dans ma main. Depuis combien de temps je cours ? Courir, courir, courir. Chris, j'en ai ma claque de courir. De fuir. J'aurais dû rester. J'aurais dû affronter ça. Si j'avais été plus courageux à ce moment-là, je n'aurais pas à y faire face maintenant, mais tôt ou tard nous devons choisir entre nous enfuir et nous mesurer à l'impossible.

Je presse le bouton aussi fort que je peux.

## 30

J'APPRÉCIE DAVANTAGE L'AILE DES CONVALESCENTS que le quartier des zombies. D'abord, ça sent meilleur, et chacun a sa chambre. On n'est pas entassé sur le sol avec des centaines d'autres personnes. Ma chambre est calme, privative, et, seul dans cette pièce, il est facile d'imaginer que le monde est tel qu'avant l'attaque. Pour la première fois depuis des semaines je suis capable de manger des aliments liquides et de me rendre seul à la salle de bains – même si j'évite de me regarder dans le miroir. Les journées paraissent plus belles, mais les nuits sont atroces : dès que je ferme les yeux, je vois mon propre squelette dans la chambre d'exécution, Chris ligoté dans la pièce en face, et mon doigt osseux qui presse le bouton.

Chris n'existe plus. En fait, selon le Dr Pam, Chris n'a jamais existé. Il n'y avait que cette chose à l'intérieur de lui, qui s'était incrustée dans son cerveau (ils ignorent comment) à un certain moment (ils ignorent quand) et qui le contrôlait. Aucun extraterrestre n'était descendu du ravitailleur pour attaquer Wright-Patterson. L'attaque était venue de l'intérieur, *via* des soldats infestés qui s'étaient retournés contre leurs compagnons d'armes. Ce qui signifie qu'ils se cachaient à l'intérieur de nous depuis longtemps, attendant que les trois premières Vagues réduisent notre population à un nombre restreint avant de révéler leur existence.

Qu'est-ce que Chris avait dit ?

*Ils savent comment nous pensons.*

Ils savaient que nous chercherions la sécurité en nous regroupant. Que nous nous réfugierions auprès d'hommes armés. Alors, monsieur l'Extraterrestre, comment avez-vous organisé tout ça ? C'était simple, pour vous, parce que vous connaissez notre façon de penser, n'est-ce pas ? Vous avez planqué vos espions là où se trouvent nos armes. Même si vos troupes ont foiré le premier assaut, comme cela a été le cas à Wright-Patterson, vous avez atteint votre but ultime en faisant exploser notre société.

Si votre ennemi vous ressemble, comment pouvez-vous le combattre ?

À ce point-là, la partie est déjà foutue. La famine, les maladies, les animaux sauvages : la disparition des derniers survivants isolés n'est qu'une question de temps.

De ma fenêtre au sixième étage, je peux voir les grilles d'entrée. À la tombée de la nuit, un convoi de vieux bus scolaires jaunes quitte les lieux, escorté par des Humvee. Les bus reviennent quelques heures plus tard bondés de passagers, la plupart des enfants – bien que ce soit dur à deviner dans l'obscurité – qui sont emmenés dans le hangar pour être cartographiés et balisés. Les « infestés » seront mis à l'écart et « éliminés ». C'est ce que les infirmières m'apprennent, en tout cas. Ce truc me semble dingue, vu ce que nous savons des attaques. Comment ont-ils pu tuer autant d'entre nous aussi vite ? Oh, ouais, c'est parce que les humains se déplacent en groupes ! Et voilà, nous sommes de nouveau rassemblés. Droit dans leur champ de vision. Pourquoi ne pas peindre un gros cercle rouge sur la base entière ?

*Hé, les gars ! On est là ! Tirez quand vous serez prêts !*

Soudain je ne supporte plus tout ce cirque.

Même si mon corps se porte mieux, mon esprit commence à se ratatiner.

Je ne comprends pas. À quoi ça sert, tout ça ? Qu'est-ce qu'on veut ? Je ne me demande pas ce qu'ils veulent, Eux ; c'est plutôt clair depuis le début.

Je veux dire, qu'est-ce qu'on fabrique, nous ? Je suis sûr que si nous ne nous étions pas regroupés, ils auraient de toute façon trouvé un autre plan, même si ce plan consistait à utiliser des assassins infestés pour nous faire sortir un par un.

Il n'y a aucun moyen de gagner. Si j'avais pu sauver ma sœur, ça n'aurait pas d'importance.

Nous sommes les Morts. Il n'y a plus personne d'autre. Le passé et le futur sont morts. Il n'y a que des cadavres et des futurs cadavres. Quelque part entre le sous-sol et cette chambre, j'ai perdu le pendentif de Sissy. Je me réveille au milieu de la nuit, ma main étreignant le vide, et j'entends ma sœur crier mon nom comme si elle se tenait à un mètre de moi. Je suis furieux, j'en ai ras le cul, et je lui ordonne de la fermer. Oui, je l'ai perdu. Il a disparu. Elle ne comprend donc pas que je suis aussi mort qu'elle ?

Un zombie, voilà ce que je suis.

Je cesse de m'alimenter. Je refuse mes médicaments. Je reste allongé durant des heures dans mon lit, fixant le plafond, attendant la fin, attendant de rejoindre ma sœur et les sept milliards de petits veinards. Le virus qui me dévorait a été remplacé par une maladie différente, encore plus avide. Une maladie avec un taux de mortalité de cent pour cent. J'ai beau me dire : *Ne les laisse pas faire ça, mec ! Ça fait partie de leur plan, ça ne sert à rien.* Oui, même si je me récite des centaines de discours d'encouragement à longueur de journée, ça ne change rien au fait que, depuis que le ravitailleur a surgi, la partie était fichue d'avance. Aucun doute là-dessus. La seule question à se poser était : quand ?

Juste au moment où j'atteins le point de non-retour, quand la dernière part de moi-même capable de se battre s'apprête à renoncer, et comme s'il avait attendu tout ce temps que je me trouve dans cet état-là, mon sauveur apparaît.

La porte s'ouvre et son ombre emplit l'espace – il est grand, svelte, et ses contours aussi nets que s'il était taillé dans un bloc de marbre. Son ombre m'engloutit tandis qu'il avance vers mon lit. J'aimerais détourner le regard, mais j'en suis incapable. Ses yeux – aussi glacials et bleus qu'un lac de montagne – me clouent sur place. Il pénètre dans la lumière et je vois ses cheveux blond roux coupés ras, son nez pointu et ses lèvres minces étirées en un sourire froid. Uniforme impeccable. Bottes noires étincelantes. Insigne d'officier sur son col.

Il baisse les yeux vers moi et demeure silencieux un long moment, inconfortable. Pourquoi ne puis-je détourner le regard de ses yeux de glace ? Ses pommettes, son visage même est si ciselé qu'il a l'air irréel. On dirait une sculpture en bois.

— Tu sais qui je suis ? me demande-t-il d'une voix grave, très profonde.

Je secoue la tête. Putain, comment je pourrais savoir ? Je ne l'ai jamais vu de ma vie.

— Je suis le lieutenant-colonel Alexandre Vosch, le commandant de cette base.

Il ne me tend pas la main, se contentant de me fixer. S'approchant du pied de mon lit, il consulte maintenant ma feuille de température. Mon cœur bat la chamade. J'ai l'impression d'avoir été convoqué dans le bureau du proviseur.

— Tes poumons sont en bon état. Rythme cardiaque, pression sanguine, tout va bien.

Il raccroche mon dossier à sa place.

— Mais tout ne va pas bien, n'est-ce pas ? continue-t-il. En fait, tout va mal.

Il avance une chaise près de mon lit et s'assied avec une telle souplesse, une telle fluidité, qu'on dirait qu'il s'est entraîné durant des heures. Il ajuste à la perfection le pli de son pantalon avant de se lancer :

— J'ai vu ton profil *Wonderland.* Très intéressant. Très instructif, aussi.

Il cherche quelque chose dans sa poche, d'un geste toujours aussi gracieux – presque un mouvement de danse – et en retire le pendentif et la chaîne en argent de Sissy.

— Je crois que c'est à toi.

Il les abandonne sur le lit à côté de ma main. Attends que je les prenne. Je me force à rester immobile, sans vraiment savoir pourquoi.

Sa main retourne dans sa poche poitrine. Il pose cette fois une photo – de la taille de celle qu'on met dans son portefeuille – sur mes genoux. Je m'en empare et vois un petit garçon blond d'environ six ans, peut-être sept, qui a les mêmes yeux que Vosch. Il est dans les bras d'une belle femme qui doit avoir l'âge du lieutenant.

— Tu sais qui ils sont ?

Pas difficile comme question. J'acquiesce d'un hochement de tête. Cette photo me dérange. Je la lui tends pour qu'il la reprenne. Il n'en fait rien.

— Ces deux personnes sont ma chaîne en argent.

— Je suis désolé.

Je ne sais pas quoi dire d'autre.

— Ils n'avaient pas besoin de le faire comme ça, tu sais. Tu y as déjà pensé ? Ils auraient pu prendre tout leur temps pour nous tuer – alors pourquoi ont-ils décidé de nous exterminer aussi vite ? Pourquoi envoyer un fléau, cette peste, qui a tué quatre-vingt-dix pour cent des humains ? Pourquoi pas soixante-dix ? Ou même cinquante pour cent ? En d'autres termes, pourquoi sont-ils aussi pressés ? J'ai une théorie, là-dessus. Tu veux l'entendre ?

*Non. Non, je n'y tiens pas. Qui est ce putain de mec, et pourquoi est-il là à discuter avec moi ?*

— Il y a cette phrase de Staline, poursuit-il. Une mort seule est une tragédie ; un million, c'est une statistique. Tu peux imaginer sept milliards de quoi que ce soit ? Moi, j'ai du mal. Ça repousse les limites de notre capacité à comprendre. C'est pour ça qu'ils ont agi ainsi. C'est comme pousser le score au foot. Tu joues au foot, n'est-ce pas ? Il ne s'agit pas tant de détruire nos facultés à lutter que de broyer notre envie de nous battre.

Il reprend la photo et la remet dans sa poche.

— Moi, je ne pense pas aux 6,98 milliards d'humains. Je ne pense qu'à deux personnes.

D'un geste de la tête il désigne le pendentif de Sissy.

— Tu l'as abandonnée. Tu t'es enfui quand elle avait besoin de toi. Et tu fuis toujours. Tu ne crois pas qu'il est temps de cesser de fuir et de te battre pour elle ?

J'ouvre la bouche sans savoir exactement ce que je vais répondre, mais je réplique :

— Elle est morte.

Il hausse les épaules.

— Nous sommes tous morts, fiston. Certains le sont juste un peu plus que d'autres. Tu dois te demander qui je suis et pourquoi je suis là. Je t'ai dit qui j'étais, et maintenant je vais t'expliquer la raison de ma présence.

Je chuchote :

— Bien.

Peut-être qu'après ces explications il me laissera enfin tranquille. Il me paraît tellement bizarre. Quelque chose me dérange dans sa façon de me regarder de ses yeux de glace, et cette – il n'y a pas d'autre mot pour ça – dureté physique, comme si ce type était une statue vivante.

— Je suis ici parce qu'ils nous ont presque tous tués, mais pas tous. Et ça, c'est une grosse erreur de leur part, fiston. C'est la faille dans leur plan. Si tu ne tues pas tout le monde d'un coup, les survivants vont se rebeller. Les plus forts – et seulement les plus forts – survivront. Ceux qui ont été frappés, mais qui sont encore là, si tu vois ce que je veux dire. Des gens comme moi. Comme toi.

Je secoue la tête.

— Je ne suis pas fort.

— C'est là que, toi et moi, nous ne sommes pas d'accord. Vois-tu, Wonderland ne se contente pas de détailler ton vécu ; il te scanne et te révèle, *toi*. Il ne se contente pas de nous apprendre qui tu es, mais *ce que tu es*. Ton passé et ton potentiel. Et ton potentiel, fiston, est au-delà de tout espoir. Je ne plaisante pas. Tu es exactement ce dont nous avons besoin *au moment précis* où nous en avons besoin.

Il se lève. Sa haute silhouette se penche vers moi.

— Debout !

Ça n'a rien d'une demande. Sa voix est aussi ferme que ses traits. Je me mets debout avec effort. Il approche son visage du mien et me chuchote d'une voix basse, presque inquiétante :

— Qu'est-ce que tu veux ? Sois honnête.

— Que vous partiez.

— Non. Je repose ma question. Qu'est-ce que tu veux ?

Je sens ma lèvre inférieure trembler, comme un gamin sur le point de fondre en larmes. Mes yeux me brûlent. Je me mords le bout de la langue et me force à ne pas détourner le regard de cette lueur froide qui brille dans ses yeux.

— Tu veux mourir ? insiste-t-il.

Est-ce que j'ai hoché la tête ? Je ne m'en souviens pas. Peut-être, parce qu'il répond :

— Pas question, je ne te laisserai pas faire. Que va-t-il se passer, à ton avis ?

— Je crois que je vais continuer à vivre.

— Non, pas du tout. Tu vas mourir. Tu vas mourir, et ni toi, ni moi, ni personne n'y peut rien. Toi, moi, chaque survivant de cette grande et magnifique planète bleue va crever et leur laisser la place.

Il est allé droit au cœur des choses. La réaction qu'il attendait de moi explose soudain. Je lui hurle au visage :

— Et alors ? C'est quoi votre putain de problème ? Puisque vous connaissez toutes les réponses, dites-moi un peu ce qui va se passer, car en ce qui me concerne j'ignore pourquoi je devrais m'en faire !

Il me saisit alors par le bras et me pousse brutalement vers la fenêtre dont il ouvre le rideau en grand. Je vois les bus scolaires à l'arrêt, à côté du hangar, et la file d'enfants qui attend de grimper dedans.

— Tu interroges la mauvaise personne, fiston. Demande-leur plutôt à eux pourquoi tu devrais t'inquiéter. Dis-leur que ça ne sert à rien. Dis-leur que tu aimerais mieux crever !

Il m'attrape par les épaules et me retourne pour lui faire face, puis me frappe le torse.

— Ils ont changé l'ordre naturel des choses en nous, fiston. À présent nous préférons mourir plutôt que vivre. Abandonner plutôt que nous battre. Nous cacher au lieu d'affronter. Ils savent que le meilleur moyen pour nous détruire c'est de nous tuer en premier ici.

De nouveau, il me donne un coup dans la poitrine.

— La bataille finale pour cette planète ne se jouera pas dans une plaine, ni dans une montagne, une jungle, un désert ou un océan. Ça se passera ici.

D'autres coups sur mon torse. Des coups durs. *Tac, tac, tac.*

Cette fois, je suis vaincu. Je laisse affluer tout ce que j'avais refoulé depuis la nuit où ma sœur est morte, sanglotant comme si je n'avais jamais pleuré de ma vie, m'abandonnant à cette sensation qui me fait un bien fou.

— Tu es l'argile humaine, me chuchote Vosch à l'oreille. Et moi, je suis Michel-Ange. Je suis le maître d'œuvre et tu seras mon chef-d'œuvre.

La lueur bleu pâle de ses yeux m'embrase jusqu'au fond de mon âme.

— Dieu n'appelle pas ceux qui sont équipés, fiston. Dieu équipe les Appelés. Et toi, tu as été appelé.

Il me quitte avec une promesse. Ses paroles résonnent à mon esprit, me dévorant comme les flammes, et cette promesse me hante durant toute la nuit et le lendemain.

*Je vais t'enseigner à aimer la mort. Je vais te faire oublier le chagrin, la culpabilité et l'apitoiement, et t'inculquer la haine, la ruse, la fourberie, et l'esprit de vengeance. Je vais accomplir ma dernière mission ici, Benjamin Thomas Parish.*

Il a continué à me frapper le torse jusqu'à ce que ma peau me brûle et que mon cœur soit en feu.

— *Et tu seras mon champ de bataille.*

# III

# SILENCIEUX

# 31

CELA AURAIT DÛ ÊTRE FACILE. Il lui suffisait d'attendre.

Il était doué pour ça. Il pouvait rester tapi durant des heures, sans bouger, en silence, ne formant qu'un avec son fusil, un seul corps, un seul esprit, à se demander où lui-même se terminait et où son arme commençait. Même les balles étaient comme une part de lui-même, liées par une corde invisible à son cœur, jusqu'à épouser ses os.

Le premier coup la manqua, et il réarma bien vite, la ratant du tout au tout. Au troisième tir, elle plongea à terre à côté de la voiture, et le pare-brise arrière de la Buick explosa en un nuage de verre brisé.

Elle s'était faufilée sous l'auto. À dire vrai, c'était son unique option, ce qui lui en laissait deux, à lui : attendre qu'elle sorte, ou quitter sa position dans les bois qui bordaient l'autoroute et finir sa mission. Demeurer caché présentait le moins de risques. Si elle bougeait de là, il la tuerait. Si elle restait terrée, le temps l'achèverait.

Il réarma avec l'extrême lenteur de celui qui sait qu'il a tout son temps. Après avoir passé des jours à la traquer, il était certain qu'elle n'irait nulle part. Elle était trop intelligente pour ça. Les trois coups n'avaient pas réussi à l'abattre, mais elle aurait compris la signification d'un quatrième tir raté. Qu'avait-elle écrit dans son journal ?

*À la fin, ce ne seront pas les plus chanceux qui s'en sortiront.*

Elle allait peser le pour et le contre. Quitter sa planque lui offrirait zéro chance de succès. Elle ne pourrait pas s'enfuir. De toute façon, elle ignorait quelle direction lui apporterait le plus de sécurité. Son seul espoir était qu'il abandonne sa cachette. Alors, tout serait possible. Avec un peu de chance, elle pourrait même le descendre en premier.

S'il y avait confrontation, nul doute qu'elle refuserait de se soumettre. Il avait vu ce qu'elle avait fait au soldat dans l'épicerie. Peut-être avait-elle été terrifiée, sur le moment, et l'abattre avait dû la perturber. Cependant, ni sa peur ni sa culpabilité ne l'avaient empêchée de vider son chargeur sur lui. La peur ne paralysait pas Cassie Sullivan, comme c'était le cas pour certains humains. Au contraire, la peur cristallisait sa raison, renforçait sa détermination, clarifiait ses choix. La peur l'inciterait à demeurer cachée sous l'automobile, non parce qu'elle redoutait de sortir, mais parce que rester planquée ainsi était sa seule chance de survie.

Il attendrait. La nuit ne tomberait pas avant plusieurs heures. D'ici là, soit elle serait morte en se vidant de son sang, soit elle serait tellement affaiblie par ses blessures et la déshydratation qu'il n'aurait aucun mal à la finir.

La finir. Finir Cassie. Pas Cassie pour Cassandra. Ni Cassie pour Cassidy. Cassie pour Cassiopée, la fille qui dormait dans les bois avec un ours en peluche dans une main et un M16 dans l'autre. La fille aux boucles d'un blond vénitien, qui mesurait un petit peu plus d'un mètre soixante pieds nus, et paraissait si jeune qu'il avait été surpris d'apprendre qu'elle avait déjà seize ans. La fille qui sanglotait dans le noir au fond des bois, effrayée à un moment, rebelle à un autre, qui se demandait si elle était la dernière personne sur Terre, pendant que lui, le chasseur, s'accroupissait à quelques mètres d'elle, l'écoutant pleurer jusqu'à ce que l'épuisement l'entraîne dans un sommeil agité. C'était alors l'instant idéal pour se glisser en silence dans sa tente, poser le canon de son arme sur sa tête et en finir avec elle. Parce que c'était ce qu'il faisait, ce qu'il était : un finisseur.

Depuis le début de l'épidémie, il n'avait cessé de finir des humains. Cela faisait quatre ans, maintenant, depuis ses quatorze ans, quand il s'était réveillé à l'intérieur du corps humain choisi pour lui, qu'il avait appris ce qu'il était. Un finisseur. Un chasseur. Un assassin. Peu importait le nom. Celui que Cassie avait trouvé, un Silencieux, était aussi bien qu'un autre. Cela décrivait tout à fait sa mission : imposer le silence à l'humanité.

Il n'en avait rien fait cette nuit-là. Ni les suivantes. Chaque soir il s'approchait un peu plus du campement, avançant en silence sur le sol humide jonché de feuilles mortes, jusqu'à ce que son ombre se dresse dans l'ouverture de la tente avant de s'allonger sur elle. Il sentait son odeur, à cette fille qui dormait un nounours à la main, tandis qu'il l'observait, lui le chasseur, pointant son arme sur elle, pendant qu'elle rêvait de la vie qu'on était en train de lui arracher, lui-même pensant à la vie qu'il avait prise. La fille endormie et le finisseur, qui ne demandait qu'à être capable de la finir.

Pourquoi ne l'avait-il pas encore fait ?

Pourquoi n'y parvenait-il pas ?

Il se disait que ce n'était guère judicieux. Elle ne pourrait pas rester indéfiniment dans ces bois. Il pourrait l'utiliser pour le conduire aux autres de son espèce. Les humains sont des animaux sociables et se regroupent comme des mouches. Les attaques s'étaient appuyées là-dessus. Ce besoin impératif qui les incitait à vivre en communautés était l'opportunité parfaite pour les tuer par milliards. Que disaient les humains, déjà ? La force est dans le nombre. Tu parles !

Il avait trouvé son journal et découvert qu'elle n'avait pas de plan, aucun but mis à part celui de survivre jusqu'au lendemain. Elle n'avait nul endroit où se réfugier et personne pour l'aider. Elle était seule. En tout cas, c'était ce qu'elle croyait.

Cette nuit-là, il ne retourna pas à son campement. Il attendit jusqu'à l'après-midi du lendemain, évitant de reconnaître en son for intérieur qu'il lui accordait le temps de rassembler ses affaires et de s'en aller. Évitant de songer à ses pleurs désespérés.

*Parfois je pense que je dois être la dernière humaine sur Terre.*

Justement, maintenant que *les dernières minutes de la dernière humaine* sur Terre s'écoulaient sous l'automobile, la tension dans ses épaules commença à s'évanouir. Elle n'irait nulle part. Il baissa alors son fusil et s'accroupit au pied de l'arbre, faisant rouler sa tête de gauche à droite pour dénouer les muscles engourdis de son cou. Il était épuisé. Ces derniers temps, il ne dormait pas bien.

Pas plus qu'il ne s'alimentait. Il avait perdu plusieurs kilos depuis que la 4ᵉ Vague avait déferlé. Peu importait. Ils avaient prévu quelques troubles physiques et psychologiques dès le début de cette Vague. Le premier meurtre serait le plus difficile, le suivant plus facile, et celui d'après plus facile encore, parce que c'est la règle : même les personnes les plus sensibles s'habituent aux événements les plus douloureux.

La cruauté n'est pas un trait de personnalité. La cruauté est une habitude.

Il repoussa cette pensée. Qualifier ses actes de cruels impliquait qu'il avait un choix. Choisir entre votre race et une autre espèce n'était pas cruel. C'était nécessaire. Pas facile – surtout quand vous avez passé les quatre dernières années de votre vie à agir comme si vous étiez semblables à eux –, mais crucial.

Ce qui entraînait une question fort troublante : pourquoi n'en avait-il pas terminé avec elle le premier jour ? Quand il avait entendu les coups de feu dans l'épicerie, puis qu'il l'avait suivie sur le chemin de retour à son campement, pourquoi ne l'avait-il pas finie à ce moment-là, quand elle était allongée à pleurer dans le noir ?

Il pouvait expliquer les trois coups ratés sur l'autoroute. La fatigue, le manque de sommeil, le choc de la revoir. Il avait pensé que, si elle quittait son campement, elle se dirigerait vers le nord et non vers le sud. Il avait senti une soudaine poussée d'adrénaline, comme si, en tournant au coin d'une rue, il avait retrouvé une amie perdue depuis longtemps. Oui, c'est ce qui avait dû lui faire rater son premier coup. Quant au deuxième et au troisième, autant considérer que c'était de la chance – sa chance à elle, pas à lui.

Mais que dire de tous ces jours où il l'avait suivie, se faufilant dans son campement quand elle s'absentait pour se mettre en quête de nourriture, prenant l'habitude de fouiller dans ses effets, même dans son journal intime dans lequel elle avait écrit : *Parfois, tard le soir, dans ma tente, j'ai l'impression de pouvoir entendre le bruissement des étoiles contre le ciel ?* Que dire de ces petits matins, à l'aube, quand il se glissait en silence à travers les bois jusqu'à elle, déterminé à la finir, cette fois, à faire ce pour quoi il avait été préparé toute sa vie ? Elle ne serait pas la première à mourir sous ses balles.

Ni la dernière.

Ça aurait dû être facile.

Il frotta ses paumes moites sur ses cuisses puis sa manche sur ses yeux. Il faisait frais sous les arbres, mais il était trempé de sueur. Le vent soufflait sur l'autoroute : bruit solitaire. Un écureuil descendit en sautillant l'arbre à côté de lui, indifférent à sa présence. En contrebas, l'autoroute disparaissait à l'horizon dans les deux directions, et rien ne bougeait mis à part les ordures et l'herbe qui ployaient sous le vent. Les buses avaient trouvé les trois corps allongés sur le terre-plein : trois énormes oiseaux s'approchaient en se dandinant tandis que les autres membres du troupeau tournoyaient encore dans le ciel. Les buses et les divers charognards se régalaient des ravages causés à la population. Des buses, des corbeaux, des chats sauvages, des hordes de chiens affamés. Plus d'une fois, il avait trébuché sur des corps décharnés qui avaient, à l'évidence, servi de dîner.

Les busards. Les corbeaux. Le chat tigré de tante Millie. Les chihuahuas d'oncle Herman. Les mouches à viande et les autres insectes. Les vers. Le temps et les éléments nettoyaient le reste. Si elle ne sortait pas de là, Cassie mourrait sous la voiture. Quelques minutes après son dernier souffle, les premières mouches pondraient leurs œufs en elle.

Il repoussa cette image écœurante. C'était une pensée d'humain. Son Réveil ne datait que de quatre ans, et il devait toujours lutter pour ne pas voir le monde à travers des yeux humains. Le jour de son Réveil, quand il avait découvert pour la première fois le visage de sa mère humaine, il avait éclaté en larmes : jamais il n'avait vu quelque chose d'aussi beau – ou de si laid.

Son intégration avait été douloureuse, au contraire d'autres dont il avait entendu parler. C'était sûrement plus dur pour lui, parce que l'enfance du corps qui était aujourd'hui le sien avait été heureuse. Un psychisme sain était le plus difficile à surpasser. *Ta bataille la plus risquée sera celle, silencieuse et sans une goutte de sang à verser, que tu devras mener contre le psychisme de ton hôte,* lui avait-on expliqué avant son Insertion. Et c'était vrai. Cela avait été – et était toujours – une guerre quotidienne. Le corps qui l'avait accueilli n'était pas qu'une enveloppe qu'il pouvait manipuler comme une marionnette. C'était lui. Les yeux habitués à voir ce monde étaient désormais les siens. Le cerveau éduqué à interpréter, analyser, sentir et se souvenir du monde était le sien, connecté, relié à des milliers d'années d'évolution. L'évolution humaine. Il n'était pas enfermé dedans et ne le guidait pas non plus, comme un jockey monte son cheval. C'était un corps humain, mais c'était aussi *le sien*. Et si quelque chose devait arriver à ce corps – par exemple, s'il mourait – lui-même périrait avec.

C'était le prix de la survie. L'ultime ironie : pour débarrasser son nouveau territoire de l'humanité, il devait devenir humain.

Et tout en étant humain, il devait surmonter son humanité.

Il se leva. Qu'attendait-il ? Cassie pour Cassiopée était foutue. Un cadavre vivant. Elle était sévèrement blessée. Qu'elle parte ou qu'elle reste, il n'y avait plus aucun espoir pour elle. Elle n'avait rien pour se soigner et personne à des kilomètres à la ronde ne pourrait l'aider. Elle avait un petit tube de pommade antibiotique dans son sac à dos, mais rien pour faire des points de suture et aucun pansement. D'ici quelques jours sa blessure s'infecterait, la gangrène s'installerait, et elle mourrait, à moins qu'un autre finisseur n'ait croisé son chemin d'ici là.

Il perdait du temps. Alors le chasseur dans les bois se leva, effrayant l'écureuil. L'animal regrimpa à toute allure dans l'arbre en poussant un cri strident. Le chasseur fit passer son fusil sur son épaule et visa la Buick, promenant le réticule rouge le long de la tôle. Et s'il crevait les pneus ? La voiture s'écraserait sur ses jantes, bloquant Cassie sous sa carcasse. Il ne serait plus question pour elle d'aller où que ce soit.

Le Silencieux baissa pourtant son fusil et tourna le dos à l'autoroute. Les buses qui se régalaient sur le terre-plein s'envolèrent.

Le vent tomba.

Tout à coup, son instinct de chasseur lui susurra : *Retourne-toi.*

Une main ensanglantée émergea de dessous la Buick. Un bras suivit. Puis une jambe.

Il remit son fusil en joue. Prit la fille en mire dans le réticule. Son souffle était court, la sueur trempait son visage, lui picotant les yeux. Elle allait le faire ! Elle allait se sauver au pas de course ! Il se sentait à la fois soulagé et anxieux.

Il était hors de question qu'il la rate pour la quatrième fois. Il écarta alors les jambes, carra les épaules et attendit qu'elle bouge. Peu importait la direction dans laquelle elle partirait. Dès qu'elle serait à l'air libre, elle n'aurait nulle part où se cacher. Néanmoins, il préférerait qu'elle file dans le sens opposé pour éviter de lui tirer une balle en pleine face.

Cassie se mit debout avec difficulté, s'écroula un instant contre la portière de la voiture, puis se redressa, vacillant dangereusement sur sa jambe blessée, s'accrochant à son pistolet. Il plaça la croix rouge de son viseur au milieu de son front. Son doigt titilla la détente.

*Vas-y, Cassie. Cours !*

Elle s'écarta de la voiture. Leva son pistolet. Le pointa à environ cinquante mètres de lui, sur sa droite. Elle pivota à quatre-vingt-dix degrés, puis se retourna. Soudain, sa voix à la fois stridente et faible s'éleva :

— Je suis là ! Viens me chercher, espèce de fils de pute !

J'arrive, songea-t-il. Le fusil et les balles étaient comme une part de lui, et dès qu'il lui en aurait flanqué une dans la peau, il serait là, oui, en elle, à l'intérieur d'elle, même, à la seconde où elle mourrait.

*Pas encore. Pas encore, s'admonesta-t-il. Attends qu'elle se mette à courir.*

Mais Cassie Sullivan ne fuit pas. Son visage, taché de poussière, de graisse, et du sang de sa blessure sur la joue, semblait n'être qu'à quelques centimètres de lui. Si net qu'il pouvait presque compter les taches de rousseur sur son nez. Il voyait cette peur si familière dans ses yeux, cette peur qu'il avait croisée dans des centaines de regards, ce regard que l'on adresse à la mort lorsque cette dernière vous contemple.

Cependant, il y avait autre chose dans les yeux de Cassie. Quelque chose qui combattait sa peur, luttait pour l'amoindrir – un sentiment qui lui permettait de rester immobile, prête à tirer.

Une sensation qui l'incitait à ne pas se cacher, à ne pas se sauver, mais à faire face.

Des gouttes de sueur lui tombèrent dans les yeux, et le visage de Cassie se brouilla à travers le viseur.

*Cours, Cassie. Je t'en prie, cours.*

Il y a un moment, dans la guerre, où la dernière ligne doit être franchie. Celle qui sépare ce qui vous tient à cœur de ce que le combat exige. S'il ne pouvait franchir cette ligne, la bataille serait terminée, et il aurait perdu.

Son cœur. La guerre.

Son visage à elle, le champ de bataille.

Poussant un cri que lui seul entendit, le chasseur se retourna.

Et s'enfuit.

# IV

# ÉPHÉMÈRE

# 32

IL EXISTE DIFFÉRENTES FAÇONS DE MOURIR. Et mourir de froid n'est pas si mal.

C'est ce que je pense, pendant que je me gèle à mort.

Vous vous sentez envahi de chaleur. Aucune douleur ne vous fait souffrir. Vous vous contentez de flotter, comme si vous veniez de vous enfiler une bouteille entière de sirop contre la toux. Le monde blanc vous enlace de ses bras immaculés et vous entraîne dans une mer de la même teinte, et gelée.

Et le silence est si – merde – silencieux, que les battements de votre cœur semblent être l'unique bruit de l'univers. Tout est si calme ! Vous avez carrément l'impression que vos pensées résonnent dans l'air glacé. Enfoncée jusqu'à la taille dans une congère, sous un ciel sans nuages, seule la neige vous aide à tenir debout parce que vos jambes en sont incapables.

Et vous ne cessez de penser : *Je suis vivante, je suis morte, je suis vivante, je suis morte.*

Et il y a ce satané Nounours avec ses gros yeux bruns sans expression – à vous flanquer la chair de poule – qui vous fixe, perché sur votre sac à dos comme pour vous dire : *Espèce de minable, tu as promis !*

Et il fait si froid que vos larmes se figent sur vos joues.

— Ce n'est pas ma faute, ai-je lancé à Nounours. Ce n'est pas moi qui fais la météo. Si tu as une plainte à déposer, adresse-toi à Dieu.

Ça, je le fais pas mal ces derniers temps : m'en prendre à Dieu.

Genre : *Dieu, c'est quoi ce putain de bordel ?*

Épargnée par l'Œil, j'ai tué le soldat au crucifix. Ayant presque réussi à éviter les tirs du Silencieux, j'ai quand même eu la chance de voir ma jambe s'infecter, et chacun de mes pas est devenu un chemin de plus vers l'enfer. J'ai survécu jusqu'à ce que le blizzard déferle durant deux longues journées, me bloquant dans cette congère qui m'emprisonne jusqu'à la taille, et je vais sûrement mourir d'hypothermie sous un magnifique ciel bleu.

*Merci, Dieu.*

*Épargnée, sauvée, gardée en vie,* dit Nounours. *Merci, Dieu.*

*Peu importe !* J'en voulais à mon père de s'être autant emballé au sujet des Autres, et d'avoir déformé la vérité afin que les choses paraissent moins sombres, mais, pour l'instant, je réagissais comme lui. Le truc difficile à admettre pour moi, c'est que je m'étais couchée en ayant figure humaine, or à mon réveil j'avais la sensation d'être un cafard. N'être qu'un insecte dégueulasse porteur d'épidémie avec un cerveau de la taille d'un grain de sable n'est pas facile à accepter. Vous avez besoin de temps pour vous faire à cette idée. Et là, Nounours continue : *Tu sais qu'un cafard peut vivre presque une semaine sans sa tête ?*

*Ouais. Merci. J'ai appris ça en biologie. Donc d'après toi, je vaux un peu mieux qu'un cafard. Merci encore. Je vais essayer de déterminer quel genre d'insecte vecteur d'épidémie je suis.*

Soudain une pensée me saisit. Peut-être est-ce pour cette raison que le Silencieux sur l'autoroute m'a laissé la vie sauve : il a gazé l'insecte que je suis et s'est éloigné. Inutile de s'attarder dans le coin quand la bestiole s'agite sur le dos, frappant l'air de ses pattes grêles.

Rester sous la Buick, m'enfuir, tenir bon – quelle importance ? Rester, courir, tenir : le mal était fait. Ma jambe n'allait pas se guérir seule. La première balle a déjà accompli son forfait : une sentence de mort. Pourquoi en gâcher une autre ?

J'ai tenté d'échapper au blizzard en me réfugiant sur le siège arrière d'un Explorer. Blottie sur la banquette, l'auto formait une tente de métal autour de moi, à l'intérieur de laquelle j'observais le monde devenir entièrement blanc. Impossible de baisser les vitres électriques pour laisser entrer un peu d'air frais. Très vite l'habitacle s'est empli de l'odeur du sang et de ma blessure purulente.

J'avais utilisé tous les antalgiques de ma réserve durant les dix premières heures.

Mangé le reste de mes vivres dès la fin de la première journée dans le SUV.

Quand j'ai eu soif, j'ai écarté le hayon et attrapé des poignées de neige. Je l'ai gardé entrouvert pour avoir un peu d'air, jusqu'à ce que mes dents se mettent à claquer et que mon souffle se transforme en glace sous mes yeux.

L'après-midi du Jour Deux, la neige a atteint plus d'un mètre de haut. Ma tente métallique ressemblait plus à un sarcophage qu'à un refuge. Les jours étaient à peine plus lumineux que les nuits, et les nuits n'étaient que la négation de la lumière – non pas noires, mais sans lumière aucune.

Alors, c'est ainsi que les personnes décédées voient le monde ?

J'ai cessé de me demander pourquoi le Silencieux m'avait laissé la vie sauve. Cessé de me soucier de ce sentiment étrange d'avoir deux cœurs, un dans ma poitrine, et un plus petit, qui tambourinait dans mon genou. Cessé de m'inquiéter : la neige allait-elle s'interrompre avant que mes deux cœurs, eux, se figent à jamais ?

J'ai carrément arrêté de réfléchir, sans pour autant m'endormir. Disons plutôt que je somnolais, avec ce satané ours en peluche serré contre ma poitrine. Ce Nounours qui gardait les yeux ouverts quand j'en étais incapable. Nounours, qui me rappelait la promesse que j'avais faite à Sammy.

*D'ailleurs, à propos de promesse, Cassie...*

J'avais dû m'excuser un bon millier de fois envers lui pendant ces deux jours qu'avait duré la tempête de neige. *Désolée, Sam. Je sais ce que j'ai dit, mais tu es trop jeune pour comprendre qu'il existe toutes sortes de conneries. Les conneries que tu connais – et tu sais que tu les connais. Les conneries que tu ne connais pas – mais tu sais que tu ne les connais pas. Et les conneries que tu pense connaître, mais*

*que tu ne connais pas vraiment. Faire une promesse au beau
milieu d'une invasion extraterrestre tombe dans cette dernière
catégorie. Je suis tellement… désolée !*

*Tellement désolée.*

Un jour plus tard. Enfoncée jusqu'à la taille dans
l'immensité blanche, Cassie, la vierge de glace au joli
petit bonnet composé de neige et de cheveux gelés,
aux cils lourds de paillettes de givre, flottant dans un
brouillard sans nom, meurt à petit feu, mais au moins
elle meurt debout, après avoir essayé de tenir une promesse qu'elle n'avait pas la moindre chance de tenir.

*Tellement désolée, Sams, tellement désolée.*

*Plus de conneries.*

*Je ne viendrai pas.*

## 33

Cet endroit ne peut pas être le paradis. Il n'a pas les
bonnes vibrations.

Je marche dans un épais brouillard blanc. Le néant.
Le vide. Aucun son. Pas même celui de mon propre
souffle. En fait, je suis carrément incapable de dire si je
respire encore. C'est le truc numéro un sur la fameuse
liste : « Comment savoir si je suis encore en vie ? »

Il y a quelqu'un avec moi. Je ne le vois pas, pas plus
que je ne l'entends, ne le touche ou ne le sens, mais je
sais qu'il est là. J'ignore comment j'ai deviné que c'est

un représentant de la gent masculine, pourtant j'en suis certaine. Il me fixe, immobile. J'ai beau avancer dans cette immense brume immaculée, il est toujours à la même distance. Je n'ai pas peur de le voir là, en train de m'observer. Cela dit, ça ne me rassure pas non plus. Sa présence n'est qu'un élément de plus, comme le brouillard. Il y a le brouillard, moi qui ne respire pas, et cet inconnu, toujours aussi près, qui me contemple.

Cependant, quand la brume s'éclaircit, il n'y a plus personne, et je me retrouve seule dans un lit à baldaquin, enfouie sous trois épaisseurs de couvertures qui sentent un peu le bois de cèdre. Le néant blanc s'efface pour être remplacé par la chaude lumière jaune d'une lampe à kérosène qui trône sur une petite table de nuit. Redressant la tête, je vois un rocking-chair, un miroir en pied et les portes à lamelles d'un placard. Un tube en plastique est attaché à mon bras, et l'autre extrémité est reliée à une poche d'un liquide clair qui pend d'un crochet en métal. J'ai besoin de quelques minutes pour observer mon nouvel environnement, me rendre compte que je suis complètement engourdie de la taille jusqu'aux pieds et réaliser avec confusion que, non, je ne suis pas morte.

Plutôt déroutant.

Je tends les mains, et mes doigts effleurent d'épais bandages drapés autour de mon genou. J'aimerais bien sentir mes mollets et mes orteils, parce que je n'éprouve aucune sensation en dessous des volumineux pansements. J'ai encore mes mollets et mes orteils, n'est-ce pas ? Hélas, mes mains ne peuvent pas descendre aussi bas sans que je m'asseye, ce qui m'est impossible. J'ai l'impression que seuls mes bras fonctionnent. Je m'en sers pour repousser les couvertures, dévoilant le haut de mon corps à l'air frais. Je porte une chemise de nuit en coton à l'imprimé fleuri. *Qu'est-ce que c'est que ce truc ?* En dessous, évidemment, je suis nue. Ce qui signifie, bien sûr, qu'à un instant donné, entre le moment où j'ai retiré mes vêtements et celui où j'ai enfilé cette chemise de nuit, je me suis retrouvée complètement nue, ce qui veut dire que *j'étais complètement nue.*

OK, voilà une seconde pensée déroutante.

Je tourne la tête à gauche : commode, table de nuit, lampe. À droite : fenêtre, chaise, table. Et Nounours, allongé sur l'oreiller à côté de moi, scrutant le plafond.

*Putain, on est où, Nounours ?*

À l'étage inférieur, quelqu'un claque une porte et le plancher tremble. J'entends le tac-tac-tac-tac de lourdes bottes sur le bois nu. Puis le silence. Un silence oppressant, si vous ne tenez pas compte de mon cœur qui cogne dans ma poitrine – ce dont vous devriez vous abstenir puisqu'il résonne aussi fort que les bombes soniques de Crisco.

*Tac-tac-tac-tac.* De plus en plus intense à chaque *tac.*

Quelqu'un monte les marches.

J'essaie de m'asseoir. Ce n'est pas une bonne idée. J'arrive à peine à me décoller d'une dizaine de centimètres de l'oreiller, mais c'est tout. Où est mon fusil ? Et mon Luger ? Les pas se sont arrêtés juste devant ma porte. Je suis incapable de bouger, et même dans le cas contraire, tout ce que j'ai pour me défendre c'est cet ours en peluche râpée. Qu'est-ce que je vais faire avec ? Le serrer fort contre moi ?

Quand vous n'avez plus aucun choix, le meilleur choix est de ne rien faire. De jouer au mort. Le fameux truc de l'opossum.

Les yeux plissés, j'observe la porte s'ouvrir. J'aperçois une chemise rouge à carreaux écossais, une grosse ceinture brune, et un jean. Des mains larges, puissantes, aux ongles soignés. J'inspire avec calme tandis qu'il se tient à côté de moi. Il doit vérifier ma perfusion, je suppose. Il se tourne et je distingue ses fesses, puis il se retourne et son visage entre dans mon champ de vision pendant qu'il s'installe dans le rocking-chair vers le miroir. Je vois son visage de face, et le mien dans le miroir. *Respire, Cassie, respire. Il a un visage sympa, pas celui d'une personne qui chercherait à te faire du mal. S'il avait voulu te blesser, il ne t'aurait jamais amenée ici, ne t'aurait jamais perfusée pour t'hydrater, et regarde, les draps sont propres et agréables, alors, qu'est-ce que ça peut foutre qu'il t'ait retiré tes vêtements pour t'enfiler cette chemise de nuit en coton ? Que voulais-tu qu'il fasse ? Tes fringues étaient crasseuses, comme toi, même si tu ne l'es plus maintenant, et ta peau embaume le lilas ce qui signifie – putain de merde – qu'il t'a donné un bain !*

Je tente de garder un souffle régulier, mais sans succès.

Alors le propriétaire du visage se met à parler :

— Je sais que tu es réveillée…

Comme je ne réponds pas, il poursuit :

— Et je sais aussi que tu m'observes, Cassie.

Je croasse :

— Comment tu connais mon prénom ?

J'ai l'impression qu'on m'a frotté la gorge au papier de verre. J'ouvre les yeux. À présent, je le vois de façon claire et nette. Je ne me suis pas trompée au sujet de son visage. Il est mignon, dans le genre Clark Kent. Dix-huit ou dix-neuf ans, je suppose, épaules larges, bras musclés, et mains aux cuticules parfaites. *Eh bien, ça pourrait être pire. J'aurais pu être sauvée par un vieux pervers d'une cinquantaine d'années tout bouffi de graisse, et qui garde le cadavre de sa mère dans son grenier.*

— Grâce à ton permis de conduire, répond-il.

Il ne se lève pas, mais reste dans son siège, les coudes posés sur les genoux, la tête inclinée, plus timide que menaçant. J'observe ses mains et les imagine en train de me passer un gant mouillé – mais bien chaud – sur le corps.

Sur mon corps complètement nu.

— Je m'appelle Evan, lâche-t-il enfin. Evan Walker.

— Salut.

Il a un léger rire, comme si j'avais dit quelque chose de drôle.

— Salut.

— Où est-ce que je suis, Evan Walker ?

— Dans la chambre de ma sœur.

Ses yeux, très enfoncés, sont d'un brun aussi profond que le chocolat – comme ses cheveux – et à la fois un peu mélancoliques, interrogateurs, comme ceux d'un chiot.

— Est-ce qu'elle est… ?

Il acquiesce d'un hochement de tête et se frotte les mains avec lenteur.

— Toute ma famille. Et toi ?

— Toute ma famille, sauf mon petit frère. C'est, euh... son ours, pas le mien.

Il sourit, et son visage devient encore plus agréable.

— C'est un très joli ours.

— Il a déjà eu meilleure allure.

— Comme bien des choses...

Je suppose – en tout cas, j'espère – qu'il parle du monde en général, pas de mon corps.

— Comment est-ce que tu m'as trouvée ?

Il détourne le regard, puis le reporte sur moi. Me fixe de ses yeux couleur chocolat.

— Les oiseaux.

— Quels oiseaux ?

— Les buses. Quand je les vois tournoyer dans le ciel, je vérifie toujours. Tu sais. Au cas où...

— Bien sûr.

C'est bon. Inutile de m'en dire plus.

— Donc, tu m'as ramenée chez toi, tu m'as enfoncé cette intraveineuse dans le bras – où est-ce que tu l'as eue, d'ailleurs ? Et ensuite, tu m'as retiré tous mes... Et puis tu m'as lavée...

— À vrai dire, j'avais du mal à croire que tu étais encore en vie et, ensuite, je ne pensais pas que tu survivrais.

Il se frotte de nouveau les mains, l'une contre l'autre. À cause du froid ? De la nervosité ? Moi, j'éprouve ces deux sensations.

— L'intraveineuse était déjà là, explique-t-il. C'était bien pratique durant l'épidémie. Je sais que je ne devrais pas raconter ça, mais tous les jours, quand je rentrais, je m'attendais à te trouver morte. Tu étais dans un sale état.

Il fouille dans la poche de sa chemise, et, sans comprendre pourquoi, je tressaille. Il le remarque, m'offre un sourire rassurant. Il en sort un truc qui ressemble à un morceau de métal pointu, de la taille d'un dé à coudre.

— Si cette balle t'avait atteinte n'importe où ailleurs, tu serais morte.

Il fait tourner la balle entre son pouce et son index.

— Tu sais d'où elle vient ?

Je ne peux pas m'empêcher de lever les yeux au ciel.

— D'un fusil.

Il secoue la tête, croyant visiblement que je n'ai pas compris sa question. Le sarcasme n'a pas l'air de fonctionner avec lui. Si tel est le cas, je suis dans la merde : c'est mon mode habituel de communication.

— Un fusil qui appartient à qui ?

— Je n'en sais rien – aux Autres. Une de leurs troupes a prétendu être des soldats et a tué mon père et tous les rescapés de notre camp. Je suis la seule à m'en être sortie vivante. Enfin, sans compter Sammy et tous les enfants.

Il me regarde comme si j'étais complètement à la masse.

— Qu'est-ce qui est arrivé aux enfants ?

— Ils les ont emmenés. Dans des bus scolaires.

— Des bus scolaires... ?

Il secoue la tête. Des extraterrestres dans des bus d'école ? Il semble sur le point de sourire. J'ai dû mater ses lèvres un peu trop longtemps, parce qu'il se met soudain à les frotter consciencieusement du dos de sa main.

— Où les ont-ils emmenés ?

— Je n'en sais rien. Ils ont mentionné Wright-Patterson, mais...

— Wright-Patterson. La base d'aviation militaire ? J'ai entendu dire qu'elle était abandonnée.

— De toute façon, on ne peut pas croire ce qu'ils avancent. Ce sont nos ennemis.

Je déglutis. Ma gorge me brûle. Evan Walker doit être du genre à tout remarquer parce qu'il me propose aussitôt quelque chose à boire.

— Je n'ai pas soif.

J'ai menti. Pour quoi ? Pour lui montrer que je suis coriace ? Ou pour qu'il reste dans ce siège, car c'est la seule personne à qui je parle depuis des semaines, si vous ne tenez pas compte de Nounours, ce qui serait mieux.

— Pourquoi les ont-ils emmenés ?

Il ouvre de grands yeux ronds, comme ceux de ma peluche. C'est difficile de choisir ce qui me plaît le plus en lui. Ses yeux doux, couleur de chocolat intense, ou sa mâchoire mince. Peut-être ses cheveux épais, et la façon dont ils tombent sur son front quand il se penche vers moi.

— J'ignore la véritable raison, mais je suppose que si c'en est une bonne pour eux, c'en est forcément une mauvaise pour nous.

— Tu crois que... ?

Il est incapable de terminer sa question – ou bien il préfère en rester là pour m'éviter d'avoir à répondre. Il fixe l'ours en peluche allongé sur le lit à côté de moi.

— Quoi ? Que mon petit frère est mort ? Non, je crois qu'il est en vie. De toute façon, ça n'aurait aucun sens qu'ils aient emmené tous les enfants pour les tuer ensuite. Ils ont fait exploser notre camp avec une sorte de bombe verte...

Il m'interrompt en levant la main.

— Attends un instant. Une bombe verte ?

— Je n'invente pas !

— Mais pourquoi verte ?

— Parce que le vert est la couleur du dollar, de l'herbe, des feuilles de chêne et des bombes extraterrestres. Putain, mais comment je peux savoir pourquoi elle était verte ?

Il se met à rire, d'un rire calme, comme retenu. Quand il sourit, le côté droit de sa bouche se lève un petit peu plus haut que le gauche.

*Cassie, pourquoi tu fixes ses lèvres ?*

D'une certaine façon, le fait d'avoir été sauvée par un mec plutôt mignon, au sourire de travers et aux mains fermes et puissantes, est la chose la plus troublante qui me soit arrivée depuis le débarquement des Autres.

Repenser à ce qui a eu lieu au camp me donne la chair de poule, alors je décide de changer de sujet. Je baisse les yeux sur le plaid qui me recouvre. Il a l'air d'avoir été cousu à la main. L'image d'une vieille femme penchée sur son ouvrage surgit à mon esprit et, sans savoir pourquoi, j'ai soudain envie de pleurer.

Je demande d'une voix faible :

— Depuis combien de temps suis-je ici ?

— Ça fera une semaine, demain.

— Est-ce que tu as dû couper… ?

Je ne sais pas comment poser ma question.

Dieu merci, je n'en ai pas besoin.

— Tu veux dire, t'amputer ? Non. La balle n'a pas touché ton genou, alors je crois que tu seras capable de marcher, mais tu auras peut-être des problèmes avec tes nerfs.

— Oh, ça, j'ai l'habitude.

# 34

IL M'ABANDONNE UN MOMENT et revient avec un bouillon, à base d'une sorte de viande, peut-être du cerf ou de la biche, pas de poulet ou de bœuf, il m'aide à m'asseoir, puis me place le bol chaud entre les mains. Il me fixe pendant que je sirote le bouillon, pas d'un regard obsédé, mais de la façon dont vous contemplez une personne malade sans savoir comment lui être utile. À moins que ce ne soit vraiment un regard obsédé et que cet air soucieux ne soit qu'une façade. Les pervers ne sont-ils *que* des pervers si vous ne les trouvez pas séduisants ? J'ai dit à Crisco qu'il était taré de vouloir me donner le collier d'un cadavre, mais il a rétorqué que je penserais différemment s'il était aussi sexy que Ben Parish…

Me souvenir de Crisco me coupe l'appétit. Evan remarque que je me contente de scruter le bol installé sur mes genoux, me le retire des mains avec douceur et le pose sur la table de nuit.

— J'aurais pu le faire, dis-je, d'un ton plus sec que je ne le voudrais.

— Parle-moi des soldats. Comment sais-tu qu'ils n'étaient pas... humains ?

Je lui explique qu'ils ont surgi peu après l'arrivée des drones, comment ils ont embarqué les enfants, avant de réunir tous les rescapés dans nos quartiers pour les flinguer. Mais l'argument décisif, c'était l'Œil. Clairement extraterrestre, cet engin.

— Ce sont des humains, affirme-t-il une fois que j'ai terminé. Ils doivent collaborer avec les visiteurs.

— Oh, je t'en prie, ne les appelle pas comme ça !

Je détestais ce nom. Les présentateurs TV l'utilisaient avant la 1re Vague – comme tout le monde sur YouTube ou sur Twitter. Même le Président aux informations télévisées.

— Et comment devrais-je les appeler, d'après toi ?

Evan sourit. Je crois qu'il utiliserait pour Eux le terme de « navets » si je le lui demandais.

— Papa et moi nous les surnommions *les Autres* pour les différencier de nous, les humains.

— Tu vois ! C'est ce que je disais. Les chances qu'ils nous ressemblent en tous points sont extrêmement minces.

J'ai l'impression d'entendre mon père dans une de ses diatribes, et soudain, sans comprendre pourquoi, je m'énerve.

— Ouais, c'est super, non ? Une guerre à deux fronts. Nous contre Eux, et nous contre nous et Eux.

Evan secoue la tête d'un air contrit.

— Ce ne serait pas la première fois que des gens changent de camp dès lors que la victoire devient évidente...

— Donc, si je te suis bien, les traîtres ont emmené les enfants loin du camp parce qu'ils veulent aider les Vilains à se débarrasser de la race humaine, tout en préservant la population âgée de moins de dix-huit ans.

Il hausse les épaules avant de demander :

— Qu'en penses-tu ?

— Je pense que si nos troupes ont décidé d'aider les Vilains, on est baisés.

— Peut-être que je me trompe...

Pourtant, il n'en semble pas persuadé.

— Peut-être que ce sont des visi... enfin... des Autres, déguisés en humains, ou un genre de clones...

Je hoche la tête. Ça aussi, je l'ai déjà entendu durant les ruminations sans fin de mon père, quand il se demandait à quoi les Autres pouvaient ressembler.

La question n'était pas : pourquoi pas ? mais : pourquoi ? Nous étions au courant de l'existence des Autres depuis cinq semaines. Eux devaient connaître la nôtre depuis des années. Des centaines, voire des milliers d'années. Ce qui leur avait laissé tout le temps nécessaire pour extraire notre ADN et faire croître autant de copies qu'ils en avaient besoin. Qui sait s'ils n'avaient pas entamé cette guerre avec des clones de notre espèce ? De bien des façons, notre planète n'était peut-être pas viable pour leur corps. Vous vous rappelez *La Guerre des Mondes* ?

C'est sûrement pour cette raison que je suis aussi cassante avec Evan : il me rappelle trop Oliver Sullivan, et je revois mon père qui se meurt, affalé dans le sol poussiéreux devant moi, alors que je n'ai qu'une envie : détourner les yeux. Je lance, ne plaisantant qu'à moitié :

— Peut-être que ce sont des Cyborgs ou des Terminators !

J'en ai vu un mort, de près : le soldat que j'ai tué vers la Fosse aux Cendres. Je n'ai pas vérifié son pouls, cependant il me semblait bel et bien mort, et le sang qui s'écoulait de son crâne paraissait suffisamment réel.

Penser à ce corps et à ce qui s'est passé là-bas me fait toujours flipper, et, voilà... je flippe. J'insiste, d'un ton pressant :

— On ne peut pas rester ici !

Evan m'observe comme si j'avais perdu l'esprit.

— Qu'est-ce que tu veux dire ?

— Ils vont nous trouver !

J'attrape la lampe à kérosène, en retire le couvercle de verre, et je souffle fort sur la flamme dansante. Mais elle se contente de vaciller, sans s'éteindre. Evan me prend le verre de la main et le remet sur la lampe.

— Il fait à peine 3 °C, dehors, et nous sommes à des kilomètres du refuge le plus proche. Si tu fais brûler cette maison, nous sommes grillés.

Grillés ? Est-ce qu'il cherche à faire de l'humour ? En tout cas, il ne sourit pas.

— De plus, tu n'es pas assez en forme pour voyager, poursuit-il. Genre, pas avant trois ou quatre semaines.

Trois ou quatre semaines ? Il plaisante, ou quoi ? Nous ne tiendrons pas trois jours, ici, avec les lumières qui se voient à travers les fenêtres et la fumée qui sort de la cheminée.

Evan remarque mon angoisse – qui s'amplifie – et pousse un soupir.

— OK.

Il souffle sur la flamme, la pièce est soudain plongée dans l'obscurité. Je ne le distingue plus. D'ailleurs, je ne vois plus rien. Néanmoins, je sens son odeur, un mélange de bois fumé et de quelque chose qui ressemble à du talc pour bébé ; après quelques instants, je devine son corps qui se déplace à quelques centimètres du mien.

— Tu dis que nous sommes à des kilomètres du refuge le plus près ? Mais putain, où est-ce que tu vis, Evan ?

— Dans la ferme de ma famille. Nous nous trouvons à environ quatre-vingt-dix kilomètres de Cincinnati.

— À combien de Wright-Patterson ?

— Je n'en sais rien. Cent, cent vingt kilomètres ? Pourquoi ?

— Je te l'ai dit. Ils ont emmené mon petit frère.

— Tu m'as dit qu'ils ont *prétendu* l'emmener là-bas.

Nos voix semblent se mêler l'une à l'autre, comme deux rubans, avant de se libérer pour flotter dans le noir. Je rétorque :

— Il faut bien que je commence quelque part.

— Et s'il n'y est pas ?

— Dans ce cas, j'irai ailleurs. J'ai fait une promesse. Si je ne la tiens pas, ce putain d'ours en peluche ne me pardonnera jamais !

Je perçois l'haleine d'Evan. Un souffle de chocolat. Du chocolat ! J'en ai l'eau à la bouche. Je sens presque mes glandes salivaires s'activer. Je n'ai rien avalé de solide depuis des semaines, et qu'est-ce qu'il m'apporte à manger ? Un bouillon gras au goût bizarre. Il me cache des trucs, ce salaud de fermier.

— Cassie, tu réalises qu'ils risquent d'être beaucoup plus nombreux que toi, n'est-ce pas ?

— Et alors ?

Comme il ne répond rien, je poursuis :

— Tu crois en Dieu, Evan ?

— Bien sûr.

— Pas moi. Enfin, je veux dire, je n'en sais rien. J'y croyais avant que les Autres ne débarquent. En tout cas, je pense que j'y croyais, mais ils sont arrivés et…

Je dois m'interrompre un instant pour me ressaisir.

— Peut-être qu'il y a bien un Dieu. Sammy y croyait, mais il croyait aussi au Père Noël. Cela dit, tous les soirs je l'aidais à réciter sa prière, même si je ne me sentais pas concernée. Ce qui importait, c'était lui, Sammy, et ce en quoi il avait foi. Si tu l'avais vu mettre sa petite main dans celle de ce faux soldat et le suivre dans ce bus…

Je crise, mais tant pis. Il est bien plus facile de pleurer dans le noir. Soudain, Evan pose sa main chaude sur la mienne, glacée, et sa paume est aussi douce que l'oreiller sous ma joue. Je sanglote.

— Ça me tue, cette confiance qu'il avait. Comme celle que nous éprouvions tous avant qu'ils débarquent et foutent notre monde en l'air. On croyait que, quand il ferait sombre, il y aurait toujours de la lumière. Que lorsque tu voudrais un putain de Frappucino à la fraise, il te suffirait de prendre ta bagnole, d'aller en ville, et de commander un putain de Frappuccino à la fraise. On croyait…

De son autre main, il m'effleure la joue et, du pouce, efface mes larmes. La délicieuse odeur de chocolat m'envahit tandis qu'il se penche et me chuchote à l'oreille :

— Non, Cassie. Non, non, non.

Je jette mes bras autour de son cou et le serre contre moi, joue contre joue. Je tremble comme une épileptique. Pour la première fois, je sens le poids des couvertures sur mes orteils, parce que l'obscurité exacerbe vos sens.

Je suis dans tous mes états. Pourvu que mes cheveux ne puent pas ! Je veux du chocolat. Le garçon qui me tient contre lui – enfin, c'est plutôt moi qui m'accroche à lui comme à une bouée de sauvetage – m'a vue complètement nue. Que pense-t-il de mon corps ? Et moi, qu'est-ce que je pense de mon propre corps ? Dieu se soucie-t-il vraiment des promesses ? Est-ce que je me soucie de Dieu ? Qu'est-ce, au fond, qu'un miracle ? La mer Rouge qui s'écarte devant vous, ou Evan Walker qui me trouve, prisonnière des montagnes de neige dans l'immense désert blanc ?

— Cassie, ça va aller, chuchote-t-il à mon oreille, de son haleine chocolatée.

Quand je me réveille le lendemain matin, il y a un Hershey Kiss[1] sur ma table de nuit.

---

1. Chocolat onctueux et crémeux. Aussi doux qu'un baiser, selon la publicité.

## 35

EVAN QUITTE LA FERME TOUS LES SOIRS pour patrouiller les alentours et chasser. Il me dit qu'il a des denrées plein ses placards, que sa mère gardait beaucoup de conserves, mais il aime la viande fraîche. Il m'abandonne donc pour trouver une créature mangeable à abattre et, le quatrième jour, il entre dans ma chambre avec un hamburger sur du pain chaud fait maison et une assiette de pommes de terre sautées. C'est le premier véritable repas que je fais depuis que j'ai déguerpi du Camp des Cendres. C'est aussi un hamburger sacrément bon, comme je n'en ai pas goûté depuis l'Arrivée, et pour lequel, comme je l'ai déjà mentionné, j'étais prête à tuer.

— D'où vient le pain ?

J'ai engouffré la moitié du hamburger. Du gras me coule sur le menton. Cela fait un bail que je n'ai pas mangé de pain non plus. Celui-ci est très bon, tout gonflé, bien doré et un peu sucré.

Evan aurait pu, comme je n'aurais pas manqué de le faire à sa place, répliquer d'une remarque narquoise, vu qu'il n'a pu obtenir ce pain que d'une seule façon. Mais il n'en fait rien.

— Je l'ai cuit, lâche-t-il.

Après s'être occupé de mon repas, il change le pansement sur ma jambe. Je demande si je peux regarder. Il répond que non, qu'il vaut mieux pour moi que je m'abstienne. J'ai envie de sortir du lit, de prendre un long bain, de me débrouiller par moi-même. Il prétend qu'il est trop tôt. Mais je tiens à me laver les cheveux. Trop tôt, insiste-t-il. Je rétorque que s'il ne veut pas m'aider, je lui briserai la lampe à kérosène sur la tête. Alors, dans la petite salle de bains, au bout du couloir dont le papier peint se décolle, il dispose une chaise – apportée de la cuisine – au milieu de la baignoire aux pieds griffés. Il me porte jusque-là, m'installe, puis revient avec un grand bac en métal rempli d'eau fumante.

Le bac doit être très lourd. Les biceps d'Evan se gonflent sous ses manches, et les veines de son cou saillent, comme quand Bruce Banner se transforme en Hulk. L'eau a une légère odeur de pétales de roses. Evan se sert d'une cruche à limonade décorée de smileys souriants comme d'une louche, tandis que je renverse la tête. Puis il commence à faire mousser le shampoing, mais je repousse ses mains. Ça, je peux le faire moi-même.

L'eau coule de mes cheveux sur ma chemise de nuit, plaquant le coton sur mon corps. Evan s'éclaircit la gorge et, lorsqu'il tourne la tête, ses mèches glissent sur son front. Il est tellement mignon ainsi ! Le trouble m'envahit. Me reprenant, je lui réclame un peigne à dents larges, le plus large possible. Il plonge dans le placard sous le lavabo pendant que je l'observe du coin de l'œil, prêtant à peine attention à la façon dont ses épaules musclées roulent sous sa chemise en flanelle, ou à son jean délavé aux poches arrière effilochées, pas plus que je ne mate ses fesses parfaitement moulées dans ce jean. Au bout d'un long moment – quasi une éternité – il trouve un peigne, me demande si j'ai besoin d'autre chose avant qu'il s'en aille, et je marmonne un « non » alors que je n'ai qu'une envie : rire et pleurer en même temps.

Une fois seule, je m'oblige à me concentrer sur mes cheveux, qui sont hyper emmêlés. Un véritable sac de nœuds dans lequel se nichent des morceaux de feuilles mortes et des boulettes de poussière. Je les démêle jusqu'à ce que l'eau devienne froide et que je commence à frissonner dans ma chemise de nuit trempée. Soudain je perçois un léger bruit juste derrière la porte. Aussitôt je m'interromps dans ma corvée. Je lance :

— Tu es là ?

Ma voix résonne dans la petite pièce carrelée.

Il y a un bref silence, puis une réponse :

— Oui.

— Qu'est-ce que tu fous ?

— J'attends pour t'aider à te rincer les cheveux.

— J'en ai pour un bon moment !

— Ça ne me dérange pas.

— Pourquoi tu n'irais pas faire cuire une quiche ou un truc du genre ? Tu n'as qu'à revenir dans un quart d'heure.

Je ne l'entends pas répondre, et encore moins partir.

— Tu es toujours là ?

Le plancher du couloir craque.

— Oui.

Je continue à essayer de démêler ma tignasse pendant une dizaine de minutes, puis j'abandonne. Evan entre et s'assied au bord de la baignoire. J'appuie ma tête contre sa paume pendant qu'il me rince les cheveux.

— Je suis surprise que tu sois ici.

— J'habite *ici*.

— Que tu sois resté, je veux dire. Quand on a eu des nouvelles de la 2$^e$ Vague par les survivants qui s'enfuyaient dans l'arrière-pays, beaucoup de jeunes hommes ont rejoint les commissariats les plus proches, le dépôt d'armes de la garde nationale, ou les bases militaires. Comme après le 11 Septembre, mais en pire.

— Nous étions huit, en comptant maman et papa. Je suis le plus âgé. Quand ils sont morts, j'ai pris soin des enfants.

— Moins vite, Evan ! je râle, alors qu'il vide la moitié du pichet sur ma tête. J'ai l'impression de me noyer.

— Désolé.

Il pose sa main sur mon front pour former un barrage. L'eau est délicieusement chaude. Je ferme les yeux et l'interroge :

— Toi aussi, tu as été malade ?

— Ouais, puis j'ai recouvré mes forces.

Il reprend de l'eau dans le bac, je retiens mon souffle, anticipant la cascade chaude et chatouilleuse.

— Val, ma plus jeune sœur, est morte il y a deux mois. C'est dans sa chambre que tu couches. Depuis ce jour, je me demande quoi faire. Je sais que je ne peux pas m'éterniser ici, mais j'ai marché jusqu'à Cincinnati, et je pense que je n'ai pas besoin de t'expliquer pourquoi je ne retournerai pas là-bas.

D'une main, il verse l'eau sur ma tête tandis que, de l'autre, il essore mes cheveux. Avec fermeté, mais pas trop fort, juste comme il faut. À l'évidence, je ne suis pas la première fille à qui il fait un shampoing. Une petite voix hystérique se met à hurler en moi : *Où tu te crois ? À quoi tu joues ? Tu ne connais même pas ce mec !* Mais cette insidieuse voix continue : *Il est doué – tu devrais lui suggérer de te masser le crâne, tant qu'il y est.*

Puis, d'une voix calme, Evan poursuit :

— À présent, je trouve stupide de partir tant que la température ne sera pas remontée. Peut-être que je devrais aller à Wright-Patterson ou à Kentucky. Fort Knox n'est qu'à deux cents kilomètres d'ici.

— Fort Knox ? Quoi ? Tu as prévu un hold-up[1] ?

— C'est un fort, ce qui signifie une base extrêmement *fortifiée*. Un point de ralliement logique.

Il réunit le bout de mes mèches dans son poing et serre le tout. Les dernières gouttes s'écrasent dans la baignoire. *Plop-plop-plop.*

— Pour ma part, jamais je ne rejoindrai un endroit qui peut être considéré comme un point de ralliement logique. En toute *logique*, ces lieux seront les premiers effacés de la carte.

— D'après ce que tu m'as dit des Silencieux, il ne semble pas *logique* de se rassembler où que ce soit.

— Ni de séjourner *où que ce soit* plus de quelques jours. Il faut rester en très petit groupe et se déplacer sans arrêt.

— Jusqu'à… ?

— Il n'y a pas de « jusqu'à » ! Seulement « à moins que ».

Evan sèche mes cheveux avec une épaisse serviette-éponge blanche. Une chemise de nuit propre est posée

---

1. Fort Knox abrite la réserve d'or des États-Unis.

sur le siège des toilettes. Je plonge mon regard dans ses yeux couleur chocolat.

— Retourne-toi !

Il obtempère. Je tends la main au-delà de ce jean, qui moule ces fesses que je ne regarde pas, et attrape la chemise de nuit.

— Fais gaffe, si tu jettes un œil dans le miroir, je le verrai ! je l'avertis.

Ce garçon m'a déjà vue nue, mais j'étais *inconsciemment* nue, ce qui est complètement différent !

Sagement, il acquiesce, baisse la tête et se mordille la lèvre inférieure, comme s'il refrénait un sourire.

Je me tortille pour retirer la chemise de nuit trempée, enfile la nouvelle, puis l'informe qu'il peut se retourner.

Il me soulève de la chaise et me porte pour me ramener dans le lit de sa sœur décédée. J'ai passé un bras sur ses épaules, et le sien est serré – mais pas trop – autour de ma taille. Son corps est chaud. On dirait que sa température est bien plus élevée que la mienne. Il me dépose avec précaution sur le matelas, puis remonte les couvertures sur mes jambes nues. Ses joues sont douces, ses cheveux parfaitement coiffés, et ses cuticules, comme je l'ai déjà fait remarquer, impeccables. Ce qui signifie que, pour lui, son apparence est très importante dans cette période postapocalyptique. Pourquoi ? Qui est là pour l'admirer ? Je demande :

— Ça fait combien de temps que tu n'as vu personne ? À part moi.

— Je vois des gens presque chaque jour. La dernière vivante avant toi était Val. Et avant elle, c'était Lauren.

— Lauren ?

— Ma petite amie.

Il détourne le regard.

— Elle est morte, elle aussi.

— Fais chier, cette épidémie.

Je ne sais pas quoi dire d'autre.

— Ce n'était pas la peste. Elle l'a eue, ce n'est pas ça qui l'a tuée. Lauren a mis fin à ses jours, avant que la maladie l'emporte.

Il se tient maladroitement à côté du lit. À l'évidence, il n'a pas envie de me quitter, pourtant il ne trouve aucune excuse pour s'attarder.

Bon, je me lance :

— Je n'ai pas pu m'empêcher de remarquer combien...

Non, ce n'est pas une bonne introduction.

— Je pense que c'est difficile, quand on est seul, de prendre vraiment soin...

Quelle naze !

— Soin de quoi ? D'une personne, quand presque tout le monde a disparu ?

— Je ne parlais pas de moi.

Soudain j'abandonne toute tentative de politesse, et je dis simplement :

— Tu as l'air fier de ton allure.

— Il ne s'agit pas de fierté.

— Je ne t'accusais pas d'être snob ou...

— OK, j'ai pigé : tu te demandes à quoi ça sert, maintenant.

En fait, j'espérais que c'était pour moi. Mais je me garde bien de le préciser.

— Je ne sais pas, continue Evan, c'est au moins quelque chose que je peux contrôler. Ça me permet de structurer ma journée. Ça m'aide à me sentir plus...

Il hausse les épaules.

— Plus humain, je crois.

— Parce que tu as besoin d'aide pour te sentir humain ?

Il me regarde d'un air curieux, puis me lâche une réponse qui me fera réfléchir longtemps après son départ :

— Pas toi ?

## 36

EVAN SORT PRESQUE TOUTES LES NUITS. La journée, il est aux petits soins pour moi. Quand trouve-t-il le temps de dormir ? La deuxième semaine, j'avais l'impression de devenir folle, enfermée dans cette petite chambre, alors, un jour où il faisait un peu moins froid, Evan m'a aidée à enfiler quelques vêtements de Val, détournant les yeux juste quand il fallait, et il m'a portée au rez-de-chaussée puis installée sur le porche avec une grosse couverture moelleuse sur mes genoux. Il m'a abandonnée quelques instants avant de revenir avec deux mugs de chocolat fumant. Je n'ai pas grand-chose à dire de la vue. Un paysage brun, sans aucune forme de vie, la terre qui ondule, les arbres nus, le ciel d'un gris monotone. L'air frais qui titillait mes joues me faisait du bien et le chocolat était à la température idéale.

Nous ne parlons pas des Autres, seulement de nos vies avant l'Arrivée. Evan avait prévu d'entamer des études d'ingénieur à Kent State[1], après son bac. Il avait proposé à ses parents de rester à la ferme un an ou deux pour les aider, mais son père avait insisté pour qu'il aille à la fac. Il connaissait Lauren depuis le CM1, et avait commencé à sortir avec elle dès la seconde. Il était même question de mariage. Il s'est rendu compte que, lorsque le sujet de Lauren venait sur le tapis, je ne pipais plus un mot. Comme je l'ai déjà répété, Evan remarquait tout.

— Et toi ? Tu avais un petit ami ?

— Non. Enfin, si on veut. Il s'appelait Ben Parish. On peut dire qu'il éprouvait un truc pour moi. On est sortis quelquefois ensemble, mais en copains, tu vois.

Pourquoi est-ce que je lui mentais ? Il ne connaissait pas Ben Parish, pas plus que Ben ne me connaissait, en fait. J'ai siroté le reste de mon chocolat chaud en évitant soigneusement son regard.

Le lendemain matin, Evan a surgi à côté de mon lit tenant à la main une béquille taillée dans un morceau de bois. Poncée à en être brillante, légère, d'une hauteur parfaite. J'ai fixé Evan et lui ai demandé de me citer trois choses pour lesquelles il n'était pas doué.

— Le roller, le chant et les discussions avec les filles.

---

1. Université de la ville de Kent, dans l'Ohio.

— Tu as oublié « espionner », ai-je rétorqué tandis qu'il m'aidait à sortir du lit. Je n'ai jamais de mal à deviner ta présence, quand tu traînes dans le coin.

— Tu ne m'en as demandé que trois.

Je ne vais pas mentir : ma rééducation était chiante. Chaque fois que je tentais de m'appuyer sur ma jambe, la douleur envahissait tout le côté gauche de mon corps, mon genou faiblissait, et la seule chose qui m'empêchait de tomber sur les fesses c'étaient les bras musclés d'Evan qui me retenaient.

J'ai passé la journée à essayer, ainsi que le lendemain. J'étais déterminée à m'endurcir. À devenir plus forte que je ne l'étais au moment où le Silencieux m'avait laissée pour morte. Plus forte que pendant ces nuits planquée sous ma tente dans les bois, roulée en boule dans mon sac de couchage, m'apitoyant sur mon sort pendant que Sammy subissait je ne sais quoi. Plus forte que durant ce séjour au Camp des Cendres, où j'errais, aigrie, furieuse contre le monde pour être devenu ce qu'il était, ce qu'il avait toujours été : un endroit dangereux que notre brouhaha humain avait fait paraître plus sûr.

Trois heures de rééducation le matin. Trente minutes de pause pour déjeuner. Puis trois autres heures de rééducation l'après-midi. Je travaillais à reconstruire mes muscles, mais j'avais autre chose à accomplir. J'ai demandé à Evan où était mon Luger. Je devais dépasser ma peur des armes. De plus, question précision, j'étais naze. Evan m'a montré la meilleure façon de tenir mon pistolet, et comment viser. Il a installé d'énormes boîtes de conserve sur les poteaux de la barrière, puis les a remplacées par des plus petites au fur et à mesure que je m'améliorais. Je lui ai suggéré de m'emmener chasser avec lui – j'avais besoin de tirer sur une cible vivante, mouvante – or il a refusé. Selon lui, je suis trop faible, encore incapable de courir – qu'arrivera-t-il si un Silencieux nous remarque ?

Nous partions nous promener au coucher du soleil. Au début, je ne parvenais pas à faire plus de cinq cents mètres sans que ma jambe flanche et qu'Evan soit obligé de me porter pour retourner à la ferme. Néanmoins chaque jour je réussissais à marcher cent mètres de plus que la veille. Sept cent cinquante mètres se sont transformés en un kilomètre, puis un kilomètre et demi. La deuxième semaine je marchais trois kilomètres sans m'arrêter. Je ne pouvais pas courir, mais ma vitesse et mon endurance s'étaient nettement améliorées.

Evan reste avec moi durant le dîner, ainsi que quelques heures après la tombée de la nuit, puis il prend son fusil et me dit qu'il sera de retour avant le lever du soleil. En général, quand il rentre, je dors – et c'est *en général* bien après le lever du soleil.

— Où est-ce que tu vas, toutes les nuits ? lui ai-je demandé un jour.

— Chasser.

Quelle éloquence, cet Evan Walker !

— Tu dois être un mauvais chasseur, l'ai-je taquiné. Tu reviens presque toujours les mains vides.

— En fait, je suis très doué.

Même lorsqu'il affirme quelque chose qui peut ressembler à de la vantardise, ce n'en est pas. C'est la façon dont il annonce les faits, avec détachement, comme s'il parlait de la météo.

— Tu n'as pas le cœur à tuer ?

— J'ai le cœur à faire ce que j'ai envie de faire !

Il se passe une main dans les cheveux et pousse un profond soupir.

— Au début, c'était pour rester en vie. Puis pour protéger mes frères et sœurs des cinglés qui traînaient dans le coin, quand la peste s'est répandue. Et ensuite, pour défendre mon territoire, mes réserves…

— Et maintenant ?

C'était la première fois que je le voyais légèrement irrité.

— Ça m'aide à me calmer, a-t-il admis avec un haussement d'épaules embarrassé. Ça me donne une occupation.

— Comme une hygiène personnelle.

— En plus, j'ai du mal à dormir la nuit, a-t-il continué, sans me regarder – sans rien regarder, d'ailleurs. Je ne réussis à dormir que par courtes périodes. Alors, au bout d'un moment, j'ai arrêté de chercher le sommeil, et j'ai commencé à me reposer la journée. En tout cas, ça aussi j'ai essayé. La vérité, c'est que je ne dors que deux ou trois heures par jour.

— Tu dois être épuisé.

Il me regarde enfin, d'un air triste et désespéré.

— Non, et c'est le pire. Je ne suis pas fatigué du tout.

Malgré ce qu'il prétendait, ses disparitions nocturnes m'intriguaient. Un soir, j'ai tenté de le suivre. Mauvaise idée. Je l'ai perdu au bout de dix minutes. J'ai eu peur de m'égarer. Je me suis retournée pour rentrer et, à ce moment-là, je me suis retrouvée juste face à lui. Il ne s'est pas énervé. Ne m'a pas accusée de le suivre. Il a remarqué simplement :

— Tu ne devrais pas être là, Cassie.

Puis il m'a raccompagnée.

Plus inquiet pour ma santé mentale que pour notre sécurité (je crois qu'il n'a pas complètement adhéré à l'histoire des Silencieux), il a accroché de longs plaids sur les fenêtres dans le salon au rez-de-chaussée afin que nous puissions faire un feu et allumer quelques lampes. J'attends là qu'il revienne de ses expéditions, somnolant sur le gros canapé en cuir ou lisant quelques-uns des vieux livres de poche de sa mère, tous cornés, des romans sentimentaux dont les couvertures affichaient des hommes immanquablement séduisants – aux muscles saillants et à demi nus –, devant lesquels se pâmaient des femmes vêtues de robes de soirée. Vers trois heures du matin, Evan rentre, nous mettons un peu plus de bois dans la cheminée et nous discutons. Il n'aime guère parler de sa famille (quand je lui pose des questions sur les lectures mièvres de sa mère il se contente de hausser les épaules et de répondre qu'elle aimait la littérature). De toute façon, quand les choses deviennent trop personnelles, il détourne illico la conversation sur moi. Il tient surtout à parler de Sammy et à savoir comment je compte honorer ma promesse. Étant donné que je n'en ai aucune idée, c'est une conversation sans fin. Quand il me demande des détails, je demeure vague. Je suis sur la défensive, lui, il insiste. Finalement, je deviens désagréable et il la ferme.

— Bon, réexplique-moi, commence-t-il un soir, tard, alors que nous venons de discuter encore et encore, pendant une heure. Tu ignores qui ou *ce* qu'ils sont, mais tu sais qu'ils sont lourdement armés et qu'ils ont accès à l'artillerie extraterrestre. Tu ignores où se trouve ton petit frère, mais tu vas là-bas pour le sauver. Et, une fois que tu y seras, tu ne sais pas comment tu t'y prendras pour le sauver, mais...

— Qu'est-ce qu'il y a ? Tu essaies de m'aider ou tu veux me montrer que je suis nulle ?

Nous sommes assis sur le tapis devant la cheminée, son fusil d'un côté, mon Luger de l'autre, nous deux au milieu. Evan lève les deux mains devant lui en un pseudo geste de soumission.

— J'essayais juste de comprendre...

— Je vais retourner au Camp des Cendres et suivre les traces à partir de là-bas.

Ça fait un bon millier de fois que je lui répète mes intentions. Je crois que je sais pourquoi il ne cesse de me poser les mêmes questions, mais il est tellement buté que c'est dur de le coincer. Bien sûr, on pourrait en dire autant à mon sujet. Question plan, j'ai surtout un objectif. Mais pas de véritable plan.

— Et si tu ne peux pas suivre les traces ?

— Je ne compte pas abandonner. Je ferai le maximum.

Il a un hochement comme pour signifier : je hoche la tête, mais pas parce que ce que tu m'expliques est sensé. J'acquiesce parce que je crois que tu es complètement cinglée, pourtant je n'ai pas du tout envie que tu t'en prennes à moi et que tu me frappes avec une béquille fabriquée par mes soins.

— Je ne suis pas complètement cinglée. Tu ferais pareil pour Val.

Là, il n'a rien à répondre. Il entoure ses jambes de ses bras et pose son menton sur ses genoux, fixant le feu dans la cheminée.

— Tu crois que je perds mon temps ? Tu penses que Sammy est mort.

— Comment pourrais-je le savoir, Cassie ?

— Je ne dis pas que tu le sais. Je dis que tu le penses.

— Et ce je pense a de l'importance ?

— Non, alors boucle-la.

— Je ne disais rien. C'est toi qui...

— Ne... dis... rien !!

— Je ne dis rien.

— Tu viens de le faire.

— Je vais arrêter.

— Tu ne le fais pas ! Tu dis que tu vas le faire, et tu continues !

Il s'apprête à rétorquer, mais referme la bouche, si fort que j'entends ses dents claquer.

— J'ai faim.

— Je vais te préparer quelque chose, propose-t-il.

— Est-ce que je t'ai demandé de me préparer quoi que ce soit ?

J'ai envie de lui donner un coup sur sa ravissante bouche aux lèvres si bien ourlées. Pourquoi ai-je tant envie de le frapper ? Pourquoi suis-je aussi furieuse ?

— Je suis tout à fait capable de me servir moi-même. C'est le problème, Evan. Je ne suis pas apparue pour donner un sens à ta vie maintenant qu'elle est sens dessus dessous. Il faut que tu arrives à comprendre ça !

— Je veux t'aider, lâche-t-il, et pour la première fois je découvre une vraie lueur de colère dans ses yeux couleur chocolat. Pourquoi sauver Sammy ne pourrait pas être mon but, à moi aussi ?

Sa question me poursuit jusque dans la cuisine. Elle flotte au-dessus de ma tête comme un nuage tandis que j'étale de la viande de cerf fumée sur une tranche de pain qu'Evan a dû cuire dans le four extérieur, en bon scout qu'il est. Elle me suit quand je retourne en clopinant dans le salon pour m'affaisser dans le canapé juste derrière lui. J'ai envie de lui flanquer un coup sur les omoplates, entre ses épaules si bien musclées. Sur la table basse à côté de moi traîne un livre intitulé *L'amour est un désir éternel*. À en juger par la couverture, j'aurais plutôt choisi pour titre : « Mes hallucinantes tablettes de chocolat ».

C'est mon grand problème. Oui, c'est ça ! Avant l'Arrivée, des garçons comme Evan Walker ne m'auraient jamais regardée. Jamais ils ne m'auraient entraînée à viser, pas plus qu'ils ne m'auraient lavé les cheveux. Jamais ils ne m'auraient saisie par la nuque, comme le mannequin au brushing nickel sur la couverture du livre de sa mère, enlacée par un type tout en muscles et biceps saillants. Aucun mec n'a jamais plongé ses yeux au fond des miens, ni soulevé le menton pour attirer mes lèvres à quelques centimètres des siennes. Je faisais partie de l'arrière-plan flou. J'étais celle qui n'est qu'une copine – ou pire : la copine d'une copine –, celle à côté de qui vous êtes assis en cours de maths, mais dont vous êtes incapable de vous rappeler le prénom. Ç'aurait peut-être été mieux que ce soit un mec vieux jeu – du genre à collectionner les personnages de *Star Wars* –, qui me trouve dans cette immensité enneigée.

Je demande à Evan, installé devant moi – autant dire que je m'adresse à l'arrière de son crâne :

— Qu'est-ce qu'il y a ? Tu m'infliges le silence, maintenant ?

Ses épaules se soulèvent puis s'abaissent. Vous savez, comme des gloussements retenus, accompagnés d'un léger mouvement de tête. *Oh, ces filles ! Quelles idiotes !*

— Je crois que j'aurais dû te poser la question, réplique-t-il, au lieu de présumer.

— Quoi ?

Il pivote sur ses fesses pour me faire face. Je suis sur le canapé, lui assis par terre, les yeux levés vers moi.

— Que j'irais avec toi.

— Pardon ? On n'en a même pas parlé. Pourquoi tu veux venir avec moi, Evan, puisque tu penses qu'il est mort ?

— Je ne veux pas que, toi, tu meures, Cassie.

Sa réponse me rend hystérique. Je lui jette mon sandwich à la tête. L'assiette ricoche sur sa joue et avant que j'aie eu le temps de m'en rendre compte Evan est debout, face à moi. Il se penche et, m'emprisonne contre son torse. Des larmes brillent dans ses yeux.

— Tu n'es pas la seule, marmonne-t-il, les dents serrées. Ma petite sœur de douze ans est morte dans mes bras. Elle s'est étouffée dans son propre sang. Je n'ai rien pu faire pour la sauver. Ça me rend dingue, ta façon de te comporter ! Comme si le pire désastre de l'histoire de l'humanité ne tournait qu'autour de toi. Tu n'es pas la seule à avoir tout perdu – pas la seule à penser qu'ils ont pris l'unique chose qui donnait un sens à toute cette merde. Tu as ta promesse envers Sammy, et moi, je t'ai, toi !

Il s'interrompt, comprenant qu'il est allé trop loin.

— Tu ne « m'as » pas, Evan.

— Tu sais ce que je veux dire.

Il me fixe d'un regard intense, et j'ai du mal à détourner les yeux.

— Je ne peux pas t'empêcher de partir, poursuit-il. Enfin, je crois que je *pourrais*, mais je ne peux pas non plus te laisser t'en aller seule.

— Pourtant, mieux vaut rester seul, justement. Tu es bien placé pour le savoir. C'est grâce à ça que tu es encore en vie !

Du doigt, je donne des petits coups sur ses pectoraux pour accentuer mes propos.

Il s'écarte lentement, et je résiste au désir de tendre la main vers lui. Une part de moi n'a pas envie qu'il s'éloigne.

— Mais tu ne peux pas rester seule, insiste-t-il d'un ton sec. Tu ne tiendras pas deux minutes, dehors, sans moi !

Cette fois, j'explose. Je ne peux pas m'en empêcher. Il a prononcé la mauvaise réponse au mauvais moment.

— Va te faire foutre, Evan ! Je n'ai pas besoin de toi, ni de personne, d'ailleurs ! Cela dit, j'imagine que si j'avais *besoin* de quelqu'un pour me laver les cheveux, me coller un pansement sur un bobo ou me préparer un gâteau, tu serais parfait.

Après deux tentatives, je parviens à me mettre debout. Nous arrivons à la seconde partie de notre dispute.

Evan croise les bras sur son torse viril et fait la gueule. Moi, je m'arrête à mi-chemin de l'escalier, cherchant à me convaincre que je m'arrête pour reprendre mon souffle, et non pour lui laisser le temps de me rattraper. De toute façon, il ne me suit pas. Alors, je monte en boitillant les dernières marches et me dirige vers ma chambre.

Non, pas ma chambre. Celle de Val. Je n'ai plus de chambre à moi. Et je n'en aurais probablement plus jamais.

*Oh, cesse de t'apitoyer sur ton sort ! Le monde ne tourne pas autour de toi, Cassie Sullivan ! Arrête avec ta culpabilité ! Ce n'est pas toi qui as fait grimper Sammy dans ce bus. Et tant que tu y es, vire-moi ce chagrin ! Evan peut toujours pleurer sur sa petite sœur, cela ne la ramènera pas.*

*Moi, je t'ai.* Eh bien, Evan, à dire vrai, peu importe que nous soyons deux ou deux cents. Nous n'avons pas une seule chance. Pas contre un ennemi comme les Autres. Je m'endurcis pour… quoi ? Pour être plus solide quand je traînerai au rez-de-chaussée ? Quelle différence ça fait ? À quoi ça sert ?

D'un geste hargneux, j'envoie valser Nounours de sa place. *Qu'est-ce que tu fixes comme ça, crétin ?*

Il tombe sur le côté, un bras tendu en l'air comme s'il levait la main en classe pour poser une question.

Derrière moi, la porte grince. Je crie sans me retourner :

— Fous le camp !

Un autre grincement. Puis un clic. Enfin, le silence.

— Evan, tu es devant la porte ?

Une pause.

— Oui.

— Tu n'abandonnes jamais ?

Peut-être répond-il, je n'en sais rien, je ne l'entends pas. Je croise les bras devant moi, m'enlaçant, me frottant pour me réchauffer. La chambre est glaciale. Mon genou me fait mal à hurler, mais je me mords les lèvres et reste debout, dos tourné à la porte.

— Tu es encore là ?

Je ne supporte plus le silence.

— Cassie, si tu pars, je te suivrai. Tu ne peux pas m'en empêcher. À moins que tu n'aies une solution pour ça aussi.

Je hausse les épaules, luttant contre les larmes qui me brûlent les paupières.

— Je pourrais te descendre.

— Comme tu as descendu le soldat au crucifix ?

Ses paroles me frappent comme une balle. Je pivote sur moi-même, et ouvre la porte en grand. Evan tressaille, mais reste planté là.

— Comment es-tu au courant ?

Bien sûr, il n'y a qu'un moyen pour qu'il le soit.

— Tu as lu mon journal !

— Je ne pensais pas que tu survivrais.

— Désolée de t'avoir déçu.

— En fait… Je voulais découvrir ce qui s'était passé…

— Tu as de la chance que j'ai laissé mon pistolet en bas, sinon je te tirerais dessus direct. Tu sais quel effet ça me fait que tu l'aies lu ? Combien de pages ?

Il baisse les yeux et s'empourpre.

— Tu as tout lu, c'est ça ?

C'est la gêne totale. Je me sens bafouée, violée, honteuse. C'est pire que l'instant où je me suis réveillée dans le lit de Val et que j'ai compris qu'il m'avait vue nue. À l'époque, il n'était question que de mon corps. Là, il s'agit de mon âme.

Je lui flanque un coup de poing dans l'estomac. Aucune réaction : son ventre est aussi dur que du béton.

— Je n'arrive pas à le croire ! Tu étais assis à côté de moi, et tu m'écoutais te débiter des mensonges au sujet de Ben Parish. Tu connaissais la vérité, et tu m'as laissée me ridiculiser !

Il plonge ses mains dans ses poches et scrute le sol. Comme un gamin surpris par sa mère après avoir cassé un vase.

— Je ne pensais pas que ça avait de l'importance.

— Tu ne pensais pas... ?

Je pousse un profond soupir. Qui est ce mec ? Soudain, j'ai la frousse. Il y a un truc qui cloche grave de la mort, ici. Peut-être est-ce parce qu'il a perdu toute sa famille, et sa petite amie ou sa fiancée – ou quel que soit le nom qu'il lui donnait –, et que durant des mois il a vécu seul, agissant comme si ne rien faire revenait quand même à faire quelque chose. Peut-être qu'il s'est mis à l'abri dans cette ferme isolée du fin fond de l'Ohio pour arriver à supporter toute cette merde que les Autres ont répandue chez nous, ou peut-être que ce mec est bizarre – qu'il l'était déjà avant l'Arrivée et qu'il l'est toujours depuis – quoi qu'il en soit, il y a vraiment un truc tordu chez cet Evan Walker. Il est trop calme, trop rationnel, trop cool pour être complètement... cool.

— Pourquoi est-ce que tu l'as tué ? demande-t-il d'un ton détaché. Ce soldat dans l'épicerie.

— Tu le sais.

Je suis sur le point de fondre en larmes.

Evan hoche la tête.

— À cause de Sammy.

Cette fois, je suis confuse.

— Ça n'avait rien à voir avec Sammy.

Il me fixe du regard.

— Sammy a pris la main du soldat et il est monté dans ce bus. Il avait confiance. Et maintenant, même si je t'ai sauvée, tu ne t'autorises pas à me faire confiance.

Il me saisit la main et la serre fort.

— Je ne suis pas le soldat au crucifix, Cassie. Et je ne suis pas Vosch non plus. Je suis comme toi. J'ai la trouille, je suis en colère, je suis perdu et j'ignore ce que je vais faire, mais je sais qu'on ne peut pas tout avoir. Tu ne peux pas dire que tu es humaine et, l'instant d'après, prétendre être un cafard. De toute façon, tu ne le crois pas. Si c'était le cas, tu ne te serais pas retournée pour faire face au tireur sur l'autoroute.

Je chuchote.

— Oh, mon Dieu, ce n'était qu'une métaphore...

— Tu veux te comparer à un insecte, Cassie ? Alors ce serait à un éphémère. Vivant un jour, disparu le lendemain. Ça n'a rien à voir avec les Autres. Ça a toujours été comme ça. La question n'est pas de savoir combien de temps nous serons là, mais ce que nous ferons de ce temps.

— Tu es au courant que ton discours n'a absolument aucun sens ?

Sans m'en rendre réellement compte, je me penche vers lui, toute colère évanouie.

— Tu es un Éphémère, murmure-t-il.

Et là, Evan Walker m'embrasse.

Il prend ma main, la pose à plat contre son torse et, de l'autre, me caresse le cou avec une tendresse infinie, qui me fait frissonner de la tête aux pieds. J'ai du mal à rester debout. Je sens son cœur battre contre ma paume, son souffle chaud, son ombre de barbe sur sa lèvre supérieure, contraste râpeux avec la douceur de sa bouche. Evan me regarde, et je fais de même. Je le repousse juste assez pour lâcher :

— Ne m'embrasse pas.

Il me soulève dans ses bras. J'ai la sensation de flotter pour l'éternité, comme quand j'étais petite. Papa me jetait en l'air, et je m'imaginais toucher les limites de la galaxie.

Evan m'allonge sur le lit. Et avant qu'il recommence à m'embrasser, je le préviens :

— Si tu m'embrasses encore, je te flanque un coup dans les couilles.

Ses mains sont d'une douceur incroyable – c'est comme si un nuage m'effleurait.

— Je ne te laisserai pas...

Il cherche ses mots.

— ... t'envoler loin de moi, Cassie Sullivan.

Il souffle la bougie sur la table de nuit.

Je ressens son baiser plus intensément, maintenant, dans l'obscurité de cette chambre où sa sœur est morte. Dans le silence de cette maison où sa famille a disparu. Dans le calme du monde où la vie que nous connaissions avant l'Arrivée s'est éteinte. Il goûte mes larmes avant qu'elles roulent sur mes joues. Ses lèvres se posent pile à l'endroit où elles perlent.

— Je ne t'ai pas sauvée…, chuchote-t-il, sa bouche effleurant mes cils. C'est toi qui m'as sauvé.

Il répète ça, encore et encore, jusqu'à ce que nous nous endormions blottis l'un contre l'autre, sa voix dans mon oreille, mes larmes dans sa bouche.

— Tu m'as sauvé, Cassie.

# V

# SÉLECTION

# 37

Cassie, à travers la vitre sale, qui rétrécit.

Cassie, sur la route, qui tient Nounours.

Lui fait lever son bras en peluche pour l'aider à dire au revoir.

*Au revoir, Sammy.*

*Au revoir, Nounours.*

La poussière soulevée par les gros pneus noirs du bus, et Cassie qui disparaît dans le tourbillon brun.

*Au revoir, Cassie.*

Cassie et Nounours qui diminuent de plus en plus, et la vitre dure sous ses petits doigts.

*Au revoir, Cassie. Au revoir, Nounours.*

C'est ainsi jusqu'à ce que la poussière les avale, et qu'il se retrouve seul dans le bus bondé, sans maman, ni papa, ni Cassie. Peut-être qu'il n'aurait pas dû abandonner Nounours, parce que Nounours lui a toujours tenu compagnie, d'aussi loin qu'il s'en souvienne. Oui, Nounours a toujours été là. Mais maman aussi était là tout le temps. Maman, et mamie, et papy, et tout le reste de la famille. Et les enfants de la classe de Mme Neyman, et Mme Neyman, et les Majewski, et la gentille caissière au supermarché Kroger, qui gardait des sucettes à la fraise sous sa caisse. Eux aussi avaient toujours été là, comme Nounours, depuis très, très longtemps, et maintenant, il n'y a plus personne. Ceux qui avaient toujours été là ont disparu, et Cassie a dit qu'ils ne reviendraient pas.

Jamais.

Quand il retire sa main, la vitre lui fait penser à tout ça. Elle porte la trace de sa paume. Pas comme une image, mais plutôt comme une ombre floue, comme le visage de sa mère lorsqu'il tente de s'en souvenir. À part papa et Cassie, les visages de ceux qu'il connaissait depuis toujours se sont évanouis.

Chaque visage qui l'entoure, à présent, est un visage nouveau. Un visage étranger.

Un soldat descend l'allée centrale du bus dans sa direction. Il a retiré son masque noir. Il a le visage rond, et un nez court, parsemé de taches de rousseur. Il n'a pas l'air beaucoup plus vieux que Cassie. Il distribue des sachets de friandises fruitées bien collantes, et des mini-packs de jus de fruits. Des doigts sales agrippent les emballages. Certains enfants n'ont pas mangé depuis des jours. Parfois, les soldats sont les premiers adultes qu'ils voient depuis que leurs parents sont décédés. Les plus calmes ont été découverts aux alentours de la ville, errant entre des piles de corps à demi brûlés, et fixent tout et tout le monde comme s'ils n'avaient jamais rien vu de leur vie. D'autres, comme Sammy, ont été récupérés dans des camps de rescapés, ou parmi des groupes de survivants qui cherchaient de l'aide, et leurs vêtements ne sont pas aussi déchiquetés, leurs visages pas aussi émaciés et leurs regards moins absents que ceux des enfants calmes, trouvés au milieu des piles de cadavres.

Le soldat atteint la dernière rangée de sièges. Il porte un brassard blanc sur sa manche avec une grosse croix rouge dessus.

— Hé, tu veux quelque chose à grignoter ? lui propose le militaire.

Il prend la boîte de jus de fruits et la friandise gluante, difficile à mâcher, en forme de dinosaure. Le jus est froid. Froid ! Cela fait une éternité qu'il n'a rien bu de froid.

Le soldat s'installe dans le siège près de lui et étend ses longues jambes dans l'allée. Sammy glisse la petite paille en plastique dans la boîte de jus de fruits, et se met à siroter, quand son regard tombe sur la forme immobile d'une fillette blottie dans le siège de l'autre côté de l'allée : son short est déchiré, son T-shirt rose taché de suie, et ses chaussures maculées de poussière. Elle sourit dans son sommeil. Elle doit faire un joli rêve.

— Tu la connais ? demande le soldat à Sammy.

Sammy secoue la tête. Elle n'était pas au camp de réfugiés avec lui.

— Pourquoi tu as cette grosse croix rouge sur la manche ?

— Je fais partie des équipes médicales. J'aide les gens malades.

— Pourquoi tu as retiré ton masque ?

— Je n'en ai plus besoin, maintenant, assure-t-il en engouffrant une poignée de bonbons gélatineux.

— Pourquoi ?

— La peste est là-bas, dit-il en tendant le pouce vers la vitre arrière, vers l'endroit où la poussière tourbillonne, et où Cassie diminue de plus en plus, Nounours à la main.

— Mais mon père a dit que la peste était partout.

Le soldat secoue la tête.

— Pas là où nous allons.

— On va où ?

— À Camp Haven.

À cause du bruit du moteur et du vent qui souffle à travers les vitres ouvertes, il ne comprend pas la réponse.

— Où ça ? insiste-t-il.

— Tu vas aimer cet endroit, affirme le soldat en lui tapotant la jambe. On a tout arrangé pour toi.

— Pour moi ?

— Pour tout le monde.

Cassie, sur la route, qui aide Nounours à dire au revoir.

— Alors, pourquoi vous n'avez pas emmené tout le monde ?

— On le fera.

— Quand ?

— Dès que vous, les enfants, serez en sécurité.

De nouveau, le soldat jette un coup d'œil à la petite fille. Il se lève, retire sa veste kaki, et la dépose avec douceur sur la gamine.

— Vous êtes les éléments les plus importants, déclare-t-il avec sérieux. Vous, vous êtes le futur.

La piste étroite et poussiéreuse se transforme en une large route goudronnée, puis, après un tournant, les bus s'engagent sur une voie encore plus vaste. Les moteurs accélèrent, et ils roulent en direction du soleil, sur une autoroute dégagée de toute épave. Elles ont été retirées ou poussées sur le côté pour laisser le chemin libre aux bus bondés d'enfants.

Le soldat au nez piqueté de taches de rousseur descend de nouveau l'allée et, cette fois, il distribue des bouteilles d'eau, tout en demandant aux enfants de fermer les vitres, car certains ont froid et d'autres sont effrayés par le souffle du vent aussi terrifiant que celui d'un monstre. L'air à l'intérieur du bus devient vite confiné, la température s'élève et les enfants s'endorment.

Or Sammy a donné Nounours à Cassie pour lui tenir compagnie, et il n'a jamais dormi sans Nounours, en tout cas, jamais depuis qu'il a fait sa connaissance. Il est épuisé, mais il est orphelin de son Nounours. Plus il essaie de l'oublier, plus il pense à lui, plus Nounours lui manque, et plus il regrette de l'avoir abandonné.

Le soldat lui propose une bouteille d'eau. Il se rend compte que quelque chose ne va pas, même si Sammy sourit et prétend ne pas se sentir seul sans Nounours. Le soldat s'installe près de lui, et lui demande son prénom.

— Salut, moi c'est Parker.

— On est encore loin ?

Il fera bientôt nuit. C'est le pire moment. Personne ne lui a dit, mais il sait pertinemment que lorsqu'ils viendront enfin, ce sera pendant la nuit, sans prévenir, comme pour les autres Vagues, et personne ne pourra rien y faire, ça arrivera, c'est tout, comme quand la télé s'est éteinte, que les voitures ont cessé de fonctionner, que les avions sont tombés, et que la peste – le Tsunami Rouge, comme Cassie et papa l'appelaient – s'est déclarée, et que sa mère s'est retrouvée enveloppée dans des draps ensanglantés.

La première fois que les Autres sont venus, son père lui a expliqué que le monde avait changé, que plus rien ne serait comme avant et que, peut-être, ils l'emmène-raient dans leur ravitailleur pour des aventures dans l'espace. Il était impatient de grimper dans ce vaisseau et de foncer dans l'immense galaxie, comme Luke Skywal-ker dans son X-wing Starfighter. C'était soudain comme si chaque jour était la veille de Noël. Il croyait que, quand il se lèverait le matin, il trouverait les merveilleux cadeaux que les Autres lui auraient apportés.

Et tout ce que les Autres avaient apporté, c'était la mort.

Ils n'étaient pas venus pour lui offrir quoi que ce soit, mais au contraire pour tout lui prendre.

Quand est-ce que ça s'arrêterait ? Quand est-ce qu'*ils* arrêteraient ? Peut-être jamais. Peut-être que les extra-terrestres ne s'arrêteraient que quand ils auraient tout pris, quand le monde entier se sentirait comme lui, vide, solitaire, orphelin.

Alors il insiste auprès du soldat :

— On est encore loin ?

— Pas très loin, répond Parker. Tu veux que je reste là, avec toi ?

— Je n'ai pas peur.

*Tu devras être brave, désormais,* lui a confié Cassie le jour où leur mère est morte. Quand il a vu le lit vide et compris, sans rien demander, qu'elle était partie avec mamie et tous les autres, ceux qu'il connaissait et ceux qu'il ne connaissait pas, ceux qui étaient empilés et brûlés à l'autre bout de la ville.

— Tu n'as aucune raison d'avoir peur. Tu es en par-faite sécurité, maintenant.

C'est exactement ce que papa lui a dit, un soir alors qu'il n'y avait plus de lumière, et qu'il a calfeutré les fenêtres et bloqué les portes pour empêcher les Méchants armés de venir leur voler leurs affaires.

*Tu es en parfaite sécurité.*

Quand maman est tombée malade et que papa leur a fait mettre des masques en papier blanc sur le visage, à Cassie et à lui.

*Juste par précaution, Sammy. Mais tu es en parfaite sécurité.*

— Et tu vas adorer Camp Haven, poursuit Parker. Attends un peu de voir ça ! On a tout arrangé pour les enfants comme toi.

— Et ils ne pourront pas nous trouver, là-bas ?

Parker a un petit rire.

— Ça, je n'en sais rien, mais c'est sûrement l'endroit le plus sûr dans toute l'Amérique du Nord ! Il y a même un champ de force invisible, au cas où les visiteurs tenteraient une intrusion.

— Les champs de force, ça n'existent pas.

— C'est ce que disaient les gens à propos des extraterrestres…

— Tu en as déjà vu un, Parker ?

— Pas encore. Personne, en tout cas pas dans ma compagnie, mais nous sommes impatients que ça arrive.

Il lui décoche un bon sourire militaire, et le cœur de Sammy se met à battre un peu plus vite. Si seulement il était assez âgé pour être soldat, comme Parker.

— Qui sait ? continue Parker. Peut-être qu'ils nous ressemblent. Peut-être que tu es en train d'en regarder un, juste maintenant.

Un sourire différent, cette fois. Taquin.

Le soldat se lève, et Sammy tend la main vers lui. Il ne veut pas que Parker s'en aille.

— C'est vrai que Camp Haven a un champ de force ?

— Absolument. Ainsi que des gardes qui patrouillent nuit et jour, une vidéosurveillance vingt-quatre heures sur vingt-quatre, une clôture de deux mètres de haut, surmontée d'énormes barbelés bien coupants, et de méchants chiens de garde qui peuvent sentir une présence non humaine à dix kilomètres !

Sammy esquisse une grimace.

— On dirait une prison !

— Sauf qu'une prison garde les vilains à l'intérieur, et notre camp les garde dehors.

# 38

La nuit.

Les étoiles, au-dessus d'eux, lumineuses et froides, la route sombre, en dessous, et le grondement des pneus sur la route sombre sous les étoiles froides. Les phares qui transpercent l'obscurité. Le bus qui tangue. L'air chaud et confiné à l'intérieur.

La petite fille de l'autre côté de l'allée est réveillée, maintenant. Elle a les cheveux plaqués sur une joue. À cause de son visage émacié, ses yeux paraissent immenses, comme ceux d'une chouette.

Sammy lui sourit avec hésitation. Elle ne lui rend pas son sourire. Elle a le regard rivé sur la bouteille d'eau calée entre ses jambes. Il la lui tend.

— Tiens, tu en veux ?

Un bras osseux apparaît dans l'espace entre eux, elle saisit la bouteille, en avale le restant en quatre goulées, puis la pose sur le siège à côté d'elle.

— Si tu as soif, je crois qu'ils en ont d'autres, suggère Sammy.

La fille ne répond rien, se contentant de le fixer.

— Et ils ont des bonbons, aussi, si tu as faim.

Elle l'observe, sans dire un mot. Ses jambes sont repliées sous la veste kaki de Parker, et ses gros yeux ronds ne cillent pas.

— Je m'appelle Samuel, mais tout le monde m'appelle Sammy. Sauf Cassie. Cassie, elle, elle m'appelle Sams. Et toi, tu t'appelles comment ?

La fille hausse la voix pour se faire entendre par-dessus le bruit des pneus et du moteur.

— Megan.

Ses doigts maigres saisissent le tissu kaki de la veste militaire.

— C'est à qui ? demande-t-elle.

D'un bond, Sammy se lève et se glisse sur le siège à côté d'elle. Elle tressaille et balance ses jambes aussi loin que possible de lui.

— C'est à Parker, l'informe-t-il. C'est lui, là-bas, assis à côté du chauffeur. Il fait partie des équipes médicales. Ça veut dire qu'il prend soin des gens malades. Il est vraiment sympa.

La fille mince qui se prénomme Megan secoue la tête.

— Je ne suis pas malade.

Ses yeux sont ourlés de cernes sombres, ses lèvres crevassées, et dans ses cheveux emmêlés traînent des brindilles et des feuilles mortes. Son front est luisant, et ses joues rouges.

— Où on va ? poursuit-elle.

— À Camp Haven.

— Où ça ?

— À Camp Haven. C'est un fort, explique Sammy. Et pas juste un fort. C'est le fort le plus grand et le plus sécurisé du monde entier. Il y a même un champ de force.

Il fait très chaud, presque étouffant dans le bus, mais Megan ne peut s'empêcher de frissonner. Sammy lui remonte la veste de Parker sous le menton. Elle le fixe toujours de ses immenses yeux de chouette.

— Qui est Cassie ?

— Ma sœur. Elle va venir, elle aussi. Les soldats vont retourner la chercher. Elle, papa, et tous les autres.

— Tu veux dire qu'elle est *vivante* ?

Stupéfait, Sammy hoche la tête. Pourquoi est-ce que Cassie ne serait pas vivante ?

— Ton père et ta sœur sont vivants ? insiste Megan.

Sa lèvre inférieure tremble. Une larme trace bientôt un sillon dans la suie qui recouvre son visage. La suie de la fumée des corps qui brûlaient.

Sans réfléchir, Sammy lui saisit la main. Comme cette nuit où Cassie a pris la sienne avant de lui raconter ce que les Autres avaient fait.

C'était leur première nuit dans le camp de réfugiés. L'énormité de ce qui était arrivé ces derniers mois ne l'avait pas frappé avant ce soir-là, quand on avait éteint les lampes et qu'il s'était blotti contre Cassie dans le noir. Tout s'était passé si vite, depuis le jour où l'électricité avait été coupée jusqu'à celui où papa avait enveloppé maman dans ces draps blancs et jusqu'à leur séjour au camp. Il avait toujours pensé qu'ils rentreraient chez eux, un jour ou l'autre, et que tout serait comme avant. Bien sûr, maman ne reviendrait pas – il le savait, il n'était pas un bébé –, mais il n'avait pas compris que le retour était impossible – que ce qui avait eu lieu ne changerait pas.

Jusqu'à cette nuit-là. Cette nuit où Cassie lui avait tenu la main pour lui révéler que maman n'était qu'une victime parmi des milliards. Que presque tout le monde sur Terre était mort. Que plus jamais ils ne vivraient dans leur maison. Pas plus qu'il ne retournerait à l'école. Et que tous ses amis étaient morts.

— Ce n'est pas juste, chuchote Megan dans l'obscurité. Toute ma famille est morte, et toi tu as encore ton père et ta sœur ? Ce n'est pas juste du tout !

Parker s'est de nouveau levé. Il s'arrête à chaque siège, s'adresse gentiment à chaque enfant, puis effleure leurs fronts. Lorsqu'il les touche, une mini-lumière brille dans le noir. Parfois la lumière est verte. Parfois rouge. Une fois qu'elle s'est évanouie, Parker tamponne la main de l'enfant. Lumière rouge, tampon rouge. Lumière verte, tampon vert.

— Mon petit frère avait à peu près ton âge, lâche Megan.

Ça ressemble à une accusation : *Comment ça se fait que tu es vivant, et pas lui ?*

— Il s'appelait comment ? demande Sammy.

— Qu'est-ce que ça peut te faire ? Pourquoi tu veux savoir son nom ?

Si seulement Cassie était là ! Elle, elle saurait comment parler à Megan pour qu'elle aille mieux. Cassie sait toujours ce qu'il faut dire.

— Il s'appelait Michael, OK ? Michael Joseph. Il avait six ans et n'avait jamais fait de mal à personne. Ça te va ? Tu es content, comme ça ? Michael Joseph était le nom de mon frère. Tu veux savoir autre chose ? Tu veux connaître le nom des autres gens qui sont morts ?

Elle regarde par-dessus l'épaule de Sammy, en direction de Parker, qui s'est arrêté près d'eux.

— Bonjour, la Belle au bois dormant, lance-t-il à Megan.

— Elle est malade, Parker, l'informe Sammy. Il faut que tu l'aides à aller mieux.

— Nous allons aider tout le monde à se sentir mieux, répond Parker avec un large sourire.

— Je ne suis pas malade, rétorque Megan avant de frissonner violemment sous la veste de Parker.

Parker hoche la tête et sourit de nouveau.

— Bien sûr que non ! Mais je ferais peut-être bien de vérifier ta température, juste pour en être certain. D'accord ?

Il tient devant lui un petit disque en argent de la taille d'une pièce de vingt cents.

— À 38 °C, la lumière devient verte.

Il se penche par-dessus Sammy et pose le disque sur le front de Megan. La lumière passe aussitôt au vert.

— Oh, oh ! À ton tour, Sam.

Le métal est chaud contre son front. Durant une seconde, le visage de Parker est baigné d'une lueur rouge. Le soldat pose un tampon sur le dos de la main de Megan. L'encre verte luit faiblement dans l'obscurité. C'est un smiley. Il en applique un rouge sur la main de Sammy.

— Attendez qu'ils appellent votre couleur, d'accord ? Les Verts iront tout de suite à l'hôpital.

— Je ne suis pas malade ! crie Megan d'une voix rauque.

Tout à coup, elle se plie en deux et se met à tousser. Sammy se recule d'instinct. Parker lui tapote l'épaule.

— Ce n'est qu'un mauvais rhume, Sam, chuchote-t-il. Elle ira bientôt mieux.

— Je n'irai pas à l'hôpital, déclare Megan à Sammy, une fois que Parker est retourné à l'avant du bus.

Elle frotte furieusement le dos de sa main contre la veste, effaçant l'encre. Maintenant, le smiley n'est plus qu'une tache verte.

— Il faut que tu y ailles, insiste Sammy. Tu ne veux pas te sentir mieux ?

Megan secoue la tête. Ce garçon ne comprend rien !

— Les hôpitaux ne sont pas des endroits pour aller mieux. C'est là que tu vas pour mourir.

Quand sa mère s'était affaiblie, il avait demandé à son père :

— Tu n'emmènes pas maman à l'hôpital ?

Son père avait répondu que ce ne serait pas prudent. Il y avait trop de gens malades, là-bas, pas assez de médecins, et, de toute façon, les docteurs ne pouvaient plus rien pour elle. Cassie lui avait dit que l'hôpital était cassé, comme la télé, les lumières, les voitures et tout le reste.

Il avait questionné Cassie.

— Tout est cassé ? Vraiment tout ?

— Non, pas tout, Sams, avait-elle affirmé. Pas ça.

Elle lui avait alors pris la main, l'avait plaquée contre son torse, et il avait senti son propre cœur battre avec force contre sa paume.

— Tu vois, ton petit cœur est intact, avait-elle dit.

## 39

SA MÈRE NE LUI APPARAÎT que lorsqu'il est dans un demi-sommeil. Elle n'entre pas dans ses rêves, comme si elle avait conscience que c'était mieux pour lui, parce que, même si les rêves ne sont pas réels, ils le semblent quand on y est plongé. Elle l'aime trop pour faire ça.

Parfois il aperçoit son visage, mais la plupart du temps c'est impossible, il ne distingue que sa silhouette, un peu plus foncée que le gris derrière ses paupières, il peut humer son parfum, toucher ses cheveux, les sentir entre ses doigts. S'il essaie un peu trop de voir son visage, sa mère s'évanouit dans l'obscurité. Et s'il tente de la serrer trop fort, elle lui glisse entre les mains, comme ses cheveux entre ses doigts.

Le vrombissement des pneus sur la route noire. L'air confiné et le balancement du bus sous la voûte étoilée. Combien de kilomètres encore jusqu'à Camp Haven ? On dirait que ça fait une éternité qu'ils sont sur cette route sombre, sous ces étoiles froides. Dans son demi-sommeil, les yeux clos, il attend que sa mère revienne pendant que Megan l'observe de ses gros yeux ronds de chouette.

Finalement, il s'endort.

Il dort toujours quand les trois bus scolaires s'arrêtent devant l'entrée de Camp Haven. Là-haut, dans le mirador, la sentinelle appuie sur un bouton, et la grille, fermée par un verrou électronique, s'ouvre. Les bus pénètrent dans l'enceinte et la grille se referme derrière eux.

Il ne s'éveille qu'au moment où les bus stoppent dans un dernier crissement de frein. Deux soldats descendent l'allée pour réveiller les enfants qui se sont endormis. Ces soldats sont lourdement armés, mais ils sourient et s'adressent à eux avec gentillesse. *Tout va bien. Il est temps de vous réveiller. Vous êtes en sécurité, maintenant.*

Sammy se redresse, cligne des paupières, à cause de la lumière qui surgit soudain à travers les vitres, et regarde au-dehors. Ils se sont arrêtés devant un vaste hangar pour avions. Les gigantesques portes sont closes, donc il ne peut voir l'intérieur. Durant un instant, il n'est pas inquiet de se trouver dans un endroit aussi étrange sans papa, ni Cassie, ni Nounours. Il sait ce que signifient toutes ces lumières : les extraterrestres n'ont pas pu couper le courant, ici. Parker a donc dit la vérité : le camp a un champ de force. C'est obligé. Grâce à ce champ, peu importe si les Autres sont au courant de l'existence du camp.

Ils sont en parfaite sécurité.

Il sent soudain le souffle de Megan dans son oreille et se tourne pour l'observer. Sous la lueur des projecteurs, ses yeux paraissent immenses. Elle lui attrape la main.

— Ne m'abandonne pas, supplie-t-elle.

Un homme corpulent pénètre alors dans le bus. Il se tient debout à côté du conducteur, jambes écartées, mains sur les hanches. Il a un visage large, joufflu, et de tout petits yeux.

— Bonjour, les enfants, et bienvenue à Camp Haven ! Je suis le commandant Bob ! Je sais que vous êtes épuisés, affamés, et peut-être même un peu effrayés... Qui est effrayé ? Levez vos mains !

Aucune main ne se lève. Vingt-six paires d'yeux le fixent, et le commandant Bob sourit. Ses dents paraissent aussi minuscules que ses yeux.

— Formidable ! Et vous savez quoi ? Il est inutile d'avoir peur. Notre camp est l'endroit le plus sûr du monde, je ne plaisante pas. Vous êtes en parfaite sécurité, ici.

Il se tourne vers l'un des soldats – toujours aussi souriant – qui lui tend un bloc-notes.

— À présent, sachez qu'il n'y a que deux règles en vigueur à Camp Haven. Règle numéro un : souvenez-vous de votre couleur. Allez, tout le monde me montre sa couleur !

Vingt-cinq mains se lèvent en l'air. La vingt-sixième, celle de Megan, reste posée sur ses genoux.

— Les Rouges, reprend le commandant, on va vous accompagner dans le hangar numéro un pour un traitement. Les Verts, ne bougez pas, vous avez encore un peu de chemin à faire.

— Je n'irai pas, chuchote Megan, à l'oreille de Sammy.

— Règle numéro deux ! rugit le commandant Bob. La règle numéro deux tient en deux mots : écouter et obéir. Facile à se rappeler, pas vrai ? Règle numéro deux, deux mots. Écoutez votre chef de groupe. Obéissez à toutes ses instructions. Ne posez pas de questions, et ne répondez pas. Ils sont – nous sommes tous – là pour une seule et unique raison : vous garder en sécurité. Cependant, nous ne pourrons assurer votre sécurité que si vous écoutez et obéissez aux instructions, immédiatement, sans discuter.

Il rend le bloc-notes au soldat, claque ses mains grassouillettes l'une contre l'autre, et s'enquiert :

— Des questions ?

— Il vient juste de dire que nous ne devions pas poser de questions, murmure Megan. Et maintenant il nous demande si nous en avons !

— Formidable ! À présent, nous allons nous occuper de vous. Les Rouges, votre chef de groupe est le caporal-chef Parker. Défense de courir, de se bousculer, ou de se pousser, mais on se dépêche d'avancer. Il est interdit de sortir du rang ou de bavarder. Rappelez-vous ! Une fois à la portière, vous devez nous montrer votre tampon ! Allez, on y va, les enfants ! Plus vite on s'occupera de vous, plus vite vous pourrez aller dormir et prendre un petit déjeuner. La nourriture n'est pas la meilleure du monde, ici, mais nos garde-manger sont bien remplis !

Le commandant Bob redescend les marches. Le bus oscille à chacun de ses pas. Sammy commence à se lever, mais Megan le force à se rasseoir.

— Ne m'abandonne pas ! répète-t-elle.

— Hé ! Je fais partie des Rouges !

Il est désolé pour Megan, mais il a hâte de quitter ce bus. Il a l'impression d'y être enfermé depuis une éternité. Et plus vite les bus seront vides, plus vite ils pourront repartir chercher Cassie et papa.

— Ça va aller, Megan, la réconforte-t-il. Tu as entendu Parker. Ils vont s'arranger pour que tout le monde aille mieux.

Il se met en ligne derrière les autres Rouges. Parker se tient au bas des marches et vérifie les tampons. Soudain, le conducteur crie : « Hé ! » et Sammy se retourne à l'instant où Megan atteint la dernière marche. Elle est aussitôt interceptée par Parker et pousse un hurlement :

— Laissez-moi sortir !

Parker la pousse vers le conducteur qui, un bras passé autour de sa taille, la force à regrimper dans le bus.

— Sammy ! rugit Megan. Sammy, ne m'abandonne pas ! Ne les laisse pas…

La portière se referme, étouffant ses cris. Sammy lève les yeux vers Parker, qui lui donne une légère tape rassurante sur l'épaule.

— Elle ira bientôt mieux, Sam, dit-il d'un ton calme. Allez, viens.

En avançant vers le hangar, malgré le grondement du moteur et les sifflements des freins relâchés, Sammy entend les cris de Megan enfermée dans le bus. Elle crie comme si on la torturait, comme si elle était sur le point de mourir. Puis il pénètre dans le hangar par une entrée latérale, et il ne l'entend plus.

Un soldat se tient à côté de la porte. Il tend à Sammy une petite carte avec le numéro 49 imprimé dessus.

— Dirige-toi vers le cercle rouge le plus proche, lui ordonne-t-il. Assieds-toi et attends qu'on appelle ton numéro.

— Je dois me rendre à l'hôpital, annonce Parker. Reste à la bonne température, champion, et n'aie crainte : tout va bien se passer, à présent. Plus rien ne pourra te faire de mal, maintenant. Bienvenue à Camp Haven.

D'une main, il ébouriffe les cheveux de Sammy, lui promet de le revoir très vite et lui fait un signe, pouce levé, avant de partir.

À la grande déception de Sammy, il n'y a pas d'avion dans l'immense hangar. Jamais il n'a vu un avion de combat de près, même s'il en a piloté un bon millier de fois depuis l'Arrivée. Quand sa mère était allongée, mourante, au rez-de-chaussée, lui se trouvait dans le cockpit d'un Falcon de combat, montant en flèche vers les lisières de l'atmosphère à trois fois la vitesse du son, fonçant droit vers le ravitailleur extraterrestre. Certes, sa carlingue grise était hérissée de mitrailleuses et de canons laser, et son champ de force brillait d'une diabolique lueur verte, mais il y avait un défaut dans le champ, un trou plus large de seulement cinq centimètres que son avion de chasse, et s'il s'y prenait bien... Et il devait absolument s'y prendre bien, parce que tout l'escadron avait été dégommé, donc il n'existait plus personne pour défendre la Terre d'une invasion extraterrestre, sauf lui, Sammy « La Vipère » Sullivan.

Et il n'avait plus qu'un seul missile.

Il y a trois vastes cercles rouges peints sur le sol. Sammy rejoint les autres enfants dans celui qui est le plus proche de la porte, et s'assied. Il ne parvient pas à chasser les cris terrifiés de Megan de son esprit. Ses yeux quasi exorbités, sa peau luisante de sueur et son haleine nauséeuse. Cassie lui a dit que la Peste Rouge était terminée, qu'elle avait tué tous les gens qu'elle était capable de tuer, qu'elle ne ferait plus de ravages car certaines personnes ne pouvaient l'attraper, comme papa, elle et lui et tous ceux du Camp des Cendres. D'après elle, ils étaient immunisés.

Mais si jamais elle s'était trompée ? *Peut-être* que la maladie avait besoin de plus de temps pour tuer les gens. *Peut-être* qu'elle est en train de tuer Megan en ce moment même.

Ou alors, les Autres ont déclenché une seconde épidémie – pire que le Tsunami Rouge – qui éliminera ceux qui ont survécu à la première.

Il repousse cette pensée. Depuis le décès de sa mère, il est devenu très doué à ce petit jeu.

Il y a environ une centaine d'enfants réunis dans les trois cercles, cependant le calme règne dans le vaste hangar. Le garçon assis à côté de lui est si épuisé qu'il s'est allongé sur le béton froid, s'est roulé en boule et endormi. Il est un peu plus vieux que lui – environ dix ou onze ans –, mais il suce son pouce en dormant.

Une cloche sonne, puis une voix féminine s'adresse à eux à travers un haut-parleur.

— BIENVENUE À CAMP HAVEN, LES ENFANTS. NOUS SOMMES SI CONTENTS DE VOUS VOIR TOUS ICI ! NOUS SAVONS QUE VOUS ÊTES ÉPUISÉS ET AFFAMÉS ET QUE CERTAINS D'ENTRE VOUS NE SE SENTENT PAS TRÈS BIEN. DÉSORMAIS, TOUT IRA POUR LE MIEUX. RESTEZ DANS VOTRE CERCLE ET ATTENDEZ QU'ON APPELLE VOTRE NUMÉRO. NE QUITTEZ VOTRE CERCLE SOUS AUCUN PRÉTEXTE. NOUS NE TENONS PAS À PERDRE CERTAINS D'ENTRE VOUS ! RESTEZ CALMES ET RAPPELEZ-VOUS QUE NOUS SOMMES LÀ POUR PRENDRE SOIN DE VOUS ! VOUS ÊTES EN PARFAITE SÉCURITÉ.

Un moment plus tard, on appelle le premier numéro. L'enfant se lève, sort de son cercle, et est accompagné par un soldat jusqu'à une porte peinte dans la même couleur, à l'autre bout du hangar. Le soldat récupère la carte de l'enfant et lui ouvre la porte. L'enfant entre seul. Le soldat referme la porte et retourne se poster à côté d'un cercle rouge. Chaque cercle est surveillé par deux soldats, lourdement armés, mais très souriants. D'ailleurs, tous les soldats sourient sans cesse.

Les enfants sont appelés un par un. Ils quittent leur cercle, traversent le hangar, puis disparaissent derrière la porte rouge. Ils ne reviennent pas.

Presque une heure se passe avant que la voix féminine annonce le numéro de Sammy. Le matin approche et la lumière du soleil s'infiltre à travers les hautes vitres, baignant le hangar d'une teinte dorée. Sammy est épuisé, affamé, un peu raidi d'être resté assis par terre si longtemps, pourtant il bondit dès qu'il entend son numéro.

— QUARANTE-NEUF ! VA JUSQU'À LA PORTE ROUGE, S'IL TE PLAÎT ! NUMÉRO QUARANTE-NEUF !

Dans sa précipitation, il manque de trébucher sur le corps du gamin endormi à côté de lui.

Une infirmière l'attend de l'autre côté de la porte. Il sait qu'elle est infirmière parce qu'elle porte une tenue verte et des baskets à semelles épaisses, comme Rachel, qui travaille au cabinet du docteur de sa famille. Elle a un sourire chaleureux, qui lui rappelle Rachel, et lui prend la main pour le conduire dans une pièce plus petite. Il remarque un grand panier d'osier qui déborde de vêtements sales et des peignoirs jetables accrochés à côté d'un rideau blanc.

— Alors, champion, depuis combien de temps n'as-tu pas pris de bain ? demande l'infirmière.

Elle rit devant son expression étonnée. Puis elle écarte le rideau blanc et il découvre une cabine de douche.

— Allez ! Retire tout ce que tu as sur toi, et mets-moi ça dans le panier. J'ai bien dit *tout*, même tes sous-vêtements. Nous aimons beaucoup les enfants, mais pas les poux, ni les tiques et autres bestioles.

Malgré ses protestations, l'infirmière insiste pour le laver elle-même. Il se tient les bras croisés devant lui pendant qu'elle lui verse une tonne de shampoing qui empeste sur les cheveux et savonne son corps entier, de la tête aux pieds.

— Garde les yeux fermés, sinon ça risque de te brûler, l'informe-t-elle gentiment.

Elle le laisse se sécher seul, puis lui tend l'un des peignoirs jetables.

— Maintenant, dirige-toi là-bas, dit-elle en lui désignant la porte à l'autre extrémité de la pièce.

Le peignoir est bien trop grand pour lui. Il traîne par terre tandis qu'il se rend dans la pièce adjacente. Là, une seconde infirmière l'attend. Elle est plus grosse que la première, plus vieille, et beaucoup moins aimable. Elle demande à Sammy de monter sur la balance, écrit son poids sur un bloc-notes, à côté de son numéro, et l'installe sur la table d'examen. Ensuite, elle pose un disque en métal – du même genre que celui que Parker a utilisé dans le bus – sur son front.

— Je prends ta température, explique-t-elle.

Il hoche la tête.

— Je sais. Parker m'a dit. Le rouge, c'est normal.

— Tu es rouge, justement, donc tout va bien.

À présent, elle saisit son poignet entre ses doigts froids et vérifie son pouls. Sammy frissonne. Nu sous ce mince peignoir, il a la chair de poule et il est un peu effrayé.

Il n'a jamais aimé aller chez le médecin, il a peur qu'on lui fasse une piqûre. L'infirmière s'assied en face de lui et l'informe qu'elle a besoin de lui poser quelques questions. Il doit l'écouter avec attention et répondre aussi honnêtement que possible. S'il ne connaît pas la réponse, ce n'est pas grave. A-t-il compris ? Sammy hoche la tête et l'interrogatoire commence.

Quel est son nom de famille ? Quel âge a-t-il ? De quelle ville vient-il ? Avait-il des frères et des sœurs ? Sont-ils en vie ?

— Oui, Cassie. Cassie est vivante.

L'infirmière inscrit le nom de Cassie sur son bloc-notes.

— Quel âge a Cassie ?

— Seize ans. Ils vont retourner la chercher.

— Qui ça ?

— Les soldats. Ils ont dit qu'ils n'avaient pas de place pour elle, mais qu'ils allaient repartir les chercher, elle et papa.

— Papa ? Alors ton père est en vie, lui aussi ? Et ta mère ?

Sammy secoue la tête. Se mordille la lèvre inférieure. Il frissonne violemment. Il a si froid ! Soudain, il se souvient des deux sièges vides dans le bus, celui sur lequel Parker s'est assis, à côté de lui, et l'autre, quand lui-même s'est installé vers Megan.

— Ils ont dit qu'il n'y avait pas de place dans le bus, mais il y en avait, bredouille-t-il. Papa et Cassie auraient pu venir ! Pourquoi est-ce que les soldats ne les ont pas laissés nous accompagner ?

— Parce que tu es notre priorité absolue, Samuel.

— Mais ils vont les amener, aussi, n'est-ce pas ?

— Oui, un jour.

D'autres questions. Comment sa mère est-elle morte ? Qu'est-ce qui s'est passé après ?

Le stylo de l'infirmière vole sur la page. Puis elle se relève et lui tapote le genou.

— N'aie pas peur, lui conseille-t-elle avant de partir. Tu es en parfaite sécurité ici.

Sa voix semble terne aux oreilles de Sammy, comme si elle répétait une formule qu'elle aurait déjà prononcée un bon millier de fois.

— Reste assis. Le docteur va venir te voir dans une minute.

Il a l'impression que son attente dure bien plus qu'une minute. Il croise ses bras menus sur sa poitrine, essayant de se réchauffer. Ses yeux parcourent sans relâche la petite pièce. Un évier et un meuble. Le siège sur lequel l'infirmière s'est installée. Un tabouret à roulettes dans un coin et, juste au-dessus, fixée au plafond, une caméra, dont l'œil noir luisant est pointé droit sur la table d'examen.

L'infirmière revient enfin, suivie par le Dr Pam. La doctoresse est aussi grande et mince que l'infirmière est petite et ronde. Aussitôt Sammy se sent plus calme. Quelque chose dans cette femme lui rappelle sa mère. Peut-être sa façon de s'adresser à lui, de le regarder droit dans les yeux, ou bien sa voix, chaleureuse et gentille. Ses mains sont chaudes. Contrairement à l'infirmière, elle ne porte pas de gants pour le toucher.

Elle accomplit les gestes auxquels il s'attend. Il a droit au même examen que dans le cabinet de son médecin de famille. Le Dr Pam dirige une petite lumière dans ses yeux, dans ses oreilles, puis dans sa gorge. Elle l'écoute respirer à travers son stéthoscope. Appuie ses doigts sur sa gorge, mais pas trop fort, tout en poussant de légers soupirs d'acquiescement.

— Allonge-toi sur le dos, Sam.

Ses doigts fermes auscultent son ventre.

— Tu as mal quand je fais ça ?

Il répond par la négative.

Elle lui demande de se lever, puis de se pencher, de toucher ses orteils pendant qu'elle fait courir ses mains le long de son dos.

— OK, champion, remonte sur la table, maintenant.

Il obtempère, sentant que la visite est bientôt terminée. Il n'y aura pas de piqûre. Peut-être qu'ils piqueront juste son doigt, ce qui n'est pas très agréable, mais, au moins, ça n'ira pas plus loin.

— Tends la main.

Le Dr Pam place alors un mini-tube gris, pas plus gros qu'un grain de riz dans sa paume.

— Tu sais ce que c'est ? On appelle ça une puce électronique. Tu as déjà eu un animal de compagnie, un chien ou un chat, Sammy ?

Non. Son père est allergique. Mais, lui, il a toujours eu envie d'avoir un chien.

— Tu vois, certains propriétaires placent un dispositif comme celui-ci dans le corps de leur animal au cas où ce dernier s'enfuirait ou se perdrait. Celui-ci est un peu différent, cependant. Il émet un signal que nous pouvons suivre.

— La puce se glisse juste sous la peau, explique la doctoresse, et peu importe où est Sammy, ils seront capables de le retrouver. Seulement au cas où quelque chose arrive. Camp Haven est un endroit très sûr, mais il y a quelques mois, chacun pensait que le monde était sûr, qu'on ne craignait aucune attaque extraterrestre, alors nous devons nous montrer prudents et prendre toutes les précautions...

Il a cessé d'écouter après les mots : *juste sous la peau*. Ils vont injecter ce tube gris en lui ? De nouveau, la peur lui ronge le cœur.

— Ça ne fait pas mal, précise la doctoresse, sentant qu'il a la frousse. On va te faire une petite piqûre pour t'engourdir et, ensuite, tu n'auras qu'une légère cicatrice durant un jour ou deux.

La doctoresse est très gentille. Il voit qu'elle comprend à quel point il déteste tout cela, mais insérer cette puce en lui fait partie de ses obligations. Elle lui montre maintenant l'aiguille qu'elle va utiliser pour l'anesthésier. Elle est très fine, à peine plus grosse qu'un cheveu. Il aura juste l'impression d'être piqué par un moustique, précise la doctoresse. Bon, ce n'est pas très grave. Il a déjà été piqué plein de fois par des moustiques. Et le Dr Pam promet qu'il ne sentira pas le tube gris s'insinuer en lui. Après la piqûre anesthésiante, il ne sentira plus rien.

Il s'allonge donc sur le ventre et enfouit son visage au creux de son bras. La pièce est froide, et l'alcool dont on lui frotte la nuque le fait frissonner. L'infirmière lui demande de se détendre.

— Plus tu seras crispé, plus ce sera douloureux.

Il essaie de songer à quelque chose d'agréable, qui lui permettra d'éviter de penser à ce qui va se passer.

Soudain, il voit le visage de Cassie surgir à son esprit. Il est surpris. Il s'attendait à voir celui de sa mère. Cassie sourit. Il lui sourit aussi, du creux de son bras. Un moustique qui doit avoir la taille d'un énorme oiseau le mord sauvagement dans la nuque. Il ne bouge pas, mais pousse un gémissement. En moins d'une minute, tout est terminé.

Le numéro quarante-neuf a été balisé.

# 40

UNE FOIS QUE LA DOCTORESSE a posé un pansement sur le point d'insertion de la puce, elle inscrit quelque chose sur son bloc-notes, puis le tend à l'infirmière et annonce à Sammy qu'il ne lui reste plus qu'un test à passer.

Sammy suit le Dr Pam dans une autre pièce, plus petite que la salle d'examen, à peine plus large qu'un placard. Au milieu trône un siège étroit, avec un haut dossier et des repose-bras de chaque côté, qui lui rappelle celui de son dentiste.

La doctoresse lui demande de s'asseoir.

— Allonge-toi de tout ton long, tête en arrière. Voilà, c'est bien. Reste détendu.

*Whirr.* Le dossier du siège s'abaisse, le devant se lève, soulevant ses jambes jusqu'à ce qu'il soit presque à l'horizontale. Le visage de la doctoresse apparaît face au sien. Elle lui sourit.

— OK, Sam, tu t'es montré très patient avec nous. Je te promets que c'est le dernier test. Il n'y en a pas pour très longtemps et ça ne fait pas mal, mais parfois il peut être un peu, disons, intense. C'est un test pour la puce que nous venons de t'implanter. Histoire d'être sûrs qu'elle fonctionne correctement. Ça prend quelques minutes, et tu dois rester sans bouger. Ça ne devrait pas être trop dur pour toi. Tu ne dois ni gigoter ni t'agiter, ni même te gratter le nez, sinon le test sera raté. Tu vas y arriver n'est-ce pas ?

Sammy acquiesce d'un mouvement de tête et offre un beau sourire à la doctoresse.

— J'ai déjà joué à un-deux-trois soleil, et je suis plutôt doué.

— Très bien ! Mais juste en prévention, je vais attacher tes poignets et tes chevilles avec ces liens, pas trop serrés, seulement au cas où ton nez commence à te démanger. Ces liens te rappelleront que tu dois rester immobile. Ça te va ?

De nouveau, Sammy hoche la tête. Une fois qu'il est ligoté, la doctoresse lui explique la suite des événements.

— OK, maintenant je vais me diriger vers l'ordinateur. Il va envoyer un signal pour étalonner le transpondeur, et le transpondeur émettra un signal de retour. Ça ne prend que quelques secondes, mais ça risque de te sembler plus long – beaucoup plus long, peut-être. Les personnes réagissent toutes de façon différente. Tu es prêt ?

— Prêt !

— Parfait. Ferme les yeux et ne les ouvre pas avant que je te le dise. Inspire profondément. On y va ! Garde les yeux fermés. On compte : trois… deux… un…

Une aveuglante boule de feu explose dans la tête de Sammy Sullivan. Son corps se crispe, ses jambes luttent contre les liens, ses petits doigts s'agrippent aux bras du fauteuil. Il entend la douce voix de la doctoresse au-delà de la lumière éblouissante :

— Tout va bien, Sammy. N'aie pas peur. Plus que quelques secondes, je te promets...

Il voit son berceau. Nounours est allongé à côté de lui dans ce berceau. Il y a aussi ce mobile de planètes et d'étoiles qui se balance paresseusement au-dessus de son lit. Il voit sa mère se pencher vers lui, tenant une cuillère de sirop à la main et lui demandant de l'avaler. Puis il y a Cassie dans le jardin. C'est l'été, il trottine dans l'herbe, vêtu d'une simple couche. Cassie agite un tuyau d'arrosage en l'air, derrière les mille et une gouttelettes d'eau surgit un arc-en-ciel. Elle remue le tuyau en tous sens, riant pendant qu'il essaie de l'attraper. Les couleurs fugitives forment des éclats brillants dans la lumière dorée.

— Attrape l'arc-en-ciel, Sammy ! Attrape l'arc-en-ciel !

Les images et les souvenirs coulent de lui comme l'eau d'un tuyau. En moins de quatre-vingt-dix secondes, la vie entière de Sammy est transférée dans l'unité centrale, véritable avalanche de gestes, d'odeurs, de goûts et de sons, avant de s'évanouir dans le néant. Son esprit est mis à nu, tout ce qu'il a vécu, tout ce dont il se souvient, et même ces petites choses *dont il ne peut se souvenir*, tout ce qui a construit la personnalité de Sammy Sullivan est extrait de lui et transmis par la puce insérée dans sa nuque à l'ordinateur du Dr Pam.

Le numéro quarante-neuf a été cartographié.

# 41

LE DR PAM DÉTACHE SES LIENS et l'aide à quitter le siège. Ses genoux flanchent. La doctoresse le retient par le bras pour l'empêcher de tomber. Son estomac est lourd, il a la nausée et vomit sur le sol carrelé. Où qu'il se tourne, il ne cesse de voir des petites taches noires bondir partout. La grosse infirmière au visage austère le ramène à la salle d'examen, l'installe sur la table, l'assure que tout va bien et lui demande ce qu'elle peut lui apporter.

— Je veux mon ours ! crie-t-il. Je veux papa et Cassie et je veux rentrer à la maison !

Le Dr Pam apparaît à côté de lui. Dans ses yeux il perçoit une lueur de compréhension. Elle sait ce qu'il ressent. Toutefois, il est brave, intelligent et chanceux d'être allé si loin ! Il a réussi le dernier test haut la main. Sa santé est excellente et il se trouve désormais en parfaite sécurité. Le pire est passé.

— C'est ce que mon père disait chaque fois que quelque chose de moche arrivait, mais chaque fois ça allait plus mal ! répond Sammy en refoulant ses larmes.

L'infirmière lui donne une combinaison blanche à enfiler. Le vêtement, avec sa longue fermeture Éclair sur le devant et son tissu glissant, lui rappelle la combinaison des pilotes de combat. Celle-ci est trop grande pour lui. Les manches recouvrent ses mains.

— Sais-tu pourquoi tu es si important à nos yeux, Sammy ? demande le Dr Pam. Parce que tu représentes l'avenir. Comme tous ces enfants. Sans vous, nous n'aurions pas une seule chance de nous en tirer contre Eux. C'est pour ça que nous sommes allés vous chercher, que nous vous avons amenés ici et que nous faisons tout cela. Tu as vu les atrocités commises par les Autres. Hélas, ce n'est pas tout. Ils ont fait bien pire.

— Qu'est-ce qu'ils ont fait d'autre ? chuchote Sammy.

— Tu as vraiment envie de le savoir ? Je peux te le montrer, mais seulement si tu le veux.

Dans la pièce blanche, il a revécu la mort de sa mère, senti l'horrible odeur de son sang, regardé son père laver tout ce sang de ses propres mains. Pourtant, la doctoresse vient de dire que ce n'est pas le pire que les Autres ont fait. *A-t-il envie de savoir ?*

— Oui, montrez-moi ! lance-t-il avec bravoure.

La doctoresse lève devant elle le petit disque argenté dont l'infirmière s'est servie pour prendre sa température – le même que Parker a posé sur son front et celui de Megan dans le bus.

— Cela n'est pas un thermomètre, Sammy, explique le Dr Pam. Il ne détecte pas ta température. Il nous révèle qui tu es. Ou peut-être devrais-je dire : ce que tu es. Raconte-moi un peu, Sam : as-tu déjà vu l'un d'entre Eux ? As-tu déjà vu un extraterrestre ?

D'un geste de la tête, il fait signe que non. Il frissonne dans sa combinaison blanche et se roule en boule sur la table d'examen. Son estomac lui fait mal. Sa tête aussi. Il est affamé et épuisé. Quelque chose en lui a envie de tout arrêter. Il est sur le point de crier : stop ! Je ne veux rien savoir ! Cependant, il se mordille les lèvres. Il ne veut pas savoir, pourtant il le doit.

— Je suis désolée de t'apprendre que tu en as déjà vu un, confie le Dr Pam d'une voix douce et triste à la fois. Nous en avons tous vu. Nous les attendions depuis l'Arrivée, mais la vérité c'est qu'ils étaient là, juste sous nos nez, depuis très longtemps.

Sammy secoue la tête de plus belle. Le Dr Pam se trompe. Il n'en a jamais vu. Il a écouté son père spéculer pendant des heures sur l'apparence des extraterrestres. Il l'a entendu affirmer que les humains ne sauraient peut-être jamais à quoi ces créatures ressemblaient. Il n'y a eu aucun message de leur part. Aucun atterrissage de vaisseau. Aucun signe de leur existence sauf ce ravitailleur en orbite, à la lueur verdâtre, et les drones. Pourquoi le Dr Pam dit-elle qu'il en a vu un ?

Elle lui tend la main.

— Si tu veux le voir, je peux te le montrer.

# VI

# L'ARGILE HUMAINE

# 42

Ben Parish est mort.

Il ne me manque pas. Ben n'était qu'une mauviette, un pleurnicheur, un sale gosse.

Pas Zombie.

Zombie est tout ce que Ben n'était pas : coriace, ferme, complètement froid.

Zombie est né le matin où j'ai quitté l'aile des convalescents. À l'instant où j'ai échangé ma mince tenue d'hôpital pour une combinaison bleue. Où l'on m'a assigné une couchette dans le quartier 10. Dès que j'ai été remis en forme par trois longs tours de cour quotidiens et un entraînement physique intensif, mais surtout, par Reznik, le plus âgé des sergents instructeurs du régiment, l'homme qui a détruit Ben Parish en un million de morceaux, pour le reconstruire en ce zombie sans merci, cette machine à tuer qu'il est aujourd'hui.

Ne vous méprenez pas : Reznik n'est qu'un bâtard sans cœur, cruel, sadique, et chaque soir je m'endors en rêvant au meilleur moyen de le tuer. Dès le premier jour, il s'est donné pour mission de me rendre la vie aussi misérable que possible, et il a plutôt réussi. J'ai été giflé, frappé à coups de poing, botté au cul. Il m'a même craché au visage. J'ai été ridiculisé, raillé, il m'a hurlé si fort dessus que mes oreilles en bourdonnaient. Il m'a obligé à rester debout des heures sous une pluie glaciale, à nettoyer tous les sols de nos quartiers avec une brosse à dents, à désassembler et réassembler mon fusil jusqu'à ce que mes doigts saignent, à courir jusqu'à ce que mes jambes se transforment en compote… Enfin, vous voyez l'idée.

Cela dit, je n'avais pas compris. Pas tout de suite. M'entraînait-il pour faire de moi un soldat ou essayait-il de me tuer ? J'étais quasiment sûr que c'était la dernière option. Puis je me suis rendu compte qu'il s'agissait des deux : il essayait vraiment de faire de moi un soldat – en essayant de me tuer.

Je vais juste vous donner un exemple. Un seul suffira. Au petit matin : exercices de gymnastique suédoise dans la cour. Toutes les escouades du régiment sont présentes, et Reznik choisit ce moment pour m'humilier en public. Je suis en train de faire des pompes. J'en suis à la soixante-dix-neuvième quand Reznik surgit au-dessus de moi, jambes largement écartées, buste penché en avant, poings sur les hanches. Il approche son visage grassouillet et grêlé tout près du mien.

— Soldat Zombie, votre mère a-t-elle eu des enfants qui ont vécu ?

— Oui, chef !

— Je parie qu'à votre naissance, dès qu'elle a vu votre gueule, elle a essayé de vous faire retourner d'où vous veniez !

Il plaque le talon de sa botte noire sur mon cul pour me forcer à rester à terre. Mon escouade fait des pompes, direct sur les jointures, sur la piste d'asphalte qui entoure la cour, parce que le sol est gelé et que l'asphalte absorbe le sang – on glisse beaucoup moins. Reznik veut que j'échoue avant d'atteindre ma centième pompe. Je pousse contre son talon : il est hors de question que je recommence à zéro. Surtout devant tout le régiment. Je sens mes compagnons qui m'observent. Ils attendent mon inévitable effondrement. La victoire de Reznik. Reznik gagne toujours.

— Soldat Zombie, pensez-vous que je sois méchant ?

— Non, chef !

Mes muscles me brûlent. Les jointures de mes doigts sont à vif. J'ai repris du poids, mais ai-je retrouvé la niaque ?

*Quatre-vingt-huit. Quatre-vingt-neuf. Bientôt fini.*

— Vous me détestez ?

— Non, chef !

*Quatre-vingt-treize. Quatre-vingt-quatorze.* J'entends un type d'une autre brigade chuchoter : « Qui est ce mec ? » Une voix féminine lui répond : « Il s'appelle Zombie. »

— Êtes-vous un assassin, soldat Zombie ?

— Oui, chef !

— Mangez-vous des cerveaux d'aliens au petit déjeuner ?

— Oui, chef !

*Quatre-vingt-quinze. Quatre-vingt-seize.* La cour est plongée dans un silence glacial. Je ne suis pas la seule recrue qui déteste Reznik. Un de ces jours, quelqu'un le battra à son propre jeu. C'est le vœu que je forme en luttant pour arriver à ma centième pompe.

— Des conneries, tout ça ! J'ai entendu dire que vous n'étiez qu'une poule mouillée. Il paraît que vous vous êtes enfui pendant une bagarre.

— Non, chef !

*Quatre-vingt-dix-sept. Quatre-vingt-dix-huit.* Encore deux, et j'aurai gagné. J'entends la fille – elle doit se trouver près de moi – chuchoter : « Vas-y ! »

À la quatre-vingt-dix-neuvième pompe, Reznik me pousse à terre de son talon. Je m'écroule sur le sol et, ma joue plaquée dans la poussière, je découvre son visage joufflu et ses petits yeux ternes à quelques centimètres des miens.

Quatre-vingt-dix-neuf. Il n'en manquait plus qu'une. L'enfoiré.

— Soldat Zombie, vous êtes la honte de notre espèce. J'ai taillé en pièces des morveux plus coriaces que vous. À vous voir, je me dis que l'ennemi avait raison à propos de la race humaine. On devrait vous réduire en bouillie et vous donner à bouffer aux porcs. Alors, qu'est-ce que vous attendez, espèce de sac de dégueulis puant ? Une invitation ?

Je tourne la tête. *Oui, une invitation ce serait pas mal, merci, chef.* J'aperçois alors une fille, d'à peu près mon âge, se tenant avec son escouade. Bras croisés sur la poitrine, elle secoue la tête en me regardant. *Pauvre Zombie.* Elle affiche une mine butée. Yeux et cheveux sombres, une peau si pâle qu'elle paraît briller dans la lueur matinale. C'est bizarre, il me semble que c'est la première fois que je la remarque, pourtant j'ai l'impression de la connaître de quelque part. Des centaines de jeunes et d'enfants sont entraînés pour la guerre, et des centaines d'autres arrivent chaque jour. On leur donne des combinaisons bleues, on les répartit dans des équipes, on les entasse dans les quartiers qui entourent la cour. Mais cette fille a le genre de visage dont on se souvient.

— Levez-vous, putain d'asticot ! Levez-vous, et refaites-moi cent pompes. Encore cent, sinon je vous jure que je vais vous arracher les yeux et les accrocher à mon rétroviseur !

Je suis complètement épuisé. Impossible de faire une pompe de plus.

Reznik n'en a rien à foutre de ce que je pense. Ça, c'est un truc que j'ai mis du temps à comprendre : ce n'est pas seulement qu'il se fiche de ce que je pense – il ne veut pas que je pense. Carrément.

Son visage est maintenant si proche du mien que je sens son haleine, à l'odeur de menthe verte.

— Qu'est-ce qu'il y a, mon petit chou ? On est épuisé ? On veut faire une sieste ?

Ai-je encore la force de faire une pompe ? Une seule, et on ne pourra pas me reprocher d'être un minable. J'appuie mon front contre l'asphalte et je ferme les yeux. Je me concentre et je m'évade en pensée vers un endroit, un lieu que j'ai trouvé en moi après que le commandant Vosch m'a montré l'ultime champ de bataille, un lieu d'un calme infini qui n'est perturbé ni par la fatigue, ni par le désespoir, la colère, ou n'importe quel sentiment engendré par l'Arrivée du Grand Œil vert dans le ciel. Dans cet espace, je n'ai plus de nom. Je ne suis ni Ben, ni Zombie – j'existe, c'est tout. Personne ne peut m'atteindre ni me briser. Je suis entier. Je deviens la dernière personne vivante de l'univers, en laquelle s'incarne tout le potentiel humain, y compris celui de donner au plus grand connard de la Terre une – et une seule – pompe supplémentaire.

Ce que je fais.

## 43

CE N'EST PAS QUE j'ai un truc spécial.

Reznik est un sadique qui ne pratique aucune discrimination. Il traite les six autres recrues de l'escouade 53 avec la même brutalité. Flintstone, qui a mon âge, un gros crâne et des sourcils tellement fournis qu'on dirait qu'ils ne forment qu'un ; Tank, le garçon de ferme hyper maigre et soupe au lait ; Dumbo, douze ans, grandes oreilles, grand sourire, mais qui a disparu pendant la première semaine d'entraînement ; Poundcake, huit ans, qui ne pipe jamais mot, mais de loin notre tireur le plus performant ; Oompa, le rondouillard aux dents de travers, toujours le dernier durant les exercices, mais le premier pour aller bouffer ; et enfin, la plus jeune, Teacup, la plus méchante gamine de sept ans que vous puissiez rencontrer, plus fonceuse que nous tous, qui vénère le sol sur lequel Reznik marche, quel que soit le nombre de fois où il lui hurle dessus ou la botte à coups de pied.

J'ignore leurs vrais prénoms. Nous ne parlons pas de nos vies d'avant, de la façon dont nous avons atterri au camp ou de ce qui est arrivé à nos familles. Rien de tout cela n'a d'importance. Comme Ben Parish, tous ces individus – les pré-Flintstone, pré-Tank, pré-Dumbo, etc. – sont morts. Balisés, cartographiés, nous sommes – d'après ce qu'on nous a assuré – le meilleur espoir pour l'humanité, le vin nouveau versé dans d'anciens contenants. Nous sommes liés par la haine – la haine des infestés et des extraterrestres, bien sûr, mais aussi notre haine féroce, viscérale et obsédante envers le sergent Reznik, sentiment renforcé par le fait que nous ne pouvons jamais l'extérioriser.

Puis un gamin nommé Nugget a été assigné au quartier 10, et comme un abruti, l'un d'entre nous a été incapable de retenir sa rage plus longtemps et l'a laissée exploser.

Devinez un peu qui…

Quand ce gosse a répondu à l'appel, je n'en ai pas cru mes yeux. Cinq ans, au max, noyé dans sa combinaison blanche, trop grande pour lui, frissonnant dans le petit matin, l'air sur le point d'avoir la nausée, et visiblement effrayé au max. Et voilà que s'amène Reznik, son chapeau baissé sur ses yeux de fouine, ses bottes brillantes comme un miroir, sa voix rauque à force de crier, qui plante sa grosse face de rat droit devant le visage du pauvre gamin. Je me demande comment le petit ne s'est pas pissé dessus de trouille.

Reznik commence toujours en douceur avant de vous harponner, histoire de vous charmer et de vous faire croire qu'il peut être humain.

— Eh bien, eh bien, qu'avons-nous ici ? Qu'est-ce que les responsables du casting nous ont envoyé ? Serait-ce un hobbit ? Serais-tu une créature fantastique sortie d'un livre de contes, venue m'enchanter de ta magie ?

Reznik ne faisait que s'échauffer, mais déjà le gamin refoulait ses larmes. Il était à peine arrivé en bus – après avoir enduré je ne sais quoi là où il était avant – et voilà qu'un vieux dingue lui tombait dessus. Comment allait-il supporter Reznik – et même toute cette folie qu'ils appellent Camp Haven ? Moi, j'essaie encore de m'adapter ; or ça fait longtemps que je n'ai plus cinq ans.

— Oh, qu'il est mignon ! Il est si charmant, si précieux, je crois que je vais fondre en larmes ! Mon Dieu, j'ai déjà trempé des nuggets de poulet plus grands que toi dans mon bol de sauce barbecue !

Plus il approche son visage de celui du gosse, plus il parle fort. Cependant, le gosse tient bon. Il tressaille un peu, ses yeux s'agitent, mais il ne bouge pas d'un centimètre. Pourtant, il n'a sûrement qu'une envie : s'enfuir en courant le plus loin possible.

— Dis-moi un peu, quelle est ton histoire, petit Nugget ? Tu as perdu ta maman ? Tu veux rentrer chez toi ? Ah, je sais ! Fermons les yeux, faisons un vœu, et peut-être que maman va venir pour nous ramener à la maison ! Ça serait chouette, n'est-ce pas, petit Nugget ?

Le gamin hoche la tête avec empressement comme si Reznik avait posé la question qu'il avait hâte d'entendre. Enfin quelqu'un l'avait compris ! Il lève ses gros yeux doux comme ceux d'un ours en peluche vers les yeux de fouine du sergent instructeur… C'est déjà suffisant pour vous briser le cœur. Pour vous faire hurler.

Mais vous ne criez pas. Vous restez parfaitement immobile, le regard rivé devant vous, les bras le long du corps, torse bombé en avant, le cœur en charpie, et vous observez la scène cruelle du coin de l'œil pendant que quelque chose fond en vous, se déroulant comme un crotale. Quelque chose que vous avez retenu depuis longtemps alors que la pression montait sans fin. Vous ignorez quand ça va exploser, vous êtes incapable de le prédire et, quand ça arrive, vous êtes tout aussi incapable de vous réfréner.

— Laissez-le tranquille !

Reznik s'est retourné vivement. Personne ne pipe mot, vous avez l'impression d'entendre soudain toute la cour haleter. À l'autre bout du rang, Flintstone écarquille les yeux, stupéfait par mon attaque. Tout comme moi, d'ailleurs.

— Qui a dit ça ? Lequel d'entre vous, espèces d'asticots suceurs de crasse, vient de signer son arrêt de mort ?

Le visage rouge de colère, les poings crispés, les jointures devenues blanches, Reznik remonte notre rang à grandes enjambées.

— Personne ? Dans ce cas, je vais devoir me mettre à genoux et courber la tête parce que c'est sûrement Dieu qui s'est adressé à moi de là-haut !

Il stoppe devant Tank qui transpire comme un fou dans sa combinaison bien qu'il ne fasse pas plus de 4 °C dehors.

— C'était toi, trou du cul ? Je vais te briser les bras !

Poing fermé, il s'apprête à frapper Tank dans l'aine. Du coup, le crétin que je suis se dénonce.

— Chef, c'est moi qui ai parlé !

Reznik remonte vers moi avec une telle lenteur que j'ai l'impression que cela prend l'éternité. Au loin, un corbeau crie. Je n'entends rien d'autre. Reznik s'est arrêté juste dans mon champ de vision, mais pas directement face à moi, ce qui ne présage rien de bon. Je ne pouvais pas me tourner vers lui. Je devais continuer à regarder droit devant moi. Pire que tout, j'étais incapable de voir ses mains ; ainsi je ne saurais pas quand – ni où – le coup atterrirait. Ce qui signifiait que je ne pouvais pas me préparer.

— Alors comme ça, le soldat Zombie donne des ordres, maintenant ! a soufflé Reznik, si bas que j'avais du mal à le comprendre. Le soldat Zombie veut jouer le Super-Héros ? Soldat Zombie, je crois que je suis amoureux de vous. Quand je vous vois, je me sens tout chose. À cause de vous, je déteste ma mère. Elle n'aurait jamais dû me faire naître de sexe masculin ! Si seulement j'étais une fille ! Je pourrais m'accoupler avec vous et porter vos enfants !

Où est-ce que ça va atterrir ? Dans mes genoux ? Mon entrejambe ? Sûrement dans mon estomac : Reznik adore frapper dans l'estomac.

Perdu ! J'ai eu droit à un coup du plat de la main sur ma pomme d'Adam. J'ai chancelé, luttant pour ne pas tomber, pour garder les bras le long du corps et ne pas lui donner la satisfaction – ou une excuse – pour me cogner de nouveau. La cour et les bâtiments tanguaient, ma vue s'est brouillée pendant que mes yeux se remplissaient de larmes – de douleur, bien sûr –, mais aussi d'une autre sensation qui m'envahissait peu à peu.

— Chef, ce n'est qu'un petit garçon !

— Soldat Zombie, vous avez exactement deux secondes pour fermer cet égout qui vous sert de bouche, sinon je vais faire cramer votre cul avec le reste de ces fils de putes d'aliens infestés !

Il a pris une grande inspiration, se préparant au prochain assaut verbal. Ayant complètement perdu l'esprit, j'ai ouvert la bouche et laissé les mots en sortir. Autant être honnête : une part de moi était soulagée et éprouvait quasiment de la joie. J'avais retenu cette haine bien trop longtemps.

— Alors, le sergent instructeur devrait le faire, chef ! Le soldat n'en a pas grand-chose à foutre, chef ! Mais au moins – au moins, chef –, laissez le gamin tranquille !

Le silence est désormais total. Même les corbeaux ont cessé leur tapage. Mon escouade a carrément arrêté de respirer. Je savais ce que mes comparses pensaient. Nous avions tous entendu l'histoire du soldat insolent et de l'« accident » sur la course d'obstacles qui l'avait envoyé à l'hôpital pour trois semaines. Ainsi que le récit du garçonnet de dix ans, toujours très calme, trouvé pendu dans les douches. Un suicide, avait dit le docteur. Mais beaucoup de gens n'en étaient pas aussi certains.

Reznik n'a pas fait un geste.

— Soldat Zombie, qui est votre chef de groupe ?

— Chef, le chef de groupe du soldat Zombie est le soldat Flintstone !

— Soldat Flintstone, au centre ! a aboyé Reznik.

Flint a fait un pas en avant et effectué un salut militaire. Il était tellement nerveux que ses sourcils broussailleux s'agitaient comme une grosse et unique chenille au-dessus de ses yeux.

— Soldat Flintstone, vous êtes viré ! Le soldat Zombie est désormais votre chef de groupe. Le soldat Zombie est certes ignare et laid, mais il n'a rien d'une putain de poule mouillée !

Je voyais le regard brûlant de Reznik fouiller mon visage.

— Soldat Zombie, qu'est-il arrivé à votre petite sœur ?

J'ai cillé. Deux fois. Tenté de ne rien laisser paraître. Cependant, quand j'ai répondu, ma voix tremblait un peu.

— Chef, la sœur du soldat Zombie est morte !

— Parce que vous vous êtes enfui comme un dégonflé.

— Oui, chef !

— Mais vous ne fuyez plus, maintenant, n'est-ce pas, soldat Zombie ?

— Non, chef !

Il a fait un pas en arrière. Quelque chose s'est affiché alors sur son visage, une expression que je n'avais jamais vue. C'était impossible, pourtant, l'espace d'une seconde j'ai eu l'impression que ça ressemblait à du respect.

— Soldat Nugget, au centre !

Le gamin n'a pas bougé jusqu'à ce que Poundcake lui donne un léger coup dans le dos. Il pleurait. Il s'efforçait de réprimer ses larmes, mais, mon Dieu, quel gamin n'aurait pas pleuré dans une telle situation ? Votre ancienne vie a foutu le camp et tout ce qu'on vous offre c'est la merde dans laquelle nous nous trouvions.

— Soldat Nugget, le soldat Zombie est votre chef de groupe. Vous dormirez dans le même quartier que lui. Vous apprendrez tout de lui. Il vous enseignera à marcher, à parler, à penser. Il sera le grand frère que vous n'avez jamais eu. Vous m'avez bien entendu, soldat Nugget ?

— Oui, chef !

La petite voix tremblait, néanmoins le gamin avait vite compris les règles.

Et c'est ainsi que tout a commencé.

## 44

VOICI UNE JOURNÉE typique dans l'atypique nouvelle réalité du Camp Haven.

Cinq heures du matin : réveil et toilette. Nous nous habillons et préparons nos couchettes pour l'inspection.

Cinq heures dix : mise en rang. Reznik inspecte nos cantonnements. Trouve un pli dans les draps de l'un d'entre nous. Hurle pendant vingt minutes. Choisit au hasard une autre recrue et hurle encore pendant vingt minutes, sans véritable raison. Ensuite, trois tours de terrain à nous peler le cul, durant lesquels j'enjoins à Oompa et à Nugget de tenir le coup, sinon j'aurais droit à un tour supplémentaire. Le sol gelé sous nos bottes. Nos souffles glacés dans l'air. Les deux colonnes de fumée, une noire et une grise, qui s'échappent des cheminées de la centrale au-delà du terrain d'aviation, et le vrombissement des bus qui passent la grille principale.

Six heures trente du matin. Bouffe dans la cantine bondée qui dégage une vague odeur de lait caillé, me rappelant l'épidémie et le fait qu'à une certaine époque je ne pensais qu'à trois choses : les voitures, le football et les filles, dans cet ordre. J'aide Nugget avec son plateau, le pressant de manger, parce que s'il ne s'alimente pas assez, le camp d'entraînement va le tuer. Ce sont mes paroles exactes : *le camp d'entraînement va te tuer*. Tank et Flintstone se marrent de me voir si protecteur envers lui. Déjà ils m'appellent *Nounou Nugget*. Après le petit dej' nous vérifions les têtes de liste. Chaque matin, les résultats de la veille sont affichés sur un grand tableau juste à l'extérieur du réfectoire : les points obtenus pour l'adresse au tir, le meilleur temps à la course d'obstacles, durant les manœuvres du raid aérien et la course de trois kilomètres. Les quatre premières équipes monteront en grade fin novembre. La compétition est féroce. Notre escouade a été bloquée à la dixième place pendant deux semaines. Dix, ce n'est pas si mal, cependant ça ne suffit pas.

Huit heures trente : entraînement. Tir. Combat à mains nues. Techniques de base de survie en milieu sauvage. *Idem* en milieu urbain. Reconnaissance. Communication. Ce que je préfère, c'est l'entraînement à la survie. On a même eu droit à une session mémorable où nous avons dû boire notre propre pisse.

Midi : de nouveau l'heure de la bouffe. De la viande impossible à identifier coincée entre deux morceaux de pain rassis. Dumbo, dont les plaisanteries sont aussi nazes que ses oreilles sont grandes, prétend que les corps infestés ne sont pas incinérés, mais hachés menu pour nourrir les troupes. Je dois retenir Teacup avant qu'elle lui flanque son plateau sur la tête. Nugget fixe son hamburger comme s'il allait lui sauter au visage. Merci, Dumbo. Le gamin est déjà bien assez maigre !

Treize heures : nous continuons l'entraînement, surtout avec les armes. On donne un bâton à Nugget et il fait semblant de tirer, pendant que nous nous entraînons sur des cibles en contreplaqué de taille humaine. Les détonations du M16. Le bruit des silhouettes en bois mises en lambeaux. Poundcake obtient le meilleur score. Pour ma part, je suis le pire tireur du groupe. Espérant que ça va m'aider, j'imagine que la cible est Reznik, mais rien à faire, je suis toujours aussi nul.

Dix-sept heures : retour au réfectoire. Viande en conserve, petits pois en conserve, fruits en conserve. Nugget repousse son assiette et fond en larmes. L'escouade se fige et m'observe. Nugget est sous ma responsabilité. Si Reznik nous tombe dessus pour comportement inapproprié, il nous fera vivre un enfer et c'est moi qui paierai l'addition. Supplément de pompes, ration réduite – il pourrait même nous retirer des points dans la compétition. Rien ne nous importe plus que d'obtenir une note suffisante pour monter en grade et ne plus être sous les ordres de Reznik.

De l'autre côté de la table, Flintstone me fixe de son unique sourcil. Il est fâché contre Nugget, mais encore plus contre moi pour lui avoir piqué son poste. Pourtant, je n'ai jamais demandé à être chef d'équipe. Le lendemain de ma nomination, il est venu me voir pour râler :

— Je me fiche de ton grade actuel, je deviendrai sergent-chef une fois que nous aurons réussi.

Ce à quoi j'ai répondu :

— Bonne chance, Flint.

En ce qui me concerne, l'idée d'emmener une unité au combat me paraît ridicule. Quoi qu'il en soit, rien de ce que je peux dire ne parvient à calmer Nugget. Il ne cesse de parler de sa sœur et de sa promesse de venir le chercher. Pourquoi le commandant a-t-il placé un gamin qui ne peut même pas porter un fusil dans notre escouade ? Si Wonderland décèle les meilleurs tireurs, quel est le profil de ce gosse ?

Dix-huit heures : questions-réponses avec le sergent instructeur dans nos quartiers, mon moment favori de la journée avec la personne que je préfère au monde ! Après nous avoir rappelé quel inutile tas de merdes de rats séchées nous sommes, Reznik nous autorise à poser quelques questions. La plupart concernent la compétition. Les règles, les procédures en cas de match nul, les rumeurs sur telle ou telle équipe qui tricherait. Nous ne pensons qu'à une chose : gagner.

Autre sujet : les statuts de l'opération de secours et d'élimination (nom de code : Li'l Bo Peep[1], je vous

---

1. Comptine de 1805.

jure). Quelles sont les nouvelles de l'extérieur ? Quand allons-nous nous réfugier à temps plein dans le bunker souterrain, parce que, à l'évidence, l'ennemi peut voir tout ce que nous sommes en train de faire ici et nous exterminer à tout moment ? À cette question, nous obtenons la sempiternelle même réponse : le commandant Vosch sait ce qu'il fait. Notre boulot n'est pas de nous inquiéter de la stratégie ou de la logistique, mais de tuer l'ennemi.

Vingt heures trente : temps personnel. Enfin libérés de Reznik ! Nous lavons nos combinaisons, faisons briller nos bottes, nettoyons les sols et les latrines, ainsi que nos armes, avant de nous échanger des magazines pour mecs et autres petits produits de contrebande, comme des bonbons et des chewing-gums. Nous jouons aux cartes en nous plaignant de Reznik. Partageons les rumeurs du jour et de mauvaises blagues pour lutter contre le silence dans nos crânes, là où un cri muet retentit sans fin, comme l'air en surchauffe au-dessus d'une coulée de lave. Inévitablement une dispute surgit, mais s'arrête juste avant la bagarre. Tout cela nous mine. Nous en savons à la fois trop et pas assez. Pourquoi notre régiment n'est-il composé que d'enfants et de jeunes comme nous, dont aucun n'a plus de dix-huit ans ? Qu'est-il arrivé à tous les adultes ? Ont-ils été emmenés ailleurs et, si c'est le cas, où et pourquoi ? Sommes-nous arrivés à la dernière Vague, ou une autre va-t-elle déferler, une cinquième qui rendra les quatre premières bien pâles en comparaison ?

Évoquer une 5e Vague met un terme à notre conversation.

Vingt et une heures trente : extinction des feux. Il est temps de s'allonger et d'imaginer une nouvelle méthode pour éliminer le sergent Reznik. Au bout d'un moment, j'en ai assez, et je pense aux filles avec lesquelles je suis sorti, m'amusant à les classer en différentes catégories. Les plus sexy. Les plus intelligentes. Les plus drôles. Les blondes. Les brunes. Elles se fondent bientôt toute en une seule fille – qui n'était pourtant qu'une simple copine – et dans ses yeux, Ben Parish, le Dieu du lycée, revit.

D'une cachette sous ma couchette j'extrais le pendentif de Sissy et le plaque contre mon cœur. Je n'éprouve plus de culpabilité. Plus de chagrin. Je vais transformer mon apitoiement en haine. Ma culpabilité en fourberie. Mon chagrin en désir de vengeance.

— Zombie ?

C'est Nugget, dans la couchette à côté de la mienne.

Je chuchote :

— Défense de parler après l'extinction des feux.

— Je n'arrive pas à dormir.

— Ferme les yeux et pense à quelque chose d'agréable.

— Est-ce qu'on peut prier ? C'est contraire au règlement ?

— Bien sûr que tu peux prier, mais pas à voix haute.

Je l'entends respirer, puis je perçois le bruit de son sommier métallique tandis qu'il se tourne et se retourne dans son lit.

— Cassie récitait toujours la prière avec moi, avoue-t-il.

— Qui est Cassie ?

— Je te l'ai déjà dit.

— J'ai oublié.

— Cassie est ma sœur. Elle va venir me chercher.

— Oh, oui.

Je n'ose lui répondre que si sa sœur n'est pas encore venue, c'est sûrement qu'elle est morte. Ce n'est pas à moi de briser son petit cœur. Le temps s'en chargera.

— Elle a promis. Promis !

Un sanglot. Super. Personne n'en est certain, mais nous sommes convaincus que nos quartiers sont branchés sur table d'écoute et que Reznik nous épie, n'attendant qu'une chose : que nous enfreignions le règlement afin de pouvoir nous tomber dessus. Violer l'interdiction de parler après l'extinction des feux va nous faire gagner une semaine de corvée de cuisine à tous.

— Hé ! Ça va aller, Nugget…

Je tends la main vers lui pour le rassurer. Mes doigts se posent sur son crâne fraîchement rasé. Je lui effleure le cuir chevelu. Sissy aimait que je lui caresse la tête quand elle se sentait mal. Peut-être Nugget apprécie-t-il, lui aussi ?

— Fermez-la ! chuchote Flintstone.

— Ouais, renchérit Tank. Tu veux nous faire choper, Zombie ?

Je murmure à Nugget, en tapotant mon matelas :

— Viens ici. Je vais dire ta prière avec toi, et ensuite tu pourras retourner dormir, d'accord ?

Le matelas grince quand il me rejoint. Oh, mon Dieu ! qu'est-ce que je fabrique ? Si Reznik se pointe pour une inspection surprise, je serai de corvée de patates pour un mois. Nugget s'allonge sur le côté, face à moi. Ses petits bras effleurent les miens quand il rassemble ses mains sous son menton.

— Quelle prière vous récitiez, ta sœur et toi ?

— « Maintenant je m'allonge pour dormir. »

— Que quelqu'un écrase le visage de Nugget avec un oreiller ! souffle Dumbo depuis sa couchette.

Je vois la veilleuse se refléter dans les yeux bruns de Nugget. Le pendentif de Sissy plaqué contre ma poitrine et les yeux de Nugget qui brillent comme deux minuscules signaux lumineux dans la nuit. Prière et promesse. Celle de sa sœur. L'autre, silencieuse, que j'ai faite à ma propre sœur. Les prières sont aussi des promesses, et aujourd'hui nous en sommes à des promesses brisées. Soudain, j'ai envie de frapper le mur du poing.

— Maintenant, je m'allonge pour dormir, je prie le Seigneur de préserver mon âme…

Il m'accompagne à la phrase suivante.

— Quand je me réveille le matin, montre-moi le chemin de l'amour…

Les sifflements et les *chut !* démarrent à la seconde strophe. Quelqu'un nous jette un oreiller, mais nous continuons à prier.

— Maintenant, je m'allonge pour dormir, je prie le Seigneur de préserver mon âme. Tes anges veillent sur moi durant la nuit jusqu'au petit matin…

Au moment où nous prononçons : *Tes anges veillent sur moi,* les sifflements et les réprimandes cessent. Un profond silence envahit le dortoir. Nos voix ralentissent au dernier couplet. Comme si nous rechignions à terminer la prière, parce que après il n'y aura plus rien, rien que le vide d'une autre nuit, longue et épuisante, puis une autre journée passée à attendre le Dernier Jour, celui de notre mort. Même Teacup sait probablement qu'elle ne vivra pas jusqu'à son huitième anniversaire. Quoi qu'il en soit, nous nous lèverons de nouveau pour vivre nos dix-sept heures d'enfer quotidien. Certes, nous allons mourir, mais au moins nous mourrons sans avoir flanché.

— Et si jamais je meurs avant mon réveil, je prie le Seigneur de prendre mon âme.

# 45

LE LENDEMAIN MATIN, je me rends dans le bureau de Reznik pour une demande particulière. Je connais d'avance sa réponse, mais j'expose quand même ma requête.

— Chef, le chef de groupe requiert du sergent instructeur l'exemption exceptionnelle du soldat Nugget pour les tâches de ce matin.

— Le soldat Nugget fait partie de cette escouade, me rappelle Reznik avec rudesse. En tant que membre de cette escouade, nous attendons de lui qu'il remplisse toutes les obligations assignées par le commandant en chef. Toutes les obligations, soldat !

— Chef, le chef de groupe insiste pour que le sergent instructeur reconsidère sa décision, étant donné l'âge du soldat Nugget et…

Reznik rejette ma remarque d'un geste de la main.

— Ce gamin n'est pas tombé du ciel, soldat. S'il n'avait pas réussi les tests, il n'aurait pas été affecté dans votre escouade. Mais le fait est qu'il a bel et bien réussi ces tests, qu'il a été affecté dans votre escouade et qu'il accomplira toutes les missions qui vous ont été assignées par le commandant en chef, y compris T&E. Suis-je assez clair, soldat ?

Désolé, Nugget, au moins, j'aurais essayé.

— Qu'est-ce que c'est T&E ? me demande Nugget pendant le petit déjeuner.

Je réponds, en détournant le regard :

— Traitement et élimination.

En face de nous, Dumbo gémit et repousse son plateau.

— Génial ! Vous ne pouviez pas attendre qu'on ait fini de bouffer pour parler de ça ?

— Trier et brûler, petit, explique Tank.

Il jette un coup d'œil à Flintstone, cherchant son approbation. Ces deux-là sont copains comme cochons. Le jour où Reznik m'a promu, Tank m'a dit qu'il n'en avait rien à faire que je sois passé chef d'équipe, il n'écouterait que Flint. J'ai haussé les épaules. Il pouvait bien agir comme bon lui semblait. Une fois que nous aurions obtenu notre grade – si nous l'obtenions jamais –, l'un de nous serait nommé sergent, et je savais déjà que ce ne serait pas moi.

— Le Dr Pam t'a montré un contaminé, je dis à Nugget.

Il acquiesce en baissant la tête. D'après son expression, je vois que ce n'est pas un souvenir agréable pour lui.

— Tu as appuyé sur le bouton.

Un second hochement de tête, plus lent.

— À ton avis, qu'est-il arrivé à la personne de l'autre côté de la vitre, après que tu as pressé le bouton ?

— Elle est morte, chuchote-t-il.

— Et les malades qui viennent de l'extérieur, ceux qui ne guérissent pas une fois qu'ils sont là – que penses-tu qu'ils deviennent ?

— Bordel, mais vas-y, Zombie, dis-lui ! s'énerve Oompa.

À son tour, il repousse son plateau. Ça, c'est une première ! Oompa est le seul de notre escouade qui prend toujours du rab. Et pourtant, en restant poli, la bouffe au camp est… dégueulasse.

— Ce n'est pas quelque chose que nous aimons faire, mais ce travail doit être accompli, j'explique, en me référant au discours officiel. Parce que c'est la guerre, tu comprends ? La guerre.

Je me concentre sur la table pour chercher mes mots. Teacup est la seule à me regarder, et elle m'approuve d'un joyeux hochement de tête.

— Oui, la guerre ! enchérit-elle avec entrain.

Une fois sortis du réfectoire, nous traversons la cour – où plusieurs équipes sont à l'exercice sous les yeux observateurs de leurs sergents instructeurs. Nugget trottine à côté de moi. Dans son dos, notre escouade l'a surnommé *le toutou de Zombie*. Nous coupons à travers les quartiers 3 et 4 pour nous diriger sur la route qui mène à la centrale électrique et au hangar. Il fait froid. Le ciel est chargé de nuages sombres. On dirait qu'il va neiger. Au loin, nous entendons le bruit d'un Black Hawk qui décolle et le staccato des armes automatiques. Droit devant nous, les deux tours de la centrale crachent une fumée noire et une grise. La grise s'évanouit dans les nuages. La noire persiste dans l'air. Une vaste tente blanche se dresse devant l'entrée du hangar. La zone est balisée de panneaux d'avertissement rouge et blanc signalant un risque de contamination. C'est là que nous nous habillons avant de procéder à notre mission. Une fois vêtu, j'aide Nugget avec sa combinaison orange, ses bottes, ses gants, son masque et sa capuche. Je le préviens qu'il ne doit jamais, jamais retirer une quelconque partie de son équipement dans le hangar, quelles que soient les circonstances. Jamais. Il doit demander la permission avant de toucher quoi que ce soit et, s'il doit quitter le hangar pour une raison ou une autre, il doit se faire décontaminer et passer à l'inspection avant d'entrer de nouveau dans les lieux.

— Reste avec moi, et tout ira bien.

Il hoche la tête et, ce faisant, sa capuche – trop grande pour lui – glisse sur son front. Il la redresse d'une main tremblante. Le pauvre gamin n'en mène pas large.

— Ce ne sont que des gens, Nugget. Rien que des gens.

À l'intérieur, les corps ont été triés, les infestés séparés des non-infestés, ou, comme nous les appelons, les Envahis des non-Envahis. Les Envahis sont marqués d'un gros cercle sur le front, mais vous avez rarement besoin de vérifier ; leurs corps sont toujours les plus récents. Les plus frais.

Ils ont été entassés le long du mur du fond, attendant d'être empilés sur les longues tables de métal qui courent le long du hangar. Les corps ont atteint différents niveaux de décomposition. Certains sont là depuis un bon moment. D'autres ont l'air quasi vivants, comme s'ils allaient s'asseoir et papoter avec nous.

Il faut trois escouades pour s'occuper de tout ça. L'une porte les corps sur les tables métalliques. Une autre les trie. La troisième les amène à l'avant du hangar et les entasse pour les charger. Tour à tour nous changeons de tâches pour rompre la monotonie du boulot.

Le tri est la mission la plus intéressante, et c'est à ce poste que notre équipe commence. J'ordonne à Nugget de ne rien toucher, de se contenter de m'observer jusqu'à ce qu'il ait pigé comment opérer.

Vider les poches. Séparer les contenus. La camelote va dans une poubelle, les débris électroniques dans une autre, les métaux précieux dans une troisième, et tous les autres métaux dans une quatrième. Les portefeuilles, porte-monnaie, papier, l'argent – tout ça à la poubelle. Certains soldats ne peuvent pas s'en empêcher – les vieilles manies sont dures à endiguer – et se baladent les poches bourrées de liasses de billets, désormais inutiles.

Les photos, papiers d'identité, tous les petits souvenirs qui ne sont pas en céramique : poubelle. Sans exception, les poches de tous ces morts, des plus vieux aux plus jeunes, sont remplies d'un tas d'objets hétéroclites dont eux seuls pouvaient comprendre l'importance.

Nugget ne dit pas un mot. Il observe mon travail pendant que je passe d'un corps à un autre. Bien que l'immense local soit ventilé, l'odeur – douce et âcre – est atroce. Hélas, comme tout ici, on finit par s'y habituer – au bout d'un certain temps, on ne la sent carrément plus.

Il en va de même pour vos autres sens. Ainsi que votre âme. Après avoir vu cinq cents cadavres, comment être encore choqué ou ressentir quoi que ce soit ?

À côté de moi, Nugget observe toujours, en silence.

— Préviens-moi si tu te sens mal, je l'avertis d'un ton sévère. Ce serait con de dégueuler dans ta combinaison...

Au-dessus de nos têtes, les haut-parleurs grésillent et le hangar s'emplit de musique. La plupart des mecs préfèrent écouter du rap pendant les opérations – moi j'aime bien le mêler à un peu de heavy metal et de R'n'B. Nugget me réclame une activité, alors je lui demande d'emmener les vêtements dans les poubelles de la laverie. Ils seront brûlés plus tard, ce soir, avec les corps. La destruction a lieu dans la pièce adjacente, dans l'incinérateur de la centrale. Il paraît que la fumée noire est celle du charbon, et la grise celle des corps. J'ignore si c'est vrai.

C'est la mission la plus difficile que j'ai eu à accomplir. Je dois m'occuper de Nugget, des corps, et garder un œil sur le reste de la troupe parce qu'il n'y a aucun sergent instructeur ni aucun adulte dans le hangar, sauf les adultes morts. Nous sommes entre jeunes, et parfois, c'est comme en cours, quand le prof doit soudain quitter la classe. La situation peut dégénérer à n'importe quel instant.

À part durant T&E, les différentes escouades se parlent à peine. La compétition pour les premières places est trop intense, et la rivalité empêche toute amitié. Alors, quand j'ai remarqué la fille aux cheveux sombres et au teint pâle qui poussait le chariot des corps de la table de Poundcake jusqu'à la zone de destruction, je ne suis pas allé la voir pour me présenter, pas plus que je ne me suis adressé à un membre de son équipe pour m'enquérir de son prénom. Je me suis contenté de l'observer tout en fouillant les poches des cadavres. J'ai noté qu'elle dirigeait les opérations près de la porte. Elle devait être chef d'équipe. À la pause du milieu de matinée, j'ai pris

Poundcake à part. C'est un gamin gentil et très calme. Dumbo a une théorie sur lui : il prétend qu'un de ces quatre le bouchon va sauter et que Poundcake ne s'arrêtera plus de parler pendant une semaine entière.

— Tu vois cette fille de l'équipe 19 qui a pris le relais de ta table ?

Il hoche la tête.

— Tu sais un truc sur elle ?

D'un geste – toujours de la tête –, il me fait signe que non.

— À ton avis, pourquoi je te pose la question ?

Il hausse les épaules.

— OK. Ne raconte à personne que je t'ai interrogé à son sujet.

Au bout de la quatrième heure, Nugget commence à vaciller. Il a besoin d'une pause. Je l'emmène quelques minutes dehors. Nous nous asseyons à la porte du hangar, et contemplons la fumée noire et la grise s'élever vers les nuages.

Nugget retire alors sa cagoule et appuie sa tête contre la porte métallique. Son visage est luisant de sueur. Je répète :

— Ce ne sont que des gens.

Je ne sais pas quoi lui dire.

— Ça ira mieux, au fur et à mesure, Nugget. À chaque nouvelle opération, tu te sentiras un peu moins perturbé. Au fil du temps ça deviendra… Je ne sais pas, ce sera comme faire ta couchette ou te brosser les dents.

Je suis à cran. J'ai la sensation que Nugget va piquer une crise. Il va fondre en larmes, s'enfuir ou exploser de colère. Enfin bref, il va réagir violemment, d'une façon ou d'une autre. Mais non, il a seulement ce regard absent, et, soudain, c'est moi qui suis sur le point d'exploser. Pas à cause de lui. Ni à cause de Reznik qui m'a obligé à trimbaler ce gosse avec nous pour cette épouvantable mission. Non, c'est envers Eux que je suis furieux. Envers ces salopards d'enfoirés qui nous ont fait ça. Je ne pense pas à moi, mais à Nugget. Qu'en est-il de sa vie ? Il a tout juste cinq ans. Et à quoi peut-il s'attendre, désormais ? Et putain, pourquoi le commandant Vosch l'a-t-il affecté dans une unité de combat ? Sérieux, ce gamin n'a même pas la force de soulever un fusil. Peut-être que leur idée c'est de les entraîner dès leur plus jeune âge, voire carrément depuis le berceau ! Ainsi, quand il aura mon âge, Nugget ne sera pas un assassin au cœur de pierre, mais de glace. À la place du sang, c'est de l'azote liquide qui lui coulera dans les veines.

J'entends sa voix avant de sentir sa petite main sur mon front.

— Zombie, ça va ?

— Oui, bien sûr.

Ça, c'est la meilleure ! C'est lui qui s'inquiète pour moi !

Un large véhicule à plate-forme s'arrête devant la porte, et la troupe 19 commence à charger les corps, les balançant dans le camion comme des ouvriers le feraient avec des sacs de grain. De nouveau, je vois la fille aux cheveux sombres, qui s'escrime à soulever un corps très gros. Elle nous jette un coup d'œil, puis rentre dans le hangar pour s'attaquer au corps suivant. Super ! Elle va sûrement cafter et rapporter que nous tirons au flanc, histoire de nous faire perdre quelques points dans la compétition.

— Cassie dit que quoi qu'ils fassent, ils ne pourront jamais nous tuer tous.

— Pourquoi ?

Ça, mon gamin, j'aimerais bien le savoir.

— Parce que ce serait trop difficile. Nous sommes invé... invi... invin...

— Invincibles ?

— Oui, c'est ça !

Il me tapote le bras pour me rassurer.

— Nous sommes invincibles ! s'écrie-t-il.

Fumée noire, fumée grise. Le froid mord nos joues. Nos combinaisons nous tiennent bien chaud. Et nous restons là, Nugget et moi, les nuages sombres au-dessus de nos têtes, et, caché au-delà de ces nuages, le ravitailleur qui a donné naissance à toute cette fumée grise et, d'une certaine façon, à nous aussi.

# 46

Maintenant, chaque nuit, Nugget se glisse dans ma couchette après l'extinction des feux pour réciter sa prière, je l'autorise à rester jusqu'à ce qu'il s'endorme. Puis je le porte dans son lit. Tank menace de me dénoncer, en général, après lui avoir donné un ordre qu'il n'a pas apprécié. Cependant, il n'en fait rien. Je crois que, secrètement, il attend avec impatience l'heure de la prière.

C'est incroyable à quel point Nugget s'est vite habitué à la vie au camp. Cela dit, les enfants sont comme ça. Ils s'habituent à presque tout. Bien sûr, il n'est pas capable de tenir un fusil sur son épaule, mais il accomplit toutes les missions – et parfois mieux que les autres, pourtant plus âgés. Il est plus rapide que Oompa à la course d'obstacles, et plus attentif que Flintstone. Le seul membre de notre escouade qui ne le supporte pas, c'est Teacup. Je pense qu'elle est jalouse. Avant l'arrivée de Nugget, elle était le bébé de notre groupe.

Nugget a piqué une mini-crise durant ses premiers exercices d'attaque aérienne.

L'entraînement a lieu une fois par mois, et toujours au beau milieu de la nuit. Les sirènes se mettent à hurler, vous sentez le sol trembler sous vos pieds nus, pendant que, à tâtons, vous enfilez votre combinaison et vos bottes, attrapez votre M16, puis vous vous ruez dehors. Les quartiers se vident à la vitesse de l'éclair, et des centaines de recrues filent dans la cour vers l'accès aux tunnels qui mènent au sous-sol.

Notre escouade était déjà partie et j'étais en retard parce que Nugget s'était mis à crier et s'accrochait à moi comme un chimpanzé à sa mère. Il redoutait que le vaisseau de guerre des aliens envoie ses missiles d'un instant à l'autre.

Je lui ai dit de se calmer et de suivre mon exemple. C'était une perte de temps. Finalement, je l'ai attrapé et l'ai fait passer par-dessus mon épaule. Je tenais mon fusil d'une main, et le cul de Nugget de l'autre. Quand je me suis précipité dans la cour, le souvenir d'une enfant en pleurs au cours d'une autre nuit a soudain frappé mon esprit. Aussitôt, je me suis mis à courir plus vite.

La cage d'escalier. Descendre les quatre étages éclairés seulement par les lueurs jaunes des panneaux lumineux d'urgence, avec la tête de Nugget qui rebondit dans mon dos. Franchir la lourde porte en métal, enfiler un petit couloir, passer une seconde porte et pénétrer dans le bunker. L'épaisse porte se referme derrière nous, nous bloquant à l'intérieur. Nugget a enfin décidé qu'il n'allait pas mourir dans la minute, je peux donc le poser. L'abri est un dédale de couloirs sombres, mais nous nous sommes tellement entraînés que je pourrais retrouver mon chemin les yeux clos. Par-dessus le bruit des sirènes, je crie à Nugget de me suivre. Une équipe qui fonce dans la direction opposée nous dépasse dans un grondement de bottes. Droite, gauche, droite, droite, gauche. Nous gagnons enfin le dernier passage. Ma main libre est plaquée sur la nuque de Nugget pour l'empêcher de tomber. Je vois mon escouade agenouillée à vingt mètres de l'extrémité du cul-de-sac, fusils braqués vers la grille métallique qui recouvre le puits d'aération conduisant à la surface.

Reznik se tient à côté d'eux, un chrono en main.

Merde.

Nous avons raté notre score de quarante-huit secondes. Quarante-huit secondes qui vont nous coûter trois jours de temps libre. Quarante-huit secondes qui nous rétrograderont d'une place dans le classement. Quarante-huit secondes qui signifient encore Dieu sait combien de jours à supporter Reznik. De retour dans nos quartiers, nous sommes tous trop excités pour dormir. La moitié de l'équipe m'en veut, l'autre en veut à Nugget. Tank, bien sûr, s'en prend à moi. Il est rouge de colère.

— Tu aurais dû le laisser derrière toi !

— Si on s'entraîne, c'est pour une bonne cause, Tank, je lui rappelle. Et si ce n'avait pas été un exercice, mais l'heure H ?

— Dans ce cas, je crois qu'il serait mort.

— C'est un membre de notre groupe, au même titre que nous tous.

— Tu n'as toujours pas compris, hein, Zombie ? C'est la nature ! Ceux qui sont trop faibles ou trop malades doivent disparaître.

Il retire ses bottes et les range dans le placard au pied de sa couchette, puis ajoute :

— Si ça ne tenait qu'à moi, je brûlerais tous les faibles dans l'incinérateur avec les infestés !

Je rétorque :

— Éliminer les humains… N'est-ce pas le boulot des aliens ?

Tank est cramoisi, à présent. Il donne un coup de poing en l'air. Flintstone s'approche pour le calmer, mais il le repousse et se met à hurler.

— Ceux qui sont trop faibles, trop malades, trop vieux, trop lents, trop stupides ou trop petits n'ont qu'à PARTIR ! S'ils sont incapables de combattre, ou ne supportent pas le combat, ils ne font que nous freiner !

— Oui, on peut se passer d'eux, je riposte avec sarcasme.

— C'est la putain de nature qui veut ça, Zombie, répète Tank. Seuls les forts survivent.

— Hé ! ça suffit, mec ! lance Flintstone. Zombie a raison. Nugget fait partie de l'équipe.

— Mêle-toi de tes oignons, Flint ! Allez tous vous faire foutre ! Comme si c'était de ma faute ! Comme si j'étais responsable de cette merde !

— Zombie, fais quelque chose ! me supplie Dumbo. Il crise comme Dorothée.

Dorothée. Dumbo fait référence à la recrue qui, un jour, a retourné son arme contre les membres de sa propre escouade. Deux personnes ont été tuées et trois sérieusement blessées, avant que le sergent instructeur parvienne à lui frapper le crâne avec son arme de poing. Chaque semaine nous entendons une histoire sur quelqu'un qui « crise comme Dorothée ». La pression devient trop forte et vous craquez. Parfois, vous vous retournez contre vos camarades. Parfois contre vous-même. De temps à autre je m'interroge sur le bien-fondé des ordres du commandant en chef, qui place des armes automatiques de gros calibre dans les mains de gamins déjà bien perturbés.

Tank s'en prend maintenant à Dumbo.

— Oh, va te faire foutre ! Tu te crois mieux que moi ? Vous vous croyez tous mieux que moi, c'est ça ? Putain, mais qu'est-ce qu'on fait ici ? Tu peux me le dire, Dumbo ? Et toi, Zombie, notre grand chef d'équipe ? Tu peux me le dire ? Vous feriez bien de m'expliquer illico, sinon je vais foutre le bordel. Je vais tout bousiller et vous descendre, parce qu'on est dans une sacrée merde, les mecs. Vous croyez qu'on va gagner face à ces entités qui ont déjà tué sept milliards d'entre nous ? Et avec quoi on va gagner ? Hein, avec quoi ?

Il pointe son arme vers Nugget, qui s'accroche désespérément à ma jambe.

— Avec ça ?

Puis il éclate d'un rire hystérique. En voyant son fusil, tout le monde s'est figé. Je lève lentement les mains devant moi et lui dis d'un ton aussi calme que possible :

— Baisse ton arme, soldat.

— Tu n'es pas mon chef ! Personne ne me donne d'ordre !

Il est planté à côté de sa couchette, son M16 calé sur sa hanche.

Flintstone est le plus près de lui. Il se tient à moins d'un mètre sur sa droite. Je le regarde de biais, et Flint me répond d'un très léger hochement de tête.

— Espèces de connards, vous ne vous êtes jamais demandé pourquoi ils ne nous avaient pas encore shootés ? hurle Tank.

Il ne rit plus. Il pleure.

— Vous savez qu'ils en sont capables ! Vous savez qu'ils savent que nous sommes ici, et vous savez qu'ils savent ce que nous préparons, alors pourquoi ils nous laissent faire ?

Je rétorque d'un ton égal :

— Je l'ignore, Tank. Pourquoi ?

— Parce que ce que nous faisons n'a plus aucune putain d'importance ! C'est fini, mec. Terminé !

Il agite son arme avec frénésie. Si jamais il fait un faux mouvement...

— Toi, moi, et chaque personne de cette putain de base nous sommes déjà le passé ! Nous sommes...

Flint lui bondit dessus, lui arrache le fusil et le pousse à terre. En tombant, Tank se tape le crâne contre le montant de sa couchette. Il se roule aussitôt en boule, se tient la tête entre les mains et hurle comme un dingue. D'une certaine façon, c'est pire que de le voir agiter son M 16 chargé. Poundcake se précipite aux W-C pour se cacher dans l'un des chiottes. Dumbo se couvre les oreilles et se recroqueville sur son lit. Oompa s'est faufilé près de moi, juste à côté de Nugget qui me cramponne désormais les jambes à deux mains. Planqué derrière moi, il jette un coup d'œil à Tank qui se convulsionne sur le sol. La seule à ne pas être perturbée par la crise de Tank, c'est Teacup. Assise sur son lit, elle me fixe d'un air stoïque, comme si Tank avait l'habitude de se rouler par terre et de pousser des cris de bête enragée tous les soirs.

À l'entendre hurler ainsi, on croirait qu'on l'assassine. Soudain, cette pensée me sidère. En fait, les Autres sont bel et bien en train de nous assassiner. C'est un meurtre lent et cruel, qui extermine d'abord nos âmes. Je me remémore tout à coup les paroles du commandant : *Il ne s'agit pas tant de détruire nos facultés à lutter que de broyer notre envie de nous battre.*

C'est sans espoir. Absolument dingue. Tank est le seul sain d'esprit parce qu'il voit tout cela de façon claire et nette.

C'est pour ça qu'il doit partir.

## 47

Le sergent instructeur est d'accord avec moi, et, dès le lendemain matin, Tank quitte notre escouade.

Il séjourne désormais à l'hôpital où il doit passer des tests psychologiques. Sa couchette reste vide pendant une semaine et, durant ce temps, notre équipe, privée de l'un de ses éléments, perd de plus en plus de points dans la compétition. Jamais nous n'aurons notre diplôme. Jamais nous ne troquerons nos combinaisons bleues pour de vrais uniformes, pas plus que nous ne nous aventurerons au-delà de la clôture électrique et des barbelés acérés pour faire nos preuves.

Nous ne parlons pas de Tank. C'est comme s'il n'avait jamais existé. Nous nous efforçons de croire que le système est parfait, et que Tank n'en est qu'une faille.

Puis, un matin, dans le hangar du T&E, Dumbo me fait signe de le rejoindre à sa table. Il s'entraîne pour devenir médecin, alors c'est lui qui est chargé de disséquer certains corps, en général des infestés, afin d'apprendre l'anatomie humaine. Quand j'approche, il ne prononce pas un mot, mais me désigne d'un mouvement de tête le corps allongé devant lui.

C'est Tank.

Nos regards demeurent rivés à son visage durant un long moment. Ses yeux grands ouverts fixent aveuglément le plafond. Il a l'air si vivant que c'en est troublant. Dumbo jette un coup d'œil autour de nous, afin de s'assurer que personne ne nous entend, et chuchote :

— Ne le dis pas à Flint.

J'acquiesce d'un hochement de tête.

— Qu'est-ce qui lui est arrivé ?

Dumbo hausse les épaules. Il transpire sous sa cagoule.

— C'est bien ça le plus bizarre, mec. Je n'ai rien trouvé. Impossible de découvrir les causes de son décès.

Je reporte mon attention sur Tank. Son teint est loin d'être pâle. Au contraire, sa peau est encore légèrement rosée, sans aucune marque. Comment est-il mort ? A-t-il piqué une crise comme Dorothée ? S'est-il enfilé une dose trop importante de médocs ?

— Et si tu l'ouvrais ?

— Pas question.

Dumbo me regarde comme si je venais de lui ordonner de sauter d'une falaise. OK. C'était une idée stupide. Dumbo n'est pas médecin, et encore moins médecin légiste. Ce n'est qu'un gamin de douze ans. À mon tour, je jette un coup d'œil à la ronde.

— Enlève-le de cette table. Je ne veux pas que les autres le découvrent.

Moi non plus, je ne supporte plus de le voir allongé là. Je crois que je vais avoir la nausée. Je m'écarte, mais, soudain, une pensée me frappe. Je me retourne et pousse délicatement le menton de Tank. Maintenant son visage fait face au mur. Je pose mes doigts à la base de son crâne.

— Passe-moi ton couteau, Dumbo.

Jamais je n'avais entaillé un corps humain. Ça ne figurait pas sur ma liste de choses à faire. J'enfonce mon pouce et mon index dans l'incision, jusqu'à ce que je trouve la puce enchâssée en haut de la colonne vertébrale de Tank. Dumbo m'observe, incrédule.

— Pour la prochaine recrue, j'explique. Ce serait dommage de la perdre.

Le corps de Tank est empilé avec les autres près des portes du hangar pour être emmené. Il est chargé dans le camion pour son dernier voyage en direction des incinérateurs, où il sera consumé dans le brasier. Ses cendres se disperseront dans la fumée grise, s'élèveront dans les airs, puis retomberont sur nous en particules trop fines pour que nous puissions les voir ou les sentir. Il demeurera avec nous – sur nous – jusqu'à ce que nous prenions notre douche, ce soir, éliminant ce qui reste de lui dans les canalisations reliées aux tuyaux connectés aux fosses septiques, où il se mêlera à nos excréments avant de se répandre dans la terre.

## 48

LE REMPLAÇANT DE TANK arrivera deux jours plus tard, comme Reznik nous l'annonce durant la session de questions-réponses. Il ne nous dit pas grand-chose à son sujet, sauf son nom : Ringer. Après son départ, tout le monde s'interroge ; Reznik doit avoir une bonne raison de faire venir ce Ringer.

Nugget me rejoint sur ma couchette.

— Qu'est-ce que c'est un Ringer ?

— Quelqu'un que tu inclus dans une équipe pour lui donner un avantage, je lui explique. Quelqu'un de très doué.

— Ça doit être un super tireur, suppose Flintstone. C'est là que nous sommes le plus faibles. Poundcake est le meilleur, et je tire plutôt pas mal, mais toi, Dumbo et Teacup vous êtes vraiment nazes. Quant à Nugget, il n'est même pas capable de tenir un fusil.

— Amène un peu ton cul par ici pour me dire que je suis naze ! crie Teacup.

Toujours prête à se battre, celle-là. Si j'étais le grand chef, je lui confierais un fusil et une provision de chargeurs, et je l'enverrais se défouler sur chaque infesté dans un rayon de cent cinquante kilomètres.

Après la prière, Nugget gigote dans mon lit jusqu'à ce que je n'en puisse plus et que je le soulève pour le glisser dans sa couchette.

— Zombie, c'est elle.

— Qui ça, elle ?

— Ringer ! Cassie, c'est Ringer !

Il me faut quelques secondes pour me rappeler qui est Cassie. *Oh mon Dieu, non ! Il ne va pas recommencer avec ça !*

— Je ne crois pas que Ringer soit ta sœur.

— Mais tu n'es pas sûr du contraire, non plus.

Je me mords la langue. Un peu plus, j'allais lui déballer : *Ne sois pas stupide, p'tit mec. Ta sœur ne viendra pas te chercher parce qu'elle est morte.*

Cependant, je me retiens. Cassie est la chaîne en argent de Nugget. Ce à quoi il se raccroche. Sans cela, rien ne pourrait l'empêcher de devenir aussi cinglé que les autres Dorothée du camp. C'est pour cette raison qu'il est logique d'avoir une armée composée d'enfants et d'ados. Les adultes, eux, ne perdent pas leur temps à rêver. Ils se raccrochent aux mêmes vérités qui ont conduit Tank sur la table de dissection.

Ringer n'est pas présent à l'appel du lendemain, pas plus qu'au jogging matinal ou au petit déjeuner. Nous nous préparons pour le champ de tir, vérifions nos armes et nous dirigeons dans la cour. Le temps est clair, mais il fait très froid. Personne ne parle beaucoup. Nous nous interrogeons tous au sujet de notre nouvel équipier.

C'est Nugget qui voit Ringer le premier. Il s'apprête à tirer, et nous comprenons illico que Flintstone avait raison : Ringer est un excellent tireur. La cible surgit de l'herbe, et aussitôt *tac-tac* ! la tête en contreplaqué explose. Une autre cible se déploie. Même résultat. Reznik se tient de côté, c'est lui qui contrôle le déclenchement des cibles. Dès qu'il nous voit arriver, il se met à appuyer sur les boutons de plus en plus vite. Les cibles se dressent à toute allure, l'une après l'autre, et ce Ringer les bousille toutes avant qu'elles ne soient complètement à la verticale. À côté de moi, Flintstone émet un long sifflement approbateur.

— Il est doué.

Nugget est le premier de nous tous à comprendre. Est-ce à cause des épaules ou des hanches de notre nouveau partenaire ?

— Ce n'est pas un « il », s'écrie-t-il avant de traverser le terrain au pas de course pour rejoindre la silhouette solitaire.

Le canon du fusil fume dans l'air glacé.

Elle se retourne avant qu'il n'arrive à sa hauteur, et Nugget s'arrête net, d'abord confus, puis déçu. À l'évidence, Ringer n'est pas sa sœur.

C'est bizarre, à distance elle paraît plus grande. Elle a à peu près la même taille que Dumbo, mais elle est plus mince que lui – et plus âgée. Environ quinze ou seize ans, un visage de lutin et des yeux sombres, très enfoncés, une peau à la pâleur d'ivoire et des cheveux noirs et raides. Ce sont ses yeux qui vous stupéfient en premier. Le genre d'yeux dans lesquels on plonge en songeant qu'il n'y a que deux possibilités : soit ils sont si profonds qu'on ne peut en voir le fond, soit il n'y a rien à y voir du tout.

C'est la fille du hangar, celle qui m'a chopé pendant que je faisais une pause dehors avec Nugget.

— Ringer est... une fille ! chuchote Teacup, estomaquée.

Elle fronce le nez comme si elle venait de flairer une odeur de pourriture. Voilà, non seulement elle n'est plus le bébé de l'escouade, mais elle n'est plus non plus le seul élément de la gente féminine.

— Qu'est-ce qu'on va faire avec elle ? lâche Dumbo d'un ton paniqué.

Je ne peux pas m'empêcher de sourire et je lâche :

— On va passer en tête du classement et on aura notre diplôme.

Et j'ai raison.

# 49

LA PREMIÈRE NUIT DE RINGER DANS LE QUARTIER 10 se résume en un seul mot : difficile.

Pas de plaisanteries graveleuses. Pas de vannes de machos. Nous comptons les minutes jusqu'à l'extinction des feux comme une bande de gamins nerveux avant leur premier rendez-vous. Les autres équipes ont peut-être des filles de son âge ; nous, nous avons Teacup. Ringer semble inconsciente de notre mal-être. Elle s'assied au bord de l'ancienne couchette de Tank, pour démonter et nettoyer son arme. Ringer aime son fusil. Énormément. Ça se voit à la façon dont elle passe avec amour le chiffon graissé le long du canon, l'astiquant jusqu'à ce que le métal étincelle. Nous essayons tellement de ne pas la fixer que c'en est ridicule. Elle assemble son fusil, le place avec précaution dans le placard à côté de son lit et s'approche de ma couchette. Ma gorge se serre. Je n'ai pas discuté avec une fille de mon âge depuis… Quand ? Avant l'épidémie. Et encore, il s'agissait de la vie Ben, pas de celle de Zombie.

Elle s'adresse à moi d'une voix neutre, où ne transparaît aucune émotion. Pas plus que dans ses yeux.

— Pourquoi c'est toi le chef de groupe ?

Sa question sonne comme un défi.

— Pourquoi pas ?

Pour toute tenue elle ne porte qu'un caleçon masculin et notre débardeur standard. La ligne de sa frange s'arrête juste au-dessus de ses yeux sombres qui me scrutent. Dumbo et Oompa cessent leur partie de cartes pour observer la scène. Teacup, qui sent déjà monter une dispute, a le sourire aux lèvres. Flintstone, qui triait du linge sale, laisse tomber une combinaison propre sur sa pile.

— Tu es nul, comme tireur, fait remarquer Ringer.

Je rétorque en croisant les bras sur mon torse :

— J'ai d'autres capacités. Tu devrais me voir avec un économe !

— Cela dit, tu es plutôt musclé.

J'entends un ricanement – c'est sûrement Flint.

— T'es sportif ?

— Je l'étais.

Elle se tient au-dessus de moi, poings rivés sur les hanches, ses pieds nus plantés solidement à terre. Ce sont ses yeux qui me sidèrent. Leur noirceur profonde. Qu'est-ce qu'on y découvre quand on y plonge ? Rien – ou tout ?

— Football ?

— Bien deviné.

— Et aussi base-ball, je parie.

— Quand j'étais plus jeune.

Soudain, elle change de sujet.

— Le mec que je remplace a piqué une crise genre Dorothée.

— Exact.

— Pourquoi ?

Je hausse les épaules.

— Quelle importance ?

Elle hoche la tête. Au moins, elle est d'accord avec moi.

— J'étais chef de mon équipe, dit-elle.

— Je n'en doute pas.

— Être meneur d'une équipe ne garantit pas qu'on passera sergent une fois le diplôme obtenu.

— J'espère bien !

Elle insiste :

— C'est vrai, j'ai demandé.

Elle tourne les talons et retourne à sa couchette. Je baisse les yeux sur mes pieds et remarque que mes ongles ont besoin d'une bonne coupe. Les pieds de

Ringer, eux, sont minuscules, et ses orteils plutôt maigres. Lorsque je relève les yeux, elle se dirige vers les douches, une serviette posée sur son épaule. Elle s'arrête à la porte.

— Le premier de cette escouade qui me touche, je le tue.

Il n'y a rien de menaçant ou de drôle dans ses propos. Elle ne fait qu'énoncer un fait, comme si elle évoquait le froid qui règne dehors.

— Je vais faire l'annonce, dis-je.

— Et je ne veux personne dans le coin quand je suis dans ma douche. Intimité totale.

— Enregistré. Autre chose ?

Elle reste un instant silencieuse et me fixe depuis l'extrémité de la pièce. Je me crispe. Que va-t-elle me sortir encore ?

— J'aime bien les échecs. Tu sais y jouer ?

Je secoue la tête et crie à l'attention des garçons :

— L'un d'entre vous sait jouer aux échecs ?

— Non, répond Flint, mais si elle a envie qu'on se fasse un strip poker...

Ça arrive avant même que j'aie le temps de décoller mon cul du matelas : Flint est à terre et se tient la gorge, agitant ses jambes en l'air comme un insecte renversé sur le dos. Ringer est debout au-dessus de lui.

— J'avais oublié, ajoute-t-elle, aucune remarque de macho, humiliante ou sexiste.

— Tu es géniale ! s'exclame Teacup.

À l'évidence, elle a changé d'avis à propos de Ringer. Qui sait, ce n'est peut-être pas si mal d'avoir une autre fille dans la troupe ? Je lance à Ringer :

— Tu auras droit à dix jours de demi-ration pour ce que tu viens de faire.

Flint le méritait sûrement, mais quand Reznik n'est pas dans le coin, c'est toujours moi le chef, et je tiens à le faire savoir.

— Tu m'infliges une punition ?

Aucune trace de peur dans sa voix. Ni de colère. Rien.

— Non, je te donne un avertissement.

Elle répond d'un hochement de tête, s'éloigne de Flint et me frôle en allant chercher sa trousse de toilette. Elle sent… disons qu'elle a une odeur bien féminine et, durant un instant, j'en suis quasi enivré.

Ringer écarte sa frange d'un geste de la main avant de me lâcher :

— Je me souviendrai que tu m'as fait une fleur… quand je serai le nouveau chef de l'escouade 53.

## 50

UNE SEMAINE APRÈS L'ARRIVÉE DE RINGER, l'escouade 53 remonte dans le classement de la dixième à la septième place. La troisième semaine, nous devançons l'escouade 19 pour la cinquième place. Puis, alors qu'il ne nous reste plus que deux semaines avant le diplôme, nous nous heurtons à un mur et ratons la quatrième place de seize points.

Poundcake, qui parle rarement, mais est doué question chiffres, a une théorie. Nous n'avons guère de possibilités de nous améliorer, sauf dans une catégorie : nous sommes deuxièmes en course d'obstacles, troisièmes en exercices antiaériens et en course de fond, et premiers en « autres missions », un fourre-tout qui inclut les points gagnés lors de l'inspection matinale, et pour « une conduite qui sied à une unité des forces armées ». Notre point faible, c'est le tir, où nous ne sommes que seizièmes, malgré de fameux tireurs comme Ringer et Poundcake. À moins de perfectionner notre technique dans la quinzaine de jours à venir, nous sommes foutus.

Bien sûr, pas besoin d'être un grand mathématicien pour comprendre pourquoi notre score est si bas. Le chef d'équipe est nul au tir. Alors, ce minable au tir de chef de groupe va voir le sergent instructeur pour demander à s'entraîner plus longtemps, mais rien à faire, il ne progresse pas.

Ma technique n'est pourtant pas si mauvaise ; j'accomplis les bons gestes dans le bon ordre. Cependant, j'ai de la chance si j'arrive à atteindre une cible sur trente. Ringer est d'accord : ce n'est que de la chance. Selon elle, même Nugget pourrait faire mieux. Elle s'efforce de ne pas le montrer, mais mon inaptitude au tir l'agace au plus haut point. Sa précédente équipe est deuxième du classement. Si elle n'avait pas été affectée à notre escouade, elle serait assurée d'obtenir son diplôme et d'être en bonne place pour obtenir ses galons de sergent.

— J'ai une proposition à te faire, m'annonce-t-elle un beau matin, tandis que nous nous engageons sur le terrain pour notre footing.

Elle porte un bandeau qui retient en arrière ses mèches soyeuses. Non que j'ai remarqué à quel point ses cheveux semblent doux.

— Je vais t'aider, à une condition, déclare-t-elle.

— Ça a à voir avec les échecs ?

— Démissionne de ton poste de chef.

Je lui jette un coup d'œil. Le froid a rougi ses joues d'ivoire. Ringer est une personne calme – pas comme Poundcake, mais calme dans un sens intense, troublant, comme ses yeux sombres qui semblent vous disséquer avec le même tranchant que les scalpels de Dumbo.

— Tu n'as pas demandé à avoir ce poste, et tu t'en fiches, alors pourquoi ne pas me laisser ta place ? s'enquiert-elle, le regard rivé au sentier.

— Pourquoi est-ce que, toi, tu y tiens tellement ?

— Parce que donner des ordres serait ma meilleure chance de rester en vie.

Nous suivons le chemin qui serpente jusqu'au bout du terrain, puis filons du parking de l'hôpital vers l'aérodrome. Devant nous se dresse la centrale qui dégueule ses fumées noire et grise.

— Que dis-tu de ça ? Tu m'aides, nous gagnons, je me désiste…

C'est une proposition dénuée de sens. Nous ne sommes que des recrues. Ce n'est pas à nous de décider qui sera chef d'équipe. Ce choix appartient à Reznik. D'ailleurs, je sais très bien que, pour Ringer, il ne s'agit pas seulement d'être chef de groupe, mais plutôt de passer sergent, le temps venu. Être chef de groupe ne garantit pas la promotion, mais la fonction peut aider.

Un Black Hawk de retour de sa patrouille de nuit rugit au-dessus de nos têtes.

— Tu t'es déjà demandé comment ils ont fait ça ? m'interroge-t-elle en regardant l'hélico descendre sur notre droite, vers la piste d'atterrissage. Comment ils ont réussi à tout rétablir après l'impulsion électromagnétique ?

Autant être honnête.

— Non, je n'y ai jamais réfléchi. Qu'est-ce que tu en penses ?

Son souffle forme de petits nuages dans l'air gelé. Comme de minuscules explosions.

— Ça doit être grâce à un abri antinucléaire souterrain. Ça, ou…

— Ou quoi ?

Elle demeure un instant silencieuse. Ses cheveux tressautent au rythme de sa foulée, tandis que le soleil matinal l'enveloppe de sa lumière chatoyante.

— Non, ce serait trop dingue, Zombie, dit-elle enfin. Allez, voyons un peu ce que tu as dans le ventre, monsieur la star du foot !

Je mesure dix centimètres de plus qu'elle. Pour chacune de mes foulées, elle doit en faire deux. Alors je la bats.

De peu.

L'après-midi, nous nous rendons au champ de tir, avec Oompa, qui va s'occuper des cibles. Ringer m'observe tirer quelques coups, puis me donne son avis d'experte :

— Tu es naze.

Je réplique, en lui offrant mon plus beau sourire :

— C'est bien ça le problème. Ma nazitude.

Avant toute cette histoire d'extraterrestres, mon sourire avait la cote. Je ne voudrais pas trop me vanter, mais, à l'époque, je devais faire attention à ne jamais sourire au volant : j'étais capable d'aveugler les conductrices qui venaient en sens inverse. Hélas, mon sourire n'a absolument aucun effet sur Ringer. Elle ne se pâme pas sous son éclat. Elle ne cille même pas.

— Tu as pourtant une bonne technique. Qu'est-ce qui se passe quand tu tires ?

— Eh bien, comme dirait l'autre, je rate mon coup.

Elle secoue la tête. En parlant de sourire, pour l'instant, je n'en ai jamais vu qu'une très, très, mince ébauche chez elle, et encore, lèvres pincées. Je décide que ce sera ma mission : lui arracher un sourire. C'est une envie qui ressemble plus à Ben qu'à Zombie, mais les vieilles habitudes ont du mal à s'effacer.

— Je voulais dire entre toi et la cible, explique-t-elle.

*Pardon ?*

— Heu… quand elle se dresse…

— Non, je parle de ce qui se passe entre ici – elle pose ses doigts sur ma main droite – et là – elle pointe la cible à vingt mètres.

— Je pige pas, Ringer.

— Tu dois penser à ton arme comme à une partie de toi-même. Ce n'est pas le M16 qui tire, mais toi. C'est comme souffler sur un pissenlit. C'est ton souffle qui fait sortir la balle.

Elle fait passer son fusil par-dessus son épaule et hoche la tête en direction de Oompa. Elle ignore où la cible va surgir, mais la tête en contreplaqué explose en mille morceaux avant que la silhouette se soit redressée.

— Il faut que tu te dises que tu es tout à la fois. Tu es l'arme, la balle et la cible.

— Au fond, tu es en train de m'expliquer que je dois faire exploser ma propre tête.

Là, je lui ai presque arraché un sourire. Le côté gauche de sa bouche se plisse. J'essaie encore.

— C'est très zen, ton truc.

Elle fronce les sourcils.

— C'est plutôt de la mécanique quantique.

J'approuve d'un hochement de tête très sérieux.

— Oui, bien sûr, c'est ce que je voulais dire. De la mécanique quantique…

Elle détourne la tête. Pour cacher un vrai sourire ? Alors comme ça, je n'ai pas droit à un haussement de sourcils exaspéré ? Lorsqu'elle se retourne vers moi, elle me fixe de son regard toujours aussi intense.

— Zombie, tu veux monter en grade ?

— Je veux surtout ne plus jamais avoir Reznik sur le dos.

— Ça ne suffit pas.

Du doigt, elle pointe l'une des silhouettes en contreplaqué. Le vent joue avec sa frange.

— Qu'est-ce que tu vois quand tu vises une cible ?

— Je vois une silhouette en contreplaqué.

— OK, mais qu'est-ce que tu *vois* ?

— Je sais ce que tu veux dire. Parfois je m'imagine que c'est Reznik.

— Est-ce que ça t'aide ?

— À toi de me le dire.

— Tout ça n'est qu'une question de lien, affirme-t-elle.

Elle me fait signe de m'asseoir, s'installe face à moi et me prend les mains. Les siennes sont gelées, aussi froides que les corps dans le hangar T&E.

— Ferme les yeux. Oh, allez, Zombie ! Pour l'instant, ta méthode ne t'a pas tellement réussi, alors fais ce que je dis. Parfait. Maintenant, rappelle-toi qu'il n'y a pas toi d'un côté, et la cible de l'autre. Ce qui compte, ce n'est pas ce qu'il y a entre vous, mais ce qui vous relie. Pense à un lion et à une gazelle. Qu'est-ce qui les relie ?

— Euh… la faim ?

— Ça, ça concerne le lion. Je te demande ce qu'ils partagent.

C'est quoi son truc ? Peut-être que ce n'était pas une si bonne idée, finalement, d'accepter son offre. Jusqu'à présent elle me trouvait minable comme soldat, désormais, elle va aussi penser que je suis un véritable crétin.

— La peur…, me chuchote-t-elle à l'oreille, comme si elle partageait un secret. Pour la gazelle, la peur d'être dévorée. Pour le lion, la peur de mourir de faim. La peur est la chaîne qui les relie.

La chaîne. J'en trimbale une dans ma poche avec un pendentif en argent. La nuit où ma sœur est morte… il y a un millier d'années – l'ultime nuit. C'est terminé. Ce n'est jamais terminé. Ce n'est pas une ligne qui relie cette nuit à aujourd'hui, mais un cercle.

Mes doigts serrent les siens.

Dans un souffle chaud, elle murmure à mon oreille :

— J'ignore quelle est ta chaîne. Chacun en a une différente. Ils le savent. Wonderland le leur a dit. C'est pour ça qu'ils te mettent une arme dans la main, et c'est cette même chose qui te relie à ta cible.

Puis, semblant lire dans mon esprit, elle ajoute :

— Ce n'est pas une ligne droite, Zombie, mais un cercle.

J'ouvre les yeux. Le soleil couchant la ceint d'un halo de lumière dorée.

— Il n'y a aucune distance.

Elle acquiesce d'un hochement de tête et me presse de me lever.

— Viens, il fait presque nuit.

Je ramasse mon fusil et ajuste la crosse contre mon épaule. Vous ignorez où la cible va surgir – tout ce que vous savez, c'est que ça va arriver. Ringer fait signe à Oompa. L'herbe bruisse sur ma droite un millième de seconde avant que la cible surgisse, mais c'est largement suffisant – une véritable éternité.

Il n'y a plus de distance. Rien entre moi et ce qui n'est pas moi. La tête de la cible se désintègre en un immense *crac !* Oompa pousse un cri de joie et bat l'air de son poing. J'oublie tout, attrape Ringer par la taille et la fais tournoyer. Je suis sur le point – hyper dangereux – de l'embrasser. Lorsque je la repose, elle fait quelques pas en arrière et remet ses cheveux bien en place derrière ses oreilles.

— Désolé, c'était plutôt... inconvenant, dis-je.

J'ignore lequel de nous deux est le plus embarrassé. Nous nous efforçons de reprendre notre souffle. Peut-être pour des raisons différentes.

— Tu n'as qu'à recommencer, suggère-t-elle.

— Quoi ? Tirer ou te faire tournoyer ?

Ses lèvres se plissent. Oh, je suis si près...

— À toi de voir.

## 51

JOUR DE REMISE DES DIPLÔMES.

Nos nouveaux uniformes nous attendaient quand nous sommes revenus du petit déjeuner, repassés, amidonnés, et pliés avec grand soin sur nos couchettes. Nous avons même eu droit à une surprise supplémentaire : des bandeaux équipés de la dernière technologie en matière de détection d'extraterrestres, grâce à un petit disque transparent, de la taille d'une pièce de vingt-cinq cents, qui se positionne sur votre œil gauche.

Les silhouettes des humains infestés s'éclaireront à travers la lentille. En tout cas, c'est ce qu'on nous a dit. Un peu plus tard dans la journée, quand j'ai demandé au technicien comment ça fonctionnait exactement, sa réponse a été des plus simples : les Impurs se mettent à luire d'une lumière verte. Quand j'ai voulu savoir s'il pouvait me faire une rapide démonstration, il s'est mis à rire.

— Tu auras ta démo sur le terrain, soldat.

Pour la première fois depuis notre arrivée à Camp Haven – et probablement pour la dernière fois de nos vies – nous nous comportons à nouveau comme des enfants. Nous poussons des cris de joie et sautons de couchette en couchette, en faisant le V de la victoire. Ringer est la seule à se réfugier dans les toilettes pour se changer. Le reste de la troupe se déshabille sur place et jette les combinaisons bleues tant détestées en une pile au milieu de la pièce. Teacup propose de les brûler, et elle l'aurait fait si Dumbo ne lui avait pas retiré l'allumette des mains à la dernière seconde.

Le seul sans uniforme est assis sur son lit, vêtu de sa combinaison blanche, ses jambes battant l'air d'avant en arrière, bras croisés sur son torse, une vilaine moue plissant sa bouche. Je comprends ce qu'il ressent. Une fois que j'ai endossé mon nouvel uniforme, je m'installe à côté de lui et lui donne une légère tape sur la cuisse.

— Ton tour viendra, soldat. Accroche-toi.

— Pas avant deux ans, Zombie.

— Et alors ? Pense un peu à l'excellent soldat que tu seras d'ici là. Tu nous ficheras la honte !

Nugget va rejoindre une autre escouade dès que nous serons déployés. Je lui ai promis qu'il pourrait venir s'endormir avec moi chaque fois que je serai sur la base, même si j'ignore quand – voire si – je reviendrai.

Notre mission est toujours top secrète. Seul le commandant en chef en a connaissance. D'ailleurs, je me demande si Reznik sait où nous allons.

Je m'en fiche, tant qu'il reste ici.

Je plaisante :

— Souris un peu, soldat ! Tu es censé te réjouir pour moi.

— Tu ne reviendras pas !

Il crie avec une telle colère que j'ignore quoi répondre.

— Je ne te reverrai jamais !

— Bien sûr que si, Nugget. Je te le promets.

Il me frappe de toutes ses forces, juste au-dessus du cœur, encore et encore. J'attrape alors son poignet, mais il continue à me frapper de son autre main. Je la saisis aussi et lui ordonne de se lever. Son visage bouillonne de rage.

— Ne fais pas de promesses ! Ne fais pas de promesses ! Ne fais pas de promesses ! Ne promets rien ! Jamais, jamais, jamais !

— Hé, Nugget ! Calme-toi !

Je lui replie les bras sur le torse et me penche pour le regarder droit dans les yeux.

— Parfois on n'a pas besoin de promesses. On se contente d'agir.

Je fouille dans ma poche et en retire le collier de Sissy. J'en défais le fermoir. Je ne l'ai pas ouvert depuis que je l'ai réparé lors de mon séjour au village de tentes. Cercle brisé. Je le passe autour du cou de Nugget et le referme. Cercle complet.

— Peu importe ce qui arrivera dehors, je reviendrai pour toi, je te le promets.

Par-dessus son épaule, je vois Ringer sortir de la salle de bains. Elle rassemble ses cheveux sous sa nouvelle casquette. Je me mets aussitôt au garde-à-vous et lui décoche un salut militaire.

— Soldat Zombie prêt au rapport, chef !

— Mon seul jour de gloire, lâche-t-elle en me rendant mon salut. Tout le monde sait qui va obtenir le grade de sergent.

Je hausse les épaules avec modestie.

— Je n'écoute pas les rumeurs.

— Tu as fait une promesse que tu n'as pas pu tenir, fait-elle remarquer de son habituel ton neutre.

Dommage qu'elle dise ça devant Nugget.

— Tu es sûr que tu ne veux pas te mettre aux échecs, Zombie ? insiste-t-elle. Tu ferais un excellent joueur.

Rire me semble la réponse la plus prudente, alors je ris.

La porte s'ouvre, et Dumbo hurle.

— Chef ! Bonjour, chef !

Nous nous précipitons au pied de nos couchettes et nous figeons au garde-à-vous alors que Reznik s'avance pour sa dernière inspection. Il a perdu de son entrain. Aujourd'hui, il ne nous traite pas d'asticots ni de sacs à merde. Cependant, il est encore plus tatillon que d'habitude. La chemise de Flintstone dépasse d'un côté. La casquette d'Oompa est de travers. D'une pichenette du doigt, il chasse une minuscule peluche qu'il est le seul à voir sur le col de Teacup. Il se penche vers elle durant un long moment, la fixant avec un tel sérieux qu'il en est presque comique.

— Alors, soldat, êtes-vous prête à mourir ?

— Oui, chef ! rugit-elle d'une voix de guerrière.

Reznik se tourne lentement vers nous tous.

— Et vous ? Êtes-vous prêts ?

Nos voix résonnent à l'unisson.

— Oui, chef !

À l'instant de nous quitter, Reznik m'ordonne d'avancer d'un pas.

— Venez avec moi, soldat.

Il effectue un ultime salut envers la troupe avant d'ajouter :

— On se verra à la fête, les enfants.

Quand je sors, Ringer me lance un regard entendu : *Tu vois, je te l'avais bien dit.*

Je suis le sergent instructeur – deux pas derrière lui – tandis qu'il traverse la cour. Des recrues en tenue bleue mettent les dernières touches à l'estrade, accrochant bannières et fanions, installant des chaises et déroulant un tapis rouge. Une immense banderole a été déployée sur les baraquements et affiche sur le côté le plus éloigné : NOUS SOMMES L'HUMANITÉ. Et de l'autre : TOUS POUR UN.

Nous pénétrons dans un banal immeuble à un seul étage, à l'ouest de l'enceinte, et passons une porte de sécurité mentionnant : RÉSERVÉ AU PERSONNEL. Ensuite, un portail détecteur de métal, gardé par des soldats lourdement armés, aux visages de marbre. Puis nous prenons un ascenseur qui nous emporte quatre étages sous terre. Reznik ne dit pas un mot. Il ne me regarde même pas. J'ai une petite idée de l'endroit où nous nous rendons, mais j'ignore pourquoi. Je garde les yeux rivés sur mon nouvel uniforme.

Un long couloir éclairé de lumières fluorescentes. Un second poste de contrôle. D'autres soldats, toujours aussi lourdement armés, aux mêmes visages marmoréens. Reznik s'arrête à une porte sans aucune inscription et glisse sa carte électronique dans la serrure. Nous pénétrons dans une pièce étroite. Un homme en uniforme de lieutenant nous accueille, nous le suivons dans un couloir, avant d'arriver à un vaste bureau privé. Quelqu'un est installé à la table de travail et farfouille dans une pile de documents.

C'est Vosch.

Il renvoie aussitôt Reznik et le lieutenant, et nous nous retrouvons seuls.

— Mettez-vous à votre aise, soldat.

J'écarte les pieds, passe les bras dans mon dos, ma main droite enserrant mon poignet gauche. Je me tiens devant son large bureau, regard rivé droit devant moi, torse bombé. Vosch est le commandant en chef. Je ne suis qu'un simple soldat, une humble recrue. Pas encore vraiment soldat, en fait. Mon cœur bat si fort qu'il risque de faire sauter les boutons de ma toute nouvelle chemise.

— Alors, Ben, comment allez-vous ?

Il me sourit avec chaleur. Je ne sais même pas quoi répondre à sa question. De plus, je suis troublé qu'il m'ait appelé Ben. Ce prénom semble étrange à mes propres oreilles, vu que, pour tout le monde et depuis des mois j'étais Zombie. Le commandant attend une réponse, et, avec stupidité, je lâche la première phrase qui me passe à l'esprit.

— Le soldat est prêt à mourir, chef !

Toujours souriant, Vosch hoche la tête, puis se lève, et contourne son bureau.

— Parlons en toute liberté, de soldat à soldat. Après tout, c'est ce que vous êtes à présent, sergent Parish.

Alors je les vois : les galons de sergent dans sa main. Ainsi, Ringer avait raison. Je me remets au garde-à-vous pendant qu'il épingle les galons sur mon col. Puis il me gratifie d'une tape sur l'épaule, ses yeux bleus sondant les miens. C'est difficile de soutenir son regard – quand il vous scrute vous avez l'impression d'être nu, complètement exposé.

— Vous avez perdu un homme, poursuit-il.

— Oui, chef.

— C'est terrible.

— Oui, chef.

Il sourit. Pourquoi ? Il fait frais dans ce bunker, pourtant je commence à transpirer.

— Allez-y, posez votre question, me suggère-t-il dans un geste.

— Pardon, chef ?

— Cette question à laquelle vous pensez sûrement. Celle qui vous trotte dans la tête depuis que vous avez vu le corps de Tank sur une table du hangar. Celle que vous n'avez pas posée à votre sergent instructeur quand vous lui avez restitué la puce du soldat.

— Comment est-il mort ?

— D'une overdose, comme vous l'avez certainement deviné. Depuis la veille, nous avions cessé de le surveiller. Il n'a pas perdu de temps !

De la main, il me désigne un siège à côté de moi.

— Asseyez-vous, Ben. Je veux discuter d'un sujet particulier avec vous.

Je m'assieds alors au bord de la chaise, dos droit, menton levé. S'il est possible d'être en position de garde-à-vous tout en étant assis, c'est ce que je fais.

— Nous avons tous notre point de rupture, affirme Vosch, me fixant toujours de ses yeux bleus. Je vais vous raconter le mien. Deux semaines après la 4ᵉ Vague, nous avons réuni les survivants d'un camp de réfugiés à environ six kilomètres d'ici. En fait, pas tous les survivants. Juste les enfants. Même si nous n'avions pas encore détecté de cas d'infestation, nous supposions à tort ou à raison que, quel que soit le Mal, les enfants n'étaient pas touchés. Comme nous n'avions aucun moyen de savoir qui était notre ennemi et qui ne l'était pas, le commandant en chef a donc pris la décision d'éliminer toute personne âgée de plus de quinze ans.

Son visage s'assombrit. Il détourne les yeux. Se penche sur le bureau, et en serre les bords si fort que ses jointures blanchissent.

— Je veux dire que *j*'ai pris la décision, dit-il dans un profond soupir. Nous les avons tués, Ben. Après avoir embarqué les enfants, nous les avons tous tués. Puis nous avons rasé leur camp. Nous l'avons rayé de la surface de la Terre.

Il reporte son regard sur moi. Stupéfait, je vois des larmes briller dans ses yeux.

— Voilà mon point de rupture, Ben. Par la suite, je me suis rendu compte, à ma grande horreur, que j'étais tombé dans leur piège. J'étais devenu un instrument pour l'ennemi. Pour chaque personne infestée que j'avais assassinée, trois personnes innocentes étaient mortes. Je devrais vivre avec ça – parce que je dois vivre. Vous comprenez ce que je veux dire ?

D'un signe de tête, je réponds par l'affirmative. Il a un sourire triste.

— Bien sûr que vous comprenez. Nous avons tous les deux le sang d'innocents sur nos mains, n'est-ce pas ?

Il se redresse et se reprend. Ses larmes ont disparu.

— Sergent Parish, aujourd'hui nous allons remettre leur diplôme aux quatre premières escouades de votre bataillon. En tant que chef de l'équipe victorieuse, vous êtes le premier à pouvoir choisir votre mission. Deux troupes seront déployées dans le périmètre pour protéger cette base. Les deux autres seront déposées en territoire ennemi.

Il me faut une ou deux minutes pour ingérer tout ça. Vosch me les accorde. Il saisit un des documents imprimés et le tient devant moi. La page comporte une multitude de chiffres, des lignes ondulées, et des symboles bizarres qui ne signifient absolument rien à mes yeux.

— Je ne m'attends pas à ce que vous soyez capable de le lire, mais pourriez-vous deviner de quoi il s'agit ?

— Ce n'est rien d'autre qu'une énigme pour moi, chef !

— C'est l'analyse par Wonderland d'un être humain infesté.

De nouveau je hoche la tête. Pourquoi je fais ça ? Ce n'est pas comme si je comprenais : *Ah, oui, Commandant, une analyse ! Bien sûr ! Je vous en prie, développez.*

— Nous les avons passées en revue, mais nous n'avons pas réussi à décrypter les cartes d'infestation des victimes – ou des clones, ou quoi que ce soit. Jusqu'à présent.

Il lève le document un peu plus haut.

— Voilà, sergent Parish, à quoi ressemble la conscience d'un alien.

Encore un mouvement de tête. Mais, cette fois, je commence à piger.

— Vous savez ce qu'ils pensent...

Vosch me fixe avec un grand sourire. On dirait qu'à ses yeux je suis l'élève parfait.

— Exactement ! La clé pour gagner cette guerre n'a rien à voir avec la tactique ou la stratégie. Il ne s'agit pas non plus d'avoir une technologie plus puissante. La véritable clé pour sortir victorieux de cette bataille, ou de n'importe quelle guerre, c'est de comprendre comment pense l'ennemi. Et, à présent, nous le savons.

J'attends qu'il me le dise. Comment l'ennemi pense-t-il ?

— En grande partie, nos présomptions étaient justes. Cela fait longtemps qu'ils nous observent. Les virus étaient introduits dans des individus clés, répartis dans le monde entier, des agents dormants, si vous préférez, qui attendaient le signal pour se réveiller et lancer une attaque simultanée, une fois que notre population serait réduite à un nombre restreint. Nous savons ce qu'il en est de leur attaque à Camp Haven, et nous soupçonnons que d'autres bases militaires n'ont pas été aussi chanceuses.

Il fait claquer le document sur sa cuisse. J'ai dû tressaillir, parce qu'il m'offre un sourire rassurant avant de poursuivre.

— Un tiers de la population survivante. Voilà ce qu'ils représentent. Introduits sur Terre pour exterminer ceux qui avaient survécu aux trois premières Vagues. Vous. Moi. Les membres de votre escouade. Nous tous. Si vous redoutiez, comme le pauvre Tank, qu'une 5e Vague surgisse, vous pouvez oublier ça. Il n'y aura pas de 5e Vague.

Ils n'ont aucune intention de quitter leur ravitailleur avant que la race humaine ne soit éradiquée.

— C'est pour ça qu'ils n'ont pas encore… ?

— Déclenché l'attaque finale ? Oui, c'est ce que nous pensons. Il semble que leur plus cher désir soit de préserver la planète pour la coloniser. Maintenant, nous sommes dans une guerre d'usure. Nos ressources sont limitées – elles ne dureront pas éternellement. Nous le savons. Ils le savent. Sans réserve, et sans aucun moyen de rassembler des forces significatives de combat, à l'instar de celles que nous pourrions avoir dans ce camp – et dans d'autres camps similaires –, nous finirons par nous faner et mourir, telle une vigne privée de ses racines.

Vosch sourit toujours. Bizarre. Comme si quelque chose dans ce scénario catastrophe l'excitait. Je demande :

— Alors, qu'allons-nous faire ?

— La seule chose que nous puissions faire, sergent. Nous allons passer à l'attaque !

Il prononce ces mots sans aucun doute, aucune peur, aucun désespoir. *Nous allons passer à l'attaque !* C'est bien pour ça que c'est lui le commandant en chef. Il se tient devant moi avec un sourire confiant. Ses traits ciselés m'évoquent ceux d'une statue ancienne au profil noble, avisé, fort. Il est le rocher contre lequel les vagues d'aliens s'écraseront. Il est intact. Nous sommes l'humanité, clame la bannière. Faux. Nous n'en sommes qu'un pâle reflet, une ombre faible, un écho distant. Vosch est l'humanité, son cœur battant et invincible.

À cet instant, si le commandant Vosch m'avait demandé de me tirer une balle dans la tête pour notre cause, je l'aurais fait. Sans aucune hésitation.

— Ce qui nous ramène à votre mission, poursuit-il d'un ton neutre. Nos avions de reconnaissance ont identifié des poches significatives de combattants infestés réunis autour et dans Dayton. Une escouade y sera déposée en hélicoptère. Durant les quatre heures suivantes, elle devra se débrouiller seule. Les chances d'en sortir vivant sont à peine d'une sur quatre.

Je m'éclaircis la gorge.

— Et il y aura deux équipes, là-bas.

Hochement de tête de la part de Vosch. Ses yeux bleus me fixent désormais jusqu'au plus profond de moi.

— À vous de décider.

Le même petit sourire. Il sait déjà ce que je vais répondre. Il le savait bien avant que j'aie franchi cette porte. Peut-être est-ce mon profil Wonderland qui le lui a appris, mais je ne crois pas. Vosch me connaît.

Je me lève alors de ma chaise et me mets au garde-à-vous.

Et je lui dis ce qu'il sait déjà.

## 52

À NEUF HEURES PILE, LE BATAILLON ENTIER se rassemble dans la cour, tel un océan de combinaisons bleues. À sa tête se trouvent les quatre premières escouades dans leurs uniformes impeccables. Cela fait plus d'un millier de recrues qui se tiennent en parfaite formation, faisant face à l'est – la direction des nouveaux départs –, et à l'estrade érigée la veille. Les drapeaux dansent dans le vent glacial, mais nous ne sentons pas le froid. Nous sommes réchauffés par un feu intérieur plus brûlant que celui qui a réduit Tank en cendres. Les gradés du commandement central s'approchent du premier rang – le rang des gagnants –, pour nous serrer la main et nous féliciter. Ensuite, nous avons droit à quelques mots de gratitude des sergents instructeurs. Durant des nuits j'ai rêvé de ce que je dirais à Reznik lorsqu'il me serrerait la main. *Merci d'avoir fait de ma vie un enfer... Oh, crève, espèce de fils de pute...* Ou encore mon préféré, bien plus direct : *Va te faire foutre !*

Cependant, à l'instant où il me serre réellement la main, je me sens tout chose. J'ai à la fois envie de le frapper et de l'étreindre.

— Félicitations, Ben !

Ça alors, c'est la meilleure ! J'ignorais qu'il connaissait mon prénom. Il me fait un clin d'œil et remonte le rang.

Nous avons droit à quelques courts discours de la part d'officiers que je n'avais jamais vus. Puis le commandant en chef est annoncé, et les troupes s'enflamment, jetant leurs casquettes au-dessus de leurs têtes, et fendant l'air de leurs poings. Les bâtiments qui encerclent la cour font résonner nos cris, et le bruit est si fort qu'on a l'impression que nous sommes deux fois plus nombreux. Avec une extrême lenteur délibérée, le commandant Vosch lève la main vers son front et, tout à coup, c'est comme s'il avait appuyé sur un bouton : le bruit cesse illico, nous le saluons alors à notre tour. Tout est devenu calme. C'en est presque trop. Après ce qui nous a amenés ici et ce que nous avons traversé, après le sang, la mort et le feu, après avoir contemplé l'horrible miroir du passé à travers Wonderland et affronté l'atroce vérité du futur dans la salle d'exécution, après des mois d'entraînement brutal qui a poussé certains d'entre nous au point de non-retour, nous sommes enfin arrivés. Nous avons survécu à la mort de notre enfance. Désormais, nous sommes de vrais soldats, peut-être bien les derniers soldats qui combattront jamais – l'ultime espoir de la Terre –, tous unis par le même désir de vengeance.

Je n'entends pas un mot du discours de Vosch. J'observe le soleil se lever au-delà de son imposante stature, encadré par les tours jumelles de la centrale électrique. Sa lueur dissimule le ravitailleur en orbite, seule imperfection dans le ciel autrement parfait. Il semble si petit, si insignifiant ce vaisseau spatial que j'ai l'impression que je pourrais l'atteindre, l'arracher du ciel, le jeter à terre et l'écraser sous mes talons. Le feu qui brûle en moi s'étend dans chaque cellule de mon corps. Il fait fondre mes os, crame ma peau – je suis le soleil transformé en supernova.

J'avais tort. Ben Parish n'est pas mort le jour où j'ai quitté l'aile des convalescents. J'ai trimbalé son corps puant en moi pendant que je faisais mes classes. À présent, les dernières particules de cet être ont été brûlées, et je fixe sur l'estrade la silhouette solitaire qui a allumé ce brasier. L'homme qui m'a montré le véritable champ de bataille. Qui m'a vidé afin que je puisse être à nouveau rempli. Qui m'a tué pour que je puisse vivre. Et je vous jure que je le vois me scruter en retour de ses yeux d'un bleu glacial qui ont sondé mon âme, et je sais – oui, je sais – ce qu'il pense. Vous et moi, nous ne formons qu'un, Ben. Nous sommes deux frères unis par la haine, la ruse et la fourberie.

Par la vengeance.

# VII

# LE COURAGE DE TUER

# 53

*Tu m'as sauvé.*

Durant la nuit, allongée dans ses bras, ses paroles résonnent à mon esprit, et une pensée me hante.

*Idiote, idiote, idiote. Tu ne peux pas faire ça. Tu ne peux pas, tu ne peux pas, tu ne peux pas !*

Première règle : ne faire confiance à personne, ce qui conduit à la seconde : l'unique façon de rester en vie aussi longtemps que possible est de rester seul aussi longtemps que possible.

Voilà, je les ai brisées toutes les deux.

Oh, ils sont malins ! Plus il devient difficile de survivre, plus on a envie de se regrouper. Et plus on se regroupe, plus la survie devient difficile.

Le fait est que j'ai eu ma chance, mais que je ne m'en suis pas très bien tirée. En fait, j'ai merdé. Je serais morte si Evan ne m'avait pas trouvée.

Il est collé contre mon dos, son bras passé autour de ma taille en un geste protecteur. Son souffle me chatouille la nuque. La chambre est froide ; ce serait plus sympa de se glisser sous les couvertures, mais je n'ose pas bouger, de peur qu'il se réveille. Je laisse courir mes doigts sur ses bras nus, me remémorant la chaleur de ses lèvres et la douceur de ses cheveux sous mes caresses. Le garçon qui ne dort jamais dort enfin. Il se repose sur la rive cassiopéenne, une île au milieu d'un océan de sang. *Tu as ta promesse, et moi je t'ai, toi.*

Je ne peux pas lui faire confiance. Je dois lui faire confiance.

Je ne peux pas rester avec lui. Je ne peux pas l'abandonner.

Vous ne pouvez plus faire confiance à la chance. Voilà ce que les Autres m'ont enseigné.

Mais peut-on encore avoir confiance en l'amour ?

Non que j'aime Evan. J'ignore carrément à quoi ressemble l'amour. Je me souviens de ce que j'éprouvais pour Ben, mais je ne saurais le mettre en mots, en tout cas, pas avec des mots que je connais.

Evan s'agite à côté de moi.

— Il est tard, murmure-t-il. Tu ferais mieux de dormir.

*Comment sait-il que je suis réveillée ?*

— Et toi ?

Il roule sur le lit, se lève, et se dirige vers la porte. Je m'assieds. Mon cœur bat la chamade. Pourquoi ?

— Où vas-tu ?

— Faire un tour. Je ne serai pas long.

Dès son départ, je retire mes vêtements et enfile une de ses chemises à carreaux écossais. Val était du genre à dormir avec des chemises de nuit à fanfreluches. Pas mon style.

Je retourne dans le lit et tire les couvertures jusqu'à mon menton. Putain, qu'il fait froid ! J'écoute le silence qui règne dans la maison. La maison sans Evan. Dehors, les bruits de la nature s'enchaînent. Les aboiements lointains des chiens sauvages. Le hurlement d'un loup. Le hululement des chouettes. C'est l'hiver, la période de l'année où la nature chuchote. Quand le printemps arrivera, nous aurons droit à une véritable symphonie. J'attends le retour d'Evan. Une heure passe. Puis deux. Soudain, un craquement m'alerte. Je retiens mon souffle. D'habitude, je l'entends quand il rentre : la porte de la cuisine qui claque, le bruit lourd de ses bottes pendant qu'il monte l'escalier. Pour l'instant, je ne perçois rien d'autre qu'un sinistre grincement sur le seuil de ma chambre. Je tends le bras pour attraper mon Luger sur la table de nuit. Je le garde en permanence près de moi.

*Il est mort. Ce n'est pas Evan sur le palier, mais un Silencieux.*

Je me glisse hors du lit et, sur la pointe des pieds, je m'approche de la porte. Colle mon oreille dessus. Ferme les yeux pour me concentrer. Je tiens mon pistolet à deux mains, comme il faut, comme Evan me l'a montré. Je répète chaque étape dans ma tête, ainsi qu'il me l'a enseigné.

*Main gauche sur le bouton de la porte. Tourne, ouvre, deux pas en arrière, pistolet pointé. Tourne, ouvre, deux pas en arrière, pistolet pointé...*

Un nouveau grincement.

OK, j'y vais ! J'ouvre la porte à toute volée, fais un seul pas en arrière – bravo pour la répétition ! – et pointe mon arme, droit devant moi. Evan fait un bond, se plaque contre le mur, et, par réflexe, lève les mains en l'air quand il voit mon Luger braqué sur lui. On dirait qu'il vient de se faire surprendre par un agresseur.

— Hé !

— Putain, Evan, mais qu'est-ce que tu fabriques ?

La colère me fait trembler.

— Je revenais pour… pour voir si tout allait bien. Pourrais-tu éloigner ce pistolet, s'il te plaît ?

— Tu sais que je n'avais pas besoin de l'ouvrir, je lance d'une voix hargneuse en baissant mon Luger. J'aurais pu tirer à travers la porte.

— À l'avenir, je frapperai, m'assure-t-il avec son fameux petit sourire de travers.

— Bon, on va établir un code pour toutes les fois où tu auras envie de t'approcher à pas de loup. Un coup, ça veut dire que tu veux entrer. Deux coups, que tu te contentes de t'arrêter pour m'espionner dans mon sommeil.

Ses yeux passent de mon visage à ma chemise – la sienne, en fait – puis descendent sur mes jambes nues, s'y attardant juste un petit peu trop longtemps avant de remonter vers mon visage. Son regard est chaud. Mes jambes glacées.

Il frappe un coup au montant de la porte. Je suis toujours énervée, mais son sourire me fait fondre et je le laisse entrer.

Nous nous asseyons sur le lit. J'essaie d'oublier que je porte sa chemise, que cette chemise sent comme lui, qu'il n'est assis qu'à quelques centimètres – avec sa propre odeur –, et que j'éprouve un pincement au fond de moi, comme si un morceau de charbon brûlait au creux de mon estomac.

J'ai envie qu'il me touche encore. Je veux sentir ses mains, douces comme des nuages. Mais j'ai peur que, s'il me touche, les sept milliards de milliards de milliers de cellules qui composent mon corps explosent et se répandent dans l'univers.

— Tu crois qu'il est en vie ? chuchote-t-il.

Son regard est triste, quasi désespéré. Que se passe-t-il ? Pourquoi pense-t-il à Sam ?

Je hausse les épaules. Comment pourrais-je connaître la réponse à cette question ?

— Je l'ai su, pour Lauren. Je veux dire, quand elle a cessé de vivre.

Il effleure le dessus-de-lit, fait courir ses doigts sur les coutures, en suit les bords comme s'il traçait un chemin sur une carte au trésor.

— Je l'ai senti. Il n'y avait plus que Val et moi. Val était bien malade, et je savais qu'il ne lui restait plus beaucoup de temps. Je connaissais presque le timing heure par heure. Ça faisait déjà six fois que je traversais la même épreuve.

Il lui faut une minute pour continuer. Quelque chose le hante. Son regard erre sans relâche à travers la chambre, cherchant à se distraire – à moins que ce ne soit au contraire, à se concentrer sur ce moment. Ce moment avec moi, et non celui auquel il ne cesse de penser.

— Un jour, j'étais dehors en train d'accrocher des draps sur le fil à linge, et j'ai été envahi d'un sentiment étrange. C'était comme si un truc m'avait frappé au torse. Je veux dire, vraiment *physiquement*, pas mentalement, pas comme une petite voix à l'intérieur de ma tête qui m'aurait prévenu que... que Lauren était partie. Non, c'était *exactement* comme si quelqu'un m'avait frappé fort. Et j'ai su. Alors, j'ai laissé tomber les draps et me suis précipité chez elle...

Il secoue la tête. J'effleure son genou, puis retire ma main très vite, de peur d'aller trop loin. Je demande :

— Comment elle a fait ?

Va-t-il me répondre ? Jusqu'à présent, il s'est toujours comporté comme un iceberg, ses émotions enfouies aux deux tiers sous la surface, écoutant plus qu'il ne parlait, posant plus de questions qu'il ne m'offrait de réponses.

— Elle s'est pendue. Je l'ai décrochée.

Il a l'air maintenant très loin. Ici avec moi, là-bas avec elle.

— Puis je l'ai enterrée.

J'ignore que dire. Donc, je ne dis rien. Beaucoup trop de gens parlent alors qu'ils feraient mieux de la fermer.

— Je crois que c'est comme ça que ça se passe, poursuit-il après un long silence. Quand on aime quelqu'un. Si quelque chose arrive à cette personne, c'est un terrible coup au cœur. Pas *comme* un coup au cœur ; un *vrai coup* dans le cœur.

Il hausse les épaules et lâche un petit ricanement.

— En tout cas, c'est ce que j'ai ressenti.

— Et tu penses que, puisque moi je n'ai pas ressenti la même chose, Sammy pourrait être en vie ?

Il hausse de nouveau les épaules, et glousse.

— OK, c'est stupide ! Désolé d'avoir amené le sujet sur le tapis.

— Cette Lauren, tu l'aimais vraiment, n'est-ce pas ?

— Nous avons grandi ensemble.

Ses yeux se mettent à briller tandis qu'il évoque ses souvenirs.

— Elle était tout le temps ici, ou alors c'est moi qui étais chez elle. Au fil des années, c'était toujours pareil. Elle chez moi, et moi chez elle. Du moins, quand je pouvais m'éclipser. J'étais censé aider mon père à la ferme.

— C'est là que tu vas la nuit ? Chez Lauren.

Une larme roule sur sa joue. Je l'essuie de mon pouce, comme il l'a fait avec mes larmes la nuit où je lui ai demandé s'il croyait en Dieu.

Soudain, il se penche et m'embrasse. Juste comme ça !

— Pourquoi est-ce que tu m'as embrassée, Evan ?

On parle de Lauren, puis il m'embrasse. Berk ! C'est plutôt bizarre.

— Aucune idée.

Il baisse la tête. Et voilà ! Il y a Evan l'énigmatique, Evan le taciturne, Evan le passionné et, maintenant, l'Evan qui ressemble à un petit garçon timide. Je le taquine :

— La prochaine fois, tu ferais bien d'avoir une bonne raison !

— OK.

Il m'embrasse encore.

Je chuchote :

— Pour quelle raison ?

— Heu... parce que tu es hypra mignonne ?

— Ça me va. Je ne sais pas si c'est vrai, mais ta raison me plaît.

Il prend mon visage entre ses mains si douces, puis se penche pour un troisième baiser qui se prolonge et déclenche une onde de chaleur au plus profond de moi. J'en ai des frissons dans la nuque.

— C'est vrai, murmure-t-il, tandis que nos lèvres s'effleurent.

Nous nous endormons dans la position de petite cuillère, comme nous l'étions quelques heures plus tôt, la paume de sa main posée juste à la base de mon cou. Je me réveille au beau milieu de la nuit. L'espace d'un instant, je crois être de retour dans les bois, à l'intérieur de mon sac de couchage, avec mon ours en peluche et mon M16 – et un inconnu blotti contre moi.

*Non, tout va bien, Cassie. C'est Evan qui est là, le garçon qui t'a sauvée, qui a pris soin de toi jusqu'à ce que tu ailles mieux, et qui est prêt à risquer sa vie pour que tu puisses tenir ta ridicule promesse. Evan, celui qui remarque toujours tout, et qui t'a remarquée, toi. Evan, le simple garçon de ferme aux mains chaudes et douces.*

Soudain, à cette pensée, mon cœur marque un arrêt. Depuis quand les garçons de ferme ont-ils les mains douces ?

J'écarte aussitôt sa main de mon cou. Evan s'agite et pousse un léger soupir que je sens dans ma nuque. Maintenant, mes frissons n'ont plus rien à voir avec ceux que j'ai ressentis tout à l'heure. Du bout des doigts, j'effleure sa paume. Aussi douce que les fesses d'un bébé.

OK, Cassie, ne panique pas ! Ça fait des mois qu'il n'a pas accompli de travaux agricoles. Et tu sais qu'il a les ongles soignés… Mais est-ce que des années de callosités peuvent être effacées par quelques mois à chasser dans les bois ?

Chasser dans les bois…

Je penche lentement la tête pour renifler ses doigts. C'est sûrement mon imagination qui s'emballe, j'ai pourtant l'impression de humer l'odeur âcre et métallique de la poudre. Quand a-t-il utilisé une arme ? Ce soir, il n'est pas sorti chasser. Il s'est juste rendu sur la tombe de Lauren.

Je suis plus que réveillée à présent. Allongée entre ses bras alors que l'aube se lève, je sens son cœur battre contre mon dos, tandis que le mien tambourine contre sa paume.

— *Tu dois être un mauvais chasseur. Tu reviens presque chaque fois les mains vides.*

— *En fait, je suis très doué.*

— *Tu n'as pas le cœur à tuer ?*

— *J'ai le cœur à faire ce que je dois faire !*

Qu'est-ce qui te tient tant à cœur, Evan Walker ?

---

# 54

---

LE LENDEMAIN, J'ENDURE UNE VÉRITABLE AGONIE. Impossible d'affronter Evan. Beaucoup trop risqué. Et si le pire était vrai ? S'il n'existait aucun Evan Walker garçon de ferme, seulement un Evan Walker traître envers l'espèce humaine – ou l'inconcevable (un mot qui résume bien cette invasion extraterrestre) : Evan Walker, un Silencieux. Je m'efforce de me convaincre que cette dernière possibilité est ridicule. Un Silencieux n'aurait jamais pris soin de moi comme ça – pas plus qu'il ne m'aurait donné de surnom ou ne se serait pelotonné contre moi dans le noir. Un Silencieux se serait contenté de… eh bien, de me réduire au silence.

Une fois que j'ai décidé de l'affronter, c'est comme si la partie était déjà terminée. S'il n'est pas ce qu'il affirme, je ne lui laisserai aucun choix. Quelles que soient ses raisons pour m'avoir gardée en vie, je ne crois pas que je resterai vivante assez longtemps s'il pense que je connais la vérité.

*Calme-toi. Réfléchis. Ne te braque pas comme tu le fais toujours, Sullivan. Ce n'est pas dans tes habitudes, mais tu pourrais essayer de cogiter de façon méthodique, pour une fois !*

Alors, je prétends que tout va bien. Néanmoins, durant le petit déjeuner, j'aiguillonne la conversation sur ses jours avant l'Arrivée. Quel genre de travail accomplissait-il à la ferme ? Comme quoi ? demande-t-il. Conduire le tracteur, ranger le foin, nourrir les animaux, réparer du matériel, tendre des fils barbelés ? Mes yeux sont rivés sur ses mains tandis qu'en esprit je lui cherche des excuses. Peut-être portait-il sans cesse des gants ? Comment lui poser la question ? *Evan, je suis étonnée. Tu as des mains si douces pour quelqu'un qui a grandi dans une ferme. Tu as dû porter des gants tout le temps et te mettre beaucoup de crème sur les mains, hein ? Bien plus que ne le font les garçons en général.*

Il n'a aucune envie de parler du passé. C'est le futur qui l'inquiète. Il veut des détails sur notre mission. Nous devons dresser un plan. Estimer chaque pas entre la ferme et Wright-Patterson. Envisager toutes les éventualités. Et si le blizzard se manifeste de nouveau ? Et si nous trouvons la base désertée ? Comment pourrons-nous suivre les traces de Sammy, dans ce cas ? Quand déciderons-nous que nos recherches sont vaines et qu'il vaut mieux abandonner ?

— Je n'abandonnerai jamais.

J'attends la tombée de la nuit. Je n'ai jamais été très patiente, donc, évidemment, il remarque ma nervosité.

— Ça va aller ?

Evan se tient près de la porte de la cuisine, son fusil accroché à son épaule. Il prend avec tendresse mon visage entre ses mains si douces. Et moi, je plonge dans ses yeux couleur chocolat, brave Cassie, confiante Cassie, éphémère Cassie.

*Bien sûr, tout ira bien. Tu n'as qu'à sortir flinguer quelques humains pendant que je prépare du pop-corn.*

Je referme la porte derrière lui. Puis l'observe descendre le porche pour se diriger vers les arbres, direction ouest, vers l'autoroute, où, comme chacun le sait, le bon gibier – *comme les cerfs, les lièvres et l'*Homo sapiens – aime se rassembler.

Je traîne dans chaque pièce. Après quatre semaines enfermée ici – comme dans une prison –, vous pensez bien que j'avais envie de fouiner un peu.

Qu'est-ce que je trouve ? Rien. Et beaucoup.

Les albums de photos de sa famille. Je vois Evan, encore bébé, à la maternité, avec son petit bonnet à rayures de nouveau-né. Puis, bambin, poussant une tondeuse à gazon en plastique. Evan à cinq ans, assis sur un poney. À dix ans, sur le tracteur. À douze ans, avec sa tenue de base-ball…

Je contemple les autres membres de sa famille, y compris Val – je l'ai remarquée tout de suite –, et en voyant le visage de sa sœur, morte dans ses bras, et dont je porte les vêtements, toute l'horreur de cette merde qui a déferlé sur nous me revient. Une immense déprime m'envahit. Admirer sa famille devant le sapin de Noël, réunie autour des gâteaux d'anniversaire, en randonnée en montagne... la pilule a du mal à passer : c'en est terminé des sapins, des gâteaux, des vacances en famille, et de toutes ces choses que nous tenions pour acquises. À chaque photo, une cloche résonne dans ma tête, comme un compte à rebours vers la fin de ce qui nous paraissait normal.

Lauren figure sur quelques photos, elle aussi. Grande. Athlétique. Oh, et blonde. Bien sûr qu'elle était blonde ! Evan et elle formaient un couple séduisant. Sur la majorité des photos, elle ne fixe pas l'objectif, mais elle le contemple, lui. Pas de la façon dont je contemplerais Ben Parish, d'un air mollasson et énamouré. Non, elle, elle regarde Evan comme si une force brûlait en elle. *Ce mec ? C'est le mien !*

Je repose les albums. Ma paranoïa se dissipe peu à peu. OK, il a les mains douces, et alors ? C'est plutôt bien d'avoir les mains douces.

J'allume un feu pour réchauffer la pièce et repousser les ombres qui grandissent en moi.

Ses doigts sentaient la poudre alors qu'il était supposé être allé sur sa tombe. Eh bien, quoi ? Il y a des animaux sauvages qui traînent partout. Tu le sais bien, puisque tu y es allée. *Oui, je suis allée sur sa tombe.* D'ailleurs, j'ai dû tirer sur un chien enragé. Depuis qu'il t'a trouvée, il a pris soin de toi. Il a toujours pris soin de toi.

Cependant, j'ai beau me sermonner, je ne réussis pas à me calmer. Un truc cloche, et je ne parviens pas à mettre le doigt dessus. Pourtant, c'est quelque chose d'important, j'en suis certaine. Je fais les cent pas devant la cheminée, frissonnant malgré les flammes. C'est comme avoir une démangeaison sans pouvoir se gratter. Mais qu'est-ce que c'est ? Mon instinct me souffle que je ne découvrirai rien d'incriminant même si je fouille chaque centimètre carré de la maison.

*Mais Cassie tu n'as pas cherché partout. Tu n'as pas exploré le seul endroit où il est sûr que tu n'irais pas fouiller.*

Je file dans la cuisine. Il ne me reste pas beaucoup de temps. J'attrape une veste chaude au portemanteau à côté de la porte, une lampe-torche dans le tiroir, je glisse le Luger dans ma ceinture et sors dans la nuit froide. Le ciel est clair, la cour baignée par la lumière des étoiles. En trottinant vers la grange, j'essaie de ne pas songer au ravitailleur au-dessus de ma tête. Je n'allume ma lampe qu'au moment où je pénètre dans la grange. Une odeur de vieux fumier et de foin moisi. La débandade des rats sur les planches pourries du toit. D'un geste ample, je balade le faisceau de ma torche sur les stalles vides et le sol sale, puis dans le grenier à foin. J'ignore ce que je cherche exactement, mais je continue mon enquête. Dans chaque film d'horreur jamais tourné, la grange est le premier endroit où l'on trouve ce qu'on ne pensait même pas chercher, et que l'on regrette d'avoir trouvé.

Je repère bientôt ce que je ne cherchais pas enfoui sous une pile de couvertures miteuses entassées contre le mur du fond. Quelque chose de long et sombre, qui brille dans le rayon lumineux de ma lampe. Je ne le touche pas. Je le mets simplement au jour en écartant trois couvertures.

Mon M16.

Je sais que c'est le mien. Mes initiales sont sur la crosse : CS. Je les ai gravées un après-midi quand je me cachais sous ma tente dans les bois. *CS : complètement stupide.*

Je l'ai perdu sur le terre-plein quand le Silencieux a surgi de la forêt. Abandonné dans la panique. Mieux valait ne pas retourner le récupérer. À présent, il est là, dans la grange d'Evan Walker. Mon meilleur ami a trouvé le moyen de se rapprocher de moi.

*Sais-tu comment reconnaître ton ennemi en temps de guerre, Cassie ?*

Je m'écarte du M16. M'éloigne du message qu'il m'envoie. Recule jusqu'à la porte tout en gardant ma torche braquée sur son corps noir luisant.

Puis, je pivote sur mes talons et me cogne contre le torse musclé d'Evan.

## 55

— CASSIE ?

Il m'attrape par le bras pour m'éviter de tomber.

— Qu'est-ce que tu fais ici ? demande-t-il en jetant un coup d'œil dans la grange, par-dessus mon épaule.

— Je croyais avoir entendu du bruit.

Idiote ! Maintenant, il va fouiller les lieux. Mais c'est la première chose qui m'est venue à l'esprit. Je ferais bien

d'arrêter cette manie de toujours parler sans réfléchir
– enfin, si je survis aux cinq prochaines minutes. Mon
cœur bat si fort que j'en ai les oreilles vrillées.

— Tu croyais que… ? Cassie, tu ne devrais pas traîner
dans le coin en pleine nuit.

J'acquiesce d'un mouvement de tête et me force à le
regarder dans les yeux. N'oubliez pas qu'Evan Walker
remarque tout.

— Je sais que c'était stupide, mais tu étais parti depuis
un bon moment, et…

— Je pistais un cerf.

Sa silhouette sombre se dresse devant moi – une silhouette armée d'un fusil, qui se découpe sous le ciel
étoilé.

*Je n'en doute pas un seul instant, mon cher.*

— Rentrons, je suis gelée.

Hélas, Evan ne bouge pas. Il fouille les lieux du regard.

— J'ai vérifié, je dis en m'efforçant de garder une
voix calme. Ce sont des rats.

— Des rats ?

— Ouais. Des rats.

— Tu as entendu des rats ? Dans la grange ? Depuis
la maison ?

— Non. Comment aurais-je pu ?

Un haussement d'yeux exaspéré serait plus pertinent en
cet instant que le rire nerveux qui m'échappe. J'explique :

— Je suis sortie sur le porche pour prendre un peu l'air.

— Et tu les as entendus de là-bas ?

— C'étaient de très gros rats.

Un petit sourire mutin, histoire de flirter – en tout
cas, j'espère que ça y ressemble –, puis je glisse mon bras

sous le sien et l'entraîne vers la maison. Autant essayer de faire bouger un poteau en béton. Si Evan pénètre dans la grange et voit mon M16, je suis fichue. Putain, pourquoi je n'ai pas recouvert mon arme ?

— Evan, ce n'est rien. J'ai eu la trouille, c'est tout.

— OK.

Il ferme alors la porte de la grange et nous regagnons la ferme, son bras posé d'une manière protectrice sur mes épaules. Il me lâche quand nous arrivons à la porte.

*C'est le moment, Cassie ! Fonce ! Un petit pas rapide sur la droite, tu sors le Luger de ta ceinture, tu l'attrapes correctement à deux mains, genoux légèrement fléchis, tu le serres fort, mais tu ne tires pas. Vas-y !*

Nous pénétrons dans la cuisine, bien chauffée. Trop tard. L'occasion est passée. Je lâche d'un ton détaché :

— Alors, tu n'as pas réussi à tuer ce cerf.

— Non.

Evan range son fusil contre le mur et retire sa veste. Ses joues sont rougies par le froid.

— Peut-être que tu as tiré sur autre chose. Ça doit être ça que j'ai entendu.

Il secoue la tête.

— Je n'ai tiré sur rien.

Il souffle sur ses doigts. Je le suis dans le salon, où il se penche vers la cheminée pour réchauffer ses mains. Je me tiens près du canapé, à quelques mètres de lui.

Ma seconde chance de le neutraliser. Réussir mon coup de si près ne devrait pas être trop difficile. Enfin, ça ne le serait pas si la tête d'Evan ressemblait à une boîte vide de maïs, la seule cible à laquelle je suis habituée.

Je sors le pistolet de ma ceinture.

Trouver mon fusil dans la grange a réduit mes options. Comme quand j'étais bloquée sous cette voiture sur l'autoroute. Je n'avais que deux possibilités : me cacher ou affronter mon ennemi. Là, soit je ne fais rien, comme si tout était parfait entre nous, soit je lui tire une balle dans le crâne. Mais depuis l'épisode du soldat au crucifix, l'une de mes priorités est de ne plus jamais tuer d'innocent. Je commence d'une voix tremblante :

— Il y a un truc que je voulais te dire. J'ai menti au sujet des rats.

— Tu as trouvé le fusil.

Ce n'est pas une question, mais une affirmation.

Evan pivote vers moi. Comme il tourne le dos au feu, son visage n'est qu'une ombre, et je suis incapable de déchiffrer son expression. Cependant, son ton est des plus détachés.

— Je l'ai ramassé il y a quelques jours sur l'autoroute, et je me suis rappelé que tu avais perdu le tien en fuyant. Quand j'ai vu les initiales sur la crosse, j'ai compris que ça devait être celui-là.

Durant une minute, je reste muette. Son explication paraît logique, mais je ne m'attendais pas à ce qu'il me lâche ça comme ça. Je lui demande enfin :

— Pourquoi tu ne me l'as pas dit ?

Il hausse les épaules.

— J'en avais l'intention, puis j'ai oublié. Qu'est-ce que tu comptes faire avec ce pistolet, Cassie ?

*Oh, je pensais juste t'exploser la tête, c'est tout. Je croyais que tu étais un Silencieux, ou en tout cas un traître envers ton espèce, ou un truc du genre. Ha ! ha !*

Je suis son regard posé sur l'arme dans ma main, et soudain j'ai l'impression que je vais éclater en larmes. Je chuchote :

— Nous devons nous faire confiance, tu ne crois pas ?

— Si, répond-il en s'approchant. Il le faut.

— Mais comment… ? Comment avoir confiance en quelqu'un ?

Il est juste à côté de moi, maintenant. Il ne tente pas de me prendre le pistolet, il cherche mon regard. Et j'ai envie qu'il me retienne avant que je m'éloigne trop du Evan-que-je-pensais-connaître, celui qui m'a sauvée pour se sauver lui-même. Il est tout ce que j'ai, désormais. Il est le buisson poussant sur la falaise auquel je me raccroche.

*Aide-moi, Evan. Ne me laisse pas chuter. Ne me laisse pas perdre ma part d'humanité.*

— Tu ne peux pas croire en tout, affirme-t-il avec douceur. Toutefois tu peux t'autoriser à avoir confiance.

Je hoche la tête et plonge mes yeux dans les siens. Ses yeux couleur de chocolat chaud devant lesquels je fonds malgré leur tristesse. Merde, pourquoi ce garçon est-il aussi beau ? Pourquoi ai-je autant conscience de son charme ? Quelle différence entre ma confiance en lui et celle de Sammy envers le soldat, quand il a pris sa main pour grimper dans le bus ? Le plus curieux c'est que les yeux d'Evan me rappellent ceux de Sammy, emplis du désir de savoir que tout irait bien. Les Autres ont répondu à cette question avec un « non » sans équivoque. Alors, qu'est-ce que ça peut faire si je réagis comme Sammy ?

— J'ai envie d'avoir confiance. Vraiment.

Je ne sais pas comment c'est arrivé, mais mon pistolet se trouve à présent dans sa main. Evan enlace mes doigts et m'entraîne vers le canapé. Il pose le Luger sur ce livre de poche débile – *L'amour est un désir éternel* –, s'assied près de moi et se penche en avant, coudes sur les genoux. Il frotte ses mains l'une contre l'autre, comme si elles étaient toujours froides. Ce n'est pas le cas, je le sais, puisqu'il vient à peine de me lâcher.

— Je ne tiens pas à quitter cette maison, confesse-t-il. Pour tout un tas de motifs qui me semblaient importants avant que tu sois là.

Il fronce les sourcils d'un air frustré. Apparemment, il a du mal à trouver ses mots.

— Je sais que tu n'as pas demandé à être ma raison de… de continuer. Mais, depuis l'instant où je t'ai découverte, là-bas…

Il se tourne vers moi et attrape mes mains dans les siennes. Soudain, j'ai peur. Il me serre fort, et ses yeux sont brouillés de larmes. C'est comme si je le retenais pour l'empêcher de tomber d'une falaise.

— Je me suis trompé, poursuit-il. Avant de te rencontrer, je pensais que le seul moyen de s'accrocher était de trouver un but. Alors qu'en fait, pour continuer à vivre, tu dois trouver ce pour quoi tu es prêt à mourir.

# VIII

# L'ESPRIT DE VENGEANCE

# 56

LE MONDE HURLE.

En fait, ce n'est que le vent glacial qui pénètre à travers le hayon ouvert du Black Hawk.

Au plus fort de l'épidémie, lorsque les gens mouraient chaque jour par centaines, il arrivait parfois aux survivants du village de tentes de jeter par erreur un infesté – que l'on croyait mort – dans le bûcher. À ce moment-là, non seulement vous entendiez ses hurlements pendant qu'il brûlait, mais ses cris vous heurtaient comme un coup puissant reçu en plein cœur.

Il y a des choses qu'on ne peut jamais oublier. Elles appartiennent à votre passé. Elles sont en vous pour l'éternité.

Le monde hurle. Le monde est en train de cramer vivant.

À travers les vitres de l'hélico, on peut voir les feux qui parsèment le paysage sombre, comme des taches d'ambre sur une toile de fond couleur d'encre, et qui se multiplient au fur et à mesure que nous approchons de la ville. Ce ne sont pas des bûchers funéraires. Ils ont été allumés par les éclairs des tempêtes estivales, et le vent automnal emporte la poussière des charbons encore ardents vers de nouveaux pâturages. Il y en a tant de ces feux ! Le monde va brûler pendant des années. Il cramera jusqu'à ce que j'ai l'âge de mon père – si jamais j'y arrive un jour.

Nous rasons la cime des arbres. Le bruit du rotor est étouffé par une technologie de pointe, et nous abordons Dayton par le nord. Une légère neige tombe ; elle chatoie autour des feux comme un halo doré, diffusant la lumière, illuminant le vide.

Je me détourne de la vitre, et j'aperçois Ringer, de l'autre côté de l'allée, qui me fixe. Elle lève deux doigts. J'approuve d'un hochement. Deux minutes avant l'atterrissage. J'enfile mon bandeau, positionne la lentille oculaire sur mon œil gauche et en resserre la sangle.

D'un geste de la main, Ringer me désigne Teacup, installée dans le siège à côté de moi. Sa lentille ne cesse de glisser. J'ajuste son bandeau. Teacup lève le pouce, et, soudain, un truc acide me remonte dans la gorge. Sept ans. Mon Dieu !

Je me penche vers elle et lui crie à l'oreille :

— Tu restes à côté de moi, compris ?

Teacup sourit, secoue la tête et montre Ringer du doigt. *C'est avec elle que je reste !* Je ris. Teacup est loin d'être bête.

À présent nous sommes au-dessus de la rivière. Le Black Hawk rase l'eau. Ringer vérifie son arme pour la millième fois. À côté d'elle, Flintstone tape nerveusement des pieds, le regard rivé devant lui, perdu dans le vide.

Dumbo inventorie sa trousse médicale, et Oompa baisse un instant la tête pour nous cacher qu'il avale un dernier bonbon.

Quant à Poundcake, il se contente de rester assis sagement, tête baissée, mains posées sur les genoux. Reznik lui a donné ce surnom parce qu'il prétend que Poundcake est un être à la fois doux et tendre. Pourtant je n'en ai pas l'impression, surtout question tir. D'entre nous tous, Ringer est la meilleure tireuse, mais j'ai vu Poundcake descendre six cibles en six secondes.

*Ouais, Zombie. Des cibles. Des silhouettes humaines en contreplaqué. Quand il s'agira de tirer sur de véritables personnes, quel sera son score ? Quel sera notre score à tous ?*

Nous sommes l'avant-garde. Hallucinant. Sept enfants qui, il n'y a pas six mois, n'étaient encore que… des enfants. Nous sommes le rempart contre cette force adverse qui a causé sept milliards de morts.

De nouveau Ringer me fixe. Alors que l'hélico entame sa descente, elle dégrafe son harnais et traverse l'allée. Puis elle pose ses deux mains sur mes épaules et me crie au visage :

— Souviens-toi du cercle ! Nous n'allons pas mourir !

Nous descendons à la verticale – à toute vitesse –, vers la zone de largage. L'hélicoptère n'atterrit pas ; il stationne à quelques mètres au-dessus du sol gelé pendant que l'équipe saute à terre. Par le hayon ouvert, je vois Teacup se débattre avec son harnais. Enfin, elle parvient à se détacher et saute juste devant moi. Je suis le dernier à partir. Depuis le cockpit, le pilote jette un coup d'œil par-dessus son épaule et me fait un signe, pouce levé – signe que je lui retourne.

Le Black Hawk remonte dans le ciel sombre, direction nord, et bientôt sa carlingue noire disparaît derrière les gros nuages. Voilà, il est parti.

Le temps que nous quittions l'hélico, le rotor a écarté tous les flocons de neige. Maintenant que le Black Hawk est au loin, la neige tombe de plus belle autour de nous. Le calme soudain est assourdissant. Devant nous se dresse une immense forme humaine : la statue d'un vétéran de la guerre de Corée. À droite de la statue, nous apercevons un pont. De l'autre côté de ce pont, et à une dizaine de pâtés de maisons direction sud-ouest, se trouve l'ancien palais de justice où un groupe d'infestés a amassé un arsenal d'armes automatiques et de lance-missiles comme le FIM-92 Stringer, si l'on en croit le profil Wonderland de l'un des infestés capturés pendant l'opération Li'l Bo Peep. Nous sommes ici pour le Stringer. Nos capacités aériennes ont été dévastées durant les attaques. Il est impératif que nous protégions le peu de ressources qu'il nous reste.

Notre mission est double. Détruire ou nous emparer de toute l'artillerie ennemie, et éliminer tous les infestés.

Les éliminer de la façon la plus cruelle possible.

Ringer passe en tête. C'est elle qui a les meilleurs yeux. Nous la suivons, dépassons la statue de pierre et gagnons le pont : Flint, Dumbo, Oompa, Poundcake et Teacup. Je ferme la marche, couvrant nos arrières. Nous nous faufilons au milieu de carcasses de voitures et de tonnes de débris. Certaines automobiles ont les vitres fracassées, d'autres sont décorées de graffitis ou mises à sac. Les pillards ont dû chercher ce qui pouvait avoir de la valeur. Mais qu'est-ce qui possède encore de la valeur ? Teacup file devant moi sur ses jambes de gamine – voilà un être de valeur. C'est ce que j'ai appris depuis l'Arrivée. En nous exterminant, les Autres nous ont montré la stupidité de la possession. Le propriétaire de cette BMW dernier cri ? Il se trouve désormais au même endroit que la femme qui conduisait cette simple Toyota.

Nous nous arrêtons juste avant Patterson Boulevard, à l'extrémité sud du pont. Nous nous accroupissons à côté d'un SUV au pare-chocs avant brisé et observons la route qui s'étire devant nous. La neige nous cache toute visibilité au-delà d'un demi-pâté de maisons. Notre mission risque de prendre un moment. Je regarde ma montre. Encore quatre heures avant qu'on vienne nous rechercher dans le parc où nous avons atterri.

Un camion-citerne s'est renversé au milieu du carrefour à vingt mètres de là, bloquant notre vue sur le côté gauche de la rue. Je ne peux pas le voir, mais je sais d'après le briefing qu'on nous a fait qu'il y a un immeuble de quatre étages par là, un point parfait pour surveiller le pont. Je fais signe à Ringer de continuer sur la droite en quittant le pont, de façon à mettre le camion entre nous et ce bâtiment.

Soudain elle pousse vivement le pare-chocs du véhicule et se jette à terre. L'escouade fait de même et je rampe pour rejoindre Ringer. Je chuchote :

— Qu'est-ce que tu vois ?

— Trois d'entre eux, à deux heures.

Je regarde dans ma lentille en direction de l'immeuble de l'autre côté de la rue. À travers la brume enneigée, je distingue effectivement trois taches de lumière verte surgir sur le trottoir. Elles grossissent au fur et à mesure qu'elles approchent du carrefour. Ma première pensée est : *Bordel de merde, ces lentilles fonctionnent vraiment !* Ma seconde : *Bordel de merde, des Envahis ! Et ils viennent droit sur nous.* Je demande à Ringer :

— Une patrouille ?

Elle hausse les épaules.

— Ils ont dû remarquer l'hélico et ils viennent voir ce qui se passe.

Elle est allongée sur le ventre, les tenant en joue, attendant l'ordre de faire feu. Les taches vertes sont encore plus volumineuses. Elles ont atteint le coin juste en face. Je distingue à peine leur corps sous les balises vertes positionnées au-dessus de leurs épaules. Curieux effet. On dirait que leurs têtes baignent dans une immense lueur d'un vert irisé.

*Pas encore. S'ils commencent à traverser, donne l'ordre.*

À côté de moi, Ringer inspire profondément, retient son souffle et attend mon ordre avec patience comme si elle avait la vie entière devant elle. Des flocons de neige envahissent ses épaules et s'accrochent à ses cheveux noirs comme la nuit. Elle a le bout du nez tout rouge. Le moment s'éternise. Et s'il y avait plus de trois Envahis ? Si nous dévoilons notre présence, une centaine pourrait nous tomber dessus, surgissant d'une bonne dizaine de différentes planques. On se lance ou on attend ? Je me mordille la lèvre inférieure, soupesant nos options.

— Je les ai dans mon viseur, annonce Ringer, se méprenant sur mon hésitation.

De l'autre côté de la rue, les trois lumières vertes sont maintenant immobiles, rapprochées l'une de l'autre, comme plongées en grande conversation. Je suis incapable de voir si ces individus nous font face, mais je suis sûr qu'ils ignorent notre présence. Dans le cas contraire, ils nous prendraient d'assaut, ouvriraient le feu, ou se mettraient à couvert. En tout cas, ils agiraient. Nous avons pour nous l'effet de surprise. Et nous avons Ringer. Même si elle rate son premier coup, les suivants feront mouche. C'est un jeu d'enfant, littéralement.

Alors qu'est-ce qui m'empêche de passer à l'attaque ?

Ringer a dû se poser la même question, parce qu'elle me jette un coup d'œil par-dessus son épaule et chuchote :

— Zombie ? Qu'est-ce que je fous ?

Voici l'ordre qu'on m'a donné : *Éliminer toute personne infestée.* Et voici ce que me dicte mon instinct : *Ne te précipite pas. Ne force pas le combat. Attends de voir.*

Et il y a moi, bloqué entre ces deux options.

Une demi-seconde avant que nos oreilles enregistrent le tir d'un fusil de gros calibre, le trottoir à deux mètres devant nous se désintègre en une explosion de neige sale et de béton. Ce qui résout illico mon dilemme. Mon ordre fuse comme s'il avait été arraché de mes poumons par le vent glacial.

— Feu !

La balle de Ringer se fracasse contre l'une des lumières vertes, et la lumière s'éteint. Une autre surgit sur notre droite. Aussitôt, Ringer agite son canon devant mon visage. Je m'abaisse à toute allure tandis qu'elle fait feu de nouveau, et la deuxième lueur disparaît à son tour. La troisième semble se rétrécir au fur et à mesure qu'elle s'éloigne dans la rue, retournant sur ses pas.

Je bondis sur mes pieds. Pas question de laisser cet infesté s'en aller pour donner l'alarme. Ringer m'attrape le poignet et me tire violemment pour me forcer à m'allonger.

— Putain, Ringer, qu'est-ce que tu… ?

— C'est un piège !

Elle me montre l'impact sur le trottoir.

— Tu n'as pas entendu ? Ça ne venait pas d'Eux, mais de là-bas.

Elle tourne la tête vers l'immeuble du côté opposé de la rue.

— De notre gauche, explique-t-elle. Et à en juger par l'angle, certainement de très haut, peut-être du toit.

Quoi ? Un quatrième infesté sur le toit ? Comment savait-il que nous étions là – et pourquoi n'a-t-il pas prévenu les autres ? Nous sommes cachés derrière la fourgonnette, ce qui signifie qu'il a dû nous remarquer quand nous étions sur le pont. Il aurait retenu ses coups de feu jusqu'à ce que nous soyons hors de sa vue et qu'il n'ait aucun moyen de nous abattre ? Ça n'a aucun sens.

Ringer semble lire dans mon esprit.

— Je crois que c'est ce qu'ils appellent le « brouillard de la guerre ».

Je confirme de la tête. Les choses deviennent bien trop vite trop compliquées.

— Comment a-t-il pu nous voir ? On est pourtant bien planqués !

— Ça doit être une histoire de vision nocturne…

— Dans ce cas, on est baisés.

Nous sommes bloqués à côté de milliers de litres de gasoil.

— Il va faire exploser le camion.

Ringer hausse les épaules.

— Non, pas d'un coup de fusil. On ne voit ça que dans les films, Zombie.

Elle me dévisage. Attend mon ordre.

Tout comme le reste de la troupe. Je jette un coup d'œil derrière moi. Dans l'obscurité enneigée, ils me fixent tous de leurs grands yeux exorbités. Teacup a l'air de se geler à en mourir, à moins qu'elle ne tremble d'une terreur infinie. Flint est le seul à s'adresser à moi, d'un air renfrogné, me révélant ce que les autres pensent :

— On est foutus. On abandonne, non ?

C'est tentant, mais suicidaire. Si le tireur sur le toit ne nous descend pas quand nous ferons marche arrière, les renforts ne manqueront pas de nous abattre.

Nous replier n'est pas envisageable. Avancer non plus. Pas plus que demeurer là. Il n'existe aucune option.

On court = on meurt. On reste = on meurt.

— En parlant de vision nocturne, râle Ringer, ils auraient dû y penser avant de nous envoyer en mission *nocturne*. On est comme des aveugles, ici. On n'y voit rien.

Je la fixe. *On est comme des aveugles… Que Dieu te bénisse, Ringer !* J'ordonne à l'équipe de se regrouper autour de moi et chuchote :

— Prochain pâté de maisons, sur la droite, derrière l'immeuble de bureaux : il y a un parking couvert.

En tout cas, si j'en crois la carte.

— On va se rendre au troisième étage. En binôme : Flint avec Ringer, Poundcake avec Oompa, Dumbo avec Teacup.

— Et toi ? demande Ringer. Qui sera ton binôme ?

— Je n'en ai pas besoin. Je suis un putain d'effrayant Zombie.

Ringer sourit. Presque.

## 57

DU DOIGT, JE DÉSIGNE LA BERGE qui mène au pont.

— Tout droit jusqu'à ce chemin, je dis à Ringer. Ne m'attendez pas.

Sourcils froncés, elle secoue la tête. Je m'efforce de garder une expression sérieuse.

— Je croyais t'avoir touchée avec ma remarque sur les zombies. Un de ces jours, je réussirai à t'arracher un sourire, soldat.

— Je ne pense pas, chef.

— Tu as quelque chose contre les sourires ?

— Je n'en fais plus depuis longtemps.

Puis la nuit l'avale. Le reste de l'équipe la suit. J'entends Teacup pleurnicher pendant que Dumbo l'entraîne.

— Le moment venu, tu devras courir vite, Teacup, d'accord ?

Je m'accroupis à côté du réservoir du camion-citerne, espérant qu'il soit plein – ou mieux, à demi plein –, que nous aurons droit à une sacrée explosion, et j'agrippe le bouchon de métal. Je n'ose pas mettre le feu à la cargaison, mais les quelques litres de diesel du réservoir devraient suffire au déclenchement.

En tout cas, je l'espère.

Le bouchon est gelé. Je tape dessus avec la crosse de mon fusil, l'agrippe à deux mains et tente de toutes mes forces de le faire bouger. Il se desserre enfin dans un chuintement. J'ai dix secondes. Est-ce que je dois les compter ? Naaan, je vais pas jouer au con. Je dégoupille la grenade, la jette dans le réservoir puis file vers le bas de la rue. La neige tombe par intermittence dans mon sillage. Je trébuche sur un truc, je tombe, et dévale tout le reste du chemin sur le dos, me cognant le crâne sur l'asphalte. La neige tourbillonne autour de ma tête. Je sens l'odeur de la rivière et, soudain, je perçois un bruit sourd. Le camion est soulevé du sol par la puissance de l'explosion. Ensuite, je vois une floraison de boules de feu réfléchies par la neige, un mini univers de petits soleils brillants. Je suis debout, à présent, et, haletant, je reprends ma course. Mon équipe n'est nulle part en vue, mais je sens la chaleur contre ma joue gauche quand j'arrive à hauteur du camion, toujours en un seul morceau, citerne intacte. Jeter la grenade dans le réservoir n'a pas allumé la cargaison de gas-oil. Dois-je en balancer une autre ? Continuer de courir ? Aveuglé par l'explosion, le tireur a dû retirer ses lunettes à vision nocturne. Il ne restera pas aveugle très longtemps.

J'avance vers le carrefour en longeant le trottoir quand la citerne s'enflamme. L'explosion me projette en avant, par-dessus le corps du premier Envahi shooté par Ringer, droit dans la porte en verre de l'immeuble de bureaux. J'entends craquer. Pourvu que ce soit la porte et pas un de mes os. D'énormes tessons de métal pleuvent de toutes parts, les morceaux du réservoir déchiqueté par l'explosion voltigent dans toutes les directions à la vitesse d'une balle. Quelqu'un crie. Je plaque mes bras sur ma tête et me replie sur moi-même, autant que je peux. La chaleur est extraordinaire. J'ai l'impression d'avoir été avalé par le soleil.

Derrière moi, la porte en verre vole en éclats – à cause d'une balle de gros calibre, pas de l'explosion. *Tu n'es qu'à un demi-pâté de maisons du garage – file, Zombie !* Je fonce jusqu'à ce que j'arrive sur Oompa, étalé sur le trottoir. Poundcake est agenouillé près de lui et lui donne de légers coups sur l'épaule, sa bouche ouverte sur un cri muet. C'est Oompa que j'ai entendu hurler après l'explosion du réservoir. En un quart de seconde, je comprends pourquoi : un volumineux morceau de métal de la taille d'un Frisbee est planté dans le bas de son dos.

Je pousse Poundcake en direction du garage – *Fonce !* – et hisse le petit corps potelé d'Oompa sur mon épaule. Cette fois, quand le tireur fait feu j'entends nettement la détonation de son fusil. Un gros bout de béton tombe du mur derrière moi. Le premier étage du garage est séparé du trottoir par un mur à hauteur de taille. Je fais passer Oompa de l'autre côté, puis saute par-dessus l'obstacle pour le rejoindre. *Bang !* Un morceau du mur gros comme un poing tombe à quelques centimètres de moi. Je m'agenouille à côté d'Oompa et, en levant les yeux, je vois Poundcake grimper dans la cage d'escalier. Maintenant, à moins qu'il y ait un autre tireur dans cet immeuble, et tant que l'infesté qui s'est enfui n'a pas trouvé refuge ici, alors…

Je jette un rapide coup d'œil à la blessure d'Oompa. Ce n'est guère encourageant. Plus vite je le porterai là-haut pour que Dumbo s'occupe de lui, mieux ce sera.

— Soldat Oompa, je lui souffle à l'oreille, tu n'as pas la permission de mourir, compris ?

Il hoche la tête et aspire une goulée d'air frais, avant de pousser un profond soupir. Il est aussi blanc que la neige qui tournoie dans la lumière dorée. Je le fais passer de nouveau sur mon épaule et galope jusqu'aux escaliers, me courbant autant que je peux sans perdre l'équilibre.

Je grimpe les marches deux par deux jusqu'au troisième étage, où je retrouve mon équipe planquée derrière la première rangée de voitures, à quelques mètres du mur face à l'immeuble sur lequel se trouve le tireur. Dumbo, accroupi à côté de Teacup, soigne sa jambe. Le treillis de notre jeune amie est déchiré, et je vois une entaille rouge – plutôt moche – là où une balle a atteint sa cheville. Dumbo applique un pansement sur sa blessure, tend la gamine à Ringer et se précipite sur Oompa. Flintstone secoue la tête en me fixant.

— Je t'avais dit que nous étions foutus ! crie-t-il, les yeux brillants de méchanceté. Regarde où on en est, à présent.

Je l'ignore et me tourne vers Dumbo.

— Alors ?

— Ce n'est pas bon, sergent.

— Dans ce cas, arrange-toi pour que ce le soit.

Je lance un coup d'œil vers Teacup – blottie contre Ringer –, qui gémit doucement.

— C'est superficiel, affirme Ringer. Elle peut se déplacer.

OK, résumons. Oompa est à terre. Teacup blessée. Flint prêt à la mutinerie. Nous avons un sniper de l'autre côté de la rue, et sûrement une centaine de ses petits copains en route pour nous faire la fête. J'ai intérêt à trouver une idée brillante, et vite.

— Il sait où nous sommes, ce qui veut dire que nous ne pourrons pas rester ici trop longtemps. Vois si tu peux le descendre.

Ringer acquiesce, mais elle ne parvient pas à se défaire de Teacup. *Donne-la-moi*, j'articule en silence en tendant vers elle mes mains rougies du sang d'Oompa. Teacup se tortille contre mon torse. Elle ne veut pas de moi. D'un geste de la tête, je désigne la rue et donne ordre à Poundcake :

— Va avec Ringer. Descends-moi ce fils de pute !

Ringer et Poundcake plongent entre deux voitures et disparaissent. Je caresse la tête nue de Teacup – elle a perdu sa casquette en chemin – et j'observe Dumbo retirer avec précaution le morceau de métal planté dans le dos d'Oompa. Long cri d'agonie. Oompa crispe ses doigts sur le sol, tentant de l'agripper. Mal à l'aise, Dumbo me jette un regard. Je l'encourage d'un geste. Il faut absolument qu'il lui retire cette saleté.

— Essaie de faire vite, Dumbo. Doucement, c'est pire.

Alors, il tire d'un coup sec.

Oompa se replie sur lui-même, l'écho de ses cris résonne dans le garage. Dumbo balance la pièce de métal et braque sa lampe sur la plaie béante.

Esquissant une grimace, il fait rouler Oompa sur le dos. Le devant de sa chemise est trempé. Dumbo la déboutonne, révélant l'autre face de la blessure : l'éclat est entré par son dos et un morceau a traversé son corps.

Flint se détourne, rampe sur quelques mètres et dégueule. Immobile, Teacup observe la scène. Elle est en état de choc. Teacup, celle qui criait le plus fort durant l'entraînement. Teacup, l'assoiffée de sang, qui chantait à tue-tête dans le hangar T&E. Je suis en train de la perdre.

Tout comme je suis en train de perdre Oompa. Tandis que Dumbo applique des compresses sur sa blessure afin d'endiguer le flot de sang, les yeux d'Oompa cherchent les miens. Je lui demande :

— Quels sont les ordres, soldat ?

— Je... je ne suis pas... autorisé...

Dumbo jette la compresse gorgée de sang et en pose une autre sur l'estomac d'Oompa. Il me regarde droit en face. Il n'a pas besoin de dire quoi que ce soit. Ni à moi. Ni à Oompa.

Je repousse Teacup et m'agenouille à côté d'Oompa. Son haleine sent à la fois le sang et le chocolat.

— C'est parce que je suis gros que je vais crever, lâche-t-il.

Il commence à pleurer. Je lance alors d'un ton sévère :

— Arrête de raconter des conneries, Oompa !

Il murmure quelque chose. Comme un terrible secret qu'il aurait peur de partager. J'approche mon oreille de ses lèvres.

— En vrai, je m'appelle Kenny.

Ses yeux roulent vers le plafond. Une seconde plus tard, il est parti.

## 58

TEACUP PERD LES PÉDALES. Elle replie ses jambes, les enlace et pose son front sur ses genoux. Elle ne dit plus un mot. Je demande à Flint de garder un œil sur elle. Je m'inquiète pour Ringer et Poundcake. Flint semble prêt à me tuer à mains nues.

— C'est toi qui as donné l'ordre, lance-t-il d'un ton hargneux. À toi de la surveiller !

Dumbo est en train de se nettoyer les mains, rouges du sang d'Oompa – non, de Kenny.

— Je m'en occupe, sergent.

Il a parlé d'une voix calme, mais je note que ses doigts tremblent.

— Ah oui, *sergent* ! crache Flint. C'est vrai. Alors qu'est-ce qu'on fait, maintenant, *sergent* ?

Je l'ignore et me précipite vers le mur où je trouve Poundcake tapi près de Ringer. Accroupie, Ringer jette des coups d'œil furtifs par-dessus le mur en direction de l'immeuble de l'autre côté de la rue. Je me baisse à côté d'elle, évitant le regard interrogateur de Poundcake.

— Oompa ne crie plus, fait remarquer Ringer sans détourner les yeux du bâtiment.

— En fait, il s'appelait Kenny.

Ringer hoche la tête. Elle pige tout de suite, mais il faut quelques secondes à Poundcake pour comprendre. Il s'éloigne à toute allure, puis pose ses deux mains à plat sur le béton et pousse un long, long soupir empli de frissons.

— Tu devais le faire, Zombie, dit Ringer. Dans le cas contraire, on serait peut-être tous comme Kenny.

Ça a l'air juste. Ça le semblait quand je tentais de m'en convaincre. En contemplant la silhouette de Ringer, je me demande à quoi pensait Vosch quand il accrochait ces galons sur mon col. Le commandant a commis une erreur de personne en m'offrant cette promotion.

— Alors ?

D'un mouvement de tête, Ringer me désigne la rue.

— On est dans la merde.

Je me lève avec lenteur. À la lumière du feu mourant, j'observe l'immeuble : une façade de vitres brisées, de la peinture blanche qui se décolle et le toit, à un étage au-dessus de nous. Une vague ombre, un peu plus loin, qui doit être un château d'eau, c'est tout ce que je vois.

— Où ? je chuchote.

— Il vient de se baisser de nouveau. Il ne fait que ça. Il se met debout, il se baisse, et il recommence, comme un diable à ressort.

— Il est seul ?

— En tout cas, je n'ai vu que lui.

— Il s'allume ?

Ringer secoue la tête.

— Négatif, Zombie. D'après ce que je vois, il n'est pas infesté.

Je me mordille un instant les lèvres.

— Poundcake l'a vu aussi ?

— Oui. Aucune lumière verte.

Elle m'observe d'un regard acéré.

— Peut-être que ce n'est pas lui le tireur…, je suggère.

— Zombie, j'ai vu son arme. Un fusil de sniper.

Alors pourquoi pas de lueur verte ? Ceux de la rue se sont allumés, pourtant ils étaient plus loin que lui. De toute façon, peu importe qu'il s'illumine de vert, de rouge ou d'aucune couleur : il essaie de nous abattre, et nous ne pouvons pas bouger tant que nous ne l'aurons pas neutralisé. Or nous devons foutre le camp d'ici avant que celui qui s'est éloigné revienne avec des renforts.

— Ils sont malins, non ? murmure Ringer, comme si elle lisait dans mon esprit. Ils ont pris visage humain afin que nous ne puissions faire confiance à *aucun* humain. Seule solution : tuer tout le monde, ou risquer d'être tué par le premier venu.

— Il pense que nous sommes des Leurs ?

— Ou bien il a décidé que ça n'avait pas d'importance. Que c'est l'unique moyen pour lui de rester en vie.

— Mais il nous a tiré dessus – et pas sur les trois autres individus qui étaient juste en dessous de lui. Pourquoi a-t-il ignoré les cibles les plus faciles pour se concentrer sur les plus difficiles ?

Comme moi, Ringer n'a aucune réponse à cette question. Cependant, contrairement à moi, découvrir la réponse ne fait pas partie de ses priorités.

— C'est le seul moyen de rester en vie, répète-t-elle d'un ton lourd de sous-entendus.

Je jette un coup d'œil à Poundcake, qui me fixe. Il attend ma décision, mais il n'y en a pas vraiment à prendre. Je demande à Ringer :

— Tu peux l'atteindre d'ici ?

— Non, il est trop loin. Je ne ferais que dévoiler notre position.

Je me déplace vers Poundcake.

— Reste ici. Dans dix minutes, ouvre le feu sur lui pour nous couvrir.

Poundcake rive sur moi ses grands yeux confiants.

— Tu sais, soldat, l'usage veut qu'on réponde à un ordre donné par son supérieur.

Poundcake acquiesce de la tête. Je fais une nouvelle tentative.

— Avec un « oui, chef. »

Il hoche de nouveau la tête.

— À voix haute. Avec des mots.

À votre avis, comment a-t-il répondu ? Eh oui, toujours par un hochement de tête.

Bon, au moins, j'aurais essayé.

Quand Ringer et moi nous rejoignons le reste de la troupe, le corps d'Oompa a disparu. Sur une idée de Flint, ils l'ont allongé dans l'une des voitures. D'ailleurs, Flint a une suggestion pour tout le groupe.

— On a une bonne couverture, ici. On devrait se planquer dans les bagnoles jusqu'au ramassage.

— Il n'y a qu'une personne habilitée à donner des ordres dans cette unité, Flint.

— Ouais, et nous on a droit à quoi ? Oh, je sais. Posons la question à Oompa !

— Ça suffit, Flintstone ! intervient Ringer cassante. Zombie a raison.

— Quand vous tomberez dans une embuscade, là, vous comprendrez qu'il s'est planté.

— Eh bien, comme ça, tu deviendras le chef, et tu pourras donner des ordres ! je rétorque. Dumbo, tu t'occupes de Teacup !

Si nous réussissons à l'écarter de Ringer. Elle s'est de nouveau collée à sa jambe.

— Si on n'est pas de retour dans dix minutes, c'est qu'on ne reviendra pas.

Avec son aplomb habituel, Ringer affirme :

— On revient.

## 59

LE CAMION-CITERNE BRÛLE ENTIÈREMENT, jusqu'à ses pneus. Accroupi devant l'entrée pour piétons du garage, je pointe du doigt l'immeuble de l'autre côté de la rue, illuminé par les flammes.

— Voilà notre point d'accès, je dis à Ringer. La troisième fenêtre en partant de la gauche est complètement explosée. Tu la vois ?

Ringer acquiesce d'un air absent. A priori, quelque chose la tracasse. Elle ne cesse de jouer avec sa lentille, l'écartant de son œil, puis la remettant en place. Toute trace de l'assurance qu'elle affichait tout à l'heure devant l'équipe a disparu.

— Le tir impossible…, chuchote-t-elle, avant de se tourner vers moi. Comment sait-on qu'on est sur le point de se transformer en Dorothée ?

Putain, d'où elle sort cette idée ? J'affirme, en ponctuant mes paroles d'une tape sur son bras :

— Pas de souci, tu n'as rien à voir avec Dorothée.

— Comment peux-tu en être sûr ?

Elle jette des regards en tous sens, comme Tank avant qu'il pète les plombs.

— Les gens fous ne pensent jamais être fous, poursuit-elle. Leur folie leur semble tout à fait normale.

Ses yeux brillent d'une lueur désespérée, qui ne lui ressemble pas du tout.

— Ringer, tu n'es pas folle. Fais-moi confiance.

Ça, c'était le mauvais truc à dire.

— Pourquoi je devrais te faire confiance ? rétorque-t-elle. Et pourquoi, toi, tu devrais me faire confiance ? Comment sais-tu que je ne suis pas l'une d'entre Eux, Zombie ?

Ah, enfin une question facile.

— Parce que nous sommes passés au détecteur. Et nos lentilles ne nous illuminent pas en vert.

Elle me contemple pendant un long moment, puis murmure :

— Putain, j'aurais bien aimé que tu joues aux échecs.

Nos dix minutes sont terminées. Au-dessus de nous, Poundcake ouvre le feu en direction du toit de l'autre côté de la rue. Le sniper réplique illico, et nous filons. Nous sommes à peine arrivés au bord du trottoir que l'asphalte explose devant nous. Aussitôt, nous nous divisons : Ringer prend à droite, moi à gauche, et j'entends le sifflement d'une balle juste avant qu'elle déchire la manche de ma veste. J'ai du mal à résister à mon instinct et à ne pas répondre par un tir comme on me l'a enseigné pendant l'entraînement. Je m'élance sur le trottoir et, en deux enjambées, je cours me réfugier contre l'immeuble. À ce moment-là, je vois Ringer glisser sur une plaque de glace et tomber tête la première sur le trottoir. Elle me fait signe de ne pas intervenir – *Non !* Un nouveau tir fait exploser un morceau du trottoir qui se fige dans son cou. Qu'elle aille se faire foutre avec son « Non ! ». Je bondis vers elle, l'attrape par le bras et la traîne vers l'immeuble. Une balle frôle ma tête au moment où nous gagnons notre planque.

Ringer perd du sang. Sa blessure brille d'un noir luisant. D'un geste de la main elle me fait signe de partir

– *Vas-y, file !* Nous courons le long de l'immeuble jusqu'à la fenêtre brisée et plongeons à l'intérieur.

Il nous a fallu moins d'une minute pour arriver jusqu'ici. Pourtant, cette traversée a semblé durer des heures.

Nous nous trouvons dans ce qui était une boutique chic. À l'évidence, elle a été pillée à plusieurs reprises. Il n'y a que des rayons vides, des cintres en morceaux, des mannequins sans têtes et, sur les murs, des posters de top models qui se la pètent. Sur le comptoir, une petite pancarte annonce : BOUTIQUE FERMÉE.

Ringer file dans un coin de la pièce, avec un bon angle à la fois sur la fenêtre et sur la porte qui ouvre sur le couloir. Elle a posé une main sur son cou, elle est rouge de sang. Je dois examiner sa blessure. Elle refuse. J'insiste, genre : *Ne sois pas stupide, je dois regarder.* Alors elle me laisse faire. C'est assez superficiel. Je trouve une fine écharpe abandonnée sur un présentoir. Elle la roule en une boule qu'elle presse contre son cou. D'un geste de la tête, elle désigne ma manche déchiquetée.

— Tu es blessé ?

Je lui fais signe que non et m'agenouille sur le sol à côté d'elle. Nous avons tous deux le souffle court. L'adrénaline court dans mes veines.

— Il nous fait chier, ce sniper.

— Trois coups tirés, trois manqués. Dommage qu'il ne joue pas contre nous au base-ball.

Je la corrige :

— Il a tiré plus que trois fois.

Il a fait plusieurs tentatives pour atteindre ses cibles, mais il a juste réussi à blesser légèrement Teacup à la jambe.

— Un amateur, lâche-t-elle.

— Probablement. Il ne s'éclaire pas en vert et, question tir, il n'est pas pro. Ce n'est peut-être qu'un solitaire qui défend son territoire. Il doit se cacher des mêmes types que nous.

Dehors, Poundcake continue à occuper le sniper. *Tac-tac-tac*, un instant de calme puis : *tac-tac-tac*. Le tireur réplique chaque fois.

— Dans ce cas, ça sera facile, lâche Ringer d'un air sombre.

Sa remarque me choque.

— Pas de lumière verte, Ringer. Nous n'avons pas l'autorisation de…

— Eh bien, moi, je vais le faire, rétorque-t-elle en posant son fusil sur ses genoux. Et tout de suite.

— Heu… je pensais que notre mission était de sauver l'humanité.

Elle me regarde du coin de l'œil, celui qui n'est pas couvert par la lentille.

— Échec, Zombie, tu dois te défendre d'un coup qui n'a pas encore eu lieu. Quelle importance si nos lentilles n'illuminent pas la silhouette de ce mec d'une lueur verte ? Quelle importance qu'il nous ait ratés alors qu'il aurait pu nous descendre ? Si deux possibilités ont la même probabilité, mais qu'elles s'excluent mutuellement, laquelle est prioritaire ? Sur laquelle tu paries ta vie ?

Je hoche la tête, sans suivre pour autant son raisonnement.

— Tu crois qu'il pourrait quand même être infesté, c'est ça ?

— Je dis que ce que l'on a de mieux à faire, c'est d'agir comme lui, Zombie.

Elle retire son couteau de son étui. Je tressaille, me souvenant de sa remarque à propos de Dorothée. Putain, pourquoi elle sort son couteau ?

— Ce qui importe…, commence-t-elle d'un air pensif.

À présent, elle semble envahie d'un calme étrange, comme un volcan sur le point d'exploser.

— Qu'est-ce qui importe, Zombie ? J'ai toujours été douée pour le deviner et je me suis améliorée après les attaques. Qu'est-ce qui importe *vraiment* ? Ma mère est morte la première. C'était moche, mais le plus important c'était que j'avais encore mon père, mon frère et ma petite sœur. Puis je les ai perdus, et alors l'important c'était que, moi, j'étais toujours en vie. En ce qui me concernait, peu de choses comptaient. La nourriture. L'eau. Un abri. De quoi d'autre est-ce qu'on a besoin ? Qu'est-ce qui compte le plus ?

Qu'est-ce qu'elle raconte, là ? Son raisonnement pue la merde. Où elle va comme ça ? Si elle se transforme en Dorothée, je suis baisé. Et sûrement que le reste de la troupe le sera aussi. Putain ! Je ne dois pas la laisser délirer comme ça. Le mieux serait de poser ma main sur elle pour l'aider à se calmer, mais si jamais je la touche, j'ai peur qu'elle ne m'étripe avec cette lame de vingt-cinq centimètres.

— Est-ce que ça compte, Zombie ?

Elle tend le cou pour mieux me regarder, faisant tourner son couteau lentement entre ses mains.

— Qu'il nous ait tiré dessus au lieu de canarder les trois Envahis juste devant lui ? Ou qu'il nous ait ratés chaque fois ?

Elle continue à tourner son couteau. La pointe entaille son doigt.

— Quelle importance s'ils ont réussi à tout remettre en fonction après l'impulsion électromagnétique ? S'ils opèrent pile sous le nez du ravitailleur ? S'ils réunissent les survivants en un seul et même lieu, pour tuer les infestés et brûler leurs corps par centaines. S'ils nous entraînent à manier les armes pour nous envoyer tuer les survivants ? Dis-moi un peu que tout ça ne compte pas. Dis-moi qu'il y a peu de chances que ce soient Eux qui nous aient recueillis. Dis-moi sur quelle éventualité je dois parier ma vie.

Derechef je hoche la tête, mais, cette fois, je comprends ce qu'elle veut dire. Putain, c'est d'un glauque ! Je m'agenouille à côté d'elle et la regarde droit dans les yeux.

— J'ignore tout de ce sniper et de l'impulsion électromagnétique, mais le commandant m'a expliqué pourquoi les Autres nous laissent tranquilles. Ils pensent que nous ne sommes plus une menace pour Eux.

D'un geste du doigt, elle balaie sa frange d'un petit coup sec.

— Et comment le commandant sait-il ce qu'Ils pensent ?

— Grâce à Wonderland. Nous avons été capables de détecter le profil d'un…

— Wonderland ! répète-t-elle avec brutalité.

Elle détourne les yeux, contemple un instant la rue enneigée, puis me fixe de nouveau.

— Wonderland est un programme extraterrestre.

— Exact.

Ne la contredis pas. Essaie de la ramener doucement à la raison.

— C'est le cas, Ringer. Tu te souviens ? Une fois qu'ils ont repris la base, ils l'ont trouvé caché…

— À moins que ça ne soit pas le cas, Zombie. *À moins que ça ne soit pas le cas.*

Elle pointe son couteau vers moi.

— Il y a deux possibilités, Zombie, toutes deux aussi valides. Crois-moi, question trucs qui comptent, je suis une experte. Jusqu'à présent, j'ai joué à colin-maillard. Il est temps de passer aux échecs.

Elle retourne le couteau et me le tends par le manche.

— Retire-le pour moi.

J'ignore que dire. Je regarde bêtement la lame dans sa main. Ringer me donne alors un petit coup sur le torse.

— Les implants, Zombie. Nous devons les retirer. Tu m'enlèves le mien, et je ferai pareil pour toi.

Je m'éclaircis la gorge.

— Ringer, on ne peut pas les enlever.

Je réfléchis un instant au meilleur argument, mais je lui sors juste :

— Si jamais on est incapables de rejoindre le point de rendez-vous, comment ils pourront nous retrouver ?

— Putain, Zombie, tu as entendu ce que je viens de dire ? Et si jamais ils ne sont pas *nous* ? Si ce sont *Eux* ? Si toute cette merde n'était qu'un mensonge ?

Je suis sur le point de dérailler, mais elle, elle merde carrément.

— Bordel, Ringer ! Tu te rends compte à quel point ton raisonnement est stupide ? D'après toi, l'ennemi nous sauverait, nous entraînerait, nous fournirait des armes ? Allez, oublie ces conneries ! On a un boulot à faire. Ça ne te plaît peut-être pas, mais je suis ton chef...

— Très bien.

Elle a retrouvé son calme.

— Si c'est comme ça, je vais le faire moi-même.

Elle pose la lame sur sa nuque et penche la tête. Je lui arrache immédiatement le couteau des mains. Ça suffit !

— Reste à genoux, soldat !

Je lance le couteau à travers la pièce et me lève. Je tremble des pieds à la tête. Ma voix aussi, quand je m'adresse à Ringer :

— Tu veux te la jouer comme ça, très bien. Reste ici jusqu'à ce que je revienne. Ou mieux, descends-moi tout de suite. Qui sait ? Peut-être que mon grand chef extraterrestre a trouvé un moyen pour te cacher que je suis infesté. Et quand tu en auras fini avec moi, traverse la rue et va abattre nos copains. Tire une balle dans la tête de Teacup. Elle est peut-être ton ennemie, elle aussi. Alors, vas-y, fais-lui exploser la tête ! C'est la seule réponse, n'est-ce pas, Ringer ? Tuer tout le monde ou prendre le risque d'être tué par le premier venu.

Ringer n'esquisse pas un geste. D'ailleurs, elle reste silencieuse pendant un très long moment. La neige pénètre par la vitre cassée. Les lueurs de la carcasse du camion en flammes se réfléchissent sur les flocons glacés, qui semblent teintés d'une nuance rougeâtre.

— Tu es sûr que tu ne sais pas jouer aux échecs ? demande-t-elle enfin. Putain, réveille-toi, Zombie !

Elle pose son fusil sur ses genoux et fait courir son index sur la détente.

Nous sommes au bout du chemin de toute cette connerie, et la fin est des plus noires. Je n'ai plus aucun argument cohérent à opposer à Ringer, alors je sors la première chose qui me passe par la tête.

— Je m'appelle Ben.

— C'est moche, comme prénom. Je préfère Zombie.

— Et toi, comment tu t'appelles ?

— Ça, ça fait partie des choses qui n'ont plus d'importance. Ça n'en a plus depuis bien longtemps, Zombie.

Son doigt caresse toujours la détente avec lenteur. Une extrême lenteur. Une lenteur hypnotique, étourdissante.

Fébrile, je cherche un moyen de nous en sortir.

— Qu'est-ce que tu dis de ça ? J'enlève ta puce, et en échange tu promets de ne pas me supprimer.

Ainsi, je la garde de mon côté. Parce que, franchement, je préfère encore affronter une douzaine de snipers qu'une Ringer transformée en Dorothée.

Ringer redresse alors la tête, et le côté de sa bouche se plisse presque en un sourire.

— Échec.

Je lui réponds d'un sourire, celui de ce bon vieux Ben Parish, celui qui me permettait d'obtenir quasiment tout ce que je voulais. Enfin pas, *quasiment*. Je suis trop modeste, là.

— Est-ce que c'est un *oui* ? Ou bien est-ce que tu comptes me donner une leçon d'échecs ?

Elle pose son fusil à côté d'elle et me tourne lentement le dos. Penche la tête. Écarte les mèches soyeuses de sa nuque.

— Les deux.

*Tac-tac-tac* fait le fusil de Poundcake. Le sniper réplique toujours. Ils jouent un véritable concert, là-bas, pendant que je m'agenouille derrière Ringer avec mon couteau. Une part de moi désire lui faire plaisir, si cela me permet de demeurer en vie, tout comme au reste de l'équipe. L'autre part de moi hurle en silence : *Tu ne crois pas que c'est exagéré ? Qu'est-ce que tu vas me demander ensuite ? D'inspecter mon cortex ?*

— Relax, Zombie, souffle-t-elle d'un ton calme, comme la Ringer à laquelle je suis habitué. Si ces puces n'appartiennent pas aux nôtres, mieux vaut ne pas les avoir en nous. Dans le cas contraire, le Dr Pam pourra nous en implanter des nouvelles quand nous rentrerons. D'accord ?

— Échec et mat.

Du bout des doigts, j'explore son cou long et gracile – et très froid –, je palpe la petite zone sous la cicatrice à la recherche de la légère protubérance. Mes mains tremblent. *Contente-toi de lui faire plaisir. Ça te vaudra sûrement un procès en cour martiale, et tu passeras le reste de ta vie à éplucher des patates, mais, au moins, tu seras vivant.*

— Vas-y doucement, chuchote-t-elle.

Je prends une profonde inspiration et enfonce la pointe de la lame dans la cicatrice. D'un rouge violent, le sang gicle sur sa peau d'ivoire. Ringer ne tressaille pas un seul instant.

— Je te fais mal ?

— Non, j'adore ça.

Je retire l'implant de son cou avec la pointe du couteau. Ringer pousse un léger grognement. La puce adhère au métal, collée par des gouttelettes de sang.

— Alors ? dit-elle en se retournant, affichant toujours son ébauche de sourire. Ce n'était pas trop difficile ?

Je ne réponds rien. J'en suis incapable. J'ai perdu la faculté de parler. Le couteau m'échappe et roule à mes pieds. Comment pourrais-je regarder Ringer ? Son visage a disparu. Impossible de le voir à travers ma lentille.

La tête de Ringer baigne dans une aveuglante lueur verte.

## 60

MA PREMIÈRE RÉACTION est de retirer mon matos, mais j'en suis incapable. Je suis paralysé par le choc. Un frisson de révulsion m'envahit. Puis la panique me saisit, suivie par une intense confusion. La tête de Ringer s'est allumée comme un sapin de Noël, et brille tant qu'on doit la voir à un kilomètre. La lueur verte est si forte qu'elle a laissé une image rémanente sur mon œil gauche.

— Qu'est-ce qu'il y a ? demande Ringer. Qu'est-ce qui se passe ?

— Tu t'es allumée. Dès que j'ai enlevé la puce.

Nous nous fixons durant deux longues minutes.

— Les Impurs ne s'illuminent pas en vert, lâche enfin Ringer.

J'ai déjà bondi sur mes pieds, M16 en main, et je recule en direction de la porte. Dehors, sous la neige qui continue à tomber, Poundcake et le sniper échangent toujours des tirs. *Les Impurs ne s'illuminent pas en vert. Qu'est-ce qu'elle raconte ?*

Ringer ne fait pas un geste pour s'emparer du fusil qui traîne à côté d'elle. De mon œil droit, elle est normale. Du gauche, elle brille comme un feu de Bengale. Elle lève devant elle ses mains vides, égratignées, éraflées dans sa chute, l'une luisante de sang coagulé.

— Réfléchis, Zombie. Examine tous les détails. Réfléchis ! Je me suis allumée après que tu as retiré l'implant. Les lentilles oculaires ne détectent pas les infestés. En fait, elles réagissent quand les personnes ne portent pas de puce.

— Excuse-moi, Ringer, mais ton raisonnement n'a foutrement aucun sens. Elles se sont allumées sur ces trois infestés. Pourquoi est-ce que les lentilles auraient réagi s'ils ne l'étaient pas ?

— Tu le sais. Tu as juste du mal à l'admettre, c'est tout. Elles se sont allumées parce que ces personnes *n'étaient pas* infestées. Elles étaient comme nous. La seule différence c'est qu'elles n'avaient pas d'implant.

Elle se lève. Mon Dieu, elle est si petite. On dirait une enfant… Mais c'est une enfant, non ?

Œil droit : Ringer normale.

Œil gauche : une boule de feu, verte.

Qui est Ringer ? *Qu'est-ce* qu'elle est ?

— Ils nous ont recueillis…

Elle avance maintenant vers moi. Je lève mon arme. Elle s'arrête.

— … cartographiés et balisés. Ils nous ont entraînés à tuer.

Un autre pas.

J'agite le canon de mon arme dans sa direction. Pas directement sur elle, mais dans sa direction : *Ne t'approche pas !*

— Toutes les personnes non balisées s'allumeront en vert, et lorsqu'elles chercheront à se défendre, à nous mettre au défi ou à nous tirer dessus comme ce sniper, là-haut, eh bien, ça prouvera juste qu'elles sont nos ennemis, n'est-ce pas ?

Encore un pas. Maintenant, je vise carrément son cœur.

— Ne va pas plus loin, je t'en prie, Ringer.

Une partie du visage pure, l'autre fondue dans un halo vert.

— Jusqu'à ce que nous ayons tué tous ceux qui ne portent pas d'implant.

Elle avance encore. À présent, elle est pile devant moi. Le canon de mon fusil appuie légèrement sur sa poitrine.

— C'est la 5ᵉ Vague, Ben.

Une goutte de sueur roule sur ma tempe. Je secoue la tête.

— Il n'y a pas de 5ᵉ Vague, Ringer. Pas de 5ᵉ Vague ! Le commandant m'a dit…

— Le commandant a menti.

Elle lève soudain ses mains ensanglantées et m'arrache le fusil qu'elle jette au sol. Je me sens partir à la dérive, dans une sorte de pays fantastique – un Wonderland bien différent –, où tout est inversé. La vérité est le mensonge. L'ennemi a deux visages, le mien et le sien – celui qui m'a sauvé, m'empêchant de sombrer, qui m'a arraché le cœur pour le transformer en champ de bataille.

Ringer me prend alors les mains et prononce l'ultime sentence :

— Ben, la 5ᵉ Vague, c'est nous.


## 61


NOUS SOMMES L'HUMANITÉ.

C'est un mensonge. Wonderland. Camp Haven. La guerre elle-même.

Tout n'est que mensonge.

Comme c'était facile ! Incroyablement facile malgré tout ce que nous avons traversé. Ou peut-être, justement, *à cause de* ce que nous avons traversé.

Ils nous ont recueillis. Ont éliminé tout sentiment en nous, pour nous remplir de haine, de fourberie et du désir de vengeance.

Afin de pouvoir nous renvoyer.

Tuer les derniers d'entre nous.

*Échec et mat.*

Je vais être malade. Ringer me tient par l'épaule pendant que je dégueule sur un poster piétiné à terre, qui annonce : DERNIÈRE TENDANCE.

Quand mon malaise est terminé, je me retourne. Je sens les doigts frais de Ringer qui effleurent ma nuque. J'entends sa voix m'assurer que tout ira bien. Je retire ma lentille, annihilant ainsi la lueur verte. Ringer reprend son vrai visage. Elle est de nouveau Ringer, et moi je suis moi, même si je ne suis plus certain de ce que ce *moi* signifie. Je ne suis pas ce que je croyais être. Le monde n'est pas ce que je pensais. Peut-être que c'est ça, le truc : maintenant, c'est *leur* monde, et nous sommes les aliens. Je lâche :

— Nous ne pouvons pas revenir en arrière.

Elle pose son regard acéré sur moi. Ses doigts massent ma nuque.

— Non, nous ne pouvons pas, mais nous pouvons aller de l'avant.

Elle ramasse mon fusil et me le plaque sur le torse.

— En commençant par régler son compte à ce fils de pute, là-haut.

Pas avant d'avoir enlevé ma puce. Ça fait plus mal que je ne m'y attendais, mais moins que je ne le mérite.

— Ne t'en veux pas, dit Ringer en me retirant l'implant. Ils nous ont tous bien entubés.

— Et ceux qu'ils n'ont pas réussi à duper, ils ont prétendu qu'ils avaient perdu les pédales, comme Dorothée, et ils les ont assassinés...

— Pas seulement ceux-là, lâche-t-elle d'un ton amer.

Et soudain, une pensée me frappe comme un coup porté en plein cœur : le hangar T&E. Les cheminées jumelles qui crachent ces fumées noire et grise. Les camions chargés de corps – de centaines de corps chaque jour. Des milliers chaque semaine. Et les bus qui reviennent chaque nuit bondés de rescapés. De morts vivants.

Je chuchote alors que le sang coule de mon cou :

— Camp Haven n'est pas une base militaire.

Ringer secoue la tête.

— Ni un camp de réfugiés.

J'acquiesce d'un hochement et ravale la bile qui me monte à nouveau dans la gorge. Je sais que Ringer attend que je le dise à voix haute. Parfois vous avez besoin de prononcer les mots ainsi, sinon rien ne semble réel. J'affirme :

— C'est un camp de la mort.

Il paraît que dire la vérité vous libère. Je n'y crois pas. Elle peut aussi vous enfermer comme une prison.

— Tu es prêt ?

Ringer a l'air anxieuse d'en finir. Je déclare :

— Nous ne le ferons pas.

Elle me regarde, genre, *qu'est-ce que tu racontes, putain de bordel ?* Mais je pense à Chris, ligoté sur son siège derrière le miroir sans tain. Je pense à tous ces corps sur le tapis roulant qui entraîne sa cargaison humaine jusqu'à la bouche affamée de l'incinérateur. Cela fait trop longtemps que je suis leur instrument.

— On le neutralise et on le désarme. C'est un ordre. Compris ?

Ringer hésite, puis hoche la tête. Je ne parviens pas à déchiffrer son expression. Me fait-elle le coup d'une nouvelle partie d'échecs ? Nous percevons toujours les tirs de Poundcake, de l'autre côté de la rue. Il va bientôt être à court de munitions. À nous de jouer !

Nous gagnons le hall plongé dans une obscurité totale et avançons épaule contre épaule, faisant courir nos mains sur le mur pour nous aider à garder l'allure. Nous essayons chaque porte, cherchant celle qui mène à l'escalier. Tout est silencieux. Seuls nos souffles résonnent dans l'air frais, ainsi que le bruit de nos bottes baignant dans une mare d'eau froide à l'odeur âcre – un tuyau a dû exploser. Arrivés au bout du couloir, j'ouvre une porte. Immédiatement, je sens un courant d'air glacé : c'est la cage d'escalier.

Nous nous arrêtons sur le palier du quatrième étage, au pied d'un escalier étroit qui conduit au toit. La porte est entrouverte. Nous entendons le staccato du fusil du sniper, mais il nous est impossible de le voir à cette distance. À cause de l'obscurité, nous ne pouvons pas utiliser le langage des signes, alors j'attire Ringer vers moi et lui parle à l'oreille :

— Je crois qu'il est juste en face.

Elle acquiesce d'un mouvement de tête. Ses cheveux me chatouillent le nez.

— On y va, et on ne lui laisse aucune chance.

Vu qu'elle tire mieux que moi, Ringer passe devant. Je tirerai après elle, si elle le rate ou si elle est blessée. Nous nous sommes entraînés à ça des centaines de fois, mais seulement sur des cibles incapables de riposter.

Ringer avance jusqu'à la porte. Je me tiens derrière elle, la main posée sur son épaule. Le vent hurle en s'engouffrant par l'entrebâillement – on dirait le vagissement d'un animal blessé. Ringer attend mon signal, tête courbée, respirant profondément, avec calme. Est-elle en train de prier ? Et si c'est le cas, prie-t-elle le même Dieu que moi ? Mon instinct me dit que non. Je lui tapote l'épaule. D'un coup de pied, elle ouvre la porte en grand et, soudain, c'est comme si elle avait été projetée par un canon. Elle disparaît dans un tourbillon de neige alors que je n'ai pas fait deux pas sur le toit, et j'entends le *tac-tac-tac* de son arme avant de trébucher sur elle, agenouillée dans la neige, véritable tapis blanc. À trois mètres devant elle, le sniper est couché sur le côté et agrippe sa jambe d'une main tout en cherchant son fusil de l'autre. Il a dû le laisser tomber quand elle lui a tiré dessus. Ringer fait feu de nouveau, cette fois sur la main qui tâtonne vers le fusil. Malgré l'obscurité et l'épaisseur de la neige, elle l'atteint illico. Le type porte la main à son torse en hurlant. Je donne à Ringer une tape sur le crâne et lui fais signe d'arrêter. Je crie au type :

— Bouge pas ! Reste couché !

Il s'assied et presse sa main blessée contre son torse. Il fait face à la rue, se recroqueville, et même si nous ne pouvons pas voir ce qu'il trafique de son autre main, je remarque un éclat argenté et l'entends grommeler : *Bande d'asticots.* Aussitôt, un immense froid m'envahit. Je connais cette voix.

Il m'a hurlé au visage, ridiculisé, humilié, menacé, maudit. Sa voix ne me lâchait jamais, de l'instant où je me réveillais à la minute où j'allais me coucher. Nous l'avons entendu siffler, beugler, grogner, cracher sur chacun d'entre nous.

Reznik.

Nous l'entendons tous les deux, Ringer et moi. Cette voix nous fige. Nous coupe le souffle. Glace nos pensées.

Et elle lui donne l'avantage sur nous – lui octroyant de précieuses secondes.

Pendant que Reznik se relève, le temps s'écoule au ralenti, comme si la grande horloge de la vie s'essoufflait.

Se redresser sur ses pieds. Ça lui prend environ sept à huit minutes dans ce curieux décalage temporel.

Se retourner pour nous faire face. Au moins dix.

Il tient un objet dans sa main valide et le frappe à coups de poing de sa main ensanglantée. Ça, ça dure vingt bonnes minutes.

Soudain, la réalité reprend le dessus, Ringer tire. Sa balle atteint Reznik au torse. Il tombe à genoux. Sa bouche s'entrouvre en un cri muet, puis il s'écroule devant nous, visage contre terre.

Le temps retrouve alors sa course normale. Nous restons immobiles, sans dire un mot.

La neige. Le vent. On dirait que nous sommes seuls au sommet d'une montagne de glace. Ringer s'approche de Reznik et le fait rouler sur le dos. Elle récupère le boitier argenté qu'il tient à la main. Je baisse les yeux sur Reznik, sur sa face de rat grêlée. Je suis à la fois surpris et pas surpris.

— Il a passé des mois à nous entraîner afin de pouvoir nous tuer.

Ringer secoue la tête. Elle observe l'écran de l'appareil. Sa lumière éclaire son visage, augmentant le contraste entre sa peau pâle et ses cheveux couleur de nuit. Elle est magnifique dans cette lumière. Aussi belle qu'un ange, ou plus exactement que l'Ange de la Vengeance.

— Il n'allait pas nous tuer, Zombie. Mais notre arrivée surprise ne lui laissait plus le choix. En tout cas, il ne comptait pas utiliser son fusil pour nous abattre.

Elle lève l'appareil afin que je puisse voir l'écran.

— Je crois qu'il avait l'intention de se servir de ça.

Une grille occupe la partie haute de l'écran. Dans le coin gauche, je remarque un bouquet de petites lumières vertes, puis un autre, près du milieu.

— L'équipe.

— Oui, et cette lumière isolée, là, ça doit être Poundcake.

Je pousse un lourd soupir.

— Ce qui veut dire que si nous n'avions pas retiré nos implants...

— Il aurait su pile où nous nous trouvions. Il nous aurait attendus, et là, on était baisés.

Elle me désigne deux nombres lumineux sur le bas de l'écran. L'un est celui qui m'a été assigné quand le Dr Pam m'a cartographié et balisé. Je devine que l'autre est celui de Ringer. Sous ces nombres, un bouton vert clignote. Je demande :

— Qu'est-ce qui se passe si on appuie sur ce bouton ?

— À mon avis, rien.

Et elle presse le bouton. Je tressaille, mais effectivement il ne se passe rien.

— C'est un dispositif de mise à mort, conclut Ringer. Il devait être lié à nos puces.

Ainsi Reznik aurait pu nous faire imploser à n'importe quel moment. Si nous tuer n'était pas son but, alors quel était-il ? Ringer comprend ma question sans que j'aie besoin de la poser.

— Les trois « infestés » – c'est pour ça qu'il a ouvert le feu sur eux. Nous sommes la première escouade à sortir du camp. C'est logique qu'ils contrôlent nos réactions en combat réel. Ou du moins, en ce que nous croyons être *du combat réel*. Pour être sûrs que nous répondrons bien aux lueurs vertes comme de bons rats de laboratoire. Ils ont dû déposer Reznik ici avant nous – pour qu'il déclenche le détonateur au cas où nous ne nous serions pas montrés à la hauteur. Et, quand il a vu que c'était le cas, il nous a donné de quoi nous motiver.

— Et il a fait feu sur nous pour… ?

— … pour nous garder sur la brèche et que nous soyons prêts à éliminer n'importe quelle putain de lumière verte.

Les flocons de neige qui tournoient autour de nous me donnent l'impression que Ringer me regarde à travers un voile blanc. Des petits cristaux s'accrochent à ses cils et brillent dans ses cheveux.

— C'était un gros risque à prendre, je fais remarquer.

— Pas vraiment. Il nous captait sur son mini radar. Au cas où le pire des scénarios se serait déclenché, il n'avait qu'à presser le bouton. Seulement, il n'a pas envisagé le pire des pires des scénarios…

— … que nous aurions enlevé nos implants.

Ringer m'approuve d'un signe de tête. D'une main, elle chasse la neige sur son visage.

— Ce connard ne s'attendait pas à ça.

Elle me tend l'appareil. J'en referme le couvercle et le glisse dans ma poche.

— À nous de jouer, sergent. **Quels sont les ordres ?** demande-t-elle avec douceur – à moins que ce ne soit la neige qui étouffe sa voix.

J'inspire une grande goulée d'air, puis je pousse un long soupir.

— On retourne vers l'escouade. On retire les traceurs de tout le monde...

— Et ?

— Et on croise les doigts pour qu'il n'y ait pas un bataillon de Rezniks en route.

Je me retourne pour partir, mais elle me saisit soudain le bras.

— Attends ! On ne peut pas retourner là-bas sans nos implants.

Il me faut une seconde pour piger, puis je hoche la tête et me frotte le menton d'une main. Sans nos implants, nos silhouettes vont s'illuminer dans les lentilles oculaires des autres.

— Poundcake va nous descendre avant qu'on ait atteint le milieu de la rue.

— Et si on se les mettait dans la bouche ? propose-t-elle.

Je plisse les lèvres. Son idée n'est pas terrible. Et si jamais nous avalions les traceurs par accident ?

— Non, il faut les replacer là où ils étaient, faire un bandage bien serré, et...

— ... espérer qu'ils ne tombent pas ? suggère Ringer.

— Et que nous ne les avons pas désactivés en les retirant... Quoi ? C'est trop demander ?

Le coin de sa bouche se plisse.

— Peut-être que c'est notre arme secrète.

## 62

— C'EST QUOI CETTE PUTAIN D'HISTOIRE ? me demande Flintstone. Reznik nous canardait ?

Nous sommes assis contre le parapet du garage, Ringer et Poundcake à chaque extrémité, nous observons la rue en dessous de nous. Je suis entre Flint et Dumbo, Teacup sur mes genoux, sa tête plaquée contre mon torse.

— Reznik est un Envahi, je lui explique pour la troisième fois. Camp Haven leur appartient. Ils nous ont utilisés pour...

— Arrête ça, Zombie ! C'est la connerie la plus dingue, la plus parano que j'ai jamais entendue !

Son visage est d'un rouge couleur betterave, et il ne cesse de froncer cette chenille broussailleuse qui lui tient lieu de sourcil. Il est furax.

— Tu as descendu notre sergent instructeur ? qui essayait de nous descendre ! durant une mission où nous sommes supposés descendre les Envahis ! Vous pouvez tous faire ce que vous voulez, mais moi j'en ai marre. J'en ai marre !

Il se relève et tend le poing vers moi.

— Je retourne au point de rendez-vous pour attendre de me faire évacuer. Tout ça, c'est...

Il cherche le mot juste, puis se contente d'un...

— ... de la connerie.

Je dis alors d'un ton calme et ferme :

— Flint, assieds-toi.

— J'y crois pas ! Tu es devenu comme Dorothée ! Dumbo, Cake, vous croyez à cette merde ? Putain, c'est pas possible !

Je sors le dispositif de Reznik de ma poche, l'ouvre et montre l'écran à Flint.

— Tu vois ce point vert, là ? C'est toi.

Je fais glisser mon doigt vers le bas de l'écran, jusqu'à son numéro, et l'allume d'un effleurement du pouce. Le bouton vert s'éclaire.

— Tu sais ce qui arrive quand on presse ce bouton ?

Et là, il se passe un truc qui vous tient éveillé la nuit pour le reste de votre vie – qui vous fait espérer pouvoir revenir à l'instant précédent.

Flintstone bondit en avant et m'arrache l'appareil des mains. J'aurais peut-être pu le récupérer à temps, mais Teacup est sur mes genoux, et sa présence entrave mon geste. Ma seule réaction avant qu'il appuie sur le bouton, c'est de crier :

— Non !

La tête de Flintstone part brutalement en arrière, comme si quelqu'un l'avait frappé avec violence sur le front. Flint ouvre la bouche en grand pendant que ses yeux se révulsent.

Puis il tombe, aussi mou qu'une poupée de chiffon, ou une marionnette dont les fils se seraient cassés.

Teacup hurle. Ringer l'écarte de moi et je m'age-nouille à côté de Flint. Bien que ce soit inutile, je vérifie quand même son pouls. En fait, il me suffit de regarder l'écran de l'appareil figé dans sa main.

Le point vert est devenu rouge.

— Je crois que tu avais raison, Ringer, je lance par-dessus mon épaule.

Je retire l'instrument de la main crispée de Flintstone. La mienne tremble. De panique. De confusion. Mais surtout de colère : je suis furieux contre Flint. Et, tout mort qu'il soit, j'ai bien envie de lui foutre mon poing dans la gueule.

— Qu'est-ce qu'on va faire, maintenant, sergent ? demande Dumbo.

Il panique, lui aussi.

— Pour l'instant, tu vas enlever les implants de Pound-cake et de Teacup.

Sa voix s'envole dans les aigus.

— Moi ?

— C'est toi le médecin, non ? Ringer te retirera le tien.

— OK, mais qu'est-ce qu'on fera après ? On ne peut pas faire marche arrière. On ne peut plus aller... là où on était supposés aller.

Ringer m'observe. Je déchiffre de mieux en mieux ses expressions. Cette légère crispation de sa bouche signifie qu'elle tient bon, comme si elle avait déjà deviné ce que j'allais dire. D'ailleurs, c'est peut-être bien le cas.

— Non, tu ne feras pas marche arrière, Dumbo.

— Tu veux dire que *nous* ne ferons pas marche arrière, me corrige Ringer. *Nous*, Zombie.

Je me redresse. Me mettre debout me prend une éternité. Je m'approche de Ringer. Le vent chasse ses cheveux de côté, formant comme un drapeau noir autour de son visage. J'explique :

— Nous avons laissé quelqu'un derrière nous.

Elle secoue la tête d'un petit coup sec. Sa frange danse sur son front.

— Nugget ? Zombie, tu ne peux pas retourner là-bas pour lui. C'est du suicide !

— Je ne peux pas l'abandonner. Je lui ai fait une promesse.

Je tente d'argumenter, mais je ne sais même pas par où commencer. Comment formuler ça ? C'est impossible. C'est comme localiser le point de départ d'un cercle.

Ou trouver le premier maillon d'une chaîne d'argent.

— Je me suis enfui une fois. Ça n'arrivera plus.

## 63

IL Y A LA NEIGE QUI TOMBE, telles de petites aiguilles blanches.

Il y a la rivière, qui emporte les déchets humains, noire, rapide et silencieuse sous les nuages qui dissimulent l'Œil verdâtre du ravitailleur.

Et il y a ce footballeur de dix-huit ans – ex-star du lycée – vêtu comme un soldat, avec un fusil semi-automatique donné par ceux qui déclenchent les lumières vertes, accroupi près de la statue d'un vrai soldat, qui a combattu puis est mort le cœur et l'esprit purs, non corrompu par les mensonges d'un ennemi capable de lire en lui, ennemi qui a perverti tout ce qu'il y avait de bon en lui et s'est servi de sa foi et de ses espoirs pour le transformer en armes contre son propre clan.

Le mec qui ne s'est pas battu quand il aurait dû et veut se battre maintenant, alors qu'il ferait mieux de s'en abstenir. Se battre parce que les promesses sont importantes. Aujourd'hui plus que jamais.

Le mec surnommé Zombie, qui a promis, et s'il rompt cette promesse, la guerre sera terminée – pas la grande guerre, mais celle, vitale, qui se joue dans le champ de bataille de son cœur.

Dans le parc près de la rivière. La neige tombe.

Je sens l'hélicoptère avant de l'entendre. Un changement dans l'atmosphère, une sorte de frisson contre ma peau nue. Puis le bruit rythmé des pales, et je me lève, vacillant, pressant ma main contre la balle plantée dans mon flanc.

— Dans quelle partie de ton anatomie je dois tirer ? m'a demandé Ringer.

— Je ne sais pas, mais pas dans les jambes ni dans les bras.

Dumbo, désormais expert en anatomie humaine grâce à ses fameuses missions a précisé :

— Tire-lui sur le côté. De près. Et de cet angle, sinon tu lui exploseras les intestins.

Et Ringer :

— Qu'est-ce qu'on fait si je t'explose les intestins ?

— Vous m'enterrez, parce que je serai mort.

Un sourire ? Non. Putain…

Un peu plus tard, une fois que Dumbo a examiné ma blessure, elle a insisté :

— Combien de temps on t'attend ?

— Pas plus d'un jour.

— Un seul ?

— OK. Deux jours. Si nous ne sommes pas de retour dans quarante-huit heures, c'est que nous ne reviendrons pas.

Elle ne discute pas avec moi, cependant elle ajoute :

— Si tu n'es pas là dans quarante-huit heures, je pars à ta recherche.

— Mauvaise tactique, mademoiselle la joueuse d'échecs.

— Il ne s'agit pas d'échecs.

L'ombre noire qui rugit maintenant au-dessus des branches nues, le bruit du rotor qui bat comme un énorme cœur, et le vent glacial qui s'accroche à mes épaules tandis que j'avance vers le hayon ouvert.

Le pilote tourne la tête quand je plonge à l'intérieur :

— Où est ton unité ?

Je me laisse tomber dans un siège vide

— Fonce ! Fonce !

Le pilote insiste :

— Soldat, où est ton unité ?

Mon unité répond depuis une rangée d'arbres, en faisant feu sur la carlingue du Black Hawk.

Je hurle :

— Fonce, fonce, fonce !

Une douleur atroce me transperce à chaque « Fonce ! ». Un flot de sang déborde de ma blessure et se répand entre mes doigts.

Le pilote décolle, fonce en avant et vire d'un coup sec à gauche. Je ferme les yeux. *File, Ringer, file !*

Le Black Hawk mitraille le sol, faisant exploser les arbres, puis le pilote crie quelque chose à l'attention du copilote, et maintenant, l'hélico vole juste au ras des cimes, mais Ringer et ma troupe sont sûrement déjà en train de courir sur la piste qui longe les berges. Nous tournoyons plusieurs fois au-dessus des arbres, faisant feu jusqu'à ce que la majorité des troncs soient pulvérisés. Le pilote jette alors un coup d'œil dans la soute, et m'aperçoit allongé sur deux sièges, me tenant le côté ensanglanté. Il fait monter l'hélico plus haut et accélère. Le Black Hawk fonce à travers les nuages et bientôt le parc disparaît dans l'immensité blanche.

Je perds conscience. Trop de sang. Trop de tout. Je vois le visage de Ringer, et, putain, elle ne se contente pas de sourire, mais elle rit carrément. Oui, j'ai réussi à la faire rire.

Et je vois aussi Nugget, qui lui, ne sourit pas le moins du monde.

*Ne fais pas de promesses ! Ne fais pas de promesses ! Ne fais pas de promesses ! Ne promets rien ! Jamais, jamais, jamais !*

— J'arrive, Nugget. Je te le promets.

## 64

Je me réveille là où tout a commencé, dans un lit d'hôpital, bardé de pansements et flottant dans un océan d'antalgiques. Cercle complet.

Il me faut quelques minutes pour réaliser que je ne suis pas seul.

Quelqu'un est assis sur la chaise à côté de mon intra-veineuse. Je tourne la tête. Ce sont ses bottes que je vois en premier, d'un noir luisant comme un miroir. L'uniforme impeccablement repassé et amidonné. Le visage ciselé, le regard bleu perçant qui fouille jusqu'aux tréfonds de mon âme.

— Ainsi, vous voilà, lâche Vosch avec calme. Sauf, à défaut d'être sain. Les médecins m'ont informé que vous avez eu une chance extraordinaire de survivre. Aucune blessure majeure : la balle n'a causé aucun dommage irrémédiable. Incroyable, vraiment, vu qu'on vous a tiré dessus de très près.

Qu'est-ce que je vais lui dire ?

*La vérité.*

— C'est Ringer.

Vosch penche la tête de côté. Il ressemble à un rapace aux yeux exorbités qui surveille un morceau de choix.

— Et pourquoi le soldat Ringer a-t-elle tiré sur vous, Ben ?

*Tu ne peux pas lui dire la vérité.*

OK. Au diable la vérité. Je vais plutôt lui raconter les faits.

— À cause de Reznik, chef.

— Reznik ?

— Chef, le soldat Ringer m'a tiré dessus parce que je défendais la présence du sergent-instructeur Reznik.

— Et pourquoi défendiez-vous la présence de Reznik, sergent ?

Il croise les jambes et enserre son genou de ses mains. Il est difficile de garder le contact visuel avec lui durant plus de trois ou quatre secondes.

— Ils se sont retournés contre nous, chef. Enfin, pas tous. Flintstone et Ringer – ainsi que Teacup, mais seulement à cause de Ringer. Ils ont dit que la présence de Reznik là-bas prouvait que tout cela n'était qu'un mensonge et que vous…

Vosch lève une main pour m'interrompre.

— Cela ?

— Le camp, les infestés ; ils prétendent que nous n'avons pas été entraînés pour tuer les extraterrestres, mais que les extraterrestres nous entraînent à nous entre-tuer.

D'abord, il ne dit rien. J'espérais presque qu'il allait éclater de rire, au moins sourire, voire secouer la tête d'un air incrédule. S'il avait réagi ainsi, j'aurais pu avoir des doutes – j'aurais pu reconsidérer toute cette histoire de lunettes vertes et en conclure que je souffrais d'hystérie paranoïaque. Au lieu de cela, il se contente de me fixer de ses grands yeux de rapace. Impassible.

— Et vous n'étiez pas d'accord avec leur théorie du complot ?

Je hoche la tête. Un bon hochement, fort, confiant – en tout cas, je l'espère.

— Ils se sont transformés en Dorothée, chef. Ils ont retourné toute l'équipe contre moi.

Je souris, mais d'un sourire sombre de soldat – enfin, je l'espère.

— J'ai quand même eu le temps de régler son compte à Flint.

— Nous avons retrouvé son corps, oui, m'informe Vosch. Comme vous, on lui a tiré dessus de près, mais la balle s'est enfoncée un peu plus haut dans son anatomie.

*Tu es sûr de toi, Zombie ? Pourquoi est-ce que tu veux lui tirer dans la tête ?*

*Ils ne doivent pas savoir qu'il est mort à cause de sa puce. Peut-être que, si je lui explose le crâne, je parviendrai à détruire les preuves évidentes. Recule, Ringer. Tu sais que je vise mal.*

— J'aurais descendu les autres, si j'avais pu, chef, mais ils étaient plus nombreux que moi. Alors j'ai décidé que le mieux était de revenir vous faire mon rapport.

De nouveau, il reste immobile et ne dit rien pendant un long moment, se contentant de me fixer.

*Qu'est-ce que tu es ? Un humain ? un Envahi ? ou bien… quelque chose d'autre ? Putain, mais qui es-tu ?*

— Savez-vous qu'ils ont disparu ? demande-t-il.

Il attend ma réponse. Par chance, j'y ai déjà réfléchi. Enfin, à dire vrai, c'est Ringer. Rendons à César…

— Ils ont retiré leurs implants.

— Le vôtre aussi, fait-il remarquer.

Il patiente toujours. Par-dessus son épaule, je vois des garçons de salle vêtus de leurs uniformes verts se déplacer entre les rangées de lits, et j'entends le crissement de leurs chaussures sur le lino.

Une journée de plus dans l'hôpital des damnés.

Je suis prêt pour sa question.

— Je jouais leur jeu. J'attendais une opportunité, chef. Après m'avoir enlevé ma puce, Dumbo s'est occupé de Ringer, et c'est à ce moment-là que je me suis échappé.

— Vous avez d'abord tiré sur Flintstone…

— Et Ringer m'a tiré dessus.

— Et ensuite…

À présent, il a les bras croisés sur son torse. Le menton baissé. Il m'étudie, paupières tombantes, comme un oiseau de proie le ferait de son dîner.

— Et ensuite, j'ai couru, chef.

*Alors comme ça, Zombie, je suis capable de shooter Reznik dans le noir, en pleine tempête de neige, mais je ne peux pas t'atteindre à moins d'un mètre ? Il ne le croira jamais.*

*Je n'ai pas besoin qu'il le croie. Juste qu'il… suppose que c'est vrai, pendant quelques heures.*

Vosch s'éclaircit la gorge. Se gratte le menton. Contemple le plafond pendant un instant puis me fixe de nouveau.

— Quelle chance pour vous, Ben, que vous ayez réussi à gagner le point d'évacuation avant de perdre trop de sang !

*Oh, tu peux le dire. Qui – ou quoi – que tu sois. Ouais, j'ai eu une putain de chance.*

Un lourd silence s'installe. Yeux bleus. Glacials. Lèvres serrées. Bras croisés.

— Vous ne m'avez pas tout raconté.

— Pardon, chef ?

— Vous oubliez quelque chose.

Je secoue lentement la tête. La pièce tangue comme un bateau au beau milieu d'une tempête. Combien d'antalgiques m'ont-ils donnés ?

— Votre ex-sergent-instructeur. Quelqu'un dans votre unité a dû le fouiller et trouver un de ces éléments en sa possession.

Il lève devant lui un boitier argenté similaire à celui de Reznik.

— Ce qui signifie que quelqu'un – et je pense que c'est vous, étant donné que vous êtes l'officier responsable de cette troupe – se sera demandé ce que Reznik faisait avec un dispositif capable de supprimer vos vies d'une simple pression sur un bouton.

Je hoche la tête. Ringer et moi savions qu'il en arriverait là, et ma réponse est prête. Qu'il me croie ou pas, ça, c'est une autre question.

— Il n'y a qu'une explication possible à cela, chef. C'était notre première véritable mission, notre baptême du feu. Vous deviez nous contrôler, et vous aviez besoin d'un dispositif sécuritaire au cas où l'un d'entre nous se transforme en Dorothée – se retourne contre les Autres et...

Je m'interromps, le souffle court, ravi qu'il en soit ainsi, car je redoute ce que je pourrais dire sous l'effet de toutes ces drogues. J'ai du mal à penser clairement. J'avance sur un terrain miné au beau milieu d'un épais brouillard. Ringer l'a anticipé. Elle m'a fait répéter cette partie du scénario, encore et encore, quand nous attendions le retour de l'hélicoptère dans le parc, juste avant qu'elle appuie son arme contre mon estomac et presse la détente.

Les pieds de la chaise grattent le sol, et soudain, Vosch se penche. Son visage emplit tout mon champ de vision.

— C'est vraiment extraordinaire, Ben. Vous avez réussi à résister à la dynamique de combat du groupe, et à la pression qui pouvait vous inciter à vous rallier au troupeau. C'est presque – je dirais, inhumain, à défaut de trouver un autre mot.

Je chuchote :

— Je suis humain.

Mon cœur cogne si fort, que l'espace d'un instant j'ai l'impression que Vosch peut le voir battre à travers ma fine chemise d'hôpital.

— L'êtes-vous ? Parce que c'est là le point crucial de tout, n'est-ce pas, Ben ? Qui est humain – et qui ne l'est pas. N'avons-nous pas des yeux, Ben ? N'avons-nous pas des mains, des organes, des proportions, des sens, des affections, des passions ? « Si vous nous piquez, ne saignons-nous pas ? Si vous nous outragez, ne nous vengerons-nous pas[1] ? »

L'angle brut de sa mâchoire. La sévérité de ses yeux. Les lèvres pâles et minces contrastant avec le visage enflammé.

— Shakespeare. *Le Marchand de Venise.* Déclamé par un représentant d'un peuple méprisé et persécuté. Comme notre race, Ben. La race humaine…

— Je ne crois pas qu'ils nous détestent, monsieur.

J'essaie de rester calme devant cet étrange et surprenant changement dans le champ de mines. La tête me tourne. La blessure par balle, les drogues, ces vers de Shakespeare récités par le commandant en chef de l'un des plus efficaces camps de la mort de toute l'histoire du monde.

---

1. Traduction de François Pierre Guillaume Guizot.

— Ils ont alors une curieuse façon de nous montrer leur affection. Vous ne trouvez pas, Ben ?

— Ils ne nous aiment pas plus qu'ils ne nous haïssent, chef. Mais nous nous trouvons sur leur chemin. Peut-être qu'à leurs yeux, *nous* sommes les infestés.

— La *periplaneta americana*[1] contre leur *Homo sapiens* ? Dans ce cas, je préfère être le cafard. Très difficile à éradiquer.

Il me donne une tape sur l'épaule. Affiche soudain un grand sérieux. Voilà, nous sommes à l'instant crucial. Ça passe ou ça casse. Je le sens. Vosch ne cesse de tourner et de retourner le dispositif métallisé dans sa main.

*Ton plan est merdique, Zombie. Tu le sais.*

*OK. Quel est le tien ?*

*On reste ensemble. Et on tente notre chance avec... qui que ce soit qui se terre dans le tribunal.*

*Et Nugget ?*

*Ils ne lui feront pas de mal. Pourquoi tu te fais tant de souci pour lui ? Bordel, Zombie, il y a des centaines d'enfants...*

— *Ouais, je sais. Mais il y en a un seul à qui j'ai fait une promesse.*

— C'est un changement très grave, Ben. Très grave. La déception de Ringer va la conduire à chercher refuge auprès des entités qu'elle était supposée détruire. Elle va leur confier tout ce qu'elle sait sur nos opérations. Nous avons déployé trois équipes pour la devancer, mais j'ai peur qu'il ne soit trop tard. Et, si c'est le cas, nous

---

1. Variété de blattes.

n'aurons pas d'autre choix que d'exécuter l'option de dernier recours.

Ses yeux brûlent de leur pâle lueur bleue. Il s'éloigne, et je frissonne. J'éprouve soudain une sacrée frousse.

*C'est quoi cette option de dernier recours ?*

Il n'est peut-être pas convaincu par tout ce que je lui ai raconté, néanmoins, dans l'immédiat, il semble me croire. Je suis toujours en vie. Et, tant que je suis en vie, Nugget a une chance.

Tout à coup, Vosch se retourne comme s'il venait brusquement de se rappeler quelque chose.

*Merde. On y est.*

— Oh, encore une chose. Désolé d'être porteur de mauvaises nouvelles, mais nous allons vous sevrer de médicaments, afin de pouvoir vous passer au débriefing.

— Un débriefing, chef ?

— Le combat est une chose curieuse, Ben. Il joue des tours à notre mémoire. Et nous avons découvert que les médicaments interfèrent avec le programme. Cela devrait prendre environ six heures pour que votre organisme soit purifié.

*Je ne comprends toujours pas, Zombie. Pourquoi je dois te tirer dessus ? Pourquoi tu ne pourrais pas raconter que tu nous as faussé compagnie ? Ce serait bien mieux, si tu veux mon avis.*

*Il faut que je sois blessé, Ringer.*

*Pourquoi ?*

*Pour qu'ils me donnent des médocs.*

*Pourquoi ?*

*Pour me permettre de gagner du temps. Sinon, ils m'emmèneront là-bas dès que je serai descendu de l'hélico.*

*Où ça ?*

Voilà, je sais. Je n'ai pas besoin de demander d'explication à Vosch, mais je le fais quand même.

— Vous allez me connecter à Wonderland ?

D'un geste du doigt, il interpelle un garçon de salle, qui s'approche, un plateau à la main. Un plateau sur lequel trônent une seringue et une petite pastille argentée.

— Oui, Ben, on vous branche sur Wonderland.

# IX

# UNE FLEUR SOUS LA PLUIE

# 65

HIER SOIR, NOUS NOUS SOMMES ENDORMIS devant le feu de cheminée et, ce matin, je me réveille dans notre lit – non, pas notre lit. Mon lit. Le lit de Val ? Enfin, le lit, mais je ne me rappelle pas avoir grimpé l'escalier. Evan a dû me porter jusqu'ici et me border. Pour l'instant, je suis seule. Je commence à paniquer en me rendant compte qu'il n'est pas là. Il est plus facile de repousser mes doutes en sa présence. Quand je peux plonger mon regard dans ses yeux couleur de chocolat fondant et entendre sa voix grave et profonde m'envelopper comme une couverture chaude par une nuit froide. *Oh, Cassie, tu es vraiment un cas désespéré !*

Je m'habille très vite dans la lumière de l'aube naissante, et je descends au rez-de-chaussée. Aucune trace d'Evan, mais je remarque mon M16, nettoyé et chargé, appuyé contre le manteau de la cheminée. J'appelle Evan. Seul, le silence me répond.

Je m'empare de mon fusil. La dernière fois que j'ai fait feu, c'était sur le soldat au crucifix.

*Ce n'était pas de ta faute, Cassie. Ni de la sienne.*

Je ferme les yeux et je revois mon père couvert de sang me crier : *Non, Cassie !*, avant que Vosch s'approche de lui et l'achève.

*C'était de sa faute à lui. Pas la tienne. Ni celle du soldat au crucifix. La sienne.*

*Vosch.*

Une image très nette surgit à mon esprit : moi, plaquant le canon de mon fusil sur la tempe de Vosch juste avant de lui exploser le crâne.

Pour cela, je dois d'abord le trouver. Puis lui demander poliment s'il veut bien rester immobile afin que je puisse plaquer mon fusil contre sa tempe et lui faire exploser le crâne.

Je me retrouve assise sur le canapé à côté de Nounours, et je les berce tous les deux, Nounours d'un bras, mon fusil de l'autre, comme si j'étais de nouveau dans ma tente au milieu des bois, sous les arbres, eux-mêmes sous le ciel dans lequel trône l'œil sinistre du ravitailleur sous une explosion d'étoiles où la nôtre n'est qu'un point minuscule. Bordel, mais pourquoi les Autres ont-ils choisi notre planète parmi toutes celles qui peuplent l'univers pour y mener leur sale business ?

C'en est trop pour moi. Impossible de triompher d'Eux. Je ne suis qu'un cafard. OK, si je m'en tiens à la métaphore d'Evan, je suis un éphémère, c'est beaucoup plus joli, et au moins ils savent voler. Quoi qu'il en soit, je peux quand même éliminer quelques-uns de ces enfoirés avant que mon unique jour de vie sur Terre soit terminé.

Et j'ai l'intention de commencer par Vosch.

Une main agrippe soudain mon épaule.

— Cassie, pourquoi pleures-tu ?

— Je ne pleure pas. J'ai juste les yeux irrités à cause de mes allergies. Ce satané ours en peluche est bourré de poussière.

Evan s'installe près de moi – côté Nounours.

— Où étais-tu ? je demande pour changer de sujet.

— Sorti vérifier le temps.

— Et ?

*Tu ne pourrais pas faire des phrases entières, non ? J'ai froid, et j'ai besoin d'entendre ta voix chaleureuse pour me rassurer.*

Je relève mes genoux jusqu'à mon menton, calant mes talons au bord du canapé.

— Je crois que ce sera bon pour ce soir.

La lumière matinale pénètre par une fente entre les plaids accrochés à la fenêtre, s'accroche dans les cheveux sombres d'Evan et illumine ses yeux.

— Parfait.

— Cassie…

Il pose sa main chaude sur mon genou. Je sens sa chaleur à travers mon jean.

— J'ai eu une idée… un peu curieuse, peut-être.

— Comme quoi ? Que tout cela n'était qu'un mauvais rêve ?

Il lâche un rire nerveux.

— Je ne tiens pas à ce que tu le prennes mal, alors écoute-moi avant de dire quoi que ce soit, d'accord ? J'y ai beaucoup réfléchi, et je ne t'en parlerais pas si je ne pensais pas…

— Pas de bla-bla inutile, Evan. Contente-toi de m'expliquer.

*Oh, mon Dieu, que va-t-il m'annoncer ?* Je me crispe. *Pas grave, Evan. Ne me dis rien.*

— Laisse-moi y aller.

Confuse, je contemple sa main. Ses doigts serrent mon genou un peu plus fort pour m'obliger à le regarder. Il me faut quelques secondes pour comprendre.

— Tu veux dire, y aller *seul.* Moi, je reste là, et toi, tu pars à la recherche de mon frère ?

— N'oublie pas que tu as promis de m'écouter...

— Je ne t'ai rien promis du tout !

J'écarte sa main. Son idée de m'abandonner ici n'est pas juste offensante, elle est terrifiante.

— C'est moi qui ai fait cette promesse à Sammy, alors laisse tomber.

Il insiste.

— Mais tu ignores ce qu'il y a, dehors.

— Parce que, toi, tu le sais, peut-être ?

— Mieux que toi, en tout cas.

Il tend le bras vers moi, mais je le repousse d'une main sur son torse. *Oh, non, mon vieux.*

— Très bien. Alors dis-moi ce qui m'attend dehors.

— Essaie un peu d'imaginer lequel d'entre nous a le plus de chances de vivre assez longtemps pour tenir ta promesse. Je ne dis pas cela parce que tu es une fille, ni parce que je suis plus fort, ou plus malin ou quoi que ce soit. Je dis juste que, si un seul d'entre nous s'en va, l'autre aura plus de chances de retrouver ton frère, au cas où le pire arrive.

— Pour le dernier argument, tu as sûrement raison. Mais c'est à moi de faire la première tentative. C'est mon frère. Tu crois que je vais attendre qu'un Silencieux se pointe ici pour m'emprunter du sucre ? Même pas en rêve ! J'y vais ! Et toute seule !

Je bondis du canapé comme si j'allais partir sur-le-champ. Evan m'attrape par le bras. Je le repousse avec rudesse.

— Merde, ça suffit, Evan ! Tu oublies que c'est moi qui t'autorise à m'accompagner, pas le contraire.

Evan penche la tête.

— Je sais. Je le sais bien.

Puis il a un rire contrit.

— J'étais sûr de ta réponse, mais il fallait quand même que je te pose la question.

— Parce que tu crois que je ne peux pas prendre soin de moi toute seule ?

— Parce que je ne veux pas que tu meures.

## 66

NOUS NOUS PRÉPARONS DEPUIS DES SEMAINES. Durant cette dernière journée, nous n'avons pas grand-chose à faire sauf attendre la tombée de la nuit. Nous voyagerons léger. Evan pense que nous pourrons atteindre Wright-Patterson en deux ou trois nuits, à moins d'un empêchement inattendu, comme un nouveau blizzard, ou si l'un d'entre nous se fait tuer – ou nous deux, ce qui reporterait définitivement l'opération.

Bien que je n'aie gardé qu'un minimum d'effets personnels, j'ai du mal à glisser Nounours dans mon sac à dos. Peut-être que je devrais lui couper les jambes, et raconter à Sammy qu'il les a perdues quand l'Œil a détruit le Camp des Cendres.

L'Œil. Ça serait mieux, en fait : non pas une balle dans le crâne de Vosch, mais une bombe extraterrestre fourrée dans son slip.

— Tu ne devrais peut-être pas l'emmener, suggère Evan.

Je marmonne en poussant sur la tête de Nounours :

— Tu devrais peut-être la boucler !

Enfin j'arrive à remonter la fermeture. Voilà !

Evan me regarde en souriant.

— Tu sais, la première fois que je t'ai vue dans les bois, j'ai pensé que c'était ton ours.

— Les bois ?

Son sourire s'évanouit aussitôt. Je lui rappelle :

— Ce n'est pas dans les bois que tu m'as trouvée…

La température de la pièce semble soudain baisser de dix degrés.

— … mais au beau milieu d'une congère.

— Je veux dire que, moi, j'étais dans les bois, pas toi. Je t'ai vue depuis la forêt, à environ sept cents mètres.

Je hoche la tête. Non parce que je le crois – sept cent mètres ! –, mais parce que c'est le mieux à faire pour l'instant.

— Tu n'es pas encore sorti de l'auberge, Evan. Tu es gentil, et tu as des ongles nickel, mais je me demande toujours pourquoi tes mains sont si douces, ou pourquoi elles sentaient la poudre la nuit où tu étais supposé être allé sur la tombe de ta petite amie.

— Je t'ai expliqué, hier, que je n'ai pas participé aux travaux de la ferme pendant deux ans et que, l'autre jour, j'avais nettoyé mon fusil. Je ne sais pas ce que je pourrais...

Je l'interromps :

— Je ne te fais confiance que pour deux raisons : tu es doué avec un fusil, et tu ne m'as pas descendue, même si tu as eu un bon millier d'occasions. Ça n'a rien de personnel, mais il y a quelques trucs que je ne comprends pas sur toi et toute cette situation. Ça ne signifie pas pour autant que je ne verrai pas plus clair un de ces jours. Et quand je pigerai tout, si la vérité nous sépare, je ferai ce que j'aurai à faire.

— Quoi, par exemple ?

Il me sort ce sourire de travers, si sexy. Épaules carrées, mains enfouies dans les poches, il a cette attitude détachée qui, j'en ai bien peur, va me rendre folle. Pourquoi ai-je à la fois envie de le frapper et de l'embrasser, de m'enfuir loin de lui et de me jeter dans ses bras, de l'enlacer et de lui flanquer mon genou dans les couilles ?

J'aimerais pouvoir blâmer l'Arrivée des Autres de l'effet qu'Evan a sur moi, mais mon petit doigt me dit que les garçons ont cet effet sur nous depuis très longtemps. Je réplique :

— Ce que j'aurais à faire.

Je monte à l'étage. Je viens de me rappeler que j'avais *justement* à faire avant de partir.

Une fois dans la salle de bains, je fouille dans les tiroirs à la recherche d'une paire de ciseaux, puis je commence à me couper une bonne dizaine de centimètres de cheveux. Le plancher grince un peu plus loin. Inutile de me retourner. Je sais que c'est lui. Evan.

— Arrête de m'espionner !

Une seconde plus tard, il passe la tête dans l'embrasure de la porte.

— Qu'est-ce que tu fabriques ?

— Je me coupe les cheveux. Et *toi*, qu'est-ce que tu fabriques ? Oh, oui, c'est vrai, j'avais oublié. Comme d'habitude. Tu me suis, et tu m'espionnes depuis la porte. Un de ces jours, tu auras peut-être le courage de franchir le seuil, Evan.

— Pourquoi tu te coupes les cheveux ?

Je lui jette un coup d'œil dans le miroir.

— J'ai décidé de me débarrasser de tout ce qui m'emmerde.

— Et peut-on savoir pourquoi tes cheveux te font cet effet ?

— Pourquoi tu me poses la question ?

À présent, j'observe mon reflet, mais j'aperçois toujours Evan du coin de l'œil. Il bat en retraite avec prudence. *Clac, clac, clac.* Le lavabo se remplit de mes boucles. J'entends Evan se déplacer au rez-de-chaussée, puis la porte de la cuisine claquer. Qu'est-ce qu'il y a ? J'aurais dû lui demander la permission avant de couper ma tignasse, c'est ça ? Comme si je lui appartenais ! Comme si j'étais un chiot qu'il aurait trouvé dans la neige !

Je recule d'un pas pour examiner mon travail. Avec les cheveux courts et sans aucun maquillage, j'ai l'air d'avoir douze ans. OK, disons pas plus de quatorze ans. Mais si je me comporte comme une gamine, on pourrait croire que je n'ai que douze ans. Qui sait ? Un gentil soldat me proposera peut-être de m'emmener dans un lieu très sûr dans son beau gros bus jaune.

L'après-midi, de lourds nuages gris envahissent le ciel, faisant surgir le crépuscule de bonne heure. Evan disparaît de nouveau puis revient quelques minutes plus tard, portant deux bidons de vingt litres d'essence. Je lui jette un regard intrigué.

— J'ai pensé qu'une petite diversion serait peut-être utile.

Il me faut une minute pour comprendre.

— Tu veux faire cramer ta maison ?

Il hoche la tête. Je le sens excité par cette idée.

— Ouais, je vais faire cramer ma maison.

Il emporte l'un des bidons à l'étage pour inonder les chambres. Je l'attends sous le porche pour éviter les émanations. Un énorme corbeau noir traverse la cour et s'arrête pour m'observer de son regard mauvais. Un instant, j'envisage de sortir mon arme et de l'abattre.

Je ne crois pas que je le raterai. Grâce à Evan, désormais, je suis plutôt douée au tir. De plus, comme vous le savez, je déteste les oiseaux.

La porte s'ouvre et une vive odeur nauséabonde en surgit. Je descends le porche, le corbeau s'envole en croassant. Evan éclabousse le seuil, puis jette le bidon vide un peu plus loin. Je lance :

— Si tu voulais créer une diversion, tu aurais dû faire cramer la grange. Au moins, ta maison aurait toujours été là pour nous accueillir à notre retour.

*Parce qu'il me plaît de croire que nous reviendrons, Evan. Toi, moi, et Sammy, comme une famille heureuse.*

Evan craque une allumette.

— Ne dis pas de conneries, Cassie. Tu sais très bien que nous ne reviendrons pas.


## 67


VINGT-QUATRE HEURES PLUS TARD, j'ai complété le cercle qui me relie à Sammy, en retournant à l'endroit où j'ai fait ma promesse.

Le Camp des Cendres est dans le même état que lors de mon départ, ce qui signifie qu'il n'y a plus de Camp des Cendres, juste un chemin de terre à travers les bois, interrompu par un grand vide là où s'élevait le camp. Le sol est plus dur que de l'acier, et complètement nu. Il n'y a pas la moindre trace d'herbe, de brindilles, ou de feuilles mortes. Bien sûr, nous sommes en hiver, mais à mon avis, même au printemps, cette clairière ravagée par les Autres aura peu de chances de fleurir.

Je pointe un endroit sur notre droite.

— C'est là que se trouvaient les baraquements. Enfin, je crois. C'est difficile à dire sans aucun point de référence à part la route. Par là, c'était la réserve. De l'autre côté, la fosse crématoire et, plus loin, le ravin.

Evan regarde tout ça d'un air incrédule, tout en tapant du pied sur le sol.

— Il n'y a plus rien.

— Si, moi.

Il pousse un soupir.

— Tu sais très bien ce que je veux dire.

— Je faisais de l'humour.

— Hmm, ça ne te ressemble pas vraiment.

Il essaie de me sourire, sans succès. Il s'est montré très calme depuis que nous avons quitté sa ferme en flammes. Dans la lumière déclinante du jour, il s'agenouille à terre, sort sa carte routière, éclaire de sa lampe torche le point où nous nous situons.

— Le chemin de terre ne figure pas sur la carte, mais il doit rejoindre cette route, peut-être par là ? On n'a qu'à suivre la 675, ensuite c'est tout droit jusqu'à Wright-Patterson.

Je demande en jetant un coup d'œil par-dessus son épaule :

— Quelle distance ?

— Environ quarante à cinquante kilomètres. Ça ne prendra qu'une journée, si on accélère.

— Alors on accélère.

Je m'assieds à côté de lui et fouille dans son sac à dos pour trouver un truc à grignoter. Je dégotte un curieux bout de viande fumée enveloppé dans du papier sulfurisé et deux biscuits déjà durs. Je lui en offre un. Il refuse d'un geste de la tête.

— Tu dois manger ! Arrête de te faire tant de soucis.

Il a peur que nous soyons à court de nourriture. Certes, il a son fusil avec lui, mais pas question de chasser durant cette phase de l'opération. Nous devons traverser la campagne en silence – même si la campagne ne s'est pas montrée particulièrement calme. La première nuit, nous avons entendu des coups de feu. Parfois l'écho d'une seule arme, parfois plus. Et heureusement, toujours au loin, en tout cas, jamais assez près pour nous effrayer. Peut-être des chasseurs solitaires, comme Evan, qui vivent de ce qu'il trouve. Peut-être des VA, ces voyous armés. Qui sait ? Peut-être qu'il y a d'autres filles de seize ans équipées de M16 et assez stupides pour croire qu'elles sont les dernières représentantes de l'humanité sur Terre.

Evan capitule et prend l'un des biscuits. En croque un gros morceau. Le mâche consciencieusement en observant le paysage désertique tandis que la lumière du jour s'évanouit.

— Et si jamais les allées et venues des bus ont cessé ? demande-t-il pour la centième fois, au moins. Comment on entrera là-bas ?

— On trouvera une autre idée.

Cassie Sullivan : experte en stratégie de planification. Oui, c'est moi.

Evan me scrute.

— Des soldats hyper entraînés. Des Humvee. Des Black Hawks. Et ce truc, la... – comment tu l'appelles, déjà ? – la bombe verte. On a intérêt à en trouver une sacrément bonne, d'idée.

Il replie la carte, la glisse dans sa poche et se lève, puis ajuste son fusil sur son épaule. Un truc le titille.

Qu'est-ce que c'est ? Que va-t-il me sortir ? Des larmes ? des cris ? un rire.

Pour ma part, je suis sur le point de laisser échapper les trois à la fois, peut-être pas pour les mêmes raisons. J'ai décidé de lui faire confiance, mais, comme quelqu'un l'a dit un jour, on ne peut pas se forcer à avoir confiance. Alors, vous planquez vos doutes dans une petite boîte, vous enfouissez cette boîte bien profondément et vous tentez d'oublier où elle se trouve. Mon problème, c'est que cette boîte cachée est comme une cicatrice qui me démange sans cesse.

— On ferait mieux d'y aller, lance Evan en jetant un coup d'œil au ciel.

Les nuages qui ont surgi hier sont toujours présents et dissimulent les étoiles.

— On est trop exposés, ici, ajoute-t-il.

Soudain, il penche la tête vers la gauche et se fige comme une statue. Je chuchote :

— Qu'est-ce qu'il y a ?

Il lève la main devant lui pour m'imposer le silence. Scrute l'obscurité. Je ne vois rien. N'entends rien. Mais je ne suis pas aussi douée que lui pour la chasse.

— Une putain de lampe torche, murmure-t-il. Il approche ses lèvres de mon oreille. Qu'est-ce qui est le plus près ? Les bois ou le ravin ?

Je secoue la tête. Je n'en sais absolument rien.

— Le ravin, je suppose.

Evan n'hésite pas un instant. Il m'attrape la main, et nous filons dans la direction où, je l'espère, se trouve le ravin. J'ignore combien de temps nous courons avant d'y parvenir, mais j'ai l'impression qu'il nous faut l'éternité.

Evan m'aide à descendre au fond du ravin puis saute à côté de moi.

— Evan ?

Il pose un doigt sur ses lèvres. File sur le côté et jette un coup d'œil. D'un signe, il me désigne son sac à dos, je fouille dedans jusqu'à ce que je trouve ses jumelles. Je tire sur son pantalon – que se passe-t-il ? –, mais il repousse ma main. Il tape ses doigts contre sa cuisse, pouce rentré. Quatre ? Ils sont quatre ? C'est ce qu'il veut dire ? Ou bien il s'agit d'une sorte de code utilisé durant la chasse, genre : *Mets-toi à quatre pattes !*

Il demeure immobile un long moment. Finalement, il s'accroupit et chuchote à mon oreille :

— Ils viennent par ici.

Il jette un coup d'œil sur la pente opposée du ravin, bien plus abrupte que celle par laquelle nous sommes descendus. De l'autre côté se trouvent les bois, ou du moins ce qu'il en reste : des souches d'arbres brisés, des enchevêtrements de branches cassées et de fougères. Une bonne couverture. En tout cas, meilleure que d'être complètement exposés dans un ravin où les Vilains peuvent nous attraper aussi facilement que des poissons dans un aquarium. Evan se mordille les lèvres, soupesant nos chances. Avons-nous le temps d'escalader l'autre versant du ravin sans nous faire surprendre ?

— Reste accroupie.

Il retire le fusil de son épaule, s'arc-boute sur la paroi instable et s'installe en position de tir. Je suis debout juste en dessous de lui, mon M16 serré contre moi. Oui, je sais : il m'a ordonné de rester assise. Mais je ne vais pas demeurer blottie dans un coin et attendre la fin. J'ai déjà vécu ça. Pas question que ça recommence.

Evan fait feu, fracassant le calme du crépuscule. La riposte d'un fusil lui fait perdre l'équilibre. Son pied glisse. Il tombe. Heureusement, il y a une idiote en dessous de lui pour amortir sa chute. Heureusement pour lui. Pas pour l'idiote.

Il s'écarte de moi, m'attrape le bras pour me remettre sur mes pieds et me pousse dans la direction opposée. Mais c'est plutôt difficile de bouger quand on a le souffle court.

Soudain une fusée éclairante tombe dans le ravin, creusant l'obscurité d'une incandescente lueur rouge. Evan glisse alors ses mains sous mes bras et me projette vers le haut. J'agrippe tant bien que mal le bord du ravin tout en tentant fébrilement de m'accrocher à la paroi du bout de mes pieds, pédalant comme un cycliste fou. Puis Evan me colle une main aux fesses pour me pousser et, finalement, je parviens à me hisser en haut.

Je me retourne pour l'aider, mais il me crie de m'enfuir à l'instant où un petit objet de forme ronde bascule dans le ravin à côté lui. Je crie, ce qui laisse à Evan une seconde pour se mettre à l'abri :

— Grenade !

Hélas, ça n'est pas suffisant.

L'explosion a raison de lui, au même moment, une silhouette portant un treillis apparaît de l'autre côté du ravin. Je fais feu avec mon M16, hurlant à tout-va. La silhouette recule, mais je continue à tirer. Je ne crois pas que cet intrus s'attendait à une réponse de Cassie Sullivan à son invitation à sa fête apocalyptique.

Je vide mon chargeur et en installe un autre. Puis je compte jusqu'à dix. Alors, je baisse les yeux, certaine de ce que je vais découvrir. Le corps d'Evan, en lambeaux, reposant dans le lit du ravin tout ça parce qu'il était prêt à mourir pour moi. Moi, la fille qui l'a laissé m'embrasser, ne l'a jamais embrassé en premier. La fille qui ne l'a pas remercié de lui avoir sauvé la vie, s'est contentée de l'abreuver de sarcasmes et d'accusations. Je sais à quoi m'attendre, si ce n'est qu'en fait…

Evan a disparu. La petite voix au fond de moi, dont la mission est de me garder en vie, crie : *Cours !*

Alors je cours.

Je bondis par-dessus les troncs d'arbres couchés sur le chemin, les broussailles séchées et le désormais familier staccato des armes.

Des grenades. Des fusées éclairantes. Des fusils d'assaut. Ce n'est pas une bande de voyous qui nous attaque, ce sont de véritables pros.

La lueur diabolique d'une fusée m'aveugle, je rentre en plein dans un arbre. Je me retrouve à terre. J'ignore combien de mètres j'ai couru, mais ça doit être une bonne distance parce que je ne distingue plus le ravin, et je n'entends aucun bruit à part celui de mon cœur qui tambourine à mes oreilles.

Je me précipite vers le tronc d'un pin abattu et me blottis derrière, attendant de reprendre mon souffle. Attendant une autre fusée éclairante pour bondir dans les bois devant moi. Attendant que les Silencieux surgissent des sous-bois.

La détonation d'un fusil claque au loin, suivi d'un cri haut perché. Puis la réponse d'une rafale d'armes automatiques, une nouvelle explosion de grenade et, ensuite, le silence.

Bon, si ce n'est pas sur moi qu'ils tirent, ce doit être sur Evan. Ce qui me rassure, et en même temps me gêne, parce qu'il est là-bas, seul contre des pros, et moi, qu'est-ce que je fais ? Je me planque derrière un tronc d'arbre, comme une gamine.

Et Sam, alors ? Je peux faire demi-tour, me mêler à un combat certainement perdu d'avance, ou continuer à me cacher là pour rester en vie assez longtemps afin de tenir ma promesse.

C'est un monde d'alternatives.

Un autre coup de fusil. Un autre cri.

Le silence.

Il les descend un par un. Un garçon élevé dans une ferme, sans aucune expérience de combat contre des soldats méga entraînés. Plus nombreux que lui, et avec une puissance de feu supérieure. Il les élimine avec la même efficacité brutale que le Silencieux sur le terre-plein, le chasseur dans les bois qui m'a poursuivie jusqu'à ce que je me réfugie sous une voiture, puis a mystérieusement disparu.

Encore un tir.

Un cri.

Le silence.

Je ne bouge pas. Terrifiée, j'attends derrière le tronc d'arbre. Au bout de dix minutes, cet arbre est devenu un tellement bon ami, que j'envisage de lui donner un surnom : Howard, mon petit tronc à moi.

*Tu sais, la première fois que je t'ai vue dans les bois, j'ai cru que c'était ton ours.*

Le crissement des feuilles mortes et des brindilles sous des pieds. Une ombre qui se découpe dans l'obscurité. L'appel d'un Silencieux.

Mon Silencieux.

— Cassie ? Il n'y a plus rien à craindre, maintenant.

Je me lève d'un bond et pointe mon fusil droit dans le visage d'Evan Walker.

## 68

IL SE RECULE D'UN BOND. Je vois la confusion se peindre sur son visage.

— Cassie, c'est moi.

— Je sais. Mais qui es-tu vraiment ?

Sa mâchoire se crispe. Sa voix est tendue. De colère ? de frustration ? Je l'ignore.

— Baisse ton arme, Cassie…

— Qui es-tu, Evan ? Si c'est bien ton prénom.

Il esquisse un faible sourire. Puis, soudain, il tombe à genoux, oscille, culbute en avant et reste immobile.

J'attends, mon fusil pointé sur sa nuque. Evan ne bouge pas. J'enjambe Howard, m'approche de lui et le tâte de la pointe du pied. Il ne remue toujours pas. Je m'agenouille à côté de lui et, tenant mon fusil d'une main, la crosse contre ma cuisse, je pose mes doigts sur sa nuque, cherchant son pouls. Il est en vie. Son pantalon est déchiqueté jusqu'aux chevilles. Je le touche, il est mouillé. Je hume le bout de mes doigts. Une odeur de sang m'assaille.

Je cale mon M16 contre le tronc d'arbre et retourne Evan sur le dos. Ses paupières papillonnent. Il tend le bras vers moi et effleure ma joue de sa paume ensanglantée.

— Cassie, chuchote-t-il. Cassie pour Cassiopée.

— Ça suffit !

Je remarque son fusil à terre et le pousse loin de lui.

— Tu es sérieusement touché ?

— Oui, plutôt.

— Combien étaient-ils ?

— Quatre.

— Et ils n'avaient aucune chance contre toi, n'est-ce pas ?

Un long soupir. Il lève les yeux vers moi. Il n'a pas besoin de parler – je lis la réponse dans son regard.

— Pas vraiment, non.

— Parce que tu n'as pas le cœur à tuer, mais à faire ce que tu dois faire.

Je retiens mon souffle. Il doit comprendre où je veux en venir.

Evan hésite. Hoche la tête. Je vois la douleur dans ses yeux. Je détourne le regard afin qu'il ne lise pas la tristesse dans les miens. *Mais c'est toi qui as commencé, Cassie. Impossible de faire marche arrière.*

— Et tu es très doué pour ce que tu dois faire, n'est-ce pas ?

*Eh bien, c'est là la question, n'est-ce pas ? Elle vaut pour toi aussi : qu'est-ce qui te tient à cœur, Cassie ?*

Il m'a sauvé la vie. Comment pourrait-il être aussi celui qui a essayé de me la prendre ? Ça n'a aucun sens.

Aurais-je le cœur de le laisser saigner jusqu'à ce que mort s'ensuive parce que je sais qu'il m'a menti – qu'il n'est pas le gentil Evan Walker, le chasseur réticent, le fils, frère et petit ami éploré, mais *quelque chose* qui n'est peut-être même pas humain ? Aurais-je la force de suivre la première règle jusqu'à sa brutale et impardonnable conclusion, et de lui flanquer une balle dans son front si délicatement sculpté ?

*Oh, merde, qui crois-tu duper, comme ça ?*

Je déboutonne sa chemise. Je marmonne :

— Je vais devoir te retirer tes vêtements.

— Ça fait longtemps que j'espérais t'entendre dire ça !

Un sourire. De travers. Sexy.

— Tu ne vas pas t'en tirer en me faisant du charme, mon pote. Tu peux te redresser un peu ? Un peu plus. Voilà, tiens, prends ça.

Je lui donne deux antalgiques de notre trousse de premiers secours. Il les avale avec deux grandes goulées d'eau.

Je lui enlève sa chemise. Evan me fixe, j'évite son regard. Pendant que je le débarrasse de ses bottes, il dégrafe sa ceinture et baisse la fermeture Éclair de son pantalon. Puis il soulève les fesses, je ne parviens pourtant pas à lui retirer son futal – il est plaqué sur lui par son sang qui commence à coaguler.

— Déchire-le ! m'ordonne-t-il.

Il roule sur le ventre. J'essaie de lui arracher son pantalon, mais le tissu glisse entre mes doigts à chaque tentative.

— Tiens, prends ça.

Il me tend un couteau à la lame ensanglantée. Je préfère ne pas lui demander d'où vient ce sang. Je coupe le pantalon en l'entaillant de trou en trou, avec lenteur. J'ai peur de blesser Evan. Puis je retire le tissu de chaque jambe, comme si j'épluchais une banane. C'est la métaphore parfaite : éplucher une banane. Je dois découvrir la vérité, et pour cela il me faut procéder par couches.

À présent, Evan ne porte plus que son sous-vêtement.

— Est-ce que je dois vérifier l'état de ton cul ?

— Oui, j'aimerais bien avoir ton opinion.

— Arrête tes tentatives d'humour, tu veux ?

Je découpe la toile sur ses hanches et baisse son slip, le mettant à nu. Son cul est dans un sale état. Je veux dire par là qu'il est criblé de plombs. Sinon, il est plutôt pas mal. Je tamponne le sang presque coagulé avec des carrés de gaze trouvés dans notre trousse de secours, en retenant des gloussements hystériques. Je mets ça sur le compte du stress, et non sur le fait que je suis en train d'essuyer le cul d'Evan Walker.

— Putain, tu es vraiment dans un sale état.

Evan prend une longue inspiration.

— Essaie surtout d'arrêter mes saignements…

Je comprime sa blessure de mon mieux.

— Tu peux t'allonger sur le dos ?

— Je préférerais éviter.

— J'ai besoin de voir le devant.

*Oh, mon Dieu. Le devant ?*

— Tout va bien de ce côté-là, je t'assure.

Épuisée, je m'assieds. S'il le dit, je veux bien le croire.

— Raconte-moi ce qui s'est passé.

— Une fois que je t'ai aidée à sortir du ravin, j'ai couru. J'ai trouvé un endroit moins profond, et je me suis extirpé de là-dedans. Puis je les ai encerclés. Le reste, tu l'as sûrement entendu.

— J'ai entendu trois coups. Pourtant tu as dit qu'il y avait quatre types.

— Au couteau.

— Ce couteau ?

— Oui, celui-là. C'est le sang du mec que j'ai sur les mains, pas le mien.

— Oh, génial, merci.

Je me frotte la joue, là où il m'a touchée. J'ai décidé d'avancer la pire explication à ce qui est en train de se passer.

— Tu es un Silencieux, n'est-ce pas ?

Un silence. Ah ! Ah ! Je chuchote :

— Ou es-tu humain ?

*Réponds « humain », Evan. Et articule bien, que je n'aie aucun doute. Je t'en prie, Evan, j'ai vraiment besoin que tu chasses toutes mes incertitudes. Je sais que tu as dit qu'on ne peut pas se forcer à avoir confiance – alors, putain, arrange-toi pour que j'aie confiance. Donne-moi confiance. Dis-le : dis que tu es humain.*

— Cassie…

— Es-tu humain ?

— Bien sûr que je suis humain.

J'inspire profondément. Il l'a dit, mais pas de façon claire et nette. Je ne vois pas son visage, planqué sous son coude ; peut-être que si je pouvais plonger mon regard dans le sien, ça m'aiderait à évacuer toutes mes horribles pensées. Je prends quelques compresses sté-

riles et commence à nettoyer mes mains de son sang
– ou du sang de je ne sais qui.

— Si tu es humain, pourquoi m'as-tu menti ?

— Cassie, je ne t'ai pas menti sur tout.

— Juste sur le plus important.

— Non.

— C'est toi qui as tué ces trois personnes sur l'autoroute ?

— Oui.

Je tressaille. Je ne m'attendais pas à ce qu'il réponde
par l'affirmative. Plutôt par un truc du genre : *Tu plaisantes ? Arrête d'être parano.*

Au lieu de ça, j'ai eu droit à une réponse toute simple,
comme si je lui avais demandé s'il s'était déjà baigné
à poil.

Ma question suivante est plus difficile.

— C'est toi qui m'as tiré dessus ?

— Oui.

Je frissonne et laisse tomber la compresse ensanglantée par terre.

— Pourquoi tu m'as blessée à la jambe, Evan ?

— Parce que j'étais incapable de te tirer dans la tête.
*Voilà, tu l'as, ta réponse.*

J'extirpe le Luger et le pose sur mes genoux. La tête
d'Evan n'est qu'à quelques dizaines de centimètres. Le
truc qui me stupéfie, c'est que, dans cette scène, la
personne armée tremble comme une feuille et l'autre,
à sa merci, est complètement calme.

— Evan, je me barre. Je vais te laisser te vider de ton
sang comme tu m'as abandonnée sous cette voiture.

J'attends un moment qu'il réplique.

— Tu es toujours là, finit-il par remarquer.

— J'aimerais entendre ce que tu as à dire !

— C'est compliqué…

— Non, Evan. Les *mensonges* sont une chose compliquée. Mais la vérité est simple. Pourquoi as-tu tué ces gens sur l'autoroute ?

— Parce que j'avais peur.

— De quoi ?

— Qu'ils ne soient pas de vraies gens.

Je pousse un soupir, attrape une bouteille d'eau dans mon sac, m'adosse au tronc d'arbre couché à terre et bois une profonde gorgée.

— Tu as tiré sur ces gens – et sur moi, et sur je ne sais qui d'autre encore. Je me doutais bien que tu ne sortais pas chasser, la nuit – tu étais déjà au courant pour la 4e Vague. Je suis ton soldat au crucifix.

Il a un hochement de tête et me répond d'une voix étouffée par le creux de son coude :

— C'est ta façon de voir les choses.

— Si tu voulais que je meure, pourquoi m'as-tu extirpée de toute cette neige au lieu de me laisser mourir de froid ?

— Je ne voulais pas que tu meures.

— Ah ! C'est pour ça que tu m'as tiré dessus et que tu m'as tranquillement laissée me vider de mon sang sous une putain de bagnole.

— Non, tu étais debout quand je me suis enfui.

— Tu t'es enfui ? Pourquoi ?

Ça, j'ai du mal à l'imaginer.

— J'avais peur.

— Tu as tué ces gens parce que tu avais peur. Tu m'as tiré dessus parce que tu avais peur. Tu t'es enfui parce que tu avais peur. Bordel, mais qu'est-ce que tu racontes ?

— J'ai peut-être un problème avec la peur...

— Ensuite, tu es venu me chercher, tu m'as ramenée chez toi, tu as pris soin de moi, tu m'as préparé un hamburger, lavé les cheveux, enseigné à me servir d'une arme, flirté avec moi, tout ça pour... quoi ?

Il tourne la tête et me regarde d'un œil.

— Tu sais, Cassie, ce n'est pas très sympa de ta part.

J'en reste bouche bée.

— Pas sympa de ma part ?

— De me cuisiner alors que je suis blessé.

— Ce n'est pas de ma faute ! C'est toi qui as insisté pour m'accompagner.

Soudain, un frisson me parcourt l'échine.

— Pourquoi tu es venu, Evan ? C'est un de tes trucs ? Tu m'utilises ?

— C'est toi qui as eu cette idée de partir sauver Sammy. J'ai essayé de t'en empêcher. Je t'ai même proposé d'y aller seul.

Il grelotte. Il est nu et il fait pas loin de 0 °C. Je pose sa veste sur son dos et me sers de sa chemise pour le couvrir comme je peux.

— Je suis désolé, Cassie.

— Pour quelle partie du scénario ?

— Tout le scénario.

Ses paroles deviennent indistinctes : les antalgiques l'engourdissent. J'agrippe mon pistolet à deux mains. Je tremble autant qu'Evan, mais pas de froid.

— Evan, j'ai tué ce soldat parce que je n'avais pas le choix – tu sais, tuer n'entre pas dans mes habitudes quotidiennes. Je ne me cachais pas dans ces bois pour descendre le premier venu passant dans le coin, de peur qu'il ne soit l'un d'entre Eux.

Je hoche la tête pour moi-même. C'est pourtant simple !

— Je ne crois pas que tu sois celui que tu prétends, sinon tu n'aurais pas agi comme tu l'as fait !

Désormais, seule m'importe la vérité. Je ne veux pas me comporter comme une idiote. Et je ne veux rien ressentir pour Evan Walker, car éprouver des sentiments pour lui rendrait tout plus difficile, voire impossible. Or, si je veux sauver mon petit frère, rien ne doit entraver ma mission. Je lui demande :

— Qu'est-ce qui va arriver ?

— Demain matin, il faudra qu'on retire les éclats que j'ai reçus.

— Je voulais dire, après cette Vague. À moins que ce ne soit la dernière, Evan ?

Il me regarde du coin de l'œil et secoue la tête de droite à gauche.

— Je ne sais pas comment je peux te convaincre...

J'applique le canon de mon pistolet sur sa tempe, juste à côté de cet œil, couleur de chocolat fondant, qui me fixe.

— 1$^{re}$ Vague : extinction des feux. 2$^e$ Vague : déferlante. 3$^e$ Vague : pandémie. 4$^e$ Vague : silence. Qu'est-ce qu'il y a ensuite, Evan ? C'est quoi, la 5$^e$ Vague ?

Evan ne répond pas.

Il a perdu conscience.

# 69

AU PETIT MATIN, EVAN est toujours dans les vapes. J'en profite pour me faufiler dans les bois afin d'évaluer son œuvre. Ce n'est sûrement pas ce qu'il y a de mieux à faire. Et si jamais nos assaillants avaient appelé des renforts ? Je serais le dindon de la farce. Je ne suis pas une mauvaise tireuse, mais je ne suis pas Evan Walker.

Bon, de toute façon, même Evan Walker n'est pas Evan Walker.

Qui est-il vraiment ? Il prétend être humain. Certes, il ressemble à un humain, parle comme un humain, saigne comme un humain, et, OK, embrasse comme un humain. Et ce que nous appelons rose embaumerait autant sous un autre nom[1], bla, bla, bla. Et, d'après lui, la raison qui l'a poussé à canarder des inconnus est la même qui m'a amenée à tuer le soldat au crucifix.

Le problème, c'est que je ne crois pas à tout ça. Maintenant, j'ai du mal à me décider. Quel est le mieux : un Evan mort, ou un Evan vivant ? Mort, il ne peut m'aider à tenir ma promesse. Vivant, si.

Pourquoi m'a-t-il tiré dessus, pour me sauver ensuite ? Que voulait-il dire en prétendant que c'était moi qui l'avais sauvé ?

C'est bizarre. Quand je me lovais dans ses bras, je me sentais en sécurité. Quand il m'embrassait, je me

---

1. Shakespeare, *Roméo et Juliette* ; 1868, Pagnerre, traduction de François-Victor Hugo.

perdais en lui. C'est comme s'il y avait deux Evan. Celui que je connais et celui qui me terrifie. Evan, le fermier aux mains douces, qui me caressait jusqu'à ce que je ronronne comme un petit chat. Et Evan l'imposteur, le tueur au sang-froid qui m'a tiré dessus.

Je vais présumer qu'il est humain – au moins biologiquement parlant. Est-ce un clone, né à bord du ravitailleur, d'un prélèvement d'ADN ? Ou bien quelque chose d'un peu moins à la *Star Wars*, mais plus méprisable : un traître envers son espèce. Les Silencieux sont peut-être des mercenaires humains.

Les Autres lui ont donné un moyen pour nous tuer. À moins qu'ils ne l'aient menacé – par exemple en kidnappant quelqu'un qu'il aime (Lauren ? En fait, je n'ai jamais vu sa tombe) puis en lui offrant un deal. *Dégomme une vingtaine d'humains et tu retrouveras ta petite amie.*

Dernière possibilité ? Il est ce qu'il prétend. Seul, effrayé, tuant avant d'être tué, un fervent adhérent de la première règle, qu'il a brisée en me laissant partir sans me descendre et en m'emmenant chez lui.

Ça explique tout autant ce qui s'est passé que les deux autres éventualités. Tout concorde. Oui, ça pourrait être la vérité. Mais il y a quand même un léger problème.

Les soldats.

C'est à cause d'eux que je ne l'abandonne pas dans les bois. Je veux découvrir ce qu'il a fait pour moi.

Vu que le Camp des Cendres n'est plus qu'un immense terrain plat, je n'ai aucun mal à trouver les victimes d'Evan. Un soldat au bord du ravin. Deux, côte à côte, à une centaine de mètres de là. Tous les trois tués d'une balle en pleine tête. Dans l'obscurité complète. Alors qu'ils lui tiraient dessus. Le dernier gît près de l'emplacement où se dressaient les baraquements, peut-être même à l'endroit exact où Vosch a abattu mon père.

Aucun d'eux n'a plus de quatorze ans. Tous portent ces bizarres lentilles oculaires argentées. Serait-ce une sorte de lentille à vision nocturne ? Si c'est le cas, le boulot d'Evan est encore plus impressionnant, mais carrément flippant.

Quand je le rejoins, Evan est réveillé. Pâle et frissonnant, il s'adosse au tronc d'arbre.

— Ce sont des gamins, je lui dis. Juste des gamins !

Je le dépasse pour m'avancer vers un buisson, et là, je dégueule de tout mon soûl.

Voilà, je me sens mieux. Enfin, un peu.

Je retourne vers lui. J'ai décidé de ne pas le tuer. Pas encore. Pour l'instant, il vaut plus pour moi vivant que mort. Si Evan Walker est un Silencieux, il sait peut-être ce qui est arrivé à mon frère.

J'attrape la trousse de secours et m'agenouille entre ses jambes écartées.

— OK, il est temps de passer à l'action.

Je trouve un paquet de compresses stériles dans l'une des pochettes. En silence, Evan m'observe nettoyer le sang de sa victime sur son couteau.

Je déglutis. Un goût de dégueulis envahit ma bouche.

— Je n'ai jamais fait ça, tu sais.

J'ai l'impression de m'adresser à un inconnu. Evan hoche la tête, puis roule sur le ventre. J'écarte sa chemise, dévoilant la moitié de son cul.

De toute ma vie, je n'ai encore vu un garçon nu. Et voilà, je me trouve là, agenouillée entre ses jambes, cependant, je ne le vois pas nu en totalité. Seulement à demi. C'est bizarre, je n'aurais jamais pensé que ma première fois avec un mec à poil se passerait ainsi.

— Tu veux un autre antalgique ? Il fait froid et j'ai les mains qui tremblent...

— Non, pas de cachet, marmonne-t-il, le visage enfoui au creux de son bras.

Je commence doucement, enfonçant avec précaution la pointe du couteau dans ses blessures, mais je me rends très vite compte que ce n'est pas le meilleur moyen pour retirer des éclats de métal dans de la chair humaine – ou plus vraisemblablement non humaine. En opérant de la sorte, on ne fait que prolonger l'agonie.

M'occuper de son cul prend un max de temps. Pas parce que je m'attarde. Mais il y a tant d'éclats de plomb. Evan ne frémit pas. Parfois il lâche un « *Oooh !* » ou pousse un soupir.

J'enlève la veste de son dos. Il n'y a pas trop de blessures. La plupart sont concentrés sur ses reins. J'ai les doigts raides et les poignets engourdis. Je m'oblige à être rapide, tout en restant prudente. Je murmure :

— Accroche-toi. J'ai presque terminé.

— Je crois que, pour moi aussi, c'est presque terminé.

— Nous n'avons pas assez de pansements.

— Tu n'as qu'à en mettre seulement sur les pires blessures.

— Et si jamais les autres s'infectent ?

— Il y a des comprimés de pénicilline dans la trousse.

Il se retourne pendant que je fouille dans notre trousse de secours. Je lui tends les cachets. Il les avale avec une gorgée d'eau. Je m'assieds. Il a beau faire froid, je transpire comme une folle. Je lui demande :

— Pourquoi des enfants ?

— J'ignorais que c'étaient des enfants.

— Peut-être, en tout cas ils étaient lourdement armés et savaient très bien ce qu'ils faisaient. Tout comme toi. Tu as dû oublier de me parler de ton entraînement de commando.

— Cassie, si nous ne pouvons pas nous faire confiance…

— Evan, nous ne *pouvons pas* nous faire confiance.

J'ai à la fois envie de lui donner un coup de poing sur le crâne et d'éclater en larmes. J'ai atteint le point où je suis fatiguée d'être fatiguée.

— C'est bien *là* le problème.

Au-dessus de nous, le soleil s'est échappé de derrière les nuages et nous offre à présent un ciel d'un bleu magnifique.

— Des clones extraterrestres d'enfants ? C'est ça ? Depuis quand des gamins se trimbalent avec des armes automatiques et des grenades ?

Evan secoue la tête. Bois encore un peu d'eau. Grimace.

— Peut-être que je devrais prendre plus d'antalgiques.

— Vosch a dit qu'il ne voulait emmener que les enfants. Ils s'emparent des gosses pour les enrôler dans leur armée ?

— Peut-être que Vosch n'est pas l'un d'Eux. Peut-être que c'est l'armée qui a embarqué les enfants.

— Dans ce cas, pourquoi a-t-il tué toutes les autres personnes ? Pourquoi a-t-il tiré une balle dans le crâne de mon père ? Et s'il n'est pas l'un d'entre Eux, où a-t-il eu cet Œil ? Il y a un truc qui cloche grave, Evan. Et toi, tu sais ce qui se passe. Nous savons tous les deux que tu sais. Pourquoi tu ne me le dis pas ? Tu me fais confiance pour me laisser une arme et pour que je retire le plomb de ton cul, mais tu ne me fais pas assez confiance pour m'avouer la vérité ?

Il me fixe pendant un long moment avant de lâcher :

— J'aurais préféré que tu ne te coupes pas les cheveux.

J'aurais pu piquer une crise, mais j'ai trop froid, trop la nausée, je suis trop stressée pour ça. Je me contente de répliquer d'une voix glaciale.

— Evan Walker, je jure devant Dieu que si je n'avais pas besoin de toi, je te tuerais sur-le-champ.

— Eh bien, je suis ravi que tu aies besoin de moi.

— Et si jamais je découvre que tu me mens sur la partie la plus importante, je te tue.

— C'est quoi, la partie la plus importante ?

— Le fait que tu sois humain.

— Je suis aussi humain que toi, Cassie.

Il prend ma main dans la sienne. L'une comme l'autre sont maculées de sang. La mienne par le sien. La sienne par le sang d'un gamin pas beaucoup plus âgé que mon frère. Combien de personnes ses mains ont-elles tuées ?

— Alors, c'est ce que nous sommes ?

Cette fois, je suis bel et bien sur le point de perdre les pédales. Je ne peux pas lui faire confiance. Je dois lui faire confiance. Je ne peux pas le croire. Je dois le croire. Est-ce que c'est ça le but ultime des Autres ? La Vague qui anéantira toutes les autres Vagues en nous dépouillant complètement de notre humanité, jusqu'à ce que nous ne soyons plus que des prédateurs sans âme.

Evan remarque ma mine défaite.

— Qu'est-ce qu'il y a ?

Je chuchote :

— Je ne veux pas être un requin.

Il me fixe durant un long et inconfortable moment. Il aurait pu répondre : *Un requin ? Qui ? Quoi ? Hein ? Qui a dit que tu étais un requin ?* Au lieu de cela, il hoche lentement la tête, comme s'il avait tout pigé.

— Tu n'es pas un requin.

*Tu,* pas *nous.* Je lui retourne son regard.

— Evan, si la Terre était sur le point de mourir et que nous devions la quitter et… Imagine que nous ayons trouvé une planète pour nous réfugier, mais qu'il y ait déjà des… entités, là-bas, des entités avec lesquelles nous ne soyons pas compatibles, pour une raison ou une autre…

— Tu ferais le nécessaire.

— Comme un requin.

— Comme un requin.

Je crois qu'il essayait d'amener les choses en douceur. Apparemment, il tenait à ce que mon atterrissage ne soit pas trop brutal, que le choc ne soit pas trop fort. Je pense qu'il voulait que je comprenne sans qu'il ait besoin de tout m'expliquer en détail.

Je repousse sa main. Je suis furieuse de l'avoir, un jour, laissé me toucher. Furieuse contre moi de rester avec lui, alors que je savais pertinemment qu'il ne me racontait pas tout. Furieuse contre mon père d'avoir laissé Sammy monter dans ce bus. Furieuse contre Vosch. Furieuse contre l'Œil verdâtre qui faisait du sur-place à l'horizon. Furieuse, encore une fois, contre moi d'avoir brisé la première règle pour le premier garçon mignon passé dans le coin, et pourquoi ? Pourquoi ? Parce qu'il avait des mains larges, mais douces, et que son haleine embaumait le chocolat ?

Je lui bombarde le torse de coups, le frappant encore et encore jusqu'à ce que j'oublie pourquoi je le frappe, et que je me vide de toute ma colère. J'ai l'impression qu'un immense trou noir m'a engloutie. L'ancienne Cassie n'existe plus.

Evan me saisit les poignets.

— Cassie, stop ! Calme-toi ! Je ne suis pas ton ennemi.

— Alors, tu es l'ennemi de qui, hein ? Parce que tu es forcément l'ennemi de quelqu'un. Tu n'allais pas à la chasse, la nuit – en tout cas, pas pour abattre des animaux. Et tu n'as certainement pas appris ces techniques d'assassin ninja en bossant dans la ferme de ton père. Tu ne cesses de me dire ce que tu n'es pas, mais moi ce que je veux savoir, c'est ce que tu es. Qu'est-ce que tu es, Evan Walker ?

Il me lâche les poignets et, à ma grande surprise, pose sa main sur mon visage, puis effleure ma joue de son pouce avant de me caresser le nez. Comme s'il me touchait pour la dernière fois.

— Je suis un requin, Cassie, répond-il avec une extrême lenteur, comme s'il me parlait pour la dernière fois

Les yeux humides de larmes, il plonge son regard dans le mien comme s'il me voyait pour la dernière fois.

— Un requin qui avait rêvé d'être un homme.

Je tombe – à une vitesse vertigineuse –, dans cet immense gouffre noir qui s'est ouvert à l'Arrivée, puis a tout dévoré sur son passage. Le gouffre que mon père fixait quand ma mère est morte, celui que je croyais, à tort, extérieur à moi. En fait, ce gouffre était *en* moi, depuis le début, grossissant, enflant, engloutissant chaque parcelle d'espoir, de confiance et d'amour que j'avais, traçant son chemin jusqu'au tréfonds de mon âme tandis que je m'accrochais à un choix, choix qui me regarde à présent comme pour la dernière fois.

Alors, j'agis comme le feraient la plupart des gens raisonnables dans ma situation. Je m'enfuis en courant.

Je m'enfonce à travers bois dans l'air glacial. Branches nues. Ciel d'azur. Feuilles fanées. Puis je franchis la lisière des arbres et j'émerge sur un terrain aride. Le sol gelé craque sous mes bottes. J'avance sous le dôme d'un ciel indifférent. Le rideau d'un bleu étincelant s'étend sur un milliard d'étoiles, toujours présentes et observant cette fille qui court, ses cheveux effilés dansant autour de son visage, des larmes roulant sur ses joues. Elle ne fuit rien, et elle ne court vers rien, elle se contente juste de courir, de courir aussi vite que le diable parce que c'est la chose la plus logique que vous faites lorsque vous comprenez que l'unique être sur Terre en qui vous aviez confiance n'a rien de terrien. Peu importe qu'il ait sauvé votre peau à plusieurs reprises – plus souvent que vous ne vous en souvenez –, ou qu'il ait eu une bonne centaine d'occasions de vous tuer, ou encore qu'il y ait quelque chose en lui, quelque chose de tourmenté, de triste, et de terriblement, terriblement solitaire, comme s'il était la dernière personne sur Terre, comme pensait l'être la fille qui frissonnait dans son sac de couchage, avec pour seule compagnie l'ours en peluche de son petit frère.

*Ferme-la, ferme-la,* FERME-LA *!*

## 70

QUAND JE REVIENS, EVAN EST PARTI. Parce que oui, je suis revenue. Où aurais-je pu aller, sans mon arme, et surtout sans ce satané ours en peluche, ma raison de vivre ? Je n'avais pas peur de retourner sur mes pas – Evan a eu dix milliards d'opportunités de me tuer. Pourquoi cette occasion aurait-elle eu plus d'importance que les autres ?

Son fusil est là. Ainsi que son sac à dos. Et la trousse de secours. Son jean déchiqueté est posé sur Howard. Vu qu'il n'a pas emporté d'autre pantalon, il doit déambuler dans les bois vêtu seulement de ses bottes, comme une pin-up de calendrier. Non, attendez. Sa chemise et sa veste ont disparu aussi. Je grommelle en attrapant mon sac à dos :

— Allez, viens, Nounours, il est temps de te ramener à ton propriétaire.

Je ramasse mon fusil et en vérifie le chargeur. *Idem* pour mon Luger. J'enfile une paire de gants en laine noire – j'ai les doigts engourdis par le froid –, pique la carte routière et la lampe torche dans le sac à dos d'Evan, et me dirige vers le ravin. Je vais prendre le risque de m'exposer à la lumière du jour, histoire de mettre un peu de distance entre moi et M. le Requin. J'ignore où il est allé, peut-être réclamer une frappe des drones, maintenant que sa couverture a été percée à jour, mais peu importe. C'est ce que j'ai décidé en revenant sur mes pas, après avoir couru comme une dingue : peu importe qui – ou ce que – est Evan Walker. Il m'a sauvée. Nourrie, shampouinée, protégée. Il m'a aidée à devenir plus forte. Il m'a même enseigné à tuer. Avec un tel ennemi, qui a besoin d'amis ?

Dans le ravin, à l'ombre : dix degrés de moins. À travers le paysage désolé du Camp des Cendres, je cours sur un sol aussi dur que de l'asphalte et j'arrive au premier corps. *Si Evan est l'un d'entre Eux, dans quelle équipe tu joueras ?* Evan serait-il capable de tuer un des siens juste pour continuer à me berner – ou a-t-il été obligé d'abattre ces soldats parce qu'ils croyaient qu'il était humain ? Ces pensées me donnent la nausée : il n'y a aucune fin à toute cette merde. Plus on fouille, plus le fond recule.

Je dépasse un autre corps sans lui jeter un regard, mais soudain un détail m'interpelle. Je me retourne. Le soldat – un gamin – n'a plus son pantalon.

Aucune importance. Je continue à avancer. À présent, je cours sur le chemin de terre, direction nord. Avance, Cassie, avance, avance. Oublie la nourriture. Oublie l'eau. Aucune importance. Aucune importance. Le ciel, sans nuages, est comme un gigantesque œil bleu qui me fixe. Je file le long des bois, côté ouest. Si je vois un drone, je plongerai entre les arbres pour me planquer. Si je vois Evan, je tirerai d'abord et poserai des questions ensuite. Et ça, c'est valable pour tout le monde, pas seulement Evan.

Rien n'est plus important que la première règle. **Rien** n'est plus important que de retrouver Sammy. J'ai oublié ces données depuis trop longtemps.

Les Silencieux : des humains, semi-humains, clones d'humains ou des aliens projetant des hologrammes d'humains ? Aucune importance. Mes chances de succès : 1, 0,1 ou 0,0001 % ? Aucune importance.

*Suis le chemin, suis le chemin, suis ce putain de chemin...*

Après environ trois kilomètres, le chemin bifurque vers l'ouest pour rejoindre l'autoroute 35. Encore quelques kilomètres sur cette autoroute jusqu'à la jonction avec la 675. Là, je pourrai me cacher au pont autoroutier et attendre les bus. Enfin, s'ils circulent toujours et empruntent bien l'autoroute 35.

Au bout du chemin, je m'arrête un long moment pour scruter le terrain derrière moi. Rien. Evan ne vient pas. Il me laisse partir.

J'avance de quelques pas dans les bois pour reprendre mon souffle. Au moment où je m'écroule à terre, tout ce que je fuyais me rattrape avant que les battements de mon cœur ne se soient calmés.

*Je suis un requin qui avait rêvé d'être un homme...*

Quelqu'un hurle – j'entends ses cris se répercuter parmi les arbres. Le son enfle de plus belle. Peu m'importe qu'il attire une horde de Silencieux jusqu'à moi. Je plaque mes mains contre ma tête et me balance d'avant en arrière et, soudain, j'ai la curieuse sensation de flotter au-dessus de mon corps, puis de m'envoler dans le ciel à une vitesse infernale tout en regardant mon autre moi diminuer jusqu'à n'être plus qu'une minuscule tête d'épingle, avant que l'immensité de la Terre m'avale. C'est comme si j'avais été détachée de notre planète. Comme si plus rien ne me retenait et que j'étais aspirée dans le vide. Comme si j'avais été attachée à la Terre par une cordelette d'argent et que cette corde se soit rompue.

Avant qu'Evan me trouve, je croyais savoir ce qu'était la solitude, mais en fait, je n'en avais aucune idée. Vous ignorez ce qu'est la véritable solitude tant que vous ne l'avez pas vécue.

— Cassie.

En deux secondes, je suis sur mes pieds. Encore deux secondes et demie : je pointe mon M16 en direction de la voix. Une ombre s'élance entre les arbres sur ma gauche. Aussitôt je fais feu, tirant au hasard sur les troncs, les branches…

— Cassie.

Il est devant moi, à environ deux heures. Je vide mon chargeur. Je sais que je ne l'ai pas touché. Que je n'ai pas *une seule chance* de le toucher ! C'est un Silencieux. Mais si je continue à tirer, peut-être qu'il battra en retraite.

— Cassie.

Juste derrière moi. Je prends une profonde inspiration, recharge, me retourne d'un bond et envoie une nouvelle rafale de plomb sur des arbres innocents.

*Tu n'as pas compris, idiote ? Il te force à utiliser toutes tes munitions.*

Alors j'attends, jambes écartées, épaules carrées, M16 pointé devant moi, scrutant les lieux, à droite et à gauche, et j'entends sa voix dans ma tête, me donnant des instructions, comme quand nous étions à la ferme : *Tu dois ressentir ta cible. Comme si elle était reliée à toi. Comme si tu étais reliée à elle…*

Ça arrive en un éclair. Ses bras puissants m'enlacent avec force. Il m'arrache le fusil des mains, puis me retire le Luger. Une demi-seconde plus tard, il me serre violemment, me plaquant contre son torse, et il m'entraîne sans que je puisse rien faire. Mes pieds décollent quasiment du sol. Je me débats en lançant des coups de talon et en lui mordant l'avant-bras.

Et, durant tout ce temps, ses lèvres effleurent mon oreille.

— Cassie. Ne fais pas ça. Cassie…

— Laisse… moi… partir.

— C'est bien là le problème. Je ne peux pas.

---

## 71

---

EVAN ME LAISSE M'AGITER jusqu'à ce que je sois épuisée, puis il me lâche contre un arbre et fait un pas en arrière.

— Tu sais ce qui arrivera si tu t'enfuis, me prévient-il.

Ses joues sont rouges et il a du mal à reprendre son souffle. Quand il se tourne pour récupérer mes armes, je remarque que ses mouvements sont lents et crispés. M'attraper ainsi – après avoir été blessé par la grenade à ma place – l'a exténué. Sa veste, grande ouverte, révèle sa chemise en jean et le pantalon qu'il a volé sur le cadavre du gamin, trop petit pour lui d'au moins deux tailles. Il le serre de partout. On dirait qu'il porte un pantacourt. Je réplique :

— Tu me tireras une balle dans la tête.

Il glisse mon Luger dans sa ceinture et fait passer le M16 sur son épaule.

— Ça, j'aurais pu le faire depuis longtemps.

J'imagine qu'il parle de notre première rencontre.

— Tu es un Silencieux.

Je m'oblige à ne pas filer de nouveau en trombe. De toute façon, tenter de m'enfuir ne sert à rien. Me battre avec Evan non plus. Il faut donc que je sois plus maligne que lui. C'est comme si je me trouvais encore sous cette voiture, le jour où nous nous sommes rencontrés. Je ne dois ni me cacher ni m'enfuir.

Evan s'assied à quelques mètres de moi et pose son fusil sur ses cuisses. Il frissonne.

— Si ton boulot, c'est de nous tuer, pourquoi tu ne m'as pas descendue ?

Il réplique sans la moindre once d'hésitation – comme s'il connaissait la réponse à cette question depuis bien longtemps, bien avant que je la pose.

— Parce que je suis amoureux de toi.

C'est la meilleure ! Je renverse la tête contre l'écorce rugueuse du tronc. Les contours des branches nues se découpent avec netteté sous la toile bleue du ciel. J'inspire une grande goulée d'air. Quand j'expire, je lâche un rire.

— Eh bien, c'est plutôt tragique comme histoire d'amour, non ? Un envahisseur extraterrestre tombe amoureux d'une fille humaine. Le chasseur s'entiche de sa proie.

— Je suis humain.

— Je suis humain..., mais. Finis ta phrase, Evan.

*Parce que je le suis, moi, finie. Tu étais le dernier, mon seul ami au monde, et maintenant tu as disparu. Je veux dire, tu es ici, qui que tu sois, mais Evan, mon Evan est parti.*

— Il n'y a pas de « mais », Cassie. C'est plutôt « et ». Je suis humain, et je ne le suis pas. Je ne suis rien et je suis les deux. Je suis un Autre et je suis toi.

Je plonge mon regard dans ses yeux sombres.

— Tu me donnes envie de gerber...

— Cassie, comment pouvais-je te révéler la vérité, vu qu'en l'apprenant tu te serais enfuie, et qu'en t'enfuyant tu risquais à coup sûr de mourir ?

J'agite mon doigt près de son visage.

— Pas de morale sur la mort, Evan ! J'ai regardé ma mère mourir. J'ai vu l'un d'entre Vous tuer mon père. Depuis six mois, j'ai vu bien plus de morts que n'importe qui dans toute l'histoire de l'humanité !

Il écarte ma main et marmonne entre ses dents serrées :

— Si tu avais pu protéger ton père, sauver ta mère, tu ne l'aurais pas fait ? Si un mensonge pouvait sauver ta famille, tu ne mentirais pas ?

Un peu que je mentirais ! Je prétendrais même faire confiance à l'ennemi pour sauver Sammy. J'essaie toujours d'assimiler son aveu : « parce que je suis amoureux de toi ». Je tente de découvrir une autre raison pour laquelle il aurait trahi les siens.

Aucune importance. Aucune importance. Une seule chose compte. Une porte fermée derrière Sammy, le jour où il est monté dans ce putain de bus, une porte avec un millier de verrous, et soudain je réalise qu'en face de moi se trouve le mec avec les clés de ces verrous.

— Tu sais ce qui se passe à Wright-Patterson, n'est-ce pas ? Tu sais exactement ce qui est arrivé à Sammy.

Il ne répond rien. Pas le moindre hochement de tête pour un oui ou un non. Bordel, à quoi pense-t-il ? Que c'est une chose d'épargner une simple et misérable vie humaine, et une autre, complètement différente, d'abandonner le plan entier ? Sommes-nous à un moment similaire à celui de la Buick, un moment où je ne peux ni m'enfuir, ni me cacher, et où mon unique option est de faire front ?

— Il est vivant ?

Je me penche en avant pour le dévisager – l'écorce rugueuse s'enfonce douloureusement dans mon dos.

Il hésite une demi-seconde, puis :

— Probablement.

— Pourquoi est-ce qu'ils l'ont... ? Pourquoi est-ce que vous l'avez emmené là-bas ?

— Pour le préparer.

— Le préparer à quoi ?

Là, il hésite – au moins une seconde pleine.

— Pour la 5e Vague.

Je ferme les yeux. Pour la première fois, contempler son beau visage est difficile à supporter. Putain, je suis épuisée. Si foutrement épuisé que je pourrais dormir mille ans. Si je dormais un millier d'années, peut-être qu'à mon réveil les Autres seraient partis et qu'il y aurait une fiesta de gamins dans ces bois. *Je suis un Autre et je suis toi.* Bordel, mais ça veut dire quoi son truc ?

J'ouvre les yeux et me force à le regarder.

— Tu peux nous faire entrer dans cette base.

Il secoue la tête.

— Pourquoi pas, hein ? Tu es l'un d'entre Eux. Tu n'auras qu'à expliquer que tu m'as capturée.

— Wright-Patterson n'est pas un camp de prisonniers, Cassie.

— Qu'est-ce que c'est ?

Il se penche vers moi. Son souffle réchauffe mon visage.

— Pour toi, c'est un piège mortel. Tu ne tiendras pas cinq secondes face à Eux. Pourquoi crois-tu que j'ai cherché par tous les moyens à t'empêcher d'aller là-bas ?

— Tous les moyens ? Vraiment ? Et si tu m'avais avoué la vérité ? Un truc du genre : au fait, Cassie, à propos de ta promesse envers ton petit frère. Je suis un alien, comme le mec qui a embarqué Sammy, donc je peux te dire tout de suite que ta tentative est vouée à l'échec.

— Ça aurait fait une différence ?

— Ce n'est pas le sujet.

— Non, le sujet, c'est que ton frère est retenu dans la base la plus importante que nous – je veux dire, les Autres – avons établi depuis que l'épuration a commencé…

— Pardon ? Depuis que… quoi ? Comment tu l'appelles ? L'épuration ?

Il est incapable de croiser mon regard.

— Ou le nettoyage. Parfois, on l'appelle comme ça.

— Oh, c'est ce que vous faites, alors ? Vous nettoyez le bordel humain ?

Il proteste.

— Ce ne sont pas les mots que j'utilise. Épurer, nettoyer, ou quel que soit le nom que tu veux lui donner, ce n'est pas moi qui ai décidé de tout ça ! Si ça peut t'aider à te sentir mieux, je n'ai jamais pensé que nous devions…

— Je n'ai aucune envie de me sentir mieux ! La haine que je ressens, c'est tout ce dont j'ai besoin, Evan. Tout ce dont j'ai besoin !

*OK, tu t'es libérée, tu as dit ce que tu éprouvais, mais ne va pas trop loin. C'est lui qui détient les clés. Continue à le faire parler.* Je reprends :

— Tu n'as jamais pensé que vous devez faire quoi ?

Il boit une longue gorgée d'eau, puis me tend la bouteille. Je la refuse d'un geste de la tête.

— Wright-Patterson n'est pas une simple base – c'est *la* base, dit-il en prononçant chacun de ces mots avec précaution. Et Vosch n'est pas juste un commandant – c'est *le* commandant, le chef de toutes les opérations sur le terrain, et l'architecte du grand nettoyage – celui qui a mis les attaques au point.

— Vosch a assassiné sept milliards de personnes.

Le nombre sonne étrangement creux à mes oreilles. Après l'Arrivée, l'une des hypothèses favorites de papa était que les Autres devaient être extrêmement avancés, et montés très haut sur l'échelle de l'évolution pour atteindre le niveau de voyage intergalactique. Et c'est ça leur solution au « problème » humain ?

— Certains d'entre nous pensaient que la suppression n'était pas la solution. J'étais l'un d'entre eux, Cassie. Mais mon groupe a perdu.

— Non, Evan, je crois plutôt que c'est *mon* groupe qui a perdu.

C'est plus que je n'en peux supporter. Je me lève, m'attendant à ce qu'il fasse de même, mais il reste assis, le visage tourné vers moi.

— Vosch ne vous voit pas comme certains d'entre nous vous voient… Comme, moi, je vous vois, explique-t-il. Pour lui, vous êtes une maladie qui anéantira son armée si elle n'est pas éliminée.

— Une maladie ! C'est ce que je suis pour toi.

Je ne peux plus le regarder. Si je contemple Evan Walker une seule seconde de plus, je vais me vider de mes tripes.

Sa voix s'élève douce, calme, presque triste.

— Cassie, tu veux te confronter à un ennemi qui est bien au-delà de tes capacités. Wright-Patterson n'est pas juste un autre camp de nettoyage. Son complexe souterrain est le noyau de coordination central pour chaque drone de l'hémisphère. Ce lieu représente les yeux de Vosch, Cassie. C'est comme ça qu'il te voit. Entrer là-dedans par effraction pour sauver Sammy n'est pas seulement risqué – c'est suicidaire. Pour nous deux.

— Nous deux ?

Je lui jette un coup d'œil de côté. Il n'a pas bougé.

— Pas moyen de prétendre que tu es ma prisonnière. Ma mission n'est pas de capturer des gens – mais de les tuer. Si j'essaie d'entrer là-bas avec toi comme prisonnière, ils te tueront. Et, ensuite, ils me descendront parce que je ne t'aurais pas tuée. Je ne peux pas non plus t'aider à te faufiler à l'intérieur. La base est surveillée par des drones, protégée par une barrière électrique de six mètres de haut, des miradors, des caméras infrarouges, des détecteurs de mouvements… Et une bonne centaine d'individus comme moi, et tu sais ce dont je suis capable.

— Dans ce cas, je m'infiltrerais sans toi.

Il hoche la tête.

— C'est la seule possibilité – mais ce n'est pas parce qu'une chose est possible qu'elle n'est pas suicidaire. Toutes les personnes qu'ils amènent – je veux dire celles qu'ils ne tuent pas sur-le-champ – passent par un examen de dépistage qui cartographie leur psychisme complet, y compris leurs souvenirs. Dès qu'ils découvriront qui tu es, la raison de ta présence sur place… ils te tueront.

— Il *doit* bien exister un scénario où je ne me fais pas descendre à la fin.

— Oui, il y en a un. Celui où nous trouvons une bonne planque pour nous cacher et attendre que Sammy nous rejoigne.

J'ouvre la bouche en grand et mon cerveau lâche un *hein ?*

Puis, je le dis à voix haute :

— Hein ?

— Ça prendra peut-être quelques années. Quel âge a-t-il ? Cinq ans ? Le plus jeune autorisé a sept ans.

— Le plus jeune autorisé à faire quoi ?

Il détourne le regard.

— Ce que tu as vu.

Le gamin dont il a tranché la gorge au Camp des Cendres, qui portait un treillis et un fusil presque aussi grand que lui. Cette fois, j'ai vraiment besoin de boire un coup. J'avance vers lui. Il demeure immobile tandis que je me penche pour attraper la gourde. Malgré quatre longues goulées, ma bouche est toujours aussi sèche. Je lâche avec amertume :

— Sam est la 5e Vague.

Le simple fait de prononcer ces quelques mots me révulse. J'avale une autre gorgée d'eau.

Evan acquiesce de la tête et poursuit :

— S'il a réussi le test, il est en vie, et ils...

Il cherche l'expression juste.

— Ils l'entraînent.

— Tu veux dire qu'ils lui font un lavage de cerveau, oui !

— Il s'agit plutôt d'endoctrinement. L'idée est que les extraterrestres ont utilisé des corps humains, et nous – je veux dire les humains – avons trouvé un moyen de les détecter. Et si tu es capable de les détecter, tu peux...

Je l'interromps.

— Ce n'est pas de la fiction. Vous utilisez bel et bien des corps humains !

— Pas comme le croit Sammy.

— Qu'est-ce que ça veut dire ? Ou vous le faites, ou vous ne le faites pas !

— Sammy pense que nous sommes une sorte d'infestation reliée aux cerveaux humains, mais...

— C'est drôle, c'est exactement la façon dont je te vois, Evan ! Une infestation.

Je n'ai pas pu m'en empêcher.

Il lève une main vers moi. Comme je ne le repousse pas – et que je ne m'enfuis pas non plus –, il enroule avec lenteur ses doigts autour de mon poignet et me tire avec douceur pour que je m'assoie par terre à côté de lui. Mon cœur bat la chamade et, malgré le froid, je transpire légèrement. Que va-t-il se passer, maintenant ?

— Il y avait un garçon, un garçon vraiment humain, qui s'appelait Evan Walker, reprend-t-il, ses yeux rivés au mien. C'était un garçon normal, comme n'importe quel gamin, avec une mère, un père, des frères et des sœurs. Avant sa naissance, j'ai été inséré en lui pendant que sa mère dormait. Nous dormions tous les deux, en fait. Durant treize ans, j'ai sommeillé à l'intérieur d'Evan Walker. Quand il apprenait à s'asseoir, à manger de la nourriture solide, à marcher, parler, courir, rouler à bicyclette, j'étais là, attendant de m'éveiller. Comme des milliers d'Autres dans des milliers d'autres Evan Walker dans le monde. Certains d'entre nous étaient déjà éveillés et organisaient nos vies pour que nous nous trouvions à l'endroit voulu, au moment voulu.

Sans savoir pourquoi, j'acquiesce d'un hochement de tête. Il a été introduit dans un corps humain ? Putain, mais c'est quoi cette horreur ?

— La 4ᵉ Vague, continue-t-il. Les Silencieux. C'est un nom qui nous convient parfaitement. Nous nous cachions en silence dans des corps humains, dans des vies humaines. Nous n'avions pas besoin de prétendre être vous. Nous *étions* vous. Humains et Autres à la fois. Evan n'est pas mort lorsque je me suis éveillé. Il a été… absorbé.

Evan – qui remarque toujours tout, rappelez-vous – remarque que j'ai les jetons en l'écoutant. Il tend la main vers moi et tressaille lorsque je le repousse. Je chuchote :

— Alors, qui es-tu, Evan ? Où es-tu ? Tu dis que tu as été… Qu'est-ce que tu as dit, déjà ? (Mes pensées fusent en tous sens.) Inséré. Inséré, où ?

— Peut-être qu'*inséré* n'est pas le mot juste. À dire vrai, le concept le plus proche est *téléchargé*. J'ai été téléchargé en Evan quand son cerveau était encore en développement.

Je secoue la tête. Pour un mec supposé avoir des siècles d'avance sur moi, il a plutôt du mal à répondre à une question simple.

— Mais qu'est-ce que tu es ? À quoi tu ressembles ?

Il fronce les sourcils.

— Cassie, tu sais à quoi je ressemble.

— Non ! Oh, mon Dieu, parfois tu peux être si… *Fais gaffe, Cassie, ne pousse pas le bouchon trop loin. Rappelle-toi ce qui est important.* Je veux dire, avant que tu deviennes Evan, avant que tu arrives ici, quand tu étais en chemin pour la Terre, d'où que tu viennes, à quoi tu ressemblais ?

— À rien. Cela fait des dizaines de milliers d'années que nous n'avions plus de corps. Nous avons dû les abandonner quand nous avons quitté notre planète.

— Tu mens encore ! Qu'est-ce qu'il y a ? Tu ressemblais à un crapaud, un phacochère, une limace, ou quoi ? Chaque forme vivante ressemble à quelque chose.

— Nous ne sommes que de pures consciences. De pures essences. Abandonner nos corps et télécharger nos psychés dans l'unité centrale du ravitailleur était la seule façon pour nous d'entreprendre ce voyage.

Il saisit ma main et replie mes doigts en poing.

— C'est moi, poursuit-il avec douceur. Il couvre mon poing de ses deux mains, l'enveloppant. Je suis Evan. Il ne s'agit pas seulement d'analogie, parce qu'il n'y a aucune frontière entre lui et moi.

Il esquisse un sourire.

— J'ai peur de ne pas très bien m'expliquer. Tu veux que je te montre qui je suis, Cassie ?

*Bordel de merde !*

— Non. Oui. Qu'est-ce que tu veux dire ?

Va-t-il soudain retirer son visage comme une cagoule, ainsi qu'on le voit dans les films d'horreur ?

Sa voix tremble un peu.

— Je peux te montrer qui je suis.

— Ça n'inclut pas une sorte de… d'insertion, n'est-ce pas ?

Cette fois, Evan rit.

— Je crois que si, d'une certaine façon. Je vais te faire voir, Cassie, si tu le veux.

Bien sûr que je veux voir. Et bien sûr que je ne veux pas voir. À l'évidence, lui tient à me montrer – mais est-ce que cela me rapprochera de Sam ? Pour l'instant, il ne s'agit pas tout à fait de Sammy. Peut-être que si Evan me montre qui il est, je comprendrai pourquoi il m'a sauvée quand il aurait dû me tuer. Pourquoi il me serrait contre lui, dans l'obscurité, nuit après nuit, pour me garder en sécurité – et m'éviter de faire des conneries.

Il me sourit toujours, sûrement ravi que je ne me mette pas à lui griffer les yeux ou à le repousser d'une boutade, ce qui le peinerait certainement plus. Ma main est comme perdue dans la sienne, tel le cœur délicat d'une rose au creux du bourgeon, attendant la pluie. Je murmure :

— Qu'est-ce que je dois faire ?

Il lâche alors ma main. Tend le bras vers mon visage. Je tressaille.

— Je ne te ferai jamais de mal, Cassie.

Je prends une profonde inspiration. Hoche la tête. Inspire encore.

— Ferme les yeux.

Il m'effleure les paupières avec une infinie douceur, comme les ailes d'un papillon.

— Détends-toi. Respire fort. Vide ton esprit. Si tu ne le fais pas, je ne pourrai pas venir. Tu veux que je vienne en toi, Cassie ?

*Oui. Non. Mon Dieu, jusqu'où dois-je aller pour tenir ma promesse ?*

— Oui, je veux que tu viennes en moi...

Ça ne commence pas par ma tête, comme je m'y attendais. Au lieu de cela, une délicieuse chaleur prend naissance dans mon cœur et envahit mon corps.

Mon être entier – mes os, mes muscles et ma peau – se noie dans cette chaleur qui émane de moi puis se déploie sur l'immensité de la Terre, jusqu'aux limites de l'univers. Elle est tout et partout à la fois. Mon corps – et tout ce qui se trouve à l'extérieur de mon corps – fait partie de cette chaleur. Alors, je le sens. Lui aussi baigne dans cette chaleur, il n'y a aucune limite entre nous, aucune séparation, et je m'ouvre à lui comme une fleur s'ouvre à la pluie, avec une lenteur infinie et une rapidité vertigineuse, me diluant dans la chaleur, me fondant en lui, et, comme il me l'a expliqué, il n'y a rien à *voir*, car il n'existe aucun mot pour le décrire.

Il est, c'est tout.

Et je m'ouvre à lui, comme une fleur à la pluie.

## 72

APRÈS AVOIR OUVERT LES YEUX, je ne peux pas m'empêcher d'éclater en larmes. Jamais je ne me suis sentie aussi abandonnée de toute ma vie.

— C'était peut-être trop tôt, lâche Evan.

Il m'enlace et me caresse la tête.

Je le laisse faire. Je suis trop fatiguée, trop troublée, trop vide et trop triste pour réagir.

— Désolé de t'avoir menti, murmure-t-il, ses lèvres sur mes cheveux.

Le froid me gagne. La chaleur qui m'envahissait n'est déjà plus qu'un souvenir. Je chuchote en posant ma main sur son torse :

— Tu dois détester être enfermé là-dedans.

Je perçois les battements de son cœur contre ma peau.

— Je n'ai pas l'impression d'être enfermé. D'une certaine façon, c'est plutôt comme si j'avais été libéré.

— Libéré ?

— Oui, je suis libre de pouvoir, à nouveau, éprouver quelque chose. Libre de ressentir ceci. Libre *d'apprécier* cela.

Il m'embrasse. Une chaleur toute différente se répand en moi.

Je suis – littéralement – dans les bras de l'ennemi. Qu'est-ce qui cloche avec moi ? Ces entités nous ont cramés vivants, broyés, submergés, contaminés par une épidémie qui a vidé des millions d'entre nous de leur sang jusqu'à ce que mort s'ensuive. Je les ai regardés tuer tous ceux que je connaissais et aimais – à une seule exception près – et me voilà à flirter avec l'un d'entre Eux ! Je l'ai même laissé pénétrer mon âme. J'ai partagé avec lui un bien plus précieux et intime que mon corps.

Mais c'était pour la sécurité de Sammy. Bonne réponse, mais compliquée. La vérité est simple.

— Tu as dit que ton groupe avait perdu le vote concernant l'avenir de l'humanité. Quel était ton avis sur le sujet ?

Il me répond en s'adressant aux étoiles au-dessus de nous.

— Une coexistence. Nous ne sommes pas si nombreux, Cassie. Seulement quelques centaines de milliers. Nous aurions pu nous insérer en vous et vivre nos nouvelles existences sans que personne sache jamais que nous étions là. Mais peu de personnes étaient d'accord avec moi. Pour Eux, être humain représentait une condition inférieure à la leur. Ils avaient peur que, plus longtemps nous ferions semblant d'êtres humains, plus nous deviendrions humains.

— Et qui aurait envie d'une destinée aussi lamentable, hein ?

— Pour ma part, je n'étais guère tenté, admet-il. Jusqu'à ce que je devienne l'un de vous.

— Quand tu… tu t'es « réveillé » dans le corps d'Evan ?

D'un geste de la tête, il me fait signe que non et répond, comme si c'était la chose la plus évidente au monde :

— Quand je me suis réveillé en toi, Cassie. Je n'étais pas entièrement humain avant de me voir à travers tes yeux…

À cet instant, de véritables larmes humaines coulent de ses véritables yeux humains, et c'est à mon tour de le tenir pendant que son cœur se brise en morceaux.

Mon tour de me voir à travers ses yeux.

Finalement, je ne suis pas la seule à me lover dans les bras de l'ennemi.

Je suis l'humanité, mais qui est Evan Walker ? Humain ou Autre ? Les deux et aucun. À cause de l'amour qu'il éprouve pour moi, il n'appartient à aucun des deux univers.

Lui ne voit pas les choses de cette façon.

— Je ferai ce que tu voudras, Cassie, lâche-t-il en désespoir de cause. (Ses yeux sont plus brillants que les étoiles au-dessus de nos têtes.) Je comprends pourquoi tu dois y aller. Si c'était toi qui te trouvais à l'intérieur de ce camp, je ferais pareil. Cent mille Silencieux ne pourraient pas m'en empêcher.

Il pose ses lèvres contre mon oreille et chuchote – comme s'il me révélait le secret le plus important du monde, ce qui est peut-être le cas :

— C'est sans espoir, et c'est une idée idiote. Complètement suicidaire. Mais l'amour est une arme contre laquelle Ils ne peuvent rien. Ils savent ce que tu penses, mais Ils ne peuvent pas deviner ce que tu ressens…

Il n'a pas dit « *nous* », il a bien dit « *ils* ».

Evan n'est pas stupide. Un seuil a été franchi, et il est conscient qu'en une telle situation, on ne revient pas en arrière.

## 73

Nous passons notre dernière journée ensemble à dormir sous le pont autoroutier, comme deux SDF, ce que nous sommes pour de bon. Pendant que l'un se repose, l'autre surveille les alentours. Quand c'est à son tour de pioncer, Evan me rend mes armes sans une seconde d'hésitation et s'endort illico, comme s'il ne lui venait pas à l'esprit que je puisse m'enfuir ou lui tirer une balle dans la tête. Je ne sais pas, peut-être qu'il y pense quand même. Notre problème a toujours été que nous ne réfléchissons pas comme Eux. C'est pour cette raison que je lui ai fait confiance, au début de notre rencontre, et qu'il savait que je lui ferais confiance. Les Silencieux tuent les humains. Evan ne m'a pas tuée. Par conséquent, Evan ne pouvait pas être un Silencieux. Vous voyez ? C'est logique. Enfin, selon la logique humaine.

Au crépuscule, nous terminons le reste de nos provisions et grimpons le talus pour nous planquer dans les bois qui bordent l'autoroute 35. Evan m'apprend que les bus ne roulent que de nuit. On sait quand ils arrivent. On perçoit le ronflement de leurs moteurs à des kilomètres, parce que c'est le seul bruit dans ce silence absolu. Ensuite, on aperçoit leurs phares. Les cars filent à toute allure, car l'autoroute a été débarrassée des épaves, et il n'y a plus de limite de vitesse. Evan ignore s'ils s'arrêteront ou non. Peut-être qu'ils se contenteront de ralentir suffisamment pour que l'un des soldats à bord me loge une balle entre les deux yeux. Peut-être qu'ils ne viendront pas du tout.

— Tu as dit qu'ils continuaient à recueillir des rescapés, fais-je remarquer. Pourquoi ne viendraient-ils pas ?

Evan observe la route qui s'étire en dessous de nous.

— À un moment ou un autre, ceux qui ont été « sauvés » – ou bien les survivants en dehors de Wright-Patterson – comprendront qu'ils ont été dupés. Quand ça arrivera, ils fermeront la base – du moins, la partie de la base dédiée au nettoyage.

Il s'éclaircit la gorge et fixe la route.

— Qu'est-ce que ça signifie : « ils fermeront la base » ?

— Qu'ils feront la même chose qu'au Camp des Cendres.

Je réfléchis à ce qu'il vient de dire. Comme lui, en fixant la route déserte. Je réplique au bout d'un moment :

— Très bien. Dans ce cas, espérons que Vosch n'a pas encore déclenché l'opération.

Je ramasse une poignée de feuilles mortes, dans laquelle se mêlent des brindilles et de la poussière, et la frotte sur mon visage. Une autre poignée pour mes cheveux. Evan m'observe sans un mot.

— C'est le moment où tu es censé me donner un coup sur le crâne, Evan. (Je dégage une odeur de terre et, soudain, je pense à mon père agenouillé près du massif de roses et du linceul blanc.) Ou bien me proposer d'y aller à ma place. Ou encore me frapper le crâne, puis y aller à ma place.

Evan bondit sur ses pieds. L'espace d'un instant, j'ai peur qu'il ne me cogne vraiment le crâne tant il est énervé. Au lieu de cela, il replie ses bras sur lui, comme s'il avait froid – à moins qu'il s'efforce de ne pas me donner un coup sur la tête.

— C'est un suicide ! Nous le pensons tous les deux, alors autant le dire à voix haute. Un suicide si j'y vais, un suicide si, toi, tu y vas. Vivant ou mort, ton frère est perdu.

Je retire le Luger de ma ceinture et le pose par terre, à ses pieds. Puis je fais de même avec le M16.

— Garde ça pour moi, j'en aurai besoin quand je reviendrai. Et, au fait, il y a autre chose qu'on devrait dire à voix haute : tu es ridicule avec ce pantalon.

Je me penche vers le sac à dos et en retire Nounours. Inutile de le salir, il a déjà assez piètre allure.

— Tu as entendu ce que j'ai dit ?

Je réplique sans me redresser :

— Le problème, c'est que, toi, tu ne m'écoutes pas. Il n'y a qu'une façon d'entrer dans cette base, c'est par le chemin que Sammy a pris. Toi, tu ne peux pas y aller. Moi, je le dois. Pas la peine d'ouvrir la bouche. Si tu ajoutes quoi que ce soit, je t'en colle une !

Je me relève et, au même instant, il se passe un truc bizarre : on dirait qu'Evan rétrécit.

— Je vais partir chercher mon petit frère et je n'ai qu'un moyen de le faire.

Il me regarde, hoche la tête. Il a pénétré en moi. À ce moment-là, nous ne formions plus qu'un. Il sait ce que je vais dire :

— C'est d'y aller seule.

## 74

IL Y A LES ÉTOILES, rais de lumière qui pointent vers la Terre.

Il y a la route déserte sous les étoiles, et la fille sur la route, le visage maculé, des feuilles mortes et des brindilles emmêlées dans ses cheveux courts, qui serre un vieil ours en peluche contre elle, sur cette route déserte, sous les étoiles.

Il y a le grondement des moteurs, et la trouée des phares qui percent l'horizon. Les lumières se font plus grosses, plus fortes, comme deux étoiles devenues supernovas, et foncent sur la fille qui a des secrets enfermés au fond de son cœur et une promesse à tenir, la fille qui fait face à ces lumières qui arrivent droit sur elle, sans chercher à s'enfuir, ni se cacher.

Quand le conducteur me voit, il a tout le temps nécessaire pour s'arrêter. Les freins crissent, la portière s'ouvre, et un soldat apparaît sur la route. Il a un pistolet à la main, mais ne le pointe pas vers moi. Il me regarde, ma silhouette épinglée dans la lueur des phares, je lui retourne son regard.

Il porte un brassard blanc avec une croix rouge. L'éti-quette sur son uniforme indique : Parker. Je me souviens de ce nom. Mon cœur marque un battement. Et si jamais il me reconnaissait ? Je suis supposée être morte.

Quel est mon nom ? Lizbeth. Suis-je blessée ? Non. Suis-je seule ? Oui.

Parker scrute les alentours à 360°. Il ne voit pas le chasseur dans les bois, qui surveille cette scène, son fusil pointé sur sa tête. Évidemment que Parker ne le voit pas. Le chasseur dans les bois est un Silencieux.

Parker me prend par le bras et m'aide à grimper dans le bus. Cet homme sent la sueur et le sang. La moitié des sièges sont vides. Il y a des enfants, mais aussi des adultes. Peu importe. Seuls Parker, le conducteur et le soldat dont l'étiquette indique qu'il s'appelle Hudson comptent à mes yeux. Je me laisse tomber sur le dernier siège vers la porte de secours, celui où Sammy était assis quand il a posé sa petite main sur la vitre pour observer ma silhouette diminuer jusqu'à ce que je disparaisse complètement à ses yeux.

Parker m'offre un sachet de friandises gluantes et une bouteille d'eau. Je ne suis guère tentée, mais j'avale quand même les deux. Les bonbons ont dû rester long-temps dans sa poche. Ils sont chauds, poisseux et collent aux dents. J'ai peur d'être malade.

Le bus accélère. À l'avant, quelqu'un pleure. À part ça, il y a le ronflement des pneus, le vrombissement du moteur et le sifflement du vent froid qui s'infiltre à travers les vitres fêlées.

Parker revient vers moi avec un mini-disque argenté qu'il m'applique sur le front. Pour prendre ma température, explique-t-il. Le disque s'illumine de rouge. C'est bon, dit Parker. Comment s'appelle ton ours en peluche ?

— Sammy, je réponds.

Des lumières à l'horizon. C'est Camp Haven, m'informe Parker. Où je serai en parfaite sécurité. Plus besoin de fuir ni de me cacher. Je hoche la tête. En parfaite sécurité.

Les lumières augmentent, s'insinuent à travers le pare-brise, s'amplifient tandis que nous approchons. À présent, elles emplissent le bus. Nous arrivons à la grille, une sonnerie retentit, et la grille s'ouvre. Là-haut, dans le mirador, j'entrevois la silhouette d'un soldat.

Nous nous arrêtons devant un hangar. Un homme corpulent grimpe dans le bus. C'est le commandant Bob. Nous n'avons aucune raison d'être effrayés, affirme-t-il. Nous sommes en parfaite sécurité. Il n'y a que deux règles à se rappeler. Règle numéro un : se souvenir de notre couleur. Règle numéro deux : écouter et obéir.

Je me mets en ligne avec mon groupe, et nous suivons Parker jusqu'à une porte latérale du hangar. Il donne une gentille tape sur l'épaule de Lizbeth et lui souhaite bonne chance.

J'avance vers un grand cercle rouge dans lequel je m'assieds. Il y a des soldats partout. La plupart ne sont que des gosses, guère plus âgés que Sammy. Ils ont tous des rustines argentées sur un œil et paraissent très sérieux, surtout les plus jeunes. Les plus jeunes sont les plus sérieux de tous.

*Il est facile de manipuler un enfant, et de l'amener à croire et à faire tout ce qu'on veut,* m'a expliqué Evan lors de notre briefing. *Avec un bon entraînement, on peut transformer un gamin de dix ans en la créature la plus féroce qui soit.*

J'ai un numéro : T-62. T pour Terminator. Ah ! Ah !

Les numéros sont appelés *via* un haut-parleur.

62 ! T-62 ! DIRIGE-TOI VERS LA PORTE ROUGE, S'IL TE PLAÎT. NUMÉRO T-62 !

*Le premier poste, c'est la douche.*

De l'autre côté de la porte rouge se trouve une femme mince en uniforme vert. Tout doit être retiré et jeté dans le panier à linge. Les sous-vêtements aussi. Ils aiment les enfants, ici, mais pas les poux, ni les tiques. La douche est là. Voici le savon. Quand tu auras fini, enfile le peignoir blanc et attends qu'on t'appelle.

J'abandonne mon ours contre le mur et j'avance, nue, sur le carrelage froid. L'eau est tiède. Le savon a une odeur médicinale pugnace. Je sors de la douche sans me sécher, et j'enfile le peignoir qui se plaque contre ma peau. On voit presque à travers. Je ramasse Nounours et j'attends.

*Ensuite, c'est le préexamen de dépistage. On te posera de nombreuses questions. Certaines se ressemblent beaucoup. C'est pour vérifier ce que tu racontes. Reste calme et concentrée.*

Une autre porte. On m'ordonne de m'installer sur une table d'examen. Une seconde infirmière, plus grosse et moins aimable. Elle me regarde à peine. Je dois être, genre, la millième personne qu'elle voit depuis que les Silencieux ont investi la base.

Quel est mon nom complet ? Elizabeth Samantha Morgan.

Mon âge ? Douze ans.

D'où je viens ? Ai-je des frères et des sœurs ? Y a-t-il une personne de ma famille encore en vie ? Que leur est-il arrivé ? Où suis-je allée après avoir quitté ma maison ? Qu'est-ce que j'ai à la jambe ? Dans quelles circonstances m'a-t-on tiré dessus ? Qui ? Est-ce que je sais où pourraient se trouver d'autres survivants ? Quels sont les noms de mes frères et sœurs ? Ceux de mes parents ? Quel travail faisait mon père ? Quel est le nom de mon meilleur ami ? Redis-moi ce qui est arrivé à ta famille.

Quand c'est terminé, elle me donne une légère tape sur les genoux et m'enjoint de ne pas être effrayée. Je suis en parfaite sécurité.

Je serre Nounours contre ma poitrine et hoche la tête.

En parfaite sécurité.

*Après ce sera l'examen médical. Puis l'implant. L'incision est très petite. Elle ne te mettra sûrement qu'un pansement.*

La femme qui se présente comme le Dr Pam est si agréable, que je l'apprécie malgré moi. C'est une doctoresse de rêve : gentille, aimable, patiente. Elle ne se précipite pas pour m'examiner sous toutes les coutures. D'abord, elle me parle. Elle m'explique ce qu'elle va faire. Me montre l'implant. C'est comme une puce pour un animal domestique, mais en mieux ! Grâce à cela, si quelque chose m'arrive, ils sauront où me trouver.

— Comment s'appelle ton ours en peluche ?
— Sammy.
— Tu es d'accord pour que j'installe Sammy dans ce siège pendant que je t'insère le traceur ?

Je roule sur le ventre. Sans véritable raison, je m'inquiète qu'elle puisse voir mon cul à travers le peignoir jetable. Je me crispe, anticipant la piqûre de l'aiguille.

*Le dispositif n'est pas en mesure de télécharger ta mémoire tant qu'il n'est pas relié à Wonderland. Mais, une fois qu'il est en toi, il est totalement opérationnel. Ils peuvent l'utiliser pour te pister et pour te tuer.*

Le Dr Pam me demande ce que j'ai à la jambe. Des méchants m'ont tiré dessus. Ça n'arrivera pas ici, me rassure-t-elle. Il n'y a pas de méchants au Camp Haven. Je suis en parfaite sécurité.

Voilà, je suis balisée. J'ai l'impression qu'elle m'a accroché un caillou de dix kilos autour du cou. Il est temps de passer le dernier test, m'informe-t-elle. C'est un programme qu'ils ont confisqué à l'ennemi.

*Ils l'appellent Wonderland.*

J'attrape Nounours sur son siège et je suis la doctoresse dans la pièce adjacente. Des murs blancs. Un sol blanc. Un plafond blanc. Un fauteuil de dentiste blanc et des liens sur les accoudoirs et sur les reposoirs pour les jambes. Un clavier et un écran. Le Dr Pam m'ordonne de m'asseoir et se dirige vers l'ordinateur.

— À quoi sert Wonderland ?

— Eh bien, c'est un peu compliqué, Lizbeth, mais disons que Wonderland enregistre une carte virtuelle de tes fonctions cognitives.

— Une carte de mon cerveau ?

— Quelque chose comme ça, oui. Installe-toi dans le siège, ma puce. Ça ne prendra pas longtemps, et je te promets que ça ne fait pas mal.

Je m'assieds, Nounours plaqué contre moi.

— Oh, non, ma puce, Sammy ne peut pas s'asseoir avec toi.

— Pourquoi ?

— Donne-le-moi. Je vais le mettre là, à côté de mon ordinateur.

Je lui jette un regard soupçonneux. Mais elle me sourit, et elle a été si gentille. Je dois lui faire confiance. Après tout, elle, elle m'a entièrement fait confiance.

Cependant, je suis si nerveuse que Nounours me glisse des mains quand je le lui tends. Il culbute à la renverse, sur sa grosse tête poilue, juste à côté du siège. Je gigote pour le récupérer, mais le Dr Pam me demande de rester calme – elle va le ramasser.

Elle se penche. J'attrape alors sa tête à deux mains et la cogne illico dans le bras du fauteuil. L'impact est si fort qu'un éclair de douleur traverse mes avant-bras. Le Dr Pam s'écroule, assommée par le choc, mais ne s'évanouit pas complètement. À l'instant où ses genoux touchent terre, je bondis de mon siège et passe derrière elle. Selon notre plan, il était prévu que je lui fasse une prise de karaté à la gorge, or elle me tourne le dos, donc j'improvise. Je saisis la sangle qui pend des bras du siège et la lui enroule deux fois autour du cou. Elle lève les mains pour se défendre, mais trop tard. Un pied posé sur le fauteuil pour garder l'équilibre, je serre les liens très fort et tire.

Les deux secondes à attendre qu'elle tombe dans les pommes sont les plus longues de ma vie. Elle s'évanouit. Aussitôt, je lâche la sangle et le Dr Pam s'affaisse comme une poupée de chiffon, face contre terre. Je vérifie son pouls.

*Je sais que ce sera très tentant, mais tu ne peux pas la tuer. Elle et tous les dirigeants de la base sont liés à une unité de surveillance placée dans le centre de commandement. Si elle disparaît, l'enfer s'abattra sur toi.*

Je fais rouler le Dr Pam sur le dos. Du sang coule de ses deux narines. Son nez doit être cassé. Je pose mes doigts sur ma nuque. C'est le moment le plus dégueulasse. Mais je suis boostée par l'adrénaline et l'euphorie. Jusqu'à présent, tout s'est déroulé à la perfection.

Je peux le faire !

J'enlève le pansement et tire fort des deux côtés de l'incision. C'est monstrueusement douloureux. J'ai l'impression qu'on m'enfonce une allumette brûlante dans la plaie. Une pince à épiler et un miroir seraient les bienvenus, je n'ai ni l'un ni l'autre, alors je me sers de mes ongles pour arracher l'implant. Cette technique fonctionne mieux que je ne m'y attendais : après trois tentatives, le fin dispositif se fourre sous mes ongles, et je parviens à le retirer.

*Il ne faut que quatre-vingt-dix secondes pour lancer le téléchargement. Ça te laisse trois, peut-être quatre minutes. Pas plus de cinq, en tout cas.*

Combien m'en reste-t-il ? Deux ? trois ? Je m'agenouille à côté du Dr Pam et lui enfonce l'implant aussi profondément que possible dans le nez. Voilà !

*Non, tu ne peux pas lui enfouir dans la gorge. Il doit se trouver près de son cerveau. Désolé.*

*Tu* es désolé, Evan ?

Du sang sur mon doigt. Le mien, le sien, mêlés.

Je me dirige vers le clavier. Maintenant, c'est la partie vraiment effrayante.

*Tu n'as pas le numéro de Sammy, mais il est sûrement accolé à son nom. Si une combinaison ne fonctionne pas, essaies-en une autre. Il y a forcément un programme de recherche.*

Du sang goutte de ma nuque et coule entre mes omoplates. Je tremble sans pouvoir m'en empêcher, du coup, j'ai du mal à pianoter sur le clavier. Dans la petite fenêtre bleue clignotante, je tape le mot « recherche ». Je dois m'y reprendre à deux fois pour l'écrire correctement.

ENTREZ LE NUMÉRO.

Je n'ai pas de numéro, putain ! J'ai un nom. Comment est-ce que je reviens à cet écran bleu ? J'appuie sur le bouton « entrée ».

ENTREZ LE NUMÉRO.

Oh, j'ai compris, maintenant. Ce truc veut un numéro. Je saisis *Sullivan*.

CODE ERRONÉ.

J'hésite entre jeter l'écran à travers la pièce et frapper à mort le Dr Pam. Aucune de ces deux solutions ne m'aidera à rejoindre Sammy, mais au moins, ça me permettrait de me défouler. Je presse le bouton « échap », reviens à l'écran bleu, et tape « chercher par nom ».

Les mots disparaissent de l'écran, absorbés par Wonderland. La fenêtre bleue clignote et devient blanche.

Je retiens un hurlement. Mon temps est dépassé.

*Si tu ne réussis pas à le trouver dans le système informatique, nous devrons passer au plan B.*

Je ne suis pas fan du plan B. J'aime mieux le plan A, celui censé m'indiquer sur une carte où est installé Sammy pour que je puisse courir à lui. Le plan A est simple et net. Le plan B : compliqué et bordélique.

Encore une tentative. Cinq secondes de plus ne vont quand même pas faire une si grande différence.

Je saisis *Sullivan* dans la fenêtre bleue.

L'affichage se détraque complètement. Des nombres surgissent de partout, inondant l'écran, comme si j'avais demandé à l'ordinateur de calculer la valeur de Pi. Je panique et commence à appuyer sur les touches au hasard, mais le défilement continue. J'ai déjà dépassé les cinq minutes. Je déteste le plan B, pourtant je n'ai plus le choix.

Je me précipite dans la pièce adjacente, où je trouve les combinaisons blanches. J'en attrape une sur l'étagère, et, comme une idiote, j'essaie de l'enfiler sans penser à retirer mon peignoir. Poussant un grognement de frustration, j'arrache le peignoir et, durant une seconde, je suis totalement nue, la seconde où la porte à côté de moi va s'ouvrir, et où un bataillon de Silencieux va envahir la pièce. C'est ce qui se passe dans tous les plans B. La combinaison est beaucoup trop grande, mais mieux vaut trop grande que trop petite. Je remonte la fermeture Éclair à la volée.

*Si tu ne parviens pas à le trouver dans le système principal, il est fort probable qu'elle ait une unité portable sur elle. Ça fonctionne de la même façon, néanmoins tu dois être extrêmement prudente. L'un des boutons est un localisateur, l'autre, un détonateur. Si tu utilises la mauvaise commande, tu ne pourras plus jamais retrouver ton frère. Tu l'auras fait griller.*

Quand je retourne en trombe dans la salle de Wonderland, le Dr Pam s'est redressée. Dans une main, elle tient Nounours, et, dans l'autre, un objet argenté qui ressemble à un téléphone portable à clapet.

Comme je l'ai dit, le plan B, c'est de la merde.

## 75

Son cou est rouge vif là où je l'ai étranglée. Son visage couvert de sang. Cependant ses yeux ont perdu toute leur chaleur et sa main agrippe, sans trembler, le boîtier argenté. Son pouce plane au-dessus d'un bouton vert.

— N'appuyez pas ! Je n'ai pas l'intention de vous faire de mal. (Je m'accroupis, mains ouvertes, paumes tendues vers elle.) Sérieusement, vous n'avez pas envie de cliquer sur ce bouton.

Elle appuie sur le bouton.

Sa tête part en arrière dans un craquement, le Dr Pam s'affale. Ses jambes tressautent deux fois, c'est terminé.

Je me penche, récupère Nounours entre ses doigts morts, et me précipite dans la pièce où sont rangées les combinaisons, puis dans le couloir au-delà. Evan ne m'a pas précisé combien de temps il faudrait après le déclenchement de l'alarme pour que les troupes d'assaut soient mobilisées, la base fermée, et l'intruse capturée, torturée, en proie à une mort violente et cruelle.

Sûrement pas longtemps.

Et voilà pour le plan B. De toute façon, je le détestais. Mais je n'ai jamais mis de plan C au point.

*Il sera dans une escouade avec des enfants plus âgés, donc, ta meilleure chance, ce sont les quartiers qui entourent le terrain de rassemblement.*

Les quartiers qui entourent le terrain de rassemblement. C'est où, ça ? Peut-être que je devrais arrêter quelqu'un pour lui demander mon chemin, parce que je n'en connais qu'un, de chemin, pour sortir de cet immeuble, celui par lequel je suis arrivée, c'est-à-dire en repassant devant le corps mort, la vieille infirmière méchante, l'autre, jeune mince et gentille, puis direct dans les bras amicaux du commandant Bob.

Il y a un ascenseur au bout du couloir, avec un seul bouton : il vous emmène droit au sous-sol du complexe, là où, selon Evan, on a montré à Sammy et aux autres « recrues » les monstruosités « reliées » à de véritables cerveaux humains.

Le sous-sol regorge de caméras de sécurité. Il grouille de Silencieux. Il n'y a que deux issues pour quitter cet endroit : la porte juste à droite de la cabine, et celle par où je suis sortie. Inutile de réfléchir bien longtemps.

Je passe la porte à côté de l'ascenseur et me retrouve dans une cage d'escalier. Comme l'ascenseur, l'escalier ne va que dans une direction : en bas.

J'hésite une demi-seconde. L'escalier est étroit. Le calme y règne. On se croirait dans un cocon. Peut-être que je ferais mieux de rester là un moment, Nounours serré contre moi, en suçant mon pouce.

Je me force à descendre lentement les cinq étages. Les marches de métal sont froides sous mes pieds nus. Je m'attends au rugissement de l'alarme, au martèlement des bottes et à une pluie de balles, d'en bas et d'en haut. Je songe à Evan, au Camp des Cendres, qui a abattu quatre tueurs hautement entraînés et lourdement armés dans une obscurité totale, et je me demande soudain pourquoi j'ai pensé qu'il était judicieux de me jeter seule dans la cage du lion, alors que j'aurais pu avoir un Silencieux avec moi.

Enfin, je ne suis pas complètement seule. J'ai Nounours.

Une fois en bas, je colle mon oreille contre la porte. Je ne perçois aucun bruit, hormis les battements de mon cœur. J'inspire une grande goulée d'air et je pose ma main sur la poignée. Avant que j'aie le temps de faire un geste de plus, la porte s'ouvre brutalement vers l'intérieur, me forçant à me plaquer contre le mur, j'entends alors le martèlement des bottes tandis que des hommes équipés de semi-automatiques grimpent l'escalier à toute volée. La porte commence à se rabattre. J'attrape la poignée pour l'empêcher de se refermer devant moi jusqu'à ce que les soldats soient tous sortis et hors de vue.

Je file dans le couloir avant que la porte se referme. Les lumières rouges du plafond projettent mon ombre sur les murs blancs, puis l'effacent et la dessinent de nouveau. Droite ou gauche ? Je suis un peu perdue, mais je crois que le hangar est situé sur la droite. Je cours dans cette direction, puis m'arrête soudain. Où ai-je le plus de possibilités de trouver la majorité des Silencieux en pareil cas d'urgence ? Sûrement réunis près de l'entrée principale de la scène du crime.

Je me retourne et fonce droit dans le torse d'un homme de haute stature aux yeux bleus perçants.

Je n'ai jamais eu l'occasion de voir ses yeux au Camp des Cendres. Ils étaient cachés par un masque à gaz aux gros verres noirs, qui le faisaient ressembler à un énorme insecte.

Mais je me souviens de sa voix. Profonde, dure, coupante comme un rasoir.

— Eh bien, ma pauvre petite, lâche Vosch. Tu dois être perdue.

# 76

SA POIGNE SUR MON ÉPAULE est aussi dure que sa voix.

— Qu'est-ce que tu fais ici ? Qui est ton chef de groupe ?

Je baisse la tête. Les larmes qui me montent aux yeux ne sont pas simulées. Je dois réfléchir vite, et ma première pensée c'est qu'Evan avait raison : venir ici seule était complètement stupide, peu importe le nombre de plans prévus. Si seulement Evan était là…

Si Evan était là ! Je crie :

— Il l'a tuée ! Cet homme a tué le Dr Pam !

— Quel homme ? Qui a tué le Dr Pam ?

Je pleure toutes les larmes de mon corps, plaquant mon vieil ours râpé contre moi. Derrière Vosch, une autre escouade de soldats traverse le couloir dans notre direction. D'un geste de la main, il me désigne à eux.

— Enfermez-la et retrouvez-moi là-haut. Nous avons une intrusion.

On m'entraîne vers la porte la plus proche, et on me pousse dans une pièce sombre. La serrure se referme.

Les lumières s'allument. Je vois alors une fille très jeune, effrayée, vêtue d'une combinaison blanche et tenant un ours en peluche à la main. Cette vision est si dérangeante que, malgré moi, je pousse un léger cri.

Sous le miroir se trouve un long comptoir sur lequel trônent un écran et un clavier.

Je suis dans la chambre d'exécution qu'Evan m'a décrite, où ils montrent aux nouvelles recrues les faux envahisseurs de cerveaux.

*Oublie l'ordinateur. Tu ne vas pas recommencer à appuyer sur des touches au hasard. Les options, Cassie. Quelles sont tes options ?*

Je sais qu'au-delà du miroir se trouve une pièce adjacente. Et il doit bien y avoir une porte, qui sera – ou ne sera pas – fermée. Je sais aussi que la porte qui mène à cette pièce *est* fermée, alors je peux attendre que Vosch revienne s'occuper de mon cas, ou bien je peux passer à travers la glace sans tain pour rejoindre l'autre côté.

J'attrape une des chaises, recule d'un pas et la jette avec violence contre le miroir. L'impact est si fort que la chaise me tombe des mains, et roule par terre dans un fracas qui me paraît assourdissant. Pour tout dégât, je n'ai fait qu'une grande éraflure dans le verre épais. Je reprends la chaise. Inspire profondément. Baisse les épaules, tourne les hanches et lève de nouveau la chaise. C'est ce qu'on nous apprend en cours de karaté : la puissance du mouvement est dans la rotation. Je vise l'éraflure, concentrant toute mon énergie sur ce point.

La chaise rebondit sur la glace, me faisant perdre l'équilibre. Je tombe si violemment sur le coccyx que je me mords la langue. Ma bouche s'emplit de sang, que je crache, atteignant la fille dans le miroir sur le nez.

Une fois de plus, j'agrippe la chaise, et je reprends une profonde inspiration. J'ai oublié un truc que j'ai appris au karaté : le fameux *eich !* Le cri de guerre. Marrez-vous tant que vous voulez, mais ça aide à se concentrer.

Mon troisième et dernier essai fracasse le miroir. Mon élan me projette contre le comptoir, et mes pieds décollent carrément du sol tandis que la chaise bascule dans la pièce adjacente. Je vois un autre siège de dentiste, un rang d'unités centrales, des câbles qui courent sur le sol, et encore une porte. *Mon Dieu, faites qu'elle ne soit pas fermée à clé !*

Je ramasse Nounours et enjambe le trou. J'imagine la tête de Vosch quand il reviendra et verra le miroir brisé. La porte de la seconde pièce n'est pas verrouillée. Elle s'ouvre sur un couloir de parpaings blancs le long duquel s'alignent des portes sans aucune inscription. Ah, toutes ces belles possibilités ! Cela dit, je ne me précipite pas dans le corridor. Je reste un moment à la porte. Devant moi, ce couloir sans repères. Derrière moi, celui que j'ai balisé : ils remarqueront le trou et sauront illico dans quelle direction je me suis enfuie. Combien de temps pourrais-je garder mon avance sur Eux ? Ma bouche s'est de nouveau emplie de sang, que je me force à avaler. Inutile de leur laisser des traces trop évidentes de mon passage.

Quelle naze ! J'ai oublié de placer une chaise sous la poignée de la porte de la première pièce. Ça ne les ralentira pas très longtemps, mais ça me permettra quand même de gagner quelques précieuses secondes.

*Si quelque chose se passe mal, ne réfléchis pas trop, Cassie. Tu as un bon instinct. Fais-toi confiance. Réfléchir à chaque mouvement est parfait quand on joue aux échecs, mais, là, il ne s'agit pas d'une partie d'échecs.*

Je retourne dans la salle d'exécution et plonge dans le trou. J'ai mal estimé la largeur du comptoir et je heurte le bord, culbutant sur le dos. Je me cogne violemment la tête par terre. Je reste allongée quelques secondes, des étoiles rouges brouillant ma vision. Je fixe le plafond et les conduits métalliques qui courent dessous. J'ai vu les mêmes tuyaux dans les couloirs : le système de ventilation de l'abri antiatomique.

Et là, je pense : *Cassie, c'est le putain de système de ventilation de l'abri antiatomique.*

## 77

ALLONGÉE SUR LE VENTRE, je rampe aussi vite que je peux. Pourvu que les conduits supportent mon poids et qu'ils ne s'effondrent pas ! Je file le long des tuyaux, m'arrêtant à chaque point de jonction pour écouter. Écouter quoi, je ne sais pas exactement. Les cris d'enfants effrayés ? Les rires d'enfants joyeux ? L'air dans les tuyaux est froid – amené de l'extérieur et transitant sous terre, un peu comme moi.

L'air fait partie de cet endroit. Pas moi. Qu'a dit Evan ?

*Ta meilleure chance ce sont les quartiers qui entourent le terrain de rassemblement.*

C'est ça, Evan. C'est le nouveau plan. Je vais chercher le puits d'aération le plus proche et grimper jusqu'à la surface. J'ignore où je suis et à quelle distance je me trouve du terrain de rassemblement et, bien sûr, toute la base va être fermée et grouiller de Silencieux et de ces gosses transformés en soldats après un excellent lavage de cerveau. Tout ce beau monde n'a désormais plus qu'un seul objectif : trouver la gamine en combinaison blanche. Et n'oubliez pas l'ours en peluche. Vous parlez d'un indice révélateur ! Une véritable sentence de mort. Pourquoi ai-je insisté pour emmener ce satané ours ? Sammy aurait compris si je l'avais laissé derrière moi. Je ne lui avais pas promis de lui rapporter son Nounours, mais de venir, moi.

Qu'est-ce que j'ai avec ce Nounours ?

À chaque avancée, un choix s'impose : tourner à droite, à gauche, ou continuer devant moi ? Je dois aussi m'arrêter de temps à autre pour écouter et cracher le sang qui emplit ma bouche. Peu importe que mon sang goutte ici : comme les petits cailloux du conte, ces taches rouges m'indiqueront mon chemin de retour. Cependant, ma langue enfle et palpite à chaque battement de mon cœur, telle une horloge humaine égrenant les minutes qu'il me reste avant qu'un soldat me découvre, m'amène à Vosch, pour qu'il en termine avec moi comme il en a terminé avec mon père.

Une petite forme très brune trotte vers moi à toute allure, comme chargée d'une lourde mission. Un cafard. J'ai déjà eu droit à des toiles d'araignée, d'épaisses couches de poussière, et à une mystérieuse substance gluante – peut-être des moisissures toxiques –, mais c'est le premier truc vraiment répugnant que je vois. Je préfère nettement les araignées ou les serpents aux cafards. Et celui-là fonce direct vers mon visage. J'ai l'horrible sensation que, si je ne l'arrête pas, il va se glisser illico dans ma combinaison. Alors, j'utilise la seule arme à ma disposition pour l'écraser. Ma main nue. Beurck !

Je continue mon chemin. Devant moi, une lueur d'une sorte de gris verdâtre. Mentalement, je nomme cette couleur : vert ravitailleur. J'avance petit à petit vers la grille d'où émane cette lueur. Je jette un coup d'œil à travers les lamelles dans la pièce en dessous – mais qualifier ce lieu de pièce est loin de lui rendre justice. C'est un endroit gigantesque, qui a facilement la taille d'un stade de foot, en forme de croissant de lune, avec des rangées et des rangées d'ordinateurs au fond, commandés par une bonne centaine de personnes – mais qualifier ces êtres de personnes est loin de rendre justice aux vraies personnes. Les voilà, les humains inhumains de Vosch, et j'ignore à quoi ils s'activent, pourtant j'imagine que c'est bien là le cœur de tout, le cœur de l'opération, le ground zéro du « nettoyage ». Un écran géant occupe un mur entier et projette une carte de la Terre ponctuée de larges points d'un vert brillant. Des villes, je pense et, soudain je réalise que ces points verts doivent représenter les poches de survivants.

Vosch n'a pas besoin de nous traquer. Il sait exactement où nous sommes.

Je recommence à ramper avec précaution jusqu'à ce que la lueur verte diminue et ne soit pas plus grosse qu'une des villes sur la carte de la salle de contrôle. Quatre points de jonction plus loin, j'entends des voix. Des voix masculines. Un bruit métallique et le piétinement de semelles de caoutchouc sur le béton.

*Continue, Cassie. Ne t'arrête plus. Sammy n'est pas là-dessous, et c'est lui ton objectif.*

Puis, un des types lâche :

— Il a dit qu'ils étaient combien ?

— Au moins deux, répond l'autre. La fille, et celui qui a éliminé Walters, Pierce et Jackson.

Celui qui a éliminé Walters, Pierce et Jackson ?

Ça doit être Evan.

Putain, qu'est-ce que... ? Pendant une minute ou deux, je suis furax contre lui. Notre unique espoir était que je pénètre seule dans la base, sans me faire remarquer, pour arracher Sammy de là avant qu'ils aient le temps de réaliser ce qui se passe. Évidemment, mon plan n'a pas vraiment fonctionné, mais Evan n'avait aucun moyen de le savoir.

Bon. Si Evan n'a pas tenu compte de notre plan si bien préparé et qu'il s'est infiltré lui aussi dans la base...

Ça veut dire qu'il est *ici*.

Et Evan fait ce qu'il a le cœur de faire.

Je m'approche doucement en direction des voix, rampant juste au-dessus de leurs têtes jusqu'à ce que j'atteigne la grille. Je regarde à travers les lamelles métalliques et je vois deux Silencieux charger des globes sur un large chariot. Je comprends aussitôt de quoi il s'agit. J'en ai déjà vu un.

*L'Œil prendra soin d'elle.*

Je les observe jusqu'à ce que le chariot soit rempli et qu'ils l'emportent hors de vue.

*À un moment ou un autre, leur couverture ne sera plus viable. Quand ça arrivera, ils fermeront la base – ou, en tout cas, la partie de la base qu'ils peuvent sacrifier.*

Oh, mon Dieu ! Vosch est sur le point de transformer Camp Haven en Camp des Cendres.

À la seconde où ce pressentiment me frappe, l'alarme se déclenche.

# X

# MILLE CHEMINS

# 78

DEUX HEURES.

À la seconde où Vosch me quitte, le tic-tac d'un réveil se déclenche dans ma tête. Non, pas d'un réveil. Plutôt d'un minuteur, lancé dans un compte à rebours jusqu'à Armageddon. Chaque seconde est précieuse. Bordel, où est le garçon de salle ? Juste au moment où je suis sur le point de retirer moi-même ma perfusion, il arrive. Un gamin grand et maigre prénommé Kistner. Nous nous sommes rencontrés la dernière fois que j'ai été soigné à l'hôpital. Il a un drôle de tic : il gratte souvent le devant de son uniforme, comme si le tissu lui irritait la peau.

— Il t'a dit ? demande Kistner en baissant la voix tandis qu'il se penche au-dessus de mon lit. Nous avons un code jaune.

— Pourquoi ?

Il hausse les épaules.

— Tu crois qu'on me raconte tout ? Enfin, j'espère qu'on ne va pas être obligés de plonger encore dans le bunker.

Personne à l'hôpital n'apprécie les manœuvres anti raids aériens. Transférer plusieurs centaines de patients sous terre en moins de trois minutes est un véritable cauchemar.

— C'est toujours mieux que de rester ici et de se faire cramer par un rayon de la mort.

C'est sans doute psychologique, mais, à l'instant où Kistner me retire la perfusion, la douleur s'insinue en moi, une douleur lancinante – là où Ringer m'a tiré dessus –, qui palpite au rythme de mon cœur. En attendant que mes pensées s'éclaircissent, je me demande si je ne devrais pas reconsidérer mon plan. Finalement, une évacuation dans le bunker souterrain me faciliterait les choses. Après le fiasco du premier exercice nocturne de Nugget, le commandant a décidé de regrouper tous les enfants qui ne sont pas en âge de combattre dans une pièce sécurisée située au milieu du complexe. Oui, ça serait beaucoup plus pratique de le kidnapper là-bas, plutôt que de vérifier tous les quartiers de la base.

Mais je n'ai aucune idée de quand – ou même si – ça arrivera. Autant me fier au plan prévu.

Tic-tac.

Je ferme les yeux pour visualiser chaque étape de notre évasion avec un maximum de détails. J'avais l'habitude de faire ça, quand on jouait nos matchs en nocturne, avec la foule dans les gradins pour nous acclamer. Quand gagner le championnat semblait l'événement le plus important au monde. Visualiser ma trajectoire, l'arc du ballon s'envolant vers les lumières, éviter le défenseur qui fonçait sur moi, l'instant précis où tourner la tête et réceptionner le ballon sans interrompre ma foulée. Imaginer non pas juste le jeu parfait, mais le placement idéal pour contrer nos adversaires et envoyer des passes millimétrées. Il y a un millier de possibilités que ça tourne mal, et une seule que tout se passe bien. N'anticipe pas trop. Concentre-toi sur ce jeu, cette étape. Prends les choses les unes après les autres, et tu atteindras ton but.

Première étape : le garçon de salle.

Mon meilleur copain, Kistner, fait une toilette à l'éponge à un malade à deux lits du mien. Je l'appelle :

— Hé ! Hé, Kistner !

— Qu'est-ce qu'il y a ? ronchonne-t-il d'un air maussade. (Il n'aime pas être interrompu.)

— Je dois aller aux chiottes.

— Tu n'as pas le droit. Tu risques de rompre tes points de suture.

— Oh, allez, Kistner ! C'est juste à côté.

— Ordre des médecins ! Je vais t'apporter un bassin hygiénique.

Je l'observe se faufiler entre les couchettes jusqu'aux placards à fournitures. Je m'inquiète de ne pas avoir attendu assez longtemps pour que l'effet des médicaments s'efface complètement. Et si jamais je ne peux pas me lever ? Tic-tac, Zombie. Tic-tac.

Je repousse drap et couverture et bascule mes jambes hors du lit. C'est la partie la plus difficile. Je serre les dents. Je suis enveloppé de bandages du torse à la taille, ces quelques mouvements pour me redresser sont douloureux. Les muscles explosés par la balle de Ringer me font souffrir le martyre.

*Je t'ai entaillé la peau. Tu m'as tiré dessus. Ce n'est que justice.*

*Mais c'est une véritable escalade Zombie ! Qu'est-ce qui se passera la prochaine fois ? Tu me glisseras une grenade dans le pantalon ?*

Glisser une grenade dans le pantalon de Ringer. Une image plutôt perturbante, à différents niveaux.

Je suis toujours bourré de dope, pourtant, quand je m'assieds, la douleur est si violente que je suis sur le point de m'évanouir. Alors je reste tranquille une minute, attendant de reprendre mes esprits.

Deuxième étape : la salle de bains.

*Oblige-toi à marcher lentement. Fais des petits pas. Traîne les pieds.*

Dans mon dos, ma chemise d'hôpital s'ouvre en grand. J'exhibe mon cul à toute la chambrée.

La salle de bains n'est qu'à environ cinq mètres, mais j'ai l'impression qu'elle se trouve à trente bornes. Si le verrou est fermé ou si quelqu'un est à l'intérieur, je suis foutu.

J'ai de la chance. Je verrouille la porte derrière moi. Un lavabo, un WC, et une petite cabine de douche. La tringle du rideau est vissée dans le mur. Je soulève le couvercle de la chasse d'eau. Une fine tige en métal qui tire le clapet, émoussée des deux côtés. Le contenant pour le papier toilette est en plastique. Autant dire que je ne dénicherai pas d'arme ici. Mais je suis en bonne voie. *Allez, viens, Kistner, je suis prêt.*

Deux coups secs frappés à la porte, puis sa voix de l'autre côté.

— Hé ! Tu es là ?

— Je t'ai dit que je devais y aller !

— Et moi, je t'ai dit que j'allais t'amener un bassin !

— Je ne pouvais plus me retenir !

La poignée de la porte remue.

— Ouvre cette porte !

— Un peu d'intimité, s'il te plaît !

— Ouvre, ou j'appelle la sécurité !

— D'accord, d'accord ! Comme si j'allais m'enfuir !

Compte jusqu'à dix, ouvre le verrou, retourne au WC, assieds-toi. La porte s'entrouvre, et j'aperçois le visage de Kistner. Je grommelle :

— Tu es satisfait ? Maintenant, s'il te plaît, peux-tu fermer cette porte ?

Kistner me fixe pendant un long moment, en tripotant nerveusement sa chemise.

— Je suis à côté, assure-t-il.

— Parfait.

La porte se referme. À présent, je compte lentement six fois jusqu'à dix. Une bonne minute.

— Hé, Kistner !

— Quoi ?

— Je vais avoir besoin de ton aide.

— Définis « aide ».

— Pour me lever ! Je n'arrive plus à sortir de ce putain de chiotte ! J'ai dû me déchirer un point de suture…

La porte s'ouvre à la volée. Le visage de Kistner est rouge de colère.

— Je te l'avais dit !

Il s'avance jusqu'à moi et me tend ses deux mains.

— Tiens, attrape mes poignets !

— Tu veux bien fermer la porte, d'abord ? C'est embarrassant.

Il obtempère. J'agrippe ses poignets.

— Prêt ? demande-t-il.

— Hyper prêt.

Troisième étape : rassembler mes forces.

Pendant que Kistner tire en arrière, je pousse en avant sur mes jambes, et me jette sur lui, le projetant contre le mur. Puis je pivote derrière lui et lui bloque le bras dans le dos. Ça l'oblige à s'agenouiller juste devant les chiottes. Je lui saisis les cheveux, et enfonce son visage dans l'eau. Kistner est plus fort qu'il n'en a l'air, ou c'est moi qui suis plus faible que je ne le pensais. J'ai l'impression qu'il faut une éternité avant qu'il s'évanouisse.

Je le lâche et m'écarte. Kistner roule sur le côté et tombe par terre. Chaussures, pantalon. Je le redresse pour lui retirer sa chemise. Elle sera trop étroite, son pantalon trop long et ses chaussures trop serrées. J'enlève ma tenue d'hôpital, la jette dans la cabine de douche et enfile l'uniforme de Kistner. Les chaussures me prennent plus longtemps. Elles sont beaucoup trop petites. Un éclair de douleur me traverse quand je me penche pour les enfiler. En baissant les yeux, je vois du sang suinter de mon bandage. Et si jamais je saigne à travers la chemise ?

Il y a mille chemins. Concentre-toi sur un. Je traîne Kistner dans la cabine de douche. Ferme le rideau. Combien de temps restera-t-il évanoui ? Aucune importance. Continue ce que tu as à faire. Ne réfléchis pas trop.

Quatrième étape : l'implant.

Une fois à la porte, j'hésite. Et si jamais quelqu'un a vu Kistner entrer, et me voit, moi, sortir, vêtu comme lui ?

*Dans ce cas, tu es foutu. De toute façon, il va te tuer. Alors, ne te contente pas de mourir. Meurs en essayant.*

Les portes de la salle d'opération sont au bout du monde, au-delà des rangées de lits et d'une foule de garçons de salle, d'infirmières et de médecins en blouse blanche. J'avance aussi vite que je peux vers la sortie, m'appuyant sur mon côté blessé, ce qui me fait boiter, mais tant pis. Pour ce que j'en sais, Vosch doit me pister et se demander déjà pourquoi je ne retourne pas à ma couchette.

Je passe les portes battantes. À présent, je me trouve dans la salle de préparation où un médecin à l'air las se savonne les bras jusqu'aux coudes avant une intervention chirurgicale. Il sursaute quand j'entre.

— Que faites-vous ici ? s'enquiert-il.

— Je cherche des gants. Nous en manquons.

D'un mouvement de tête, le chirurgien m'indique une rangée de placards sur le mur opposé.

— Vous boitez, fait-il remarquer. Vous êtes blessé ?

— Je me suis froissé un muscle en aidant un type assez gros à aller aux toilettes.

Le docteur rince la mousse verte de ses avant-bras.

— Vous auriez dû lui apporter un bassin.

Des boîtes de gants en latex, des masques chirurgicaux, des compresses antiseptiques, des rouleaux de sparadrap. Putain, ils les rangent où ?

Je sens le souffle du chirurgien sur ma nuque.

— C'est la boîte juste devant vous, lance-t-il en me regardant d'un air amusé.

— Désolé. Je n'ai pas beaucoup dormi.

— À qui le dites-vous !

Il éclate de rire et me donne un coup de coude pile sur ma blessure. La pièce vacille. Violemment. Je serre les dents pour m'empêcher de crier.

Le médecin disparaît dans la salle d'opération. J'examine les placards, fouillant dans les fournitures, sans réussir à trouver ce que je cherche. Je suis complètement étourdi, j'ai le souffle court, et ma blessure me fait souffrir l'enfer. Combien de temps Kistner va-t-il rester évanoui ? Combien de temps avant que quelqu'un n'ait besoin d'aller pisser et le découvre ?

Il y a une poubelle, par terre, à côté des placards, avec une étiquette : DÉCHETS DANGEREUX – UTILISER DES GANTS EN CAS DE MANIPULATION.

Je soulève le couvercle et, bingo, je le trouve, au milieu d'éponges de chirurgie ensanglantées, de seringues et de cathéters souillés.

OK, le scalpel est taché de sang séché. Je pense que je pourrais le stériliser avec une lingette antiseptique, ou le laver dans le lavabo, mais je n'ai pas le temps, et un scalpel sale est le dernier de mes soucis.

*Appuie-toi contre le lavabo pour te caler. Pose tes doigts sur ta nuque pour localiser l'implant sous ta peau, et presse – sans trancher –, la lame sur ta peau jusqu'à ce qu'elle s'écarte d'elle-même.*

# 79

CINQUIÈME ÉTAPE : NUGGET.

Un très jeune docteur, portant une blouse blanche et un masque chirurgical, se précipite dans le couloir en direction des ascenseurs. Il boitille, s'appuyant sur son côté gauche. Si vous entrouvriez sa blouse, vous remarqueriez la tache rouge sombre sur son uniforme vert clair. Si vous écartiez son col, vous verriez le pansement appliqué en hâte sur son cou. Mais à dire vrai, si vous tentiez l'un ou l'autre, ce jeune médecin vous tuerait.

L'ascenseur. Je ferme les yeux pendant que la cabine descend. À moins que quelqu'un n'ait laissé, fort à propos, une voiturette de golf sans surveillance près des portes d'entrée, il me faut dix minutes pour gagner la cour. Ensuite, plus difficile : trouver Nugget parmi la bonne cinquantaine de bivouacs et le faire sortir sans réveiller personne. Donc, peut-être une demi-heure à le chercher, puis à l'enlever. Encore facile dix minutes pour nous faufiler jusqu'au hangar Wonderland, où les bus effectuent leur déchargement. C'est là que le plan commence à s'effriter en une multitude d'improbabilités : embarquer clandestinement dans un car vide, maîtriser le chauffeur et les soldats à bord une fois que nous aurons dépassé la grille. Puis : quand et où abandonner le bus pour continuer à pied vers notre point de rendez-vous avec Ringer ?

*Et si jamais vous devez attendre le bus ? Où vous cacherez-vous ?*

*Je ne sais pas.*

*Et une fois que vous serez dans le bus, combien de temps devrez-vous attendre ? Trente minutes ? Une heure ?*

*Je ne sais pas.*

*Tu ne sais pas ? Eh bien, moi je sais : c'est beaucoup trop long, Zombie. Quelqu'un risque de donner l'alarme.*

Elle a raison. C'est beaucoup trop long. J'aurais dû tuer Kistner. C'était l'une des étapes originelles :

Quatrième étape : tuer Kistner.

Cependant, Kistner n'est pas l'un d'entre Eux. Ce n'est qu'un gosse. Comme Tank. Comme Oompa. Comme Flint. Kistner n'a pas voulu cette guerre et ignore tout du sujet. Peut-être ne m'aurait-il pas cru si je lui avais expliqué la vérité, mais je ne lui ai pas laissé l'occasion de l'entendre.

*Tu es trop tendre. Tu aurais dû le liquider. Tu ne peux pas te fier à la chance ni prendre tes désirs pour des réalités. L'avenir de l'humanité appartient au hardcore.*

Quand les portes de l'ascenseur s'ouvrent sur le hall d'entrée principal, je fais une promesse silencieuse à Nugget, celle que je n'ai pas faite à ma sœur.

Sissy… dont il porte le pendentif autour de son cou.

*Si quelqu'un tente de se mettre entre toi et moi, il est mort.*

À l'instant où je fais cette promesse, c'est comme si l'univers me répondait : la sirène d'alerte aérienne se déclenche en un bruit à vriller les tympans.

Parfait ! Pour une fois, les événements sont de mon côté. Désormais, je n'ai plus besoin de traverser tout le camp. Ni de me faufiler dans chaque quartier pour chercher Nugget comme dans une meule de foin. Inutile de courir jusqu'aux bus. Il me suffit de descendre direct l'escalier pour filer dans le complexe souterrain. D'attraper Nugget dans le chaos organisé de la salle sécurisée, de nous cacher en attendant la fin de l'alerte, puis de rejoindre les bus.

Rien de plus simple.

Je suis à mi-chemin de l'escalier quand le hall déserté s'éclaire d'une lueur verdâtre, identique à celle qui flottait autour de la tête de Ringer, à travers ma lentille. Les éclairages fluorescents du plafond se sont éteints – procédure standard durant les manœuvres –, donc cette lumière ne provient pas de l'intérieur, mais du parking.

Je me retourne pour regarder. J'aurais mieux fait de m'abstenir.

À travers les portes vitrées, j'aperçois une voiturette de golf traverser le parking pour se diriger vers l'aérodrome. Puis, je vois la source de cette lueur verte posée dans l'entrée de l'hôpital. Ça a la forme d'un ballon, mais en deux fois plus gros. On dirait un énorme œil. Je le fixe. Il me fixe.

Impulsions… impulsions… impulsions.

Flash, flash, flash.

Clignotement-clignotement-clignotement.

# XI

# LA MER INFINIE

# 80

L'ALARME RÉSONNE SI FORT dans la gaine d'aération que je sens vibrer les poils de ma nuque.

Je rampe à reculons jusqu'au conduit principal, pour m'éloigner de l'armurerie, mais, soudain, je m'arrête.

*Cassie, c'est l'armurerie.*

Je regagne la grille, regarde à travers durant trois bonnes minutes, scrutant la pièce à la recherche du moindre signe de mouvement tandis que la sirène me vrille les tympans, parasitant ma concentration. Merci commandant Vosch.

— OK, Nounours, je marmonne, la langue gonflée. On y va !

Je donne un coup de talon dans la grille. *Eich !* Elle s'ouvre d'un seul coup. Quand j'ai abandonné le karaté, ma mère m'a demandé pourquoi, et je lui ai répondu que ça ne me plaisait plus. C'était ma façon de lui expliquer que je m'ennuyais, chose que vous n'êtes pas autorisé à dire à votre mère. Si elle vous entend vous plaindre d'ennui, vous vous retrouvez illico avec un chiffon à poussière à la main.

Je saute dans la pièce. Enfin, c'est plus un entrepôt de dimension moyenne. On y trouve tout le nécessaire pour que des envahisseurs extraterrestres puissent désintégrer la totalité des camps de rescapés. Sur ce mur, vous avez plusieurs centaines d'Yeux, rangés avec soin dans leurs coffres. Sur le mur d'en face, une multitude de racks de fusils, de lance-grenades, et tout un arsenal dont j'ignore comment on peut bien se servir. Par là, des armes de plus petit calibre, des semi-automatiques, des grenades et des couteaux de combat aux lames de vingt-cinq centimètres. Il y a aussi un vestiaire, représentant chaque division du département, et tous les grades possibles et imaginables, ainsi que l'équipement assorti, des ceintures, des bottes, et la version militaire de la banane, ce sac ridicule que l'on accroche autour de la taille.

Et au milieu de tout cela, moi, comme dans un magasin de bonbons. D'abord, je retire ma combinaison blanche. J'enfile le plus petit treillis que je trouve puis des bottes.

À présent, il est temps de m'équiper un peu. Un Luger avec un chargeur plein. Deux grenades. Un M16 ? Pourquoi pas ? Pour une fois, l'habit peut faire le moine. J'ajoute quelques chargeurs dans ma besace. Oh, regardez, ma ceinture a même un étui pour un de ces couteaux à l'allure féroce. Allez, viens par là, toi, le couteau à l'allure féroce.

À côté du rack des pistolets et revolvers, je remarque une boîte en bois. J'y jette un coup d'œil et je vois un tas de tubes en métal gris. Qu'est-ce que c'est ? Des genres de lance-grenades ? J'en prends un. Il est creux, et fileté à un bout. OK, j'ai compris.

C'est un silencieux.

Qui s'ajuste à la perfection sur le canon de mon nouveau M16.

Je planque mes cheveux sous une casquette trop large pour moi. Si seulement j'avais un miroir ! J'espère me faire passer pour l'une des recrues préado de Vosch, mais là, j'ai peur de ressembler bien plus à la petite sœur de G.I. Joe qui s'amuse à se déguiser.

Maintenant, que faire de Nounours ? Je trouve une vague sacoche en cuir et le fourre à l'intérieur, avant de passer la bandoulière sur mon épaule. À ce moment des opérations, j'ai carrément cessé d'entendre la sirène hurlante. Je suis complètement boostée. Mes chances me semblent plus équilibrées. Evan est là, et je sais qu'il n'abandonnera pas tant que je n'aurai pas réussi ou que la mort n'aura pas eu raison de lui.

De retour vers les conduits. Dois-je m'y attaquer de nouveau, alourdie par mon arsenal, ou tenter ma chance dans les couloirs ? À quoi bon un déguisement si on doit se planquer ? Je me retourne alors pour me diriger vers la porte et, au même instant, la sirène s'interrompt et le silence s'abat.

Mmm, à mon avis, ce n'est pas bon signe.

D'ailleurs il me vient aussi à l'esprit que traîner dans une armurerie remplie de bombes – dont chacune peut raser un kilomètre carré – alors qu'une douzaine de leurs copines ont été transférées au niveau supérieur n'est pas non plus une idée géniale.

Je file vers la porte. Hélas, je ne l'ai pas encore atteinte que le premier Œil se déclenche. La pièce entière vibre. Il ne me reste que quelques mètres avant de pouvoir m'échapper de là, mais déjà un second Œil explose, et celui-là devait être plus près parce que de la poussière tombe du plafond, et la canalisation, à l'autre bout de la salle, se détache de son support puis s'écrase par terre.

*Heu, Vosch, c'était plutôt près, vous ne croyez pas ?*

Je pousse la porte. Pas le temps d'examiner les lieux. Plus vite je parviendrai à mettre de la distance entre moi et les derniers Yeux en faction, mieux ce sera. Je fonce sous les lumières rouges qui tournoient, file au hasard dans des couloirs, me forçant à ne pas gamberger, à me fier à mon instinct et à la chance.

Une autre explosion. Les murs tremblent. La poussière tombe. Au-dessus, j'entends le grondement des bâtiments qui s'écroulent et, en dessous, les cris d'enfants terrifiés.

Je suis l'écho de ces cris.

Parfois je prends un mauvais virage, les cris diminuent. Alors, je reviens sur mes pas et tente le couloir suivant. Cet endroit est un véritable labyrinthe, et moi, le rat de laboratoire.

Le vacarme au-dessus a cessé, en tout cas pour le moment. Je ralentis l'allure, agrippant mon fusil à deux mains, essayant un passage, retournant en arrière quand les cris s'évanouissent, et continuant à avancer.

J'entends la voix du commandant Bob – portée par un mégaphone – rebondir sur les murs. On dirait qu'elle vient de partout et de nulle part.

— Les enfants, je veux que vous restiez rassemblés auprès de votre chef de groupe ! Tout le monde se calme et m'écoute ! Restez avec vos chefs de groupe !

En tournant au coin d'un couloir je vois une escouade de soldats foncer vers moi au pas de charge. La plupart sont des adolescents. Je me plaque contre le mur et ils me dépassent sans même me jeter un regard. Pourquoi m'auraient-ils remarquée ? Je ne suis qu'une recrue en travers de leur chemin alors qu'ils s'apprêtent à combattre une horde d'extraterrestres.

Ils bifurquent un peu plus loin, je reprends mon avancée. J'entends les enfants bredouiller et pleurnicher, malgré les sermons du commandant Bob.

*Je suis presque arrivée, Sams.*

— Halte !

Un ordre derrière moi. La voix n'est pas celle d'un gamin. Je m'arrête. Carre les épaules. Reste immobile.

— Où est votre lieu d'affectation, soldat ? Soldat, je vous parle !

— On m'a demandé de surveiller les enfants, chef ! dis-je de ma voix la plus grave.

— Retournez-vous ! Regardez-moi quand vous vous adressez à moi, soldat !

Je soupire. Me retourne. Il a une bonne vingtaine d'années et plutôt belle gueule. Le véritable mâle américain. Je n'y connais rien en insignes militaires, je pense néanmoins qu'il s'agit d'un officier.

*Pour éviter tout danger, ils considèrent chaque personne âgée de plus de dix-huit ans comme suspecte. Il y aura peut-être quelques adultes humains avec des responsabilités, mais, vu ce que je sais de Vosch, j'en doute. Alors si tu croises un adulte, et surtout si c'est un officier, tu peux être quasi sûre qu'il ne s'agira pas d'un humain.*

— Quel est votre numéro ? aboie-t-il.

Mon numéro ? Je lâche la première chose qui me passe par la tête.

— T-62, chef !

Il me regarde d'un air intrigué.

— T-62 ? Vous êtes certain ?

— Oui, chef, chef ! *Chef, chef ? Oh, mon Dieu, Cassie !*

— Pourquoi n'êtes-vous pas avec votre unité ?

Il n'attend pas ma réponse, ce qui n'est pas plus mal, parce que rien ne me vient à l'esprit. Il s'avance d'un pas et me détaille de la tête aux pieds. À l'évidence, ma tenue n'a rien de réglementaire. L'officier alien n'aime pas ce qu'il voit.

— Où est l'étiquette de votre nom, soldat ? Et pourquoi avez-vous un modérateur sur votre arme ? Et qu'est-ce que c'est que ça ?

Il tire sur ma sacoche dans laquelle Nounours est planqué.

Je recule. La sacoche s'ouvre en grand. Je suis foutue.

— C'est un ours en peluche, chef.

— Un quoi ?

Il fixe mon visage levé vers lui et, soudain, je comprends à sa mine qu'il vient de réaliser qui se trouve en face de lui. Aussitôt, sa main droite vole vers son arme, ce qui est vraiment stupide de sa part, puis qu'il aurait pu me neutraliser en m'assommant d'un simple coup de poing. Je lève mon silencieux vers lui, l'arrête à quelques centimètres de son visage et appuie sur la détente.

*Voilà, tu l'as fait, Cassie. Tu as pulvérisé ta seule chance, alors que tu étais si près du but.*

Je ne peux pas me contenter de laisser l'officier alien là où il est tombé. Dans le chaos de la bataille, ils ne remarqueront peut-être pas le sang et, de toute façon, il est presque invisible à la lueur rouge qui éclaire le couloir, mais le corps, c'est autre chose.

Que vais-je en faire ?

Je suis proche, si proche de réussir. Pas question qu'un putain de cadavre d'alien se mette entre Sammy et moi. Je l'attrape par les chevilles, et le tire en arrière dans le couloir, puis dans un autre passage. Je franchis encore un coin et l'abandonne là. Il est plus lourd que je ne croyais. Je prends un moment pour m'étirer le dos et reprendre mon souffle, puis je m'enfuis au pas de course. À présent, si quelqu'un me stoppe avant que j'atteigne la salle où les enfants sont regroupés, je répondrai ce qu'il faut afin d'éviter de commettre un meurtre de plus. À moins que je n'aie pas le choix. Dans ce cas, je tuerai sans hésitation.

Evan avait raison : ça devient de plus en plus facile chaque fois.

La pièce est bondée d'enfants. Des centaines d'enfants. Vêtus de combinaisons blanches identiques. Ils sont assis en vastes groupes répartis sur une aire qui doit avoir la taille d'un gymnase de lycée. Certains se sont calmés. Peut-être que je devrais me contenter de crier le prénom de Sammy, ou emprunter le mégaphone du commandant Bob. Je trace mon chemin à travers la salle, levant haut mes bottes pour éviter d'écraser des petits doigts ou des orteils.

Tant de visages ! J'ai l'impression qu'ils se fondent les uns dans les autres. La pièce s'étend, remplie de milliards de petits visages levés, explose au-delà des murs, s'élargit jusqu'à l'infini, et oh, ces connards, ces connards, qu'ont-ils fait ? Dire que, dans ma tente, je m'apitoyais sur moi-même et la vie stupide dont on m'avait privée. En cet instant, je supplie cette mer infinie de visages enfantins de m'accorder son pardon.

J'avance toujours comme un zombie quand soudain j'entends une voix intimidée m'appeler. Elle émane d'un groupe que je viens à peine de dépasser. C'est amusant que ce soit lui qui m'ai reconnue, et pas le contraire. Je me fige, sans me retourner. Je ferme les yeux, incapable de bouger.

— Cassie ?

Je baisse la tête. J'ai une boule de la taille de New York en travers de la gorge. Je pivote sur mes talons, il est là, me fixant avec ce qui ressemble à de la peur au fond de ses yeux. Comme si voir tout près de lui un sosie de sa sœur vêtue comme un soldat était la goutte d'eau qui faisait déborder le vase. Comme s'il n'en pouvait plus de supporter la cruauté des Autres.

Je m'agenouille devant mon petit frère. Il ne se précipite pas dans mes bras. Il contemple mon visage strié de larmes et pose ses doigts sur ma joue humide. Puis sur mon nez, mon front, mon menton et mes paupières.

— Cassie ?

C'est bon, maintenant ? Il croit enfin à ce qu'il voit ?

Quand l'univers a détruit toutes vos illusions, peut-on encore croire ?

— Salut, Sams.

Il penche légèrement la tête. Je dois avoir l'air comique avec ma langue boursouflée. Je tripote le fermoir de ma sacoche en cuir.

— Heu… J'ai pensé que tu aimerais récupérer ça.

Je sors son vieil ours râpé et le lui tends. Il fronce les sourcils, secoue la tête sans chercher à le prendre. C'est la meilleure ! J'ai l'impression qu'il m'a donné un coup de poing dans l'estomac.

Néanmoins, il m'arrache ce satané ours de la main, enfouit son visage contre moi, et là, enfin, sous les senteurs de transpiration et de savon désinfectant, je respire son odeur à lui, Sammy, mon petit frère adoré.

# XII

# À CAUSE DE KISTNER

# 81

L'ŒIL VERT ME FIXE. Je lui rends son regard. Je ne sais plus ce qui s'est passé ensuite.

Mon premier souvenir tangible ? Moi, courant à fond.

Le hall d'entrée. La cage d'escalier. Le sous-sol. Le premier étage. Le deuxième.

Quand j'atteins le troisième étage, la violente secousse de l'explosion claque dans mon dos comme un coup de canon, me projetant dans l'escalier et droit dans la porte d'accès à l'abri anti aérien.

Au-dessus de moi, l'hôpital hurle comme s'il était déchiqueté. Ça ressemble vraiment à ça : un cri humain – pendant qu'il est réduit en miettes. La plainte rugissante du béton et des pierres qui éclatent. Le grincement de la ferraille qui se casse en un bruit net. Le fracas de centaines de vitres. Le sol se déforme, puis s'entrouvre. Je me vautre et j'atterris tête la première, dans le hall de béton renforcé tandis que le bâtiment au-dessus de moi se désintègre.

Les lumières oscillent, puis le couloir est plongé dans l'obscurité. Je ne me suis jamais trouvé dans cette partie du complexe, mais je n'ai pas besoin des flèches lumineuses sur les murs pour m'indiquer le chemin jusqu'à la salle sécurisée où les enfants sont rassemblés. Je n'ai qu'à suivre leurs cris terrifiés.

Mais, d'abord, ce ne serait pas mal que je puisse me mettre debout.

La chute a ouvert tous mes points de suture. Je pisse le sang par mes deux blessures : là où la balle de Ringer est entrée, et là où elle est sortie. J'essaie de me relever. Je fais de mon mieux, mais mes jambes refusent de m'aider. J'arrive tout juste à me redresser à demi, puis je vacille. La tête me tourne, et j'ai besoin d'air.

Une seconde explosion me projette à plat ventre sur le sol. Je parviens à ramper quelques dizaines de centimètres avant qu'une troisième déflagration me fauche à nouveau. Putain, qu'est-ce que vous fabriquez là-haut, Vosch ?

*S'il est trop tard, nous n'aurons pas d'autre choix que d'exécuter l'option de dernier recours.*

Eh bien, on dirait que le mystère est éclairci. Je sais enfin de quoi parlait Vosch. Il est en train de faire sauter sa propre base. De détruire le village pour le sauver. Mais le sauver de quoi ? À moins que ces dégâts ne soient pas l'œuvre de Vosch. Peut-être que Ringer et moi nous nous sommes complètement plantés. Peut-être que je risque la vie de Nugget et la mienne pour rien. Camp Haven est bien ce que Vosch prétendait et, dans ce cas, ça signifie que Ringer a pénétré dans un camp d'infestés sans être sur ses gardes. Ringer est morte. Ringer,

Dumbo, Poundcake et ma petite Teacup. Mon Dieu, aurais-je recommencé ? Ai-je refait la même connerie ? M'enfuir alors que j'aurais dû rester.

L'explosion suivante est la pire. Elle frappe directement au-dessus de ma tête. Je me couvre le crâne des deux bras tandis que d'énormes morceaux de béton aussi gros que mon poing dégringolent. Les secousses des bombes, les médocs que je n'ai pas encore entièrement éliminés, la quantité de sang que j'ai perdu, l'obscurité... Tout concourt à me coincer. De loin, j'entends quelqu'un crier – et soudain je réalise que c'est moi.

*Tu dois te lever. Tu dois te lever. Tu dois tenir ta promesse envers Sissy...*

Non. Pas Sissy. Sissy est morte. Tu l'as abandonnée, espèce de sac de dégeulis puant.

Putain, ça fait mal. La douleur de la blessure qui saigne, et celle de la blessure qui ne cicatrisera jamais.

Sissy, avec moi dans les ténèbres.

Je vois sa main, tendue vers moi, dans le noir.

*Je suis là, Sissy. Prends ma main.*

C'est moi qui tends la main vers elle.

## 82

Sissy s'éloigne, et je me retrouve de nouveau seul.

Quand arrive le moment où vous devez cesser de fuir votre passé, pour vous retourner et affronter la chose que vous pensiez ne pas pouvoir affronter – ce moment où votre vie chancelle entre abandonner et vous lever – quand ce moment arrive, et il arrive toujours, si vous ne pouvez vous redresser ni abandonner, voilà ce que vous faites : vous rampez.

Allongé sur le ventre, j'atteins l'intersection du couloir principal qui longe le complexe. Il faut que je m'arrête un peu. Deux minutes, pas plus. Les lumières de secours tremblotent. Je sais où je suis, maintenant. À gauche, le puits d'aération, à droite, la salle de commandement central et la pièce sécurisée où sont regroupés les enfants.

Tic-tac. Ma pause de deux minutes est terminée. Je me force à me mettre debout, m'appuyant sur le mur. La douleur est si forte que je suis sur le point de m'évanouir. Même si je parviens à récupérer Nugget sans me faire coincer, comment réussirais-je à sortir d'ici vu mon état ?

De plus, je doute sérieusement qu'il y ait encore des bus. Et même que Camp Haven existe toujours. Une fois que j'aurai chopé Nugget – si je le chope – où diable pourrons-nous aller ? Je me traîne dans le couloir, une main posée sur le mur pour me soutenir. Plus loin devant moi, j'entends quelqu'un s'adresser aux enfants dans la salle sécurisée, leur ordonnant de rester assis et calmes, criant que tout va bien se passer et qu'ils sont en parfaite sécurité.

Tic-tac. Juste avant le dernier embranchement, je jette un coup d'œil à gauche et vois une forme affalée contre le mur : un corps humain.

Un corps humain mort.

Toujours chaud au toucher. En tenue de lieutenant. La moitié de son visage a été explosée par une balle de gros calibre, tirée de près.

Il ne s'agit pas d'une recrue. C'est l'un d'entre Eux. Quelqu'un d'autre a-t-il pigé ce qui se passait vraiment ici ? Peut-être.

Ou peut-être que ce mec s'est fait buter par une recrue à la gâchette facile qui l'a pris pour un Envahi.

*Arrête de rêver, Parish.*

Je retire l'arme de l'étui du cadavre et la glisse dans la poche de ma blouse blanche. Puis je remets le masque de chirurgien sur mon visage.

*Docteur Zombie, vous êtes attendu dans la salle sécurisée. Immédiatement !*

Et voilà, c'est droit devant. Encore quelques mètres, et j'y serai.

*J'ai réussi, Nugget. Je suis là.*

Et c'est comme s'il m'avait entendu, car, soudain, il est là, avançant vers moi, tenant – croyez-le ou non – un ours en peluche à la main.

Mais il n'est pas seul. Il est accompagné d'un soldat – qui doit avoir à peu près l'âge de Dumbo – vêtu d'un treillis bien trop grand pour lui. Il a une casquette vissée sur le crâne, dont le bord s'arrête juste au-dessus de ses yeux, et porte un M16 équipé d'un silencieux.

Pas le temps de réfléchir. Tenter de duper ce mec serait trop long, il faudrait carrément que j'aie de la chance. Or la chance n'est plus une option. Ce qui compte, c'est le hardcore.

Parce que c'est la dernière guerre, et seuls les durs à cuire survivront.

Et parce que j'ai raté une étape dans le plan. À cause de Kistner, j'ai foiré.

Je glisse discrètement ma main dans la poche de ma blouse. J'avance. Pas encore, pas encore. Ma blessure déséquilibre ma foulée. Je dois le descendre du premier coup.

Oui, c'est un gamin.

Oui, il est innocent. Et, oui, il est foutu.

# XIII

# LE TROU NOIR

# 83

J'AIMERAIS RESTER à humer l'odeur de Sammy durant des heures, mais c'est impossible. L'endroit grouille de soldats armés – des Silencieux, pour certains – en tout cas, ce ne sont plus des adolescents, donc je présume que ce sont bel et bien des Silencieux. J'entraîne Sammy vers un mur, m'arrangeant pour qu'un groupe d'enfants se trouve entre nous et le garde le plus proche. Je me baisse autant que je peux et chuchote :

— Tu vas bien ?

Il acquiesce d'un hochement de tête.

— Je savais que tu viendrais, Cassie.

— Je te l'avais promis, n'est-ce pas ?

Il porte un pendentif en forme de cœur autour du cou. Qu'est-ce que c'est que ce truc ? Quand j'effleure le bijou, Sammy recule légèrement.

— Pourquoi tu es habillée comme ça ?

— Je t'expliquerai plus tard, Sams.

— Tu es un soldat, maintenant, c'est ça ? Tu es dans quelle escouade ?

Escouade ?

— Je ne fais partie d'aucune escouade. Je suis ma propre équipe.

Il fronce les sourcils.

— Tu ne peux pas être une équipe à toi toute seule, Cassie.

Ce n'est pas vraiment le moment de déblatérer sur cette ridicule histoire d'équipe. Je jette un coup d'œil dans la pièce.

— Sams, on s'en va d'ici.

— Je sais. Le commandant Bob a dit que nous allons partir dans un gros avion.

D'un mouvement de tête, il me désigne le commandant Bob et commence à lui faire un petit signe. Aussitôt, je lui attrape la main pour l'empêcher de continuer.

— Un gros avion ? Quand ça ?

Il hausse les épaules.

— Bientôt.

Il s'est emparé de son ours. À présent, il l'examine, le tournant et le retournant entre ses mains.

— Son oreille est déchirée, fait-il remarquer d'un ton accusateur, comme si j'avais failli à ma mission.

— Ce soir ? Sams, c'est *important*. Vous prenez l'avion ce soir ?

— C'est ce que le commandant Bob a dit. Ils vont nous vacuer.

— Hein ? Vous vacuer ? Oh, j'ai compris. Tu veux dire, vous évacuer.

Mon esprit fuse à cent à l'heure. Serait-ce la solution pour foutre le camp d'ici ? Embarquer avec les Autres et tenter notre chance quand nous nous poserons – où que ce soit ? Putain, pourquoi ai-je abandonné ma combinaison blanche ? Mais qui sait ? Peut-être que même si je l'avais gardée et que j'aie réussi à me faufiler dans l'avion, ce n'était pas le bon plan.

*Il doit y avoir des capsules de sauvetage quelque part sur la base – probablement près du centre de commandement ou des quartiers de Vosch. En fait, ce sont des fusées pour une personne, préprogrammées pour débarquer les passagers en sécurité dans un endroit loin de la base. Ne me demande pas où. Ces capsules représentent ta meilleure chance. Évidemment, elles ne sont pas basées sur une technologie humaine, mais je t'expliquerai comment elles fonctionnent. Si tu parviens à en trouver une, et si vous réussissez à vous glisser tous les deux dedans, et surtout si vous restez en vie assez longtemps pour en trouver une...*

Ça fait beaucoup de « si ». Peut-être ferais-je aussi bien d'assommer une gamine de ma taille pour m'emparer de sa combinaison.

— Ça fait combien de temps que tu es là, Cassie ?

Je crois que mon frère me soupçonne d'avoir cherché à l'éviter, peut-être parce que j'ai laissé l'oreille de Nounours s'abîmer. Je marmonne :

— Plus longtemps que je ne le voudrais.

Et c'est là que je me décide : il est impensable que nous restions ici une minute de plus que nécessaire. *Idem*, nous ne prendrons pas un vol direct sans retour pour Camp Haven II. Pas question d'échanger un camp de la mort contre un autre.

Sammy tripote l'oreille abîmée de son ours. Ce n'est pas la première blessure de sa peluche. Je ne compte plus le nombre de fois où maman a dû le rapiécer. Cet ours a plus de cicatrices sur le corps que Frankenstein. Je me penche pour attirer l'attention de Sammy et, au même instant, il me regarde droit dans les yeux, l'air très sérieux.

— Où est papa ?

J'ouvre la bouche, mais aucun son n'en sort. Je n'ai pas réfléchi à la manière dont j'allais lui annoncer l'horrible nouvelle – ni même si je lui annoncerais.

— Papa ? Oh, il est…

*Non, Cassie. Ne complique pas tout.* Je ne tiens pas à ce qu'il s'effondre au moment où nous préparons notre évasion. Mieux vaut laisser Papa encore en vie.

— Il nous attend au Camp des Cendres.

Sa petite lèvre inférieure se met à trembler.

— Papa n'est pas là ?

Je réponds en espérant le convaincre – je me sens comme une merde, là :

— Papa a beaucoup à faire. C'est pour ça qu'il m'a envoyée te chercher. Et tu vois, maintenant, je suis ici, pour te ramener.

Je le mets debout sur ses pieds.

— Mais, Cassie, et l'avion ?

— Il y a eu un trou d'air. (Il m'observe, intrigué : *un trou d'air ?*) Allons-y.

J'attrape sa main et me dirige vers le tunnel, gardant les épaules droites et la tête haute, car s'éloigner furtivement vers la plus proche sortie comme Scooby-Doo sur la pointe de ses énormes pattes est le meilleur moyen d'attirer l'attention. Je crie même à quelques enfants de s'écarter de notre chemin. Si quelqu'un essaie de nous arrêter, je ne lui tirerai pas dessus illico. J'expliquerai que ce gamin est malade et que je l'emmène voir un médecin avant qu'il dégueule partout et sur tout le monde. Si on ne croit pas à mon histoire, alors là, je ferai feu.

Et voilà, nous sommes maintenant dans le tunnel et, justement, un médecin s'avance vers nous, le visage à demi caché par un masque de chirurgie. Quand il nous aperçoit, il écarquille les yeux. On va bien voir si ma couverture tient le coup. Si jamais il nous arrête, je devrais lui tirer dessus. Quand nous nous approchons, je remarque qu'il glisse sa main d'un air détaché dans la poche de sa blouse blanche et, soudain, une alarme retentit à mon esprit, la même alarme qui s'est déclenchée dans l'épicerie derrière les armoires réfrigérées, juste avant que je vide mon chargeur entier dans le corps du soldat au crucifix.

J'ai un quart de seconde pour me décider.

C'est la première règle de la dernière guerre : ne faire confiance à personne. Je lève mon silencieux à hauteur de la poitrine du médecin et au même instant sa main émerge de sa poche.

Une main qui tient un pistolet.

Mais, moi, j'ai un M16.

Combien de temps dure un quart de seconde ?

Suffisamment pour qu'un gamin qui ignore la première règle se faufile entre le pistolet et le fusil.

— Sammy !

Mon frère se hisse sur la pointe des pieds, ses petits doigts tirent sur le masque chirurgical et l'arrachent.

J'hallucine quand je vois le visage derrière ce masque. Il est plus mince que dans mon souvenir. Plus pâle. Ses yeux sont enfoncés profondément dans leurs orbites, et vitreux, comme s'il était malade ou blessé. Oui, je connais ce visage, mais j'ai du mal à y croire.

Ici. À des années-lumière et à un million de kilomètres des couloirs du lycée George-Barnard. Ici, dans le ventre de la Terre, au fin fond du monde, debout juste devant moi.

Benjamin Thomas Parish.

Et Cassiopée Marie Sullivan, en pleine expérience de décorporation, se voit elle-même en train de le dévisager. La dernière fois qu'elle l'a vu, c'était dans le gymnase de leur lycée, après que toutes les lumières se sont éteintes, et encore, elle ne l'apercevait que de dos. Depuis, les seules fois où son visage lui est apparu, c'était en pensée. La partie rationnelle de son esprit croyait que Ben Parish était mort comme tout le monde.

— Zombie ! crie Sammy. Je savais que c'était toi.

*Zombie ?*

— Où l'emmènes-tu ? me demande Ben d'une voix profonde.

Plus profonde que dans mon souvenir. Ai-je mauvaise mémoire, ou bien adopte-t-il une voix grave exprès pour paraître plus vieux ?

— Zombie, c'est Cassie ! le gronde Sammy. Tu sais… Cassie.

— Cassie ?

On dirait qu'il n'a jamais entendu mon prénom.

— Zombie ? j'articule, parce que, moi, je n'ai vraiment jamais entendu ce nom auparavant.

Je retire ma casquette, songeant que ça l'aidera à me reconnaître, mais le regrette aussitôt. J'imagine à quoi doivent ressembler mes cheveux.

— On allait dans le même lycée, je précise en me passant les doigts dans mes boucles coupées. J'étais assise devant toi en cours de chimie spé.

Ben me contemple d'un air incrédule comme s'il ne pigeait rien à l'histoire.

— Je t'avais dit qu'elle allait venir, insiste Sammy.

— Du calme, Sams.

— Sams ? répète Ben.

— Cassie, je m'appelle Nugget, maintenant.

— Oui, c'est cela. (Je me tourne vers Ben). Tu connais mon frère ?

Ben hoche la tête avec précaution. Je ne comprends toujours pas sa réaction. Évidemment, je ne m'attends pas à ce qu'il se jette dans mes bras, ni qu'il se souvienne du cours de chimie, mais il semble crispé et continue à pointer son arme vers moi.

— Pourquoi tu es habillé comme un docteur ? l'interroge Sammy.

Ben en médecin. Moi en soldat. Comme deux gamins qui s'amusent à se déguiser. Un faux docteur et un faux soldat qui se demandent s'ils doivent faire exploser le crâne de l'autre ou non.

Mes retrouvailles avec Ben Parish sont plutôt bizarres.

— Je suis venu te sortir d'ici, explique Ben à Sammy.

Sammy se tourne vers moi. Ne suis-je pas à Camp Haven pour la même raison ? Maintenant, il est carrément confus.

— Pas question que tu emmènes mon frère !

— Tout ça n'est qu'un mensonge, me lance Ben. Vosch est l'un d'entre Eux. Ils se servent de nous pour tuer les survivants, pour nous entre-tuer…

— Je sais ! Mais toi, comment tu l'as découvert ? Et qu'est-ce que ça a à voir avec le fait d'emmener Sammy ?

Ben paraît stupéfait par ma réponse. Il croyait sûrement que j'allais réagir différemment à la bombe qu'il vient de lâcher. Soudain, je pige. Il pense que j'ai été endoctrinée, comme tous les autres dans ce camp. C'est si ridicule que j'en ris. Et pendant que je ricane comme une idiote, je comprends autre chose : lui non plus n'a pas subi de lavage de cerveau.

Ce qui signifie que je peux lui faire confiance.

À moins qu'il ne s'amuse à me duper pour que je baisse ma garde – et mon arme – afin qu'il puisse me descendre et embarquer Sammy.

Ce qui signifie que je ne peux pas lui faire confiance.

Bien sûr, je suis incapable de lire dans son esprit, mais il doit se dire plus ou moins la même chose que moi lorsque j'éclate de rire. Pourquoi est-ce que cette dingue de fille à la curieuse coupe de cheveux se marre ? Parce qu'il vient d'énoncer un truc évident pour elle, ou parce qu'elle pense que son histoire c'est de la merde ?

— Je sais, lâche Sammy, tentant d'accorder nos violons de sa candeur enfantine. On n'a qu'à y aller tous ensemble.

Je demande à Ben :

— Tu connais un chemin pour sortir d'ici ?

Sammy lui fait visiblement plus confiance que moi, mais son idée vaut le coup d'être exploitée. Trouver les capsules de sauvetage – si jamais elles existent – a toujours été le point faible de mon plan d'évasion.

Ben hoche la tête.

— Et toi ?

— Oui, je connais un chemin – mais je ne connais pas le chemin jusqu'à ce chemin.

— Le chemin jusqu'au chemin ? OK. (Il sourit. Il a une mine affreuse, mais son sourire n'a pas changé d'un poil. Il illumine le tunnel comme une ampoule de 1 000 watts.) Moi, je connais le chemin, et le chemin jusqu'au chemin.

Il range son arme dans sa poche et me tend la main.

— Allons-y ensemble.

Aurais-je saisi cette main si ce n'avait pas été celle de Ben Parish ?

# 84

SAMMY REMARQUE LA GRANDE TACHE DE SANG avant moi.

— Ce n'est rien, marmonne Ben.

Mmm, vu sa mine, j'en doute.

— C'est une longue histoire, Nugget, dit-il. Je te la raconterai plus tard.

— Où va-t-on ? je demande.

Quelle que soit notre destination, nous n'avançons pas très vite. Ben se traîne dans ce dédale de couloirs comme un vrai zombie. Son visage, celui dont je me souviens est toujours présent, or il s'est comme effacé… ou peut-être pas effacé, mais figé en une version plus mince, plus anguleuse et plus dure de l'ancien. Comme si quelqu'un avait entaillé les parties qui n'étaient pas indispensables pour maintenir juste l'essence de Ben.

— En général ? Loin d'ici. Au prochain tunnel, on bifurque à droite. Ça conduit à un puits d'aération, et on pourra...

Je m'exclame en lui attrapant le bras :

— Attends ! Sous le choc de nos retrouvailles, j'ai complètement oublié. L'implant de Sammy.

Ben me fixe une seconde, puis il a un rire contrit.

— Merde, moi aussi.

— Oublié quoi ? demande Sammy.

Je m'agenouille près de lui et prends sa petite main dans la mienne. Nous nous sommes déjà bien éloignés de la salle sécurisée, mais la voix du commandant Bob, portée par le mégaphone, continue de résonner dans les tunnels.

— Sams, on doit faire quelque chose. Quelque chose de très important. Tu sais, les gens qui sont là ne sont pas ce qu'ils prétendent.

— Ils sont quoi, alors ? chuchote-t-il.

— Des méchants, Sams. Des gens très, très méchants.

— Des Envahis, ajoute Ben. Le Dr Pam, les soldats, le commandant... Même le commandant. Ce sont tous des infestés. Ils nous ont menti, Nugget.

Sammy écarquille les yeux.

— Le commandant aussi ?

— Oui, le commandant aussi, répond Ben. Donc, nous allons partir d'ici pour retrouver Ringer. (Il surprend mon regard.) Ce n'est pas son vrai prénom.

— Ah bon ?

Je secoue la tête. Zombie, Nugget, Ringer. Ça doit être un truc d'armée. Je me retourne vers mon frère.

— Ils ont menti sur beaucoup de choses, Sams. Sur presque tout.

Je lâche sa main et passe mes doigts sur sa nuque. Aussitôt je trouve la légère grosseur sous sa peau.

— Tu vois, cette puce qu'ils t'ont implantée, c'est un autre de leurs mensonges. Ils s'en servent pour te tracer – mais ils peuvent aussi l'utiliser pour te faire du mal.

Ben s'agenouille à côté de moi.

— Il faut qu'on la retire, Nugget.

Sammy hoche la tête. Sa lèvre inférieure tremble et ses yeux s'emplissent de larmes.

— Oo-kay-ay…

— Tu vas devoir rester calme, sans bouger, d'accord ? je le préviens. Tu ne pourras ni crier, ni pleurer, ni gigoter. Tu crois que tu vas y arriver ?

Il répond d'un nouveau mouvement de tête, et une larme tombe de ses yeux sur mon bras. Je me relève, puis Ben et moi nous nous éloignons de quelques pas pour mettre notre stratégie au point.

Je lui montre l'impressionnant couteau de combat dérobé à l'armurerie, prenant garde à ce que Sammy ne le voie pas.

— On va se servir de ça.

Ben écarquille les yeux.

— Si tu le dis… mais j'allais plutôt utiliser ça.

Il sort un scalpel de sa poche.

— Tu as raison, c'est sûrement mieux.

— Tu veux le faire ?

— Je devrais. C'est mon frère.

Mais la pensée d'entailler la nuque de Sammy me fiche les boules.

— Je peux m'en occuper, propose Ben en voyant ma tête. Tu le tiens, et je lui retire l'implant.

— Alors, ta blouse, là, ce n'est pas un déguisement ? Tu as passé ton diplôme de médecin à l'université des aliens ?

Ben a un sourire amer.

— Fais en sorte qu'il reste bien immobile, que je ne l'entaille pas plus que nécessaire.

Nous rejoignons Sammy, qui s'est assis dos au mur. Il serre son ours en peluche contre lui et ses grands yeux sont emplis de peur. Je me tourne alors vers Ben pour murmurer :

— Si tu le blesses, Parish, je t'enfonce mon couteau droit dans le cœur.

Ben me fixe, stupéfait.

— Je ne lui ferai jamais de mal.

Je m'assieds, prends Sammy dans mes bras, puis cale son petit visage contre mes jambes. Ben s'accroupit. Je regarde sa main qui tient le scalpel. Elle tremble.

— Ça va, me chuchote Ben. Je t'assure. Empêche-le de bouger.

— Cassie… ! gémit Sammy.

— Chuuuut. Chuuut ! Reste calme. Ça ne sera pas long. Dépêche-toi, Ben.

Je tiens la tête de Sammy à deux mains. Quand Ben approche le scalpel, sa main se fait plus sûre.

— Hé, Nugget, tu es d'accord pour que je t'enlève d'abord le pendentif ?

Sammy hoche la tête et il dégrafe le fermoir. Le métal tinte dans sa paume. Je demande à Ben, étonnée :

— C'est à toi ?

— À ma sœur.

Ben enfouit la chaîne dans sa poche. À la façon dont il m'a répondu, je sais que sa sœur est morte.

Je tourne la tête. Dire qu'il y a une demi-heure environ, j'explosais le crâne d'un type avec mon arme, et maintenant je suis incapable de regarder quelqu'un faire une légère entaille. Sammy se crispe quand la lame tranche sa peau. Il me mord très fort la jambe pour éviter de crier. Vraiment très, très fort. Je m'efforce de demeurer immobile. Si je bouge, la main de Ben risque de déraper. Je couine :

— Dépêche-toi !

— Ça y est, je l'ai !

Le traceur couvert de sang adhère au bout de son doigt.

— Débarrasse-t'en.

Ben secoue la main, puis pose un pansement sur l'incision. Il a ce qu'il faut sur lui. Moi, j'ai mon couteau de combat.

— OK, c'est terminé, Sams. Tu peux arrêter de me mordre.

— Ça fait mal, Cassie !

— Je sais, je sais. (Je le relève et le serre fort dans mes bras.) Mais tu as été très brave.

— Oui, tu as vu.

Ben me tend la main pour m'aider à me redresser. Sa main gluante du sang de mon frère. Il enfouit le scalpel dans sa poche et reprend son pistolet.

— On ferait mieux d'y aller, dit-il avec calme, comme si nous risquions de rater le bus.

Nous revoilà dans le couloir principal. Sammy s'appuie contre mon flanc. Nous prenons le dernier virage, puis Ben se fige si soudainement que je trébuche dans son dos. Le tunnel résonne du bruit d'une douzaine de semi-automatiques qu'on arme, et j'entends une voix que je reconnaîtrais entre mille.

— Vous êtes en retard, Ben. Je vous attendais beaucoup plus tôt.

Une voix très profonde, dure comme l'acier.

## 85

ON M'ENLÈVE SAMMY POUR LA SECONDE FOIS. L'un des soldats – un Silencieux – l'emmène, sûrement dans la salle sécurisée pour être évacué avec tous les enfants. Un autre Silencieux nous entraîne Ben et moi dans la chambre d'exécution. La pièce avec le miroir et le fameux bouton. La pièce où des personnes innocentes sont branchées à des câbles et électrocutées. La pièce du sang et des mensonges.

— Savez-vous pourquoi nous allons gagner cette guerre ? nous demande Vosch une fois que nous sommes enfermés à l'intérieur. Pourquoi nous ne pouvons pas perdre ? Parce que nous savons comment vous pensez. Cela fait six mille ans que nous vous observons.

Quand les premières pyramides ont été construites dans le désert égyptien, nous vous observions. Quand César a brûlé la bibliothèque d'Alexandrie, nous vous observions. Quand vous avez crucifié ce charpentier juif, nous vous observions. Quand Christophe Colomb a posé le pied dans le Nouveau Monde... Quand vous avez entamé une guerre pour libérer vos semblables de l'esclavage... Quand vous avez appris à diviser l'atome... La première fois que vous vous êtes aventurés dans l'espace... Que faisions-nous ?

Ben ne le regarde pas. Pas plus que moi. Nous sommes tous les deux assis devant le miroir et contemplons nos reflets déformés dans le verre brisé. La pièce au-delà de la glace est plongée dans la pénombre. Je réponds :

— Vous nous observiez.

Vosch est installé devant l'ordinateur, à quelques dizaines de centimètres de moi. De l'autre côté se trouve Ben et, derrière nous, un Silencieux très bien bâti.

— Nous apprenions à connaître votre mode de pensée. C'est le secret de la victoire, comme le sergent Parish ici présent le sait déjà : comprendre comment pense votre ennemi. L'arrivée du ravitailleur n'était pas le début, mais le début de la fin. Et vous voilà, maintenant, au premier rang pour assister à cette fin. Vous allez avoir droit à un rapide coup d'œil sur le futur. Aimeriez-vous le découvrir ? Votre futur ? Voudriez-vous regarder jusqu'au fond de la tasse de l'humanité ?

Vosch presse un bouton sur le clavier. Les lumières de la salle au-delà du miroir s'allument.

Je vois un Silencieux à côté d'un siège où mon petit frère est ligoté. D'épais câbles sont reliés au crâne de Sammy.

— Voici le futur, chuchote Vosch. L'animal humain neutralisé, attaché. Sa mort au bout de nos doigts. Lorsque vous aurez terminé le travail que nous vous avons confié, nous utiliserons le bouton d'exécution, et votre déplorable gestion de la planète cessera enfin.

Je crie :

— Vous n'avez pas besoin de faire ça !

Le Silencieux à côté de moi plaque une main sur mon épaule et la serre, fort. Pas assez fort, cependant, pour m'empêcher de bondir de ma chaise.

— Il vous suffit de nous implanter et de nous connecter à Wonderland. Ça vous dira tout sur nous, non ? Tout ce que vous voulez savoir ! Vous n'avez pas besoin de le tuer…

— Cassie, intervient Ben avec douceur. De toute façon, il va le tuer.

— Vous ne devriez pas l'écouter, jeune demoiselle, réplique Vosch. Il est faible. Il l'a toujours été. Vous avez montré plus de courage et de détermination dans les heures précédentes que lui dans toute sa misérable vie.

D'un geste de la tête, il fait signe au Silencieux, qui me force à me rasseoir.

— Je vais vous « connecter », m'informe Vosch. Et je vais aussi tuer le sergent Parish. Mais vous pouvez sauver l'enfant. Pour ça, il vous suffit de m'avouer qui vous a aidée à pénétrer dans notre base.

— Vous ne pouvez pas le découvrir en me connectant ?

En même temps je songe qu'Evan est en vie. Mais peut-être pas, finalement. A-t-il été tué dans l'explosion ?

Pulvérisé comme tout le reste à la surface ? Vosch semble ignorer, tout comme moi, si Evan est mort ou vivant.

— Parce que quelqu'un vous a aidée, répond Vosch, dédaignant ma question. Et, à mon avis, ce n'est certainement pas M. Parish. Il s'agirait plutôt de quelqu'un… qui me ressemble, dirais-je. Quelqu'un qui saurait comment mettre en échec le programme Wonderland en cachant vos vrais souvenirs, comme nous l'avons fait durant des siècles pour nous cacher de vous.

Je secoue la tête. Putain, mais qu'est-ce qu'il raconte ? Des vrais souvenirs ?

— Les oiseaux sont le moyen le plus fréquent, continue Vosch.

D'un air absent, il fait courir son doigt au-dessus du bouton marqué : EXÉCUTION.

— Les chouettes. Durant la phase initiale, quand nous nous insérions en vous, nous nous sommes souvent servis de la mémoire-écran d'une chouette pour dissimuler notre intrusion à la mère enceinte.

Je chuchote :

— Je déteste les oiseaux.

Vosch sourit.

— Ce sont les animaux les plus utiles de cette planète. Il en existe de toutes sortes. Et la plupart sont considérés comme anodins. Ils sont si omniprésents qu'ils en deviennent quasiment invisibles. Vous savez qu'ils descendent des dinosaures ? Voilà une belle ironie à tout ça. Les dinosaures vous ont laissé la place, et maintenant, avec l'aide de leurs descendants, c'est vous qui allez libérer la place pour nous.

Je hurle, interrompant son sermon :

— Personne ne m'a aidée ! J'ai fait ça toute seule !

— Vraiment ? Dans ce cas comment se fait-il qu'à l'instant précis où vous tuiez le Dr Pam dans le hangar numéro un, deux de nos sentinelles aient été abattues, une autre éviscérée, et la quatrième jetée du haut de son mirador ?

— Je l'ignore. Moi, je suis juste venue chercher mon frère.

Son visage s'assombrit.

— Il n'y a vraiment aucun espoir pour vous, vous savez. Tous vos rêves et vos… fantasmes de nous battre sont inutiles.

J'ouvre la bouche, et les mots sortent sans que je puisse les en empêcher.

— Allez vous faire foutre !

Alors, il appuie très fort sur le bouton, comme s'il détestait ce bouton, comme si ce bouton avait un visage, celui d'un cafard doué de sensations, et que son doigt soit la botte qui l'écrase.

# 86

JE NE SAIS PAS CE QUE J'AI FAIT EN PREMIER. Je crois que j'ai hurlé. Je sais aussi que je me suis dégagée de la poigne du Silencieux pour me jeter sur Vosch avec l'intention de lui arracher les yeux. Mais je ne me souviens plus de ce que j'ai fait en premier : crié ou tenté de me ruer sur lui. Ben bondissant pour me retenir, ça, c'était après. Il a jeté ses bras autour de moi et m'a tirée en arrière parce que j'étais concentrée sur Vosch, sur ma haine. Je n'avais même pas regardé Sammy au-delà du miroir, mais Ben, lui, fixait le moniteur quand Vosch a pressé le bouton d'exécution.

L'écran s'est éteint.

Oops.

*Un problème, commandant Vosch ?*

Je pivote brusquement vers le miroir. Sam est toujours en vie. Il pleure toutes les larmes de son corps, mais il est en vie. À côté de moi, Vosch se lève si vite que son siège bascule et va s'écraser contre le mur.

— Il s'est infiltré dans le processeur central et a effacé le programme, lance-t-il à l'attention du Silencieux. Maintenant, il va couper le courant ! Gardez-les ici ! crie-t-il à l'attention de l'homme à côté de Sammy. Bloquez cette porte ! Personne ne bouge avant mon retour.

Il se précipite hors de la pièce. Le verrou est fermé. Impossible de sortir. Enfin si, il y a un chemin, celui que j'ai emprunté la première fois que je me suis introduite ici. Je jette un coup d'œil à la grille. *Oublie ça, Cassie. Il n'y a que toi et Ben contre deux Silencieux, et Ben est blessé. N'y pense même pas.*

Non, il y a moi, Ben, et *Evan* contre les Silencieux. Evan est en vie. Et dans ce cas, nous n'avons pas encore touché la fin – le fond de la tasse de l'humanité. Le talon de la botte n'a pas écrasé le cafard. Pas encore.

Et c'est à cet instant que je l'imagine se laisser tomber du plafond et culbuter à terre, tel le corps d'un véritable cafard, tout juste écrasé. Je l'observe chuter au ralenti, si lentement que je vois le léger rebond quand il touche le sol.

*Tu veux te comparer à un insecte, Cassie ?*

Je reporte mon regard vers la grille, où une ombre vacille, comme le battement des ailes d'un éphémère. Alors je chuchote à Ben :

— Celui qui est avec Sammy – je m'en occupe.

— Quoi ? murmure-t-il, stupéfait.

J'enfonce mon épaule dans l'estomac du Silencieux à côté de nous, le prenant par surprise. Il trébuche en arrière, sous la grille, cherche à retrouver son équilibre, mais déjà la balle tirée par Evan se loge dans son cerveau, le tuant aussitôt. J'attrape son arme avant qu'il s'effondre à terre pour saisir ma chance. Ma seule chance. Un tir à travers les débris de la vitre que j'ai explosée plus tôt. Si je manque mon coup, Sammy est mort. Le Silencieux à côté de lui se tourne vers moi à l'instant où je lui fais face.

Mais j'ai eu un excellent professeur. L'un des meilleurs tireurs d'élite du monde – voire de l'Univers. Ce n'est pas vraiment comme viser une boîte de conserve sur une barrière.

C'est beaucoup plus facile. La tête du garde est plus proche et bien plus grosse.

Je file libérer Sammy avant que le vigile touche terre. Je le fais passer à travers le trou. Ben nous regarde, contemple l'un après l'autre les deux Silencieux morts, puis l'arme dans ma main, visiblement décontenancé. Moi, je lève les yeux vers la grille. Je crie à son intention :

— Tout est OK !

Il frappe une fois sur le côté. Tout d'abord, je ne comprends pas, puis j'éclate de rire.

*Bon, on va établir un code pour toutes les fois où tu auras envie de t'approcher à pas de loup. Un coup, ça signifie que tu veux entrer.*

Je ris si fort, que j'en ai presque mal aux côtes.

— Oui, Evan. Tu peux entrer.

Je vais me pisser dessus de soulagement tant je suis heureuse que nous soyons tous en vie, et surtout *lui*.

Il se laisse tomber dans la pièce sur le bout des pieds, tel un chat. Je me jette aussitôt dans ses bras, tandis qu'il me murmure « je t'aime », en me caressant les cheveux, et en chuchotant mon prénom, puis ces mots : « Mon Éphémère. »

— Comment nous as-tu trouvés ?

Je savoure sa présence, me baignant dans sa chaleur, comme si je voyais ses yeux couleur de chocolat fondant pour la première fois, et que je sentais ses bras puissants et ses lèvres douces *pour la première fois.*

— Facile. Quelqu'un était là-haut, devant moi, et a laissé une traînée de sang.

— Cassie ?

C'est Sam, agrippé à Ben. Apparemment, pour l'heure, il semble plus à l'aise avec lui qu'avec moi. *Qui est ce garçon tombé des tuyaux et qu'est-ce qu'il fabrique avec ma sœur ?*

— Ce doit être Sammy, dit Evan.

— Oui, c'est Sammy. Oh, et voici...

— Ben Parish, complète Ben.

— Ben Parish ? Evan me fixe. *Le fameux Ben Parish ?*

Je poursuis, le visage en feu :

— Ben, je te présente Evan Walker.

J'ai à la fois envie de rire et de courir me planquer sous le comptoir.

— C'est ton petit copain ? demande Sammy.

Je ne sais pas quoi répondre. Ben a l'air complètement déboussolé, Evan très amusé, et Sammy plutôt curieux. En fin de compte, malgré tout ce qui s'est passé, c'est mon premier moment vraiment bizarre dans ce repaire d'extraterrestres. Je marmonne :

— C'est un copain du lycée.

Evan me corrige, puisqu'il paraît évident que j'ai perdu la tête.

— En fait, Sam, Ben est le copain de lycée de Cassie.

— Elle n'est pas ma copine, intervient Ben. Je veux dire, je me souviens vaguement d'elle...

Soudain, les paroles d'Evan semblent pénétrer son esprit.

— Comment sais-tu qui je suis ?

Je crie :

— Il n'en sait rien !

— Cassie m'a parlé de toi, lâche Evan.

Je lui fiche un coup de coude dans les côtes. Il me regarde, genre *Quoi ?*. J'implore Evan :

— Peut-être qu'on pourrait discuter de comment qui connaît qui plus tard. Pour l'instant, vous ne croyez pas qu'on ferait mieux de se barrer d'ici ?

— Tu as raison, répond Evan. Allons-y. (Il jette un coup d'œil à Ben.) Tu es blessé.

Ben hausse les épaules.

— J'ai juste quelques points de suture qui ont sauté. Ça va aller.

Je range le revolver du Silencieux dans mon étui, réalise que Ben aura besoin d'une arme, lui aussi, et me faufile par le trou dans le miroir pour aller récupérer celle de l'autre Silencieux. Quand je reviens, Ben et Evan s'observent en souriant, d'un air entendu. Je demande, d'un ton plus dur que je ne l'aurais souhaité :

— Qu'est-ce qu'on attend encore ?

Je pousse la chaise à côté du corps du Silencieux et d'un geste de la main, je désigne la grille.

— Evan, tu devrais passer en tête.

— On ne s'en va pas par là, réplique-t-il.

Il prend une carte magnétique dans la poche du Silencieux et la glisse dans la serrure. La minuscule lumière vire au vert.

— On sort d'ici comme ça ?

— Oui, comme ça, répond Evan.

Il vérifie d'abord le couloir, nous fait signe de le suivre, puis nous quittons la salle d'exécution. La porte se referme derrière nous. Le hall désert est d'un calme sinistre. Je chuchote, en retirant le pistolet de mon étui :

— Il a dit que tu allais couper le courant.

Evan lève devant lui un objet argenté qui ressemble à un téléphone à clapet.

— C'est ce que je vais faire. Maintenant.

Il presse un bouton et le corridor plonge dans l'obscurité. Je ne vois plus rien. De ma main libre, je tâtonne dans le noir, cherchant celle de Sammy. Au lieu de cela, je trouve celle de Ben. Il serre un instant ma main avant de la relâcher. Des petits doigts tirent sur mon pantalon. Je les saisis et rive cette main à ma ceinture.

— Ben, accroche-toi à moi, suggère Evan. Cassie, accroche-toi à Ben. On n'est plus très loin.

Je m'attends à ce que notre chenille humaine avance lentement dans la pénombre, mais au contraire, nous marchons d'un bon pas, trébuchant presque les uns sur les autres. Evan doit être capable de voir dans le noir, comme les chats. Très vite, nous approchons d'une porte. Enfin, je crois qu'il s'agit d'une porte. Sa surface est lisse, différente des murs de parpaings. Quelqu'un – Evan, je pense – pousse cette surface lisse et je sens un courant d'air frais.

— Un escalier ? je chuchote.

Sans vision aucune, je suis complètement désorientée, mais ça doit être l'escalier que j'ai emprunté quand je suis descendue.

— À mi-chemin, vous allez tomber sur des montagnes de gravats, explique Evan, mais vous devriez pouvoir passer quand même. Soyez prudents, c'est peut-être un peu instable. Quand vous serez arrivés en haut, filez vers le nord. Vous savez de quel côté se trouve le nord ?

— Oui, répond Ben. En tout cas, je sais me diriger.

— Comment ça, *quand vous serez en haut* ? Tu ne viens pas avec nous ?

Je sens sa main sur ma joue. Je comprends ce que cela veut dire, et je le repousse aussitôt.

— Tu viens avec nous, Evan !

— J'ai un truc à faire.

Dans l'obscurité, ma main cherche la sienne. Lorsque je la trouve, je la serre fort.

— C'est vrai. Tu dois venir avec nous.

— Je te retrouverai, Cassie. N'est-ce pas ce que je fais toujours ? Te retrouver ? Je…

— Evan, tu ignores si, cette fois, tu pourras me retrouver.

— Cassie.

Je n'aime pas la façon dont il prononce mon prénom. Sa voix est à la fois trop douce, trop triste… comme s'il me disait au revoir pour de bon.

— J'avais tort quand je prétendais que j'étais en même temps un Autre et un humain. C'est impossible, je le sais, à présent. Je dois faire un choix.

— Attendez une minute, intervient Ben. Cassie, ce mec est l'un d'entre Eux ?

— C'est compliqué, je réponds. On en discutera plus tard.

Je prends la main d'Evan entre les miennes et la plaque contre ma joue.

— Ne me laisse pas.

— C'est toi qui m'as quitté, tu as oublié ?

Il pose ses doigts sur mon cœur, comme si ce territoire pour lequel il s'est battu et qu'il a gagné à la régulière lui appartenait.

J'abandonne. De toute façon, que pourrais-je faire ? Le menacer de mon arme pour l'obliger à nous suivre ? *Il est allé si loin. Il saura accomplir le reste du chemin.* Je demande, en étreignant ses doigts :

— Qu'est-ce qu'il y a, au nord ?

— Je l'ignore. Mais c'est le chemin le plus rapide jusqu'au point le plus loin.

— Le point le plus loin de quoi ?

— D'ici. Attendez l'avion. Quand il décollera, courez. Ben, tu penses que tu es en état de courir ?

— Oui, sans problème.

— De courir vite ? insiste Evan.

— Oui.

Cela dit, il n'en a pas vraiment l'air convaincu.

— Attendez l'avion, répète Evan dans un murmure. N'oubliez pas.

Il m'embrasse très fort sur les lèvres, puis nous grimpons l'escalier, sans lui. Je sens le souffle chaud de Ben sur ma nuque.

— Je ne pige rien à ce qui se passe, lâche Ben. Qui est ce mec ? C'est un… un quoi, Cassie ? D'où il vient ? Et il va où, maintenant ?

— Je n'en suis pas sûre, mais je crois qu'il a trouvé l'arsenal.

*Quelqu'un était là-haut, devant moi, et a laissé une traînée de sang. Oh, mon Dieu, Evan. Je comprends pourquoi tu ne m'as rien dit.*

— Et il va faire sauter cette putain de base.

## 87

ON NE PEUT PAS DIRE que nous nous précipitons en haut de l'escalier pour filer vers la liberté. Au contraire, nous nous traînons quasiment, accrochés les uns aux autres, moi en tête, Ben fermant la marche, Sammy entre nous. L'espace est saturé de fines particules de poussière et, très vite, nous nous retrouvons tous en train de tousser, si fort que j'ai l'impression que les Silencieux vont nous entendre à trois kilomètres à la ronde. J'avance dans l'obscurité, une main tendue devant moi, et commente notre progression.

— Premier étage !

Un siècle plus tard, nous arrivons au second palier. Nous sommes presque à la moitié du chemin, mais nous n'avons pas encore atteint les décombres évoqués par Evan.

*Je dois faire un choix.*

Maintenant qu'il nous a quittés et que ça ne sert plus à rien, je trouve une dizaine de bonnes raisons pour l'inciter à rester avec nous. Mon meilleur argument est celui-ci :

*Tu n'auras pas le temps.*

Il faut – quoi ? – pas plus d'une minute ou deux entre l'activation de l'Œil et l'explosion. C'est à peine suffisant pour rejoindre les portes de l'arsenal. *OK, tu veux jouer les nobles et te sacrifier pour nous, mais, dans ce cas, ne me sors pas des trucs du genre :* je te retrouverai, *ce qui implique que tu sois toujours en vie après avoir fait surgir l'enfer.*

À moins que... Serait-il capable de déclencher les Yeux à distance ? Peut-être grâce à ce petit boîtier gris métallique qu'il trimbale avec lui...

*Non. S'il y avait la moindre possibilité, il serait venu avec nous et aurait activé les Yeux une fois que nous aurions été assez loin, en sécurité.*

Bordel ! Chaque fois que j'ai l'impression de comprendre Evan Walker, il disparaît. C'est comme si j'étais aveugle de naissance, et que j'essayais de visualiser un arc-en-ciel. Si ce que je redoute arrive réellement, le sentirais-je mourir, comme il a senti Lauren disparaître ? Comme un coup violent dans mon cœur ?

Nous avons presque atteint le troisième étage, quand ma main se pose sur des pierres. Je me tourne vers Ben et chuchote :

— Je vais voir si je peux escalader ça – espérons qu'il y ait un peu d'espace au sommet pour se faufiler.

Je lui tends mon fusil et m'agrippe aux pierres à deux mains. Je n'ai jamais été douée pour l'escalade – OK, je n'ai même aucune expérience –, mais ça ne devrait pas être trop difficile.

J'ai à peine gravi un mètre qu'un caillou glisse sous mon pied. Je me retrouve à terre, me cognant le menton au passage.

— Je vais essayer, propose Ben.

— Ne sois pas idiot. Tu es blessé.

— De toute façon, il faudra bien que je passe par là, moi aussi, fait-il remarquer.

Il a raison, évidemment. Je serre Sammy contre moi pendant que Ben escalade cette masse de gravats, de béton et de ferraille. Je l'entends grogner à chaque nouvelle prise. Quelque chose de mouillé me tombe sur le nez. Du sang. Je crie :

— Ça va ?

— Heu... définis « ça va ».

— J'aimerais savoir si tu n'es pas en train de te vider de ton sang.

— Dans ce cas, ça va. Enfin, à peu près.

*Il est faible*, a dit Vosch. Je me souviens du Ben qui se pavanait dans les couloirs du lycée, roulant des épaules, bombardant tout le monde de son sourire fulgurant, tel le maître de l'univers. Je ne l'aurais jamais qualifié de faible, à l'époque. Mais le Ben Parish que je connaissais est différent de celui qui se traîne là, en haut d'un immense tas de décombres – béton éclaté et tiges de métal tordues en tous sens. Ce nouveau Ben Parish a le regard d'un animal blessé. J'ignore ce qui lui est arrivé entre le moment où je l'ai vu, pour la dernière fois, dans le gymnase du lycée, et aujourd'hui, mais je sais que les Autres ont réussi à séparer le faible du fort.

Sa faiblesse a été balayée.

C'est là la faille dans le plan diabolique de Vosch : s'Ils ne nous tuent pas tous d'un coup, ce ne seront pas les faibles qui survivront.

Mais les forts, ceux qui ont dû plier, sans se rompre, comme les tiges de métal qui donnaient sa force à ce béton.

Inondations, incendies, tremblements de terre, pandémies, famines, trahisons, isolement, meurtres.

Ce qui ne nous tue pas nous rend plus forts. Nous éduque.

*De socs de charrues vous forgez des épées effilées, Vosch. Vous nous reconstruisez.*

*Nous sommes l'argile, et vous êtes Michel-Ange.*

*Et nous serons vos chefs-d'œuvre.*

---

## 88

JE CRIE À L'ATTENTION DE BEN :

— Alors ?

Plusieurs minutes sont passées et il n'est toujours pas redescendu.

— Il y a juste… assez… de place, je pense. (Sa voix semble étouffée.) Ça repart assez loin. Mais je vois de la lumière, là-bas devant.

— De la lumière ?

— Oui, comme de gros projecteurs, en fait. Et...

— Et quoi ?

— Et je suis sur un truc pas très stable, là. Je sens que ça glisse en dessous de moi.

Je m'agenouille, demande à Sammy de grimper sur mon dos et enroule ses bras autour de mon cou.

— Accroche-toi bien, Sams.

Il m'étrangle carrément.

— Aaah ! Pas si fort !

Quand je commence mon ascension, il approche sa bouche de mon oreille.

— Ne me laisse pas tomber, Cassie.

— Ne t'inquiète pas, Choupinou.

Il plaque sa joue contre mon dos, certain que je ne le laisserai pas tomber. Il a vécu une invasion extraterrestre, supporté Dieu sait quoi dans ce camp de la mort dirigé par Vosch et, malgré cela, mon petit frère croit toujours que tout se terminera bien.

*Il n'y a vraiment aucun espoir pour vous, vous savez,* a dit Vosch. J'ai déjà entendu ces paroles, prononcées par une autre voix, la mienne, aussi bien dans ma tente au milieu des bois, que sous la Buick sur l'autoroute.

*Sans espoir. Inutile. Vain.*

Si Vosch l'a dit, je le crois.

Dans la salle sécurisée, j'ai vu une mer infinie de petits visages. Si l'un d'entre eux me l'avait demandé, aurais-je avoué qu'il n'y avait plus aucun espoir, que tout était désormais vain ? Ou aurais-je répondu : *Grimpe sur mes épaules, je ne te laisserai pas tomber ?*

Agripper. S'accrocher. Tirer. Avancer le pied. Faire une pause.

Agripper. S'accrocher. Tirer. Avancer le pied. Faire une pause.

*Grimpe sur mes épaules. Je ne te laisserai pas tomber.*

---

# 89

---

QUAND J'ARRIVE ENFIN EN HAUT du tas de gravats, Ben agrippe mes poignets, mais, dans un souffle, je l'enjoins d'attraper d'abord Sammy. Je n'ai plus aucune force. Il saisit Sammy, et j'attends, haletante, qu'il revienne me prêter main-forte. Il me tire dans la brèche – légère ouverture entre le plafond et le haut de la montagne de débris. L'obscurité est moins intense, ici, et je remarque son visage couvert de poussière et d'égratignures.

— Droit devant, chuchote-t-il. À environ trois mètres.

Nous n'avons pas assez de place pour nous mettre debout, ni même nous asseoir : nous sommes allongés à plat ventre, presque nez à nez.

— Cassie, il n'y a… plus rien. Le camp entier a disparu. Juste… disparu.

J'acquiesce d'un hochement de tête. J'ai déjà vu de très près ce dont les Yeux sont capables. Je souffle :

— Il faut que je me repose un peu.

Sans même savoir pourquoi, je m'inquiète soudain de la fraîcheur de mon haleine. Depuis quand ne me suis-je pas brossé les dents ?

— Sams, ça va ?

— Oui.

— Et toi, tu es OK ? s'enquiert Ben.

— Définis OK.

— C'est une définition qui ne cesse de changer. Regarde, ils ont éclairé tout le coin.

— Et l'avion ?

— Il est là. Énorme, un de ces immenses avions-cargos.

— Il y a beaucoup d'enfants.

Nous rampons jusqu'à la barre de lumière qui suinte à travers la fissure entre les décombres et la surface. Notre avancée est difficile. Sammy commence à pleurnicher. Ses mains sont égratignées, et son corps contusionné par les monceaux de débris. Nous nous faufilons dans des passages tellement étroits que nous nous râpons le dos contre le plafond. À un moment, je reste coincée, et Ben a besoin de plusieurs minutes pour me libérer. La lumière repousse l'obscurité et se fait plus forte, si forte que je vois les particules de poussière tournoyer contre la toile de fond d'un noir d'encre.

— J'ai soif, pleurniche Sammy.

Je le rassure :

— On est presque arrivés. Tu vois la lumière ?

À la sortie du boyau de décombres, éclairée par de puissants projecteurs disposés à la hâte, j'aperçois la Vallée de la Mort – le même paysage désertique, en dix fois plus vaste, que le Camp des Cendres.

Et, au-dessus de nous, le ciel nocturne parsemé de drones. Des centaines de drones, planant sans bouger, leurs ventres gris brillant dans la lumière. En contrebas, plus loin sur ma droite, un énorme avion se tient, perpendiculaire à notre position : lorsqu'il décollera, il passera juste devant nous.

— Est-ce qu'ils ont commencé le... ?

Ben m'interrompt d'un geste de la main.

— Ils ont démarré les moteurs.

— Où se trouve le nord ?

— À deux heures, répond-il en m'indiquant la direction d'un doigt.

Son visage n'a plus aucune couleur. Il a la bouche légèrement entrouverte, comme un chien qui halète. Lorsqu'il se penche en avant pour observer l'avion, je remarque que tout le devant de sa chemise est trempé. Je demande :

— Tu pourras courir ?

— Il faudra bien.

Je me tourne vers Sammy.

— Une fois qu'on sera sortis de là, tu remontes sur mon dos, OK ?

— Je peux courir, Cassie, proteste Sammy. Je suis rapide, tu sais.

— Je le porterai, propose Ben.

— Ne sois pas ridicule !

— Je ne suis pas aussi faible que j'en ai l'air.

Il doit penser au discours de Vosch.

— Bien sûr que non. Mais si jamais tu te plantes avec lui, on est tous morts.

— *Idem* si c'est toi qui te casses la figure.

— C'est mon frère. Je le porte. De toute façon, tu es blessé et...

C'est tout ce qu'il pourra entendre. Le reste est assourdi par le vrombissement de l'avion qui vient dans notre direction, en prenant de la vitesse.

— C'est le moment ! crie Ben, sans que je capte un seul mot à cause du bruit.

Je dois me contenter de lire sur ses lèvres.

## 90

NOUS NOUS ACCROUPISSONS À L'OUVERTURE, recroquevillés sur nous-mêmes. L'air froid vibre au rythme du vacarme assourdissant des moteurs de l'avion. L'engin roule sur le terrain aride et passe à notre hauteur au moment où le train avant décolle. Au même instant retentit la première explosion.

*Mmm, peut-être un peu tôt, Evan.*

Alors que nous filons dans un sprint effréné – Sammy rebondissant dans mon dos –, le sol se soulève. Derrière nous, la cage d'escalier s'effondre sans un bruit, car tous les sons sont étouffés par le rugissement de l'avion. Le souffle des réacteurs me frappe de côté, et je trébuche, manquant de glisser. Ben me rattrape et me pousse en avant.

Soudain, j'ai l'impression d'être aéroportée. La terre enfle comme un ballon, puis se casse net. Le sol se fend en deux avec une telle violence, que j'ai peur que mes tympans aient explosé. Heureusement pour Sammy, je tombe sur la poitrine, mais le choc vide l'air de mes poumons. Je ne peux plus respirer. Je sens qu'on retire Sammy de mon dos, et je vois Ben le prendre sur son épaule. Je me relève. *Faible, moi ? Putain, non.*

Devant nous, le sol semble s'étirer à l'infini. Derrière, il est aspiré dans un gouffre noir, et ce gouffre nous poursuit au fur et à mesure qu'il s'agrandit, dévorant tout sur son passage. Un seul faux pas, et nous serions aspirés nous aussi – nos corps broyés en mille et un morceaux.

J'entends un bruit strident au-dessus de nous, un drone se crashe à une dizaine de mètres. Il explose à l'impact et se transforme en une méga grenade. Un millier d'éclats coupants comme des rasoirs déchiquettent mon T-shirt et s'enfoncent dans ma peau. Il y a un rythme à cette pluie de drones. D'abord, le cri de la banshee. Puis l'explosion, quand ils percutent le sol. La projection des débris. Nous filons à travers cette pluie mortelle, zigzaguant dans ce paysage sans vie, peu à peu broyé par l'immense gouffre affamé qui nous pourchasse.

J'ai un autre problème. Mon genou. Cette vieille blessure s'est réveillée, au point précis où un certain Silencieux m'a tiré dessus, sur l'autoroute. À chaque fois que mon pied touche le sol, une violente douleur me foudroie, et je boite. Je suis obligée de ralentir ma course. J'ai carrément l'impression qu'on me fracasse le genou à coups de massue.

Une faille apparaît soudain dans le terrain désertique devant nous. Elle s'agrandit et avance à toute vitesse, fonçant droit sur nous.

— Ben !

Comment pourrait-il m'entendre au milieu de tout ce vacarme apocalyptique, de la fulgurante explosion de tonnes de roche qui s'écroulent dans l'immense vide créé par les explosions des Yeux ?

Une ombre étrange progresse à toute allure dans notre direction. Sa forme se précise : c'est un Humvee, hérissé de mitrailleuses.

Ces bâtards sont carrément déterminés.

Ben le voit aussi, mais nous n'avons pas le choix. Nous ne pouvons ni nous arrêter ni retourner sur nos pas.

Ce putain de trou noir va les avaler eux aussi, je pense.

Et là, je tombe.

J'ignore pourquoi. Je ne me souviens pas de ma chute. J'étais en pleine course et, une seconde plus tard, je me retrouve face contre terre. Qu'est-ce que c'est que ce mur dans lequel j'ai l'impression d'avoir foncé ? Peut-être mon genou qui a lâché. Peut-être ai-je glissé dans mon propre sang. Quoi qu'il en soit, je suis affalée là et, sous moi, je sens la terre hurler tandis que l'immense gouffre s'écarte de plus belle. On dirait une créature dévorée vivante par un prédateur affamé.

J'essaie de me relever, mais la terre ne semble pas vouloir coopérer. Le sol se dérobe sous moi, je tombe de nouveau. Ben et Sam sont à quelques mètres devant, courant toujours, et je vois soudain le Humvee les rattraper à vive allure. Le véhicule ralentit à peine. La portière s'ouvre, un gamin maigrichon se penche, tendant la main à Ben.

Ben lui passe Sammy, le gamin hisse mon frère dans l'habitacle, puis tape violemment de la main sur la portière comme pour dire : *Dépêche, Parish, dépêche !*

Et là, au lieu de grimper dans le Humvee comme n'importe qui le ferait, Ben Parish se retourne et fonce vers moi.

D'un geste, je lui fais signe de foutre le camp.

*On n'a pas le temps. Pas le temps. Pas le temps. Pas le temps. Pas le temps. Pas le temps.*

Je sens le souffle de la bête sur mes jambes – chaud, chargé de poussières et de saletés –, et, tout à coup, le sol s'entrouvre entre Ben et moi.

Je commence à glisser dans le gouffre, loin de Ben, qui se jette illico à plat ventre au bord de la fissure pour éviter de disparaître avec moi dans la gueule du monstre. Nos mains se cherchent sans se trouver. Je glisse à nouveau – *Sauve-moi, Parish, sauve-moi !* À l'instant où je tombe, une main de fer saisit mon poignet.

Le visage de Ben est déformé par l'effort. Je vois sa bouche s'ouvrir, mais je ne comprends rien à ses cris. Ben s'arc-boute, me hissant comme il peut. Il agrippe mon poignet à deux mains, et tourne sur lui-même, comme un lanceur de poids, me projetant vers le Humvee. Je crois bien que mes pieds ont quitté le sol.

La portière s'ouvre. Une main m'attrape par le bras, me tire à l'intérieur du véhicule. Je me retrouve assise sur les genoux du gamin maigrichon, je remarque alors qu'il ne s'agit pas d'un garçon, mais d'une fille aux yeux sombres et aux longs cheveux noirs comme la nuit. Par-dessus son épaule j'aperçois Ben qui prend son élan pour sauter à l'arrière du Humvee, je n'ai pas le temps de voir s'il réussit son coup. Je suis soudain projetée contre la portière. Le conducteur vient de tourner violemment le volant sur la gauche pour esquiver la chute d'un drone. Il appuie à fond sur l'accélérateur.

À ce moment-là, le gouffre géant a englouti tous les projecteurs, mais c'est une nuit claire et je n'ai aucun mal à le voir rattraper le Humvee – sa gueule grande ouverte. Le conducteur, bien trop jeune pour avoir son permis, ne cesse de tourner le volant de droite à gauche pour éviter l'avalanche de drones qui dégringolent de toutes parts. L'un d'eux s'écrase juste devant nous. Nous n'avons pas le temps de faire un écart, nous fonçons droit sur l'explosion. Le pare-brise vole en éclats, nous aspergeant de verre brisé.

Les roues arrière dérapent, le véhicule cahote, puis bondit en avant. Nous ne sommes qu'à quelques mètres du gouffre. Je ne veux plus le regarder, alors je lève les yeux au ciel.

Là où le ravitailleur flotte en toute sérénité.

En dessous, disparaissant vers l'horizon, un autre drone. *Non, pas un drone.* La lumière laisse une trace brillante derrière elle.

Ça doit être une étoile filante. Son sillage étincelant est comme une chaîne d'argent qui la relie aux cieux.

---

## 91

---

AUX PRÉMICES DE L'AUBE, nous sommes à des kilomètres, installés sous le pont autoroutier. Le gamin aux grandes oreilles, qu'ils appellent Dumbo, est agenouillé à côté de Ben, et applique un bandage neuf sur sa blessure. Il s'est déjà occupé de Sammy et moi. Il nous a retiré des éclats de métal, a nettoyé nos plaies, nous a fait quelques points de suture et posé des pansements.

Il veut savoir ce que j'ai à la jambe. Je lui réponds qu'un requin m'a tiré dessus. Il ne réagit pas. Il n'a l'air ni confus, ni amusé, ni rien. Comme si se faire tirer dessus par un requin était une chose normale depuis que les Autres sont arrivés. Comme le fait de s'appeler Dumbo. Quand je lui ai demandé quel était son véritable prénom, il m'a dit que c'était... Dumbo. Ben, c'est Zombie. Sammy : Nugget. Dumbo : Dumbo. Il y a aussi Poundcake, un gamin à la jolie frimousse, qui ne parle pas beaucoup. J'ignore pourquoi. Et Teacup, une fillette guère plus âgée que Sam, qui paraît carrément à la masse et m'inquiète grave, parce qu'elle ne cesse de caresser et de cajoler son M16 qui contient un chargeur plein.

Et, enfin, la fille aux chouettes cheveux sombres, Ringer, qui doit avoir à peu près mon âge. Non seulement elle a de super cheveux noirs, raides et brillants, mais son teint est aussi parfait que celui des mannequins que vous voyez en couverture des magazines de mode, qui vous sourient d'un air arrogant pendant que vous patientez à la caisse du supermarché. Sauf que Ringer ne sourit pas plus que Poundcake ne parle. Peut-être qu'il lui manque des dents, qu'est-ce que j'en sais ?

En tout cas, je crois qu'elle a un truc avec Ben. Ils paraissent très proches. Quand nous sommes arrivés ici, ils ont passé beaucoup de temps à discuter. Non que je les espionnais, mais j'étais assez près d'eux pour entendre les mots *échecs, cercle* et *sourire*.

Puis Ben lui a demandé :

— Où est-ce que tu as chopé le Humvee ?

— J'ai eu de la chance. Ils ont transporté une tonne de matériel et de provisions dans une zone de transit, à environ deux bornes à l'ouest du camp, sûrement en prévision des explosions. Les lieux étaient sous surveillance, mais Poundcake et moi nous avions l'avantage.

— Tu n'aurais pas dû revenir, Ringer.

— Si je ne l'avais pas fait, on ne serait pas en train de discuter ensemble, à l'heure actuelle.

— Ce n'est pas ce que je voulais dire. Une fois que tu as vu le camp exploser, tu aurais dû repartir pour Dayton. Nous sommes peut-être les deux seules personnes à connaître la vérité sur la 5e Vague. C'est dingue !

— Tu y es bien retourné, toi, au camp, malgré le danger.

— C'est différent.

— Zombie, ne sois pas aussi stupide. Tu n'as pas encore compris ? À la minute où tu décides qu'une personne n'a plus d'importance, ils ont gagné.

Là, je suis d'accord avec Miss-peau-parfaite. Je serre Sammy sur mes genoux pour le réchauffer. Nous nous trouvons sur la pente qui surplombe l'autoroute abandonnée. Sous un ciel bondé d'un milliard d'étoiles. Peu m'importe que ces étoiles nous trouvent minuscules. Une seule d'entre elles, même la plus petite, la plus microscopique, la plus quelconque suffit à mon bonheur.

L'aube est presque là. Vous la sentez arriver. L'univers retient son souffle, parce qu'il n'est pas certain que le soleil se lèvera de nouveau. Qu'hier ait existé n'implique pas que demain viendra.

Qu'est-ce qu'Evan a dit ?

*La question n'est pas de savoir combien de temps nous serons là, mais ce que nous ferons de ce temps.*

Je chuchote :

— Éphémère.

Le surnom qu'il m'a donné.

Il est venu en moi. Il est venu en moi et moi en lui. Nous avons été ensemble dans un espace infini. Il n'existait aucune frontière entre nous. Où commençait l'un, où finissait l'autre ? Aucune frontière.

Sammy s'étire sur mes genoux. Il a fait un léger somme, maintenant il est réveillé.

— Cassie, pourquoi tu pleures ?

— Je ne pleure pas. Chut ! Rendors-toi.

Il m'effleure la joue.

— Si, tu pleures.

Quelqu'un s'approche. Ben. J'essuie très vite mes larmes. Avec précaution, puis en poussant un gémissement de douleur, Ben s'assied à côté de moi. Nous demeurons longtemps sans nous regarder. Nous contemplons au loin les reliques enflammées des drones tombés à terre. Nous écoutons le souffle du vent dans les branches nues. Sous nos semelles, nous sentons monter le froid de la Terre.

— Je voulais te remercier, dit-il.

— Pour quoi ?

— Pour m'avoir sauvé la vie.

Je hausse les épaules.

— Toi, tu m'as rattrapée quand je me suis cassé la gueule. On est quittes.

J'ai plusieurs pansements sur le visage, mes cheveux ont l'air d'avoir servi de nid à un oiseau, et je suis habillée comme un sac, mais Ben Parish se penche vers moi et m'embrasse. Oh, rien qu'un léger smack, moitié sur la joue, moitié sur les lèvres.

— Et ça, c'était pour quoi ? je couine de la voix de l'ancienne Cassie, la Cassie au visage envahi de taches de rousseur, aux cheveux frisottants et aux genoux cagneux, la fille ordinaire qui, chaque jour ordinaire, prenait le même ordinaire bus scolaire que lui.

Dans tous mes fantasmes sur notre premier baiser – et j'en ai eu des fantasmes, croyez-moi – je n'aurais jamais imaginé que ça se passerait comme ça. Notre baiser impliquait une pleine lune, ou du brouillard, ou une pleine lune et du brouillard, combinaison mystérieuse et romantique, et, au moins, un lieu approprié. Un clair de lune ou du brouillard à côté d'un lac ou d'une rivière : ça, au moins, ça aurait été top !

*Tu te souviens des bébés ?* je lui demandais dans mes fantasmes. Et il répondait toujours : *Oh oui, bien sûr. Les bébés !*

— Hé, Ben, tu te rappelles… Nous prenions le bus ensemble au collège, et un jour tu as annoncé que tu avais une petite sœur, et je t'ai répondu que Sammy venait juste de naître, lui aussi. Tu t'en souviens ? Que ta sœur et mon frère sont nés presque ensemble, je veux dire. Enfin, pas vraiment ensemble, sinon ils seraient jumeaux – ha ! ha ! –, mais à la même période. Pas exactement à la même période, non plus, d'ailleurs, mais à une semaine d'écart. Sammy et ta sœur. Les bébés.

— Désolé… de quoi tu parles ? Quels bébés ?

— T'inquiète, ce n'est pas important.

— Plus rien n'est important.

Je frissonne. Il doit le remarquer, parce qu'il passe son bras autour de moi et nous restons assis comme ça un long moment, moi enlaçant Sammy, et Ben m'enlaçant, et, tous les trois, nous regardons le soleil se lever à l'horizon et effacer les ténèbres dans un grand éclat de lumière dorée.

# REMERCIEMENTS

ÉCRIRE UN ROMAN est une expérience solitaire, mais voir son texte transformé en livre n'est pas l'affaire d'un seul homme, et je serai un véritable imbécile de m'accorder tout le mérite. Je dois énormément à l'équipe de Putnam pour son incommensurable enthousiasme qui n'a cessé de s'intensifier tout au long du projet – qui a dépassé toutes nos attentes. Mille mercis à Don Weisberg, Jennifer Besser, Shanta Newlin, David Briggs, Jennifer Loja, Paula Sadler et Sarah Hughes.

À certains moments, j'étais persuadé que mon éditrice, l'incroyable Arianne Lewin, envoyait un démon se pencher par-dessus mon épaule pour tester mon endurance afin de me pousser, comme le font tous les éditeurs formidables, jusqu'aux frontières obscures de mes capacités. Malgré la tonne de brouillons, les révisions sans fin et les changements à n'en plus compter, Ari n'a jamais perdu foi en mon manuscrit – ni en moi.

On devrait remettre une médaille à mon agent, Brian DeFiore (ou au moins un diplôme bien encadré) tant il sait gérer avec brio mes angoisses d'auteur. Brian est de cette rare race d'agents qui n'hésitent jamais à mettre les mains dans le cambouis, toujours désireux – je ne dirai pas impatient – de prêter une oreille, tendre la main, et lire la quatre cent soixante-dix-neuvième version d'un manuscrit qui ne cesse de changer. Il ne dira jamais qu'il est le meilleur, mais moi je le fais : Brian, tu es le meilleur.

Merci à Adam Schear pour sa formidable gestion des droits étrangers de ce roman, et à Matthew Snyder de CAA qui a su naviguer dans l'univers à la fois étrange, merveilleux et déconcertant du cinéma, et déployer avec une efficacité impressionnante ses mystérieux pouvoirs – avant même que le livre soit terminé. Si seulement, en tant qu'auteur, je possédais la moitié de son talent !

La famille d'un écrivain doit supporter un fardeau particulier durant la rédaction d'un livre. Parfois je me demande comment ils ont fait pour endurer tout cela, les longues nuits passées à travailler, les silences maussades, les regards perdus dans le vide, les réponses distraites à des questions qu'ils n'avaient jamais vraiment posées. Je dois un grand merci du fond du cœur à mon fils, Jake, d'avoir offert à son vieux père son regard d'adolescent, et surtout de m'avoir fourni le mot « chef » quand j'en avais le plus besoin.

Il n'existe personne au monde envers qui je suis plus redevable que ma femme, Sandy. C'est une de nos conversations nocturnes, emplie à la fois de moments d'hilarité et de peurs – comme la plupart de nos conversations nocturnes, –, qui a été la genèse de ce livre. Ça, et un curieux débat que nous avions eu quelques mois plus tôt, où nous avions comparé une invasion extraterrestre à une attaque de momies. Sandy est mon guide sans peur, ma critique la plus éminente, ma fan la plus farouche et ma défenderesse la plus acharnée. Elle est aussi ma meilleure amie.

J'ai perdu une amie et compagne très chère durant la rédaction de ce livre, ma fidèle chienne Casey, qui bravait tout, prenait d'assaut chaque plage sur son chemin et se battait pour chaque centimètre à mes côtés. Tu vas me manquer, Case.

En attendant de découvrir
le deuxième volet de **La 5ᵉ Vague**
en mai 2014...

Entrez
dans un
nouvel

avec d'autres romans
de la collection

www.facebook.com/collectionr

# Night School

## de C.J. Daugherty

### Tome 1

*Qui croire quand tout le monde vous ment ?*

Allie Sheridan déteste son lycée. Son grand frère a disparu. Et elle vient d'être arrêtée. Une énième fois. C'en est trop pour ses parents, qui l'envoient dans un internat au règlement quasi militaire. Contre toute attente, Allie s'y plaît. Elle se fait des amis et rencontre Carter, un garçon solitaire, aussi fascinant que difficile à apprivoiser… Mais l'école privée Cimmeria n'a vraiment rien d'ordinaire. L'établissement est fréquenté par un fascinant mélange de surdoués, de rebelles et d'enfants de millionnaires. Plus étrange, certains élèves sont recrutés par la très discrète « Night School », dont les dangereuses activités et les rituels nocturnes demeurent un mystère pour qui n'y participe pas. Allie en est convaincue : ses camarades, ses professeurs, et peut-être ses parents, lui cachent d'inavouables secrets. Elle devra vite choisir à qui se fier, et surtout qui aimer…

Le premier tome de la série découverte par le prestigieux éditeur de *Twilight*, *La Maison de la nuit*, *Nightshade* et Scott Westerfeld en Angleterre.

**Tome 2 : *Héritage***
**Tome 3 à paraître à partir de mi-2013**

# LES CENDRES DE L'OUBLI

## -Phœnix-

### Livre 1

#### de Carina Rozenfeld

*Elle a 18 ans, il en a 20. À eux deux ils forment le Phœnix, l'oiseau mythique qui renaît de ses cendres. Mais les deux amants ont été séparés et l'oubli de leurs vies antérieures les empêche d'être réunis...*

Anaïa a déménagé en Provence avec ses parents et y commence sa première année d'université. Passionnée de musique et de théâtre, elle mène une existence normale. Jusqu'à cette étrange série de rêves troublants dans lesquels un jeune homme lui parle et cette mystérieuse apparition de grains de beauté au creux de sa main gauche. Plus étrange encore : deux beaux garçons se comportent comme s'ils la connaissaient depuis toujours...

Bouleversée par ces événements, Anaïa devra comprendre qui elle est vraiment et souffler sur les braises mourantes de sa mémoire pour retrouver son âme sœur.

La nouvelle série envoûtante de Carina Rozenfeld, auteur jeunesse récompensé par de nombreux prix, dont le prestigieux prix des Incorruptibles en 2010 et 2011.

**Livre 2 : *Le Brasier des souvenirs***

de Myra Eljundir

SAISON 1

*C'est si bon d'être mauvais...*

À 19 ans, Kaleb Helgusson se découvre empathe : il se connecte à vos émotions pour vous manipuler. Il vous connaît mieux que vous-même. Et cela le rend irrésistible. Terriblement dangereux. Parce qu'on ne peut s'empêcher de l'aimer. À la folie. À la mort.

Sachez que ce qu'il vous fera, il n'en sera pas désolé. Ce don qu'il tient d'une lignée islandaise millénaire le grise. Même traqué comme une bête, il en veut toujours plus. Jusqu'au jour où sa propre puissance le dépasse et où tout bascule... Mais que peut-on contre le volcan qui vient de se réveiller ?

La première saison d'une trilogie qui, à l'instar de la série Dexter, offre aux jeunes adultes l'un de leurs fantasmes : être dans la peau du méchant.

Déconseillé aux âmes sensibles et aux moins de 15 ans.

**Saison 2 : *Abigail***

**Saison 3 à paraître en août 2013**

# PARALLON

de Dee Shulman

Tome 1

*Un gladiateur romain*
*Une jeune fille du XXI<sup>e</sup> siècle*
*Deux mille ans les séparent*
*Un mystérieux virus va les réunir...*

**152 après J.-C.**

Au sommet de sa gloire, Sethos Leontis, redoutable combattant de l'arène, est blessé et se retrouve aux portes de la mort.

**2012 après J.-C.**

Élève brillante mais rebelle, Eva a été placée dans une école pour surdoués. Un incident dans un laboratoire fait basculer sa vie à jamais.

Un lien extraordinaire va permettre à Sethos et Eva de se rencontrer, mais il risque aussi de le séparer, car la maladie qui les dévore n'est pas de celles qu'on soigne, et leur amour pourrait se révéler mortel...

*Leur passion survivra-t-elle à la collusion de deux mondes ?*

**Tome 2 à paraître en octobre 2013**

# LA SÉLECTION
### de Kiera Cass

*35 candidates, 1 couronne, la compétition de leur vie.*

Elles sont trente-cinq jeunes filles : la « Sélection » s'annonce comme l'opportunité de leur vie. L'unique chance pour elles de troquer un destin misérable contre un monde de paillettes. L'unique occasion d'habiter dans un palais et de conquérir le cœur du prince Maxon, l'héritier du trône. Mais pour America Singer, cette sélection relève plutôt du cauchemar. Cela signifie renoncer à son amour interdit avec Aspen, un soldat de la caste inférieure. Quitter sa famille. Entrer dans une compétition sans merci. Vivre jour et nuit sous l'œil des caméras... Puis America rencontre le Prince. Et tous les plans qu'elle avait échafaudés s'en trouvent bouleversés...

Le premier tome d'une trilogie pétillante, mêlant dystopie, télé-réalité et conte de fées moderne.

Bientôt adaptée en série TV par les réalisateurs de *The Vampire Diaries* !

### Tome 2 : *L'Élite*
### Tome 3 à paraître en avril 2014

# STARTERS

### de Lissa Price

*Vous rêvez d'une nouvelle jeunesse ?*
*Devenez quelqu'un d'autre !*

Dans un futur proche : après les ravages d'un virus mortel, seules ont survécu les populations très jeunes ou très âgées : les Starters et les Enders. Réduite à la misère, la jeune Callie, du haut de ses seize ans, tente de survivre dans la rue avec son petit frère. Elle prend alors une décision inimaginable : louer son corps à un mystérieux institut scientifique, la Banque des Corps. L'esprit d'une vieille femme en prend possession pour retrouver sa jeunesse perdue. Malheureusement, rien ne se déroule comme prévu… Et Callie prend bientôt conscience que son corps n'a été loué que dans un seul but : exécuter un sinistre plan qu'elle devra contrecarrer à tout prix !

Le premier volet du thriller dystopique phénomène aux États-Unis.

« Les lecteurs de *Hunger Games* vont adorer ! », Kami Garcia, auteur de la série best-seller, *16 Lunes*.

**Second volet *Enders***

## de Rae Carson

*Le Destin l'a choisie, elle est l'Élue, qu'elle le veuille ou non.*

Princesse d'Orovalle, Elisa est l'unique gardienne de la Pierre Sacrée. Bien qu'elle porte le joyau à son nombril, signe qu'elle a été choisie pour une destinée hors normes, Elisa a déçu les attentes de son peuple, qui ne voit en elle qu'une jeune fille paresseuse, inutile et enveloppée… Le jour de ses seize ans, son père la marie à un souverain de vingt ans son aîné. Elisa commence alors une nouvelle existence loin des siens, dans un royaume de dunes menacé par un ennemi sanguinaire prêt à tout pour s'emparer de sa Pierre Sacrée.

La nouvelle perle de l'*heroic fantasy*.

Le premier tome d'une trilogie « unique, intense… À lire absolument ! » (Veronica Roth, auteur de la trilogie *Divergent*).

**Tome 2 à paraître en juin 2013 : *La Couronne de flammes***

Retrouvez tout l'univers de
**La 5ᵉ Vague**
et sur le site dédié :
www.la5evague.fr
et sur la page Facebook de la collection R :
www.facebook.com/collectionr


Vous souhaitez être tenu(e) informé(e)
des prochaines parutions de la collection R
et recevoir notre newsletter ?

Écrivez-nous à l'adresse suivante,
en nous indiquant votre adresse e-mail :
servicepresse@robert-laffont.fr

*Composé par Nord Compo Multimédia*
*7, rue de Fives, 59650 Villeneuve-d'Ascq*

Cet ouvrage a été achevé d'imprimer en décembre 2013
dans les ateliers de Normandie Roto Impression s.a.s.
61250 Lonrai
Dépôt légal : mai 2013
N° d'édition : 53761/02 – N° d'impression : 134996
*Imprimé en France*